MELISSA

TOMO 1

# Irresistible Error

EDICIONES DÉJÀ VU

# Irresistible Error

TOMO 1

**Melissa Ibarra, 2024**
**Instagram: @kayurka.rhea**

**Editorial Déjà Vu, C.A.**
J-409173496
info@edicionesdejavu.com

**Dirección editorial**
Nacarid Portal
www.nacaridportal.com

**Diagramación**
Katherine Hoyer

**Ilustraciones**
Chriss Braund
Luciana Bertot

**Diseñador**
Elias Mejía
Katherine Hoyer

**Diseño de portada**
Elias Mejía

**Edición y corrección**
Altagracia Javier
Romina Godoy Contreras
Suhey Canosa
Deilimaris Palmar
Cristina Montilla

**ISBN: 9789801843214**
**Depósito legal:**

# DEDICATORIA

*Para aquellos que cometen errores y disfrutan de ellos, porque se convierten en equivocaciones irresistibles.*

*Espero que tu madre (y la mía) nunca lea este libro y descubra las partes intensas que hay en él.*

# 1

## ¿LO QUE PASA EN LAS VEGAS, SE QUEDA EN LAS VEGAS?

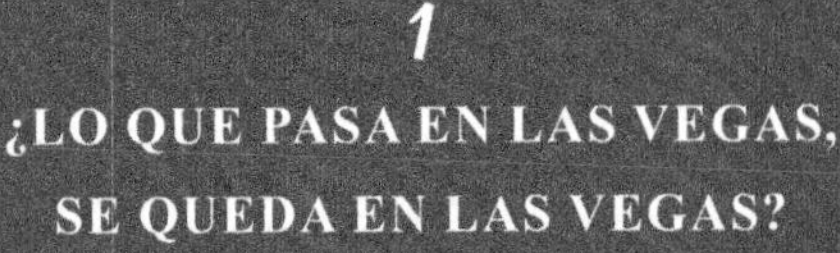

### *Leah*

—Debiste comprar esa tanga que decía *Spank me, daddy* con piedritas —dijo mi amiga echándose el cabello rubio hacia atrás.

—Creo que ese es más tu estilo, Edith. Yo soy una chica de encajes. —Ajusté el asa de la bolsa a mi hombro mientras salíamos de Victoria's Secret, situada dentro del Caesars Palace en Las Vegas.

—Con un poco de suerte alguien te las arrancará. —Sonrió con picardía.

—Jordan no está aquí para hacer tal cosa —me quejé, resentida porque mi novio no viajara con nosotros para festejar el cumpleaños de nuestro amigo.

—Lástima.

—Además, ¿por qué querría que alguien arruinara mis bragas?

—¡Porque son para eso! Dios, qué aburrida eres, amiga.

El viaje desde Washington fue largo y tedioso. Luego de una rápida y nada democrática charla, los chicos decidieron —exigieron— que el esperado viaje grupal para celebrar el cumpleaños de Ethan fuera en Las Vegas, la ciudad que nunca duerme.

Así que allí estaba yo, en medio de una ciudad ajetreada un sábado por la tarde, cansada, hambrienta, con unos amigos a los que se les fundía el cerebro apenas vislumbraban un casino y sin mi novio para rescatarme de esta desgracia. Odiaba que el padre de Jordan lo retuviera tanto con cosas de trabajo, era solo un fin de semana ausente. Aunque le insistí por teléfono e incluso le hice un sinfín de promesas para que no me dejara sola, dijo que le era imposible acompañarme porque debía atender *asuntos más importantes*.

Divisé a los chicos un par de metros más allá, congregados en La fuente de los dioses, mientras Alexander los capturaba con su cámara. Caer en cuenta de su presencia fue como notar el malestar de un corte cuya existencia habías olvidado. Era una compañía indeseable, no importaba cuánto se esforzara Edith en decir lo contrario. Habría dado todo por reemplazar al engreído de Alexander por Jordan. Al menos la compañía de mi novio no me generaría un retortijón en el estómago solo de verlo.

Aparté la mirada de él y continué con la charla pendiente que tenía con mi mejor amiga.

—No soy aburrida, solo tengo estándares. Me gusta que me traten como lo que soy: una *princesa* —declaré orgullosa.

—Sí, claro, pero no en el sexo. Eso es lamentable. Yo prefiero un tipo de trato más… rudo. ¿Y sabes quién creo que será bueno dando ese tipo de tratos? —Sus ojos azules se iluminaron con travesura.

—¿Cualquier hombre que sea un cretino maleducado?

—Alexander.

—Vaya, entonces no estoy tan equivocada con eso del cretino maleducado.

Edith no perdió la sonrisa. Entrelazó su brazo con el mío para caminar juntas hacia donde los chicos tenían su sesión de fotografía grupal, con Ethan en el centro por ser el cumpleañero.

—No es un cretino y no es maleducado; al contrario, una vez hasta me sostuvo la puerta de la cafetería mientras salía.

—Por Dios, qué galán. Denle un premio al caballero del año —ironicé.

—No es tan malo como parece, y está buenísimo, ¿a que sí? ¡No puedes negarlo!

Negué con la cabeza, reacia a analizarlo más de la cuenta. Al compartir amistades, nuestra convivencia era inevitable, pero no había nada en él que fuera de mi agrado. Desde su mirada penetrante que me ponía los vellos de punta, hasta el humor ácido que usaba siempre para ofender a los demás con una rancia broma sin gracia. Nuestras familias no se toleraban, y aunque no conocía del todo las razones, Alexander ofrecía un destello de los motivos por los que mantenerse lejos de los Colbourn era la opción más lógica.

—Tienes malos gustos en los hombres, eso no te lo puedo negar —seguí con la conversación.

—Tengo un gusto exquisito, precisamente por eso voy a follármelo en este viaje y tú vas a ayudarme.

Detuve mi andar en seco a escasos metros de los chicos.

—¿Yo? —cuestioné alterada, apuñalándome

el pecho con el dedo—. ¿Y qué quieres que haga? ¿Que monte guardia en la puerta de la habitación mientras te lo coges para que nadie los interrumpa?

—Shhh —me mandó a callar soltándose de mi brazo—. No te estoy pidiendo que nos supervises mientras lo hacemos, solo que te asegures de que no nos interrumpan mientras estamos en eso. Los chicos son unos imprudentes y no quiero perder esta oportunidad.

—¿Pero por qué él? —inquirí con desdén—. Ese chico ni siquiera está a tu altura.

Se mordió el labio con coquetería.

—No quiero que esté a mi altura, más bien quiero que esté de rodillas a la altura de mi…

—¡Edith!

—¡¿Qué?! He escuchado que es bueno en eso.

Puse los ojos en blanco.

—También he escuchado que no besa a las chicas con las que se acuesta —susurró.

—Tendrá herpes.

Mi amiga soltó una risotada.

—No creo que sea eso, aunque no importa, no necesito que me bese para que me dé lo que quiero.

Negué impresionada por su crudeza y se detuvo frente a mí.

—Leah, tienes veintidós años, no sesenta, deja de actuar como una anciana amargada.

—No soy amargada, solo prefiero mantenerme con clase. —Alcé la barbilla con orgullo y Edith rio.

—A eso me refiero. Intentas siempre ser tan perfecta y eso también es aburrido. Vive un poco, doña Prudencia, anda. —Me dio un empujón en el hombro—. Estamos en Las Vegas, disfruta, comete alguna locura y haz algo que no harías normalmente.

Enarqué una ceja, sintiendo un leve cosquilleo de curiosidad asaltándome.

—¿Cómo qué?

—No lo sé. —Abrió los brazos, como si estuviera mostrando el mundo de posibilidades que teníamos por delante—. Baila en medio de la calle, canta o…

—¿Podrías pensar en algo que no me deje en ridículo, por favor? —pedí aguantando la risa.

—Intenta hablar con Alexander, por ejemplo —sugirió e hice una mueca de repulsión—. Tal vez así te darías cuenta de que no es un cretino maleducado.

—Pero lo es.

La rubia enarcó las cejas para enfatizar mi actitud.

—También puedes bailar con algún tipo o hablar...

—Eso es engañar. —Me llevé una mano al pecho, escandalizada.

—No te estoy diciendo que te lo folles, solo que conozcas gente nueva, tal vez alguien podría sorprenderte.

Resoplé, fastidiada.

—Bien, intentaré hacer alguna locura y me divertiré, ¿contenta?

Volvió a colgarse de mi brazo para llegar hasta los chicos que estaban plantados frente a la estatuilla de un romano.

—Mucho. Será un viaje memorable, ya lo verás.

Decidí creerle y cuando alcanzamos a los demás, me solté un poco, sonreí más y dejé que Alexander capturara las fotografías del grupo sin rechistar.

La noche alcanzó su cúspide mientras reía feliz sacudiendo mis caderas al son de la música y movía mis hombros inclinándome hacia Edith, que también bailaba con alegría. El club estaba a reventar; el aire acondicionado no era suficiente y sentía mi pecho y la parte trasera de mi espalda mojados por la transpiración. Los chicos alzaban a Ethan por los aires en su euforia, quien sacudía una botella de champagne bañándolos a todos de licor y luciendo tan ebrio como yo.

Me moví enérgica siguiendo las notas de la canción. Los altos tacones, junto al ajustado vestido negro, ya no me molestaban en lo más mínimo; la música estimulaba mis sentidos y el alcohol en mi sistema me hacía más valiente y menos reticente, mientras que la preocupación por mantener las apariencias se desvanecía con cada trago que tomaba. Miré a Edith bailar abrazada de otro chico que no reconocí y puse los ojos en blanco cuando comenzó a besarlo sin remordimientos. Adiós a su plan de follarse al chico Colbourn.

Bebí lo último de mi trago y me dispuse a volver a la mesa para servir uno nuevo, pero en mi estupor provocado por todo lo que había tomado, trastabillé y choqué con alguien que detuvo mi estrepitosa caída.

—Lo siento. —Levanté la vista y observé a Alexander, pero estaba tan ebria y mareada por las luces, que no registré la expresión en su rostro.

Hubo una pausa extraña, mi corazón latía errático, quizá por la inminencia de la caída que no llegó o tal vez por algo más. Pensé en decir algo inteligente, aunque nada acudió a mi boca. Con la poca lucidez que conservaba, di un paso con la intención de retirarme, pero sus fuertes manos apresaron mi cintura impidiendo mi digna huida. Una alarma se encendió detrás de mi cabeza, apenas audible por la música y por lo rápido que la sangre corría en mis oídos en esta nueva posición, tan cerca de él que podía sentir la firmeza de su cuerpo en todo su esplendor.

Lo habría alejado si no hubiese estado tan borracha, y a juzgar por sus movimientos, él lo estaba también. Genial, teníamos que estar en este nivel de embriaguez para estar cerca del otro sin matarnos. La voz de Edith instándome a hacer algo que jamás creí posible canturreó como un mantra en mi cabeza, así que ignoré mi sentido común y coloqué mis manos sobre su pecho, moviendo mis caderas suavemente solo para disfrutar de nuestro contacto.

Había un deje de excitación en hacer algo que no debería, en romper las reglas por primera vez en la vida y actuar en contra de todo aquello que yo creía era lo correcto. Claro que no iba a engañar a mi novio, pero estar ahí, bailando con alguien que estaba prohibido, despertaba en mí una especie de vitalidad que no conocía. A esto se refería Edith con hacer locuras, ¿no?

«¿A quién llamas señora cobarde de sesenta, eh?», recalcó orgullosa mi conciencia como si mi amiga pudiera escucharla.

—Eres una mentirosa —me dijo al oído, pero fue tan rápido que creí escuchar mal.

—¿Qué? —pregunté sin dejar de moverme junto a él; su perfume me llenaba y su presencia me envolvía.

El costado de su boca se levantó en un *rictus* malicioso y una nueva ola de colonia especiada me golpeó cuando se acercó de nuevo para hablarme al oído.

—Creí que no te agradaba, pero mírate, estás aquí.

Enganché sus ojos con los míos cuando se irguió de nuevo y posó sus manos en mi cintura para pegarme a su cuerpo con decisión, sin ninguna posibilidad de escape. Y quizá no quería huir de él, no esta vez.

Fue mi turno para acercarme, y la tensión en sus hombros se hizo palpable ante mi cercanía.

—¿Es tan malo romper las reglas de vez en cuando? —Dejé una caricia fugaz en su oreja con mis labios mientras hablaba, y el tranquilo azul de sus ojos se transformó en una tormenta que me atrapó cuando los divisé.

No dijo nada, pero continuó apresándome en los confines de su cuerpo mientras bailábamos las notas de *No Lie*. Alexander desprendía magnetismo, una especie de electricidad que te avivaba y te arrastraba hacia él. La piel de mi espalda se erizó al sentir sus manos rozar mi desnudez justo allí, el contacto nuevo e incitante. Estábamos tan cerca que podía notar los colores que adoptaban sus ojos con los cambios de luz: morado, verde, rojo, azul. Era una obra digna de admirar.

Me giró de pronto, pegó mi espalda a su pecho y me sentí engullida por él, aunque toda protesta murió en mi garganta al percibir su aliento contra la curvatura de mi cuello, sus caderas rozando las mías como un hombre que sabía exactamente lo que hacía. Mi cabeza comenzó a sentirse más ligera, mi cintura más suelta y mi entrepierna más caliente con cada suave balanceo de sus caderas contra las mías. El calor que sentía ya no provenía del atestado ambiente, sino que manaba desde dentro, irradiando de mi cuerpo. Aquello estaba sucediendo demasiado rápido y mi cabeza no tenía la conciencia para procesarlo ni la voluntad suficiente para detenerlo.

—¿Sabes? Hay una tradición inglesa que involucra a las mentirosas. —Su voz grave crispó mi cuerpo.

—¿Es una especie de castigo por mentir? —me atreví a preguntar y su risa baja me hizo vibrar como si estuviera en medio de un terremoto.

—¿Segura que quieres saber cuál es la tradición? —Su tono fue una advertencia clara que alimentó mi curiosidad.

Hubo una pausa, todo lo que sentía era mi corazón latiendo como si estuviera en medio de un maratón y la calidez de su piel contra la mía.

—¿Por qué no nos vamos de aquí? —sugirió de pronto.

Todo el encanto se desvaneció y me congelé en el lugar por un instante. Me giré solo un poco entre sus brazos para ver su perfil. ¿Era una broma?

—Se nos está haciendo tarde.

—¿Para qué? —cuestioné.

—Para mostrarte qué es lo que les ocurre a las personas que mienten y niegan sus deseos. —Su voz era una invitación, una oscura e incitante. Y una completa locura.

Los engranajes de mi cerebro dejaron de funcionar tras su propuesta; una vocecilla me susurraba que no era lo correcto mientras la otra me gritaba que me fuera con él, tomara el riesgo y, por una noche, dejara de ser la Leah McCartney perfecta que todos conocían.

Dibujó una sonrisa que adoptó una sombra maliciosa cuando la luz azul del club iluminó su bien hecho perfil.

—¿Te da miedo descubrir que no soy tan malo como crees? ¿O es que temes sentir algo más que odio por mí al final de la noche, McCartney?

*Okay*, el alcohol tal vez comenzaba a joderme la cabeza, porque no podía parecerme atractivo. No. Podía. Ser. El tiempo se detuvo, la música pasó a

LAS

segundo plano y lo único que percibí fue el desbocado latir de mi corazón indeciso. Quería, realmente quería hacer esta locura, pero…

—¿Qué pensarán los chicos si se enteran? —me inquieté.

Se volverían locos de saber que me fui con él.

—¿Nunca has escuchado que lo que pasa en Las Vegas se queda en Las Vegas? —dijo con tono sugerente, bajo y seductor—. Mantengámoslo así.

«Nadie se enterará. ¿Qué es lo peor que puede pasar? Serán solo un par de besos y toqueteos que ninguno de los dos recordará por la mañana. ¡Anda ya!», insistió la vocecilla, y por más que lo intenté, no logré apagarla.

Me giré, impulsada por mi valentía desmedida, y le sonreí llena de anticipación antes de asentir, tomar su mano y salir del club.

—¿A dónde vamos? —pregunté con la excitación revoloteando en mi estómago.

Se detuvo por un momento y me miró con el amago de una sonrisa.

—A darte la mejor noche de tu vida.

*Santa madre de...*

Un latigazo de dolor me recorrió de la cabeza a los pies. Mis hombros dolían. Mis piernas dolían. Diablos, incluso me sentía dolorida en lugares donde no tendría por qué sentir dolor. Me removí con pesadez en la cama y fui invadida por otro coletazo de malestar en toda mi anatomía. ¿Qué pasó ayer?

Cerré los ojos para que la molesta luz del sol no interrumpiera las horas de sueño que tanta falta me hacían. ¿Por qué Sara o Edith no cerraron las cortinas? Sentía los párpados pesados y la boca seca, como si mi lengua estuviera hecha de cartón.

Lentamente, abrí un ojo para obligar a mi cuerpo a despertarse. Necesitaba cerrar esas cortinas para volver a dormir. Y orinar…, también orinar. Mi cerebro registró algo cálido junto a mi brazo y asumí que alguna de las chicas se había quedado dormida en mi cama. De a poco, fui más consciente de mis alrededores y, cuando abrí ambos ojos, me di cuenta de que ese techo con una textura en relieve y un horrible color crema no era del hotel donde nos hospedábamos.

Entonces, tres cosas ocurrieron a la vez: primero, me incorporé en la cama de un salto, apoyándome en mis codos; segundo, caí en cuenta de que ese lugar no era mi habitación de hotel; tercero, y lo más aterrador, no dormía sola.

Lo miré junto a mí en la cama y mi corazón dio un salto al tiempo que mi trasero impactaba contra el duro piso de azulejo por la impresión, llevándome la sábana que cubría mi desnudez. ¡Desnuda! ¡Estaba desnuda! «Oh, Dios, ¿qué hice?», me pregunté una y otra vez, con un terrible dolor lacerando mi cabeza. Pensé que me desmayaría en ese momento. Carajo, creí que me daría un infarto allí mismo.

El extraño descansaba sobre su estómago y dormía plácidamente con la mitad de la cara escondida en la almohada, por lo que desde mi posición no podía verle el rostro.

Deseé que la tierra me tragara y me escupiera en el infierno, donde debería estar. Los recuerdos de la noche anterior eran una masa difusa e inconexa. No tenía idea de cómo había terminado ahí, mucho menos quién era el tipo que me acompañaba en la cama. Hice un esfuerzo por juntar las piezas del disparatado rompecabezas que era mi memoria, pero fui recompensada con una punzada de dolor.

Me incorporé, todavía constriñendo la sábana para cubrir mi cuerpo y mi culpa, sobre todo la culpa. Aun en mi letargo creado por los efectos de la resaca, reparé en más detalles de la habitación: no necesitaba ser una experta en decoración para saber que no estaba en el mejor hotel de Las Vegas, sobre todo con el desastre que nos rodeaba.

La ropa estaba por todos lados, como víctimas de un frenesí en una masacre de prendas, y no todas eran mías, a juzgar por los pantalones y el esbozo de una camisa azul oscuro en una esquina. Pero lo peor, oh, lo peor eran los condones *usados* visibles sobre el piso, como un sórdido recordatorio de mi traición hacia Jordan. Tres recordatorios tan reales y contundentes como el sol que iluminaba el día.

«¿Cómo pude hacerle algo así?», me reprendí, furiosa conmigo por haber bebido lo suficiente para no pensar. ¿Y quién era el idiota que me había traído a ese horrible lugar?

Rodeé la cama para verle el rostro a quien me había ayudado a perpetrar mi terrible traición, pero terminé tropezando cuando por fin puse un nombre en aquella cara. Iba a morir de un paro cardíaco, no tenía duda.

Alexander Colbourn dormía sobre la cama, con la respiración acompasada por el profundo sueño y con un par de mechones ondulados cubriendo su frente.

«Por favor, tierra, trágame ahora».

Joan Collins
DRIVE
LAS VEGAS

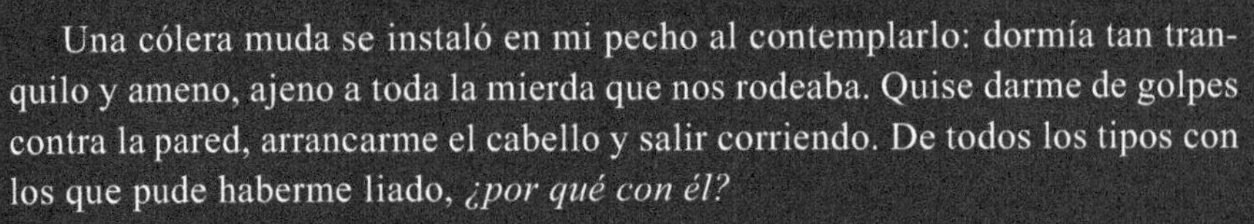

# 2
## RUDO DESPERTAR

*Leah*

Una cólera muda se instaló en mi pecho al contemplarlo: dormía tan tranquilo y ameno, ajeno a toda la mierda que nos rodeaba. Quise darme de golpes contra la pared, arrancarme el cabello y salir corriendo. De todos los tipos con los que pude haberme liado, *¿por qué con él?*

Solté un jadeo de enojo y me dispuse a despertarlo, porque iba a escucharme.

—Oye, despierta. —Le lancé un cojín que yacía sobre el suelo directo al rostro, sin provocar ninguna reacción—. ¡Despierta! —insistí golpeándolo, esta vez en su espalda desnuda, sin que nada pasara.

«Con un demonio, solo falta que esté inconsciente o peor, muerto». Un escalofrío me recorrió la columna porque si eso sucedía, si ese idiota con cuerpo de infarto y actitud de mierda llegaba a morir, entonces yo dejaría de ser la víctima para convertirme en la agresora. Era muy joven para ver mis preciosas bolsas Hermès desde las rejas de una prisión. Acallé las ideas disparatadas de mi mente y me compuse lo mejor que pude. Me acerqué y le toqué el hombro como si fuese radioactivo.

—¡Despierta! ¡No te puedes morir sin que antes te mate yo! —Lo sacudí con ahínco hasta que frunció el ceño y me dio un manotazo para alejarme.

—Cierra las ventanas, hay una mosca molestando…

Abrí la boca, indignada.

—¡No soy ninguna mosca! —Le asesté otro golpe en la espalda con el cojín.

—No molestes —susurró somnoliento y cambió de posición en la cama para seguir descansando, ignorándome. La vil rata.

—*¿Disculpa?* —Estaba cada vez más furiosa—. He dicho que te levantes, ¡ahora!

—Déjame dormir... —masculló—. Si quieres irte, hay dinero en mi cartera para un taxi —habló más claro y juro que en ese momento mis pelos se pusieron de punta por la rabia que me asaltó y me recorrió como fuego.

—¡Maldito imbécil! ¡Levántate ahora mismo! No puedo creer que me hayas alcoholizado para traerme aquí. Sabía que había algo mal contigo, pero jamás pensé...

Mi letanía se interrumpió cuando se incorporó con pereza y recargó su espalda contra la fea cabecera. Parecía tan jodido como yo me sentía. Se frotó el rostro para espabilarse y observó sus alrededores. Sus ojos azules se abrieron desmesurados al reparar en mí y se retiró el cabello claro de la cara como si buscara cerciorarse de que yo era real y no un sueño. Para su desgracia, no era un sueño, era una pesadilla; *mi* peor pesadilla.

—¿Leah? —Parecía pasmado por la impresión.

—La misma, para tu mala suerte.

—¿Pero qué...? Pensé que eras... —titubeó y alcé ambas cejas—. Olvídalo, no importa.

—¿Pensaste qué? —lo reté—. Anda, dilo —insistí y se rascó el cuello desviando la mirada—. No sé con qué tipo de chicas sueles enredarte y tampoco me importa, pero no soy como ellas, merezco respeto.

Alcé la barbilla, negándome a sucumbir ante mis emociones, decidida a mantener el control.

—Todos merecemos respeto, no te creas tan importante solo por cagar oro —espetó severo. Me mantuve imperturbable ante su tonta lección de moralidad y se dio por vencido—. Como sea.

—No, no te hagas el idiota conmigo —le advertí—. Sé perfectamente lo que hiciste y no vas a salir impune de todo esto, maldito enfermo.

Me miró sin comprender mientras yo ceñía con más fuerza la sábana contra mi cuerpo, muy consciente de mi desnudez.

—¿Yo? Ni siquiera recuerdo cómo terminé aquí, mucho menos contigo. —Me lanzó una mirada gélida—. Así que no te des tanta importancia.

—¿Cómo que no lo recuerdas? ¡Si tú eres el culpable!

—Tranquila, fiera. —Posó una mano al frente para apaciguarme—. Guarda esos colmillos, yo no soy ningún domador de bestias, así que cálmate de una vez.

Tensé la mandíbula luchando por mantenerme templada, pero él me hacía explotar como dinamita con solo hablar.

—¡Pero yo...!

—Escucha, cualquier cosa que haya pasado, *claramente* no lo hice solo, así que baja de tu pedestal de princesita inmaculada, por favor.

—Claro que sí fuiste tú, tú lo iniciaste, eso seguro.

—¿Por qué tendría que hacerlo yo? —se quejó.

—Porque eres el más imbécil de los dos.

—Vaya, al menos por fin aceptas que tú también eres imbécil —apuntó mordaz.

Recité todas las palabras al azar que mi mente evocó para no ahorcarlo con la sábana. La bilis subió por mi garganta al reparar en lo que había hecho con este tipo. La imagen se presentó ante mí, nítida y dolorosa: habíamos follado. No, yo no quería hacerlo, ¿o sí? ¿Quería? ¡No, imposible! Pero, como si fuera un mal chiste, mi conciencia evocó el recuerdo de la discoteca, donde yo aceptaba feliz irme con él.

—Qué pesadilla hacerlo contigo —solté con acidez cuando el recuerdo permaneció en mi mente.

Nos mantuvimos en silencio hasta que el sonido de una risita burlona inundó mis oídos.

—¿Pero la extrañas?

—¿Qué cosa?

—La vara que logré sacarte del culo, la que te hace ser tan rígida todo el tiempo —bromeó en un tono juguetón que terminó con mi paciencia.

—¡Yo no quería! ¡Yo no quería hacerlo contigo!

—¿Y tú crees que yo sí? —Se señaló al tiempo que alzaba la voz una octava.

—¡Estaba ebria!

—¡Yo también! —se defendió—. ¿O crees que de otra manera habría siquiera pensado en acercarme a ti? Por Dios, yo no jodo con el diablo, valoro demasiado mi vida.

Inspiré con pesadez, con la ira corriendo por mis venas como lava.

—Mira el lado bueno, McCartney, ahora al menos podrás enseñarle a Jordan nuevos trucos en la cama. —Me dedicó una sonrisa ladina llena de maldad.

—Miserable excusa de un hombre —ladré colérica y le lancé el mismo cojín, pero solo sirvió para que riera con más ganas—. Jódete, Colbourn.

Recostó su cabeza entre el montón de almohadas y flexionó sus brazos en la nuca.

—Lo haría, pero creo que tú te adelantaste y lo hiciste por mí. ¿Es tu forma de decir que quieres repetir?

Quise gritar de exasperación. ¿Cómo podía estar tan tranquilo luego de haberse follado a la novia de su mejor amigo? ¡¿Cómo era que la conciencia no le remordía?! Ya, claro, esperaba demasiado de alguien que no tenía tal cosa y que tampoco contaba con un ápice de decencia.

Indignada, me dirigí a lo que asumí era el baño para lavarme, porque no soportaría por más tiempo la idea de saber que él lo había visto, tocado, explorado y...

Azoté la puerta para dejar claro mi humor, pero volví a abrirla al segundo para tomar el sostén que colgaba del pomo y la cerré otra vez el doble de fuerte. Hice un esfuerzo descomunal por ignorar el espejo que había sobre el feo lavabo, de un lila chillón, pero mi reflejo me regresaba la mirada con desdén, juzgándome más que nadie.

Tenía el rímel corrido, mi piel estaba más pálida de lo normal y mis labios resaltaban en comparación, rojos e hinchados, sin rastro de labial. Cuando bajé más la vista por mi cuerpo, me percaté de las inconfundibles marcas rojas estampadas en mi cuello, clavícula... Retiré la sábana para contemplarme desnuda y tragué grueso. También había marcas adornando el inicio de mis pechos e impresas en lugares donde ni siquiera sabía que podían dejarse marcas. Me cubrí la cara con las manos, sintiéndome el peor ser humano del mundo. Culpable, irresponsable e infiel.

Todo esto era culpa de Edith, quien había plantado en mi estúpido cerebro la idea de hacer algo con aquel tipo por mera diversión, mera curiosidad. Ni siquiera recordaba mucho de lo que había pasado la noche anterior. No tenía idea de cómo llegué allí, ni de lo que hice con Alexander, ni...

Me detuve. No era momento de lloriquear, menos frente a ese ser insoportable. Entré en la regadera y me di un baño. Froté mi cuerpo con más fuerza de la necesaria para eliminar cualquier rastro que delatara el hecho de que el tipo me había follado y más de una vez, al parecer. Cuando salí del baño envuelta en una toalla, Alexander estaba despierto, todavía recostado sobre el montón de almohadas mientras admiraba la aburrida textura del techo.

Lo ignoré y recolecté mi ropa desperdigada por el suelo.

—¿Has visto mis bragas? —pregunté en tono bajo cuando no las encontré, un poco avergonzada por preguntarle a él, de todas las personas en el mundo, sobre mi ropa interior.

—¿Llevabas bragas?

Le lancé una mirada mortal, levantó las manos en un signo de rendición y se incorporó con pereza, igual que un gato. Y completamente desnudo. Por un momento, no fui capaz de despegar los ojos de la vista que tenía frente a mí. Alexander era alto, muy alto, y su cuerpo se mostraba imponente, grande, esbelto y duro, seguramente obra de sus entrenamientos en el equipo de futbol americano de la universidad. No podía creer que yo hubiera montado aquello. O viceversa.

—Por Dios, ¿podrías cubrirte con algo? —le pedí molesta cuando mi cerebro decidió volver a funcionar.

—¿Por qué? —Se giró y estiró, permitiéndome observar su ancha espalda y su bonito trasero—. No es nada que no hayas visto ya.

Me miró sobre el hombro con el amago de una sonrisa divertida y yo me giré para no seguir su juego. Algo chocó entonces contra mi mejilla y me percaté, a mi pesar, de que me había lanzado mis bragas, o más bien, lo que quedaba de ellas. No eran más que tiras.

—¡Están rotas!

—De nada —dijo sin más.

Las estrellé contra el piso en un intento por aminorar de nuevo la rabia. Me vestí sintiéndome incómoda por la falta de ropa interior y me centré en ponerme los zapatos. Tomé uno y, de nuevo, dos cosas sucedieron a la vez: primero, noté el tatuaje sobre mi tobillo, que de ninguna manera estaba ahí antes de la noche anterior; era una pieza de rompecabezas, sin rellenar, solo la forma. La segunda, fue un papel que estaba un poco arrugado entre mis tacones.

«¿Hay alguna otra estupidez cliché que hayas cometido ayer, Leah?», me reprendió mi conciencia.

Con el corazón acelerado por mi nueva adquisición, que ardía un poco sobre la piel enrojecida, tomé el papel que estaba constreñido entre mis tacones. Lo abrí y…

Grité. Me vine abajo, no pude reprimirme por más tiempo y grité. Grité fuerte, como si estuviese contemplando un accidente de auto, porque esto no podía estar pasándome. No a mí. Alexander salió como una exhalación del baño, con una expresión de terror impresa en el rostro y una mano sosteniendo una toalla alrededor de su cintura.

—¿Qué? —inquirió, tratando de recuperar el aliento, pero yo no era capaz de emitir palabra. Había entrado en estado catatónico.

Me quitó el papel que sostenía y, luego de un segundo, comenzó a maldecir en al menos cuatro idiomas distintos.

—Joder —masculló al final, pasándose una mano por el cabello ondulado. Si aquello era real, entonces la habíamos jodido y muy, muy en grande.

El papel no era uno cualquiera, no, pero se parecía mucho a una sentencia de muerte, igual de aterradora y atroz. Era un acta de matrimonio civil. *Matrimonio*. Con mi nombre y el suyo.

Clavé mis ojos en él cuando me recuperé del estupor, colérica, sin importarme que fuera una cabeza más alto que yo.

—Ya, buena broma me has gastado. —Reí con sorna—. ¿Dónde están Edith y los demás? —Caminé por la minúscula habitación, esperando encontrarlos escondidos en algún lugar—. Los he descubierto, ya no tiene caso seguir.

—No sé si tú veas personas o te imagines cosas, pero no hay nadie más aquí con nosotros.

Mi labio tembló, temeroso.

—¿Es un acta de matrimonio? ¿Es real? —pregunté con el miedo impregnando mi tono.

Se mantuvo impasible mientras leía el papel, ignorándome.

—¿No me escuchaste? —insistí desesperada por respuestas, de preferencia una coherente que explicara esta locura. Desvió su atención a mí con el semblante en blanco.

—Sí te escuché, pero no pienso rebajarme contestando una pregunta tan tonta, ¿acaso no sabes leer?

Tensé la mandíbula, irritada.

—¿Te mataría ser un poco menos imbécil?

—Sí, contigo sí.

Lo fusilé con la mirada antes de que él se centrara de nuevo en el papel. Me miró perplejo y pálido luego de unos minutos.

—Esto parece bastante real, Leah —me informó con un hilo de voz y quise echarme a llorar—. Lleva el sello y...

—Claro que no es real, debe ser una broma de los chicos. Ellos... No puedo ser tan idiota para consentir algo así. —Empezó a formarse un nudo en mi garganta—. Ni siquiera es legal, digo, se supone que no lo es a menos que estés consciente, ¿no?

El terror dejó sus semillas en mi estómago y escaló como una enredadera hasta mi pecho, asentando sus raíces allí. Me había casado con Alexander Colbourn. *Casado*. No quería ni pensar en lo que dirían mis padres cuando se enteraran de la noticia.

«Papi, mami, me he casado con el hijo de la mujer que más odian en el mundo, ¿qué quieren que sirvamos en la recepción, un merlot o un pinot noir?».

Me crucificarían. El pensamiento fue suficiente para que mis piernas se sintieran débiles. ¿Y Jordan? Si esa maldita acta de matrimonio era auténtica, eso significaba que ahora era esposa de... Ni siquiera podía procesarlo. ¡¿Cómo podría estar con Jordan así?!

—¡¿Cómo pudiste?! —grité dirigiendo toda mi ira hacia él—. ¿Cómo pudiste hacer algo así? ¡Jordan es tu amigo!

—¿De qué mierda hablas? —Me miró incrédulo.

—¡Lo sabes bien! ¡Te aprovechaste de mí! ¡Te aprovechaste de que había bebido para meterte en mis bragas! —Lo señalé con un dedo recriminador—. ¿Me drogaste?

Alexander soltó una risita sin humor, gélida.

—¿Crees que yo haría algo así?

—Es la única forma en la que podría estar contigo —ataqué furiosa, dando un paso más cerca de él—. ¡Te aprovechaste de mí!

— ¿Yo? —Se señaló y dio otro paso, con su imponente estatura desestabilizándome por un instante—. ¿Me has visto la espalda? Parece que hubo una pelea de gatas ahí encima. Hasta donde yo sé, no fui el único que se *entusiasmó* con el encuentro.

Mis mejillas escocieron y desvié la mirada. También tenía marcas en el cuello y eso me hizo sentir más avergonzada. Mantuvo la vista clavada en el acta, como si a través de ella pudiera atar los cabos sueltos y resolver el misterio de qué hacíamos allí y cómo terminamos casados.

Volvió a maldecir y se alejó al tiempo que yo me sentaba en la cama, acunando mi cara con las manos.

—Eso ni siquiera es legal, ¿no? Debe ser nula, estábamos ebrios hasta los huevos, por Dios —acoté.

Chasqueó la lengua y tiró su billetera con hastío a la cama, masajeándose el cuello.

—Lo es si entregas la suma correcta —explicó—. Y al parecer, la hemos entregado.

—¿De qué hablas? —Mi miedo aumentó.

—Esa acta de matrimonio es real, Leah. Es auténtica.

La sangre viajó hasta mis pies y toda la habitación dio vueltas por un momento.

—Podemos intentar romperla o...

—¿Crees que eso servirá de algo? —preguntó incrédulo.

Me mordí el interior de la mejilla, sopesando sus palabras.

—Nadie tiene que enterarse, nada pasará si no lo saben, ¿cierto? Podemos solo… olvidarlo.

—Ya, ¿y que Jordan se entere que eres mi esposa cuando estés a punto de casarte con él? Creí que eras más inteligente, McCartney.

Tenía razón, ignorarlo no serviría de nada. Me incorporé y coloqué un mechón de cabello tras mi oreja, nerviosa.

—Eso quiere decir que no cambiará el hecho de que estamos ca... —Tragué, incapaz de terminar la frase, y los ojos azules de Alexander brillaron con diversión.

—¿Casados? —se mofó y quise arrancarle esa risita burlona de una bofetada.

—Pero ¿cómo...? Ni siquiera recuerdo algo sobre ayer.

Él suspiró y negó con la cabeza.

—Tampoco recuerdo mucho, pero al parecer le he pagado al hombre del Registro Civil con todo lo que gané en el casino para que nos ayudara con este chistecito —respondió con amargura.

Ya percibía el aneurisma que crecía en mi cerebro.

—A mis padres no les agradará saber esto. —Se quitó el cabello húmedo del rostro.

—¿*A tus padres*? —repetí—. Los míos van a desollarme viva, peor, ¡van a desheredarme! —Alcé las manos al techo y él puso los ojos en blanco.

—Tenemos que decirles.

Reí seca.

—¿Por qué no mejor me pides que me tire de un puente?

—¿Harías eso por mí? —preguntó con fingida ilusión.

—No.

—Lástima, me gustaba la idea de ser viudo joven, atrae mujeres.

—No seas imbécil, decirles significa lo mismo que suicidio. Nos matarían. Debemos resolver esto solos, debemos…

Antes de que pudiera continuar, escuché mi tono de llamada emergiendo de algún lugar en la habitación y lo busqué con la esperanza de que aquello no fuera más que una broma de muy mal gusto. Lo encontré dentro de mi pequeño bolso debajo de la cama y me apresuré a contestar.

—¡Leah! ¿Dónde demonios estás? Llevo desde esta mañana tratando de localizarte —me reprendió mi amiga—. Desapareciste de la discoteca.

Sonreí apenas, recibiendo feliz su reprimenda.

—Lo siento, me he quedado dormida.

—¿Dónde? Porque no volviste con nosotros al hotel. ¿Estás con un chico?

—No —me apresuré a contestar.

Miré de reojo a Alexander, se mantenía ocupado colectando su ropa, y puse a trabajar mi cabeza a toda velocidad para inventar una excusa.

—Me... Me separé de ustedes en la discoteca porque encontré a unas amigas. Estaba tan ebria que no recordé cómo llegar a nuestro hotel y me quedé con ellas.

—¿Por qué no preguntaste? No es como si nadie conociera el Bellagio. También podrías haber llamado a alguno de nosotros, ¿sabes?

Mierda. ¿Por qué tenía que ser tan lista?

—No podía ni hablar, mucho menos llamar a alguno de ustedes. Lo siento.

Traté de sonar convincente, pero incluso mi indeseable compañero me miró enarcando una ceja, confirmando que era una pésima mentira. Edith, sin embargo, lo creyó porque suspiró con alivio.

—Menos mal —concedió y yo volví a respirar con normalidad—. Estaba tan preocupada porque no atendías, ¿tienes idea de qué hora es?

Miré mi celular: pasaban de las dos de la tarde. Eso explicaba por qué ella me reñía como si fuera mi madre.

—Lo siento, estaba demasiado cansada —me excusé—. Pero me reuniré con ustedes en menos de una hora, ¿de acuerdo?

—Bien. —Volvió a suspirar y pensé que la llamada había terminado hasta que habló de nuevo—. Por cierto, Alex tampoco llegó a dormir, ¿tienes idea de dónde pueda estar?

«Conmigo, recuperándose del polvo de su vida y adaptándose a la nueva dinámica marital, ¿quieres felicitarlo?», pensé.

—No —dije cortante y observé al aludido abrochar su camisa—. Debió liarse con alguna chica y se fue con ella.

Captó que era el tema de conversación porque se giró para dedicarme una sonrisa irónica. Casi me hizo sonreír también por lo absurdo y surreal de la situación.

—Puede ser —concedió mi amiga.

—Te veo en un rato. Llamaré a mis padres. —Y sin mediar una palabra más, colgué.

—Buena excusa te has inventado —comentó Alexander al tiempo que se acomodaba las mangas de su camisa y yo terminaba de ponerme los zapatos, ignorando su penetrante mirada.

—Los chicos te están buscando —informé con fingida jovialidad—. Les he dicho que te has ido con...

—Te escuché —me cortó y alcé la vista para observarlo. Lucía tranquilo, como si nuestro mundo no fuera una mierda en ese momento—. Seguiré con la mentira.

—Excelente.

Me puse de pie, ansiosa por salir de ese lugar y olvidarme de esta pesadilla.

—Esto jamás pasó, ¿de acuerdo? —acoté.

Nos miramos por largos segundos, igual que dos extraños que habían decidido tener un polvo casual.

—Actuaremos con normalidad el resto del viaje y una vez que regresemos a Washington, veremos cómo resolver esta mierda sin que nadie se entere —le ordené con autoridad, doblando el papel que nos condenaba a ambos para meterlo en mi bolso—. Y por favor, llega algunas horas después de que yo lo haga, no debemos ser tan obvios.

—Por supuesto. —Volvió a mostrar esa sonrisa perezosamente atractiva—. Aunque es una lástima que no puedas recordar nada de ayer.

Lo miré sobre el hombro antes de salir y le dediqué mi mejor sonrisa desdeñosa.

—Contigo, Alexander, yo más bien diría que es una fortuna. Lo de ayer fue un error y no tengo intención de repetirlo.

Me dispuse a salir de la habitación.

—Por cierto, bonitos tatuajes en conjunto nos hemos hecho. —Sus palabras me detuvieron.

Me giré y observé el pedazo de piel que mostraba en el lado izquierdo de su pecho, donde estaba impresa otra pieza de rompecabezas, igual a la mía. Desconcertada y ofuscada abandoné la habitación y me encaminé al hotel donde se hospedaban nuestros amigos. Intenté sofocar la ira y el desconcierto que me invadieron en ese momento. Él siempre tuvo la capacidad de despertar un millón de emociones distintas dentro de mí y esta vez era mucho peor.

# CERTFICATION OF VITAL RECORDS

Inst:#: 20172707-000569
Fees: $10.00
27/07/2017 3:56:35 A.M
Receipt #: 6280182
Requestor:
RECORDER CLARK COUNTRY
Recorded By: MID Pgs: 1
BRYAN CONWAY
CLARK COUNTRY RECORDER

27 OF JULY 2017

## STATE OF NEVEDA
## MARRIAGE CERTIFICATE
## NO. 9027894511678397O

This certifies that the undersigned ALEXANDER COLBOURN, born on March 22, 1995, entered into legal marriage on the 27th day of July, 2017, in LAS VEGAS, Nevada, with LEAH McCARTNEY from Washington D. C, USA, born on November 27, 1995, with their mutual consent, in the presence of JOHN SMITH.

Signature of Official Performing Marriage

Bryan Conway

Print Name and Title of Official

400 Stewart ave Las Vegas 89101

Address of Official Performing Marriage

Las Vegas, NV 89122

City, State and Zip Code

KEEP THE DOCUMENT IN A SAFE PLACE. ANY ALTERATION OR ERASURE NULLIFIES THIS CERTIFICATE

# 3
# EL PLACER DE RECORDAR

## *Alexander*

Era tarde cuando llegué al Golden Steer Steakhouse, ubicado en una de las calles más abarrotadas de Las Vegas. El restaurante bullía con los comensales y el olor a carne y verduras llenaba el lugar. Parecía una de las cantinas en el viejo oeste con sus altos taburetes, mesas de madera y cabezas de bueyes en las paredes. Podría apostar una mano a que la elección la hizo Matt.

Ethan agitó su brazo y lo divisé a través del centenar de cabezas congregadas alrededor del *buffet* de carne. Tomé un asiento junto a Edith y frente a Leah, que me regalaba una de sus emblemáticas miradas matadoras.

—¿Dónde estabas? Creímos que te habías perdido y tendríamos que buscarte. —Ethan me palmeó la espalda.

—Estaba ocupado. —Le lancé una ojeada furtiva a mi nueva esposa, pero la esquivó.

—¿Con qué?

—La pregunta no es con qué, sino con quién —interrumpió Ethan a Matt—. Hasta lleva la misma ropa de ayer el desgraciado. ¿Te fuiste con una chica?

Asentí, cauteloso, sin perder detalle de la manera en que Leah se acomodaba el pañuelo en torno a su cuello. Casi sonreí por lo obvia que era intentando ocultar sus marcas.

—¿Estuviste con ella hasta ahora? —Los ojos oscuros de mi amigo relucieron con malicia y disfruté la manera en que el rostro de la abeja reina palideció.

—Sí, algo así. Tuvimos un encuentro bastante intenso.

—Suertudo, lo único que yo cogí fue un golpe en la sien mientras llevaba a Sara ebria hasta su habitación —se quejó Matt señalando a la aludida con el pulgar.

—¡Oye! —Nuestra amiga le lanzó una papa frita—. No te lo pedí. —Tenía la cara tan demacrada como yo me sentía.

—No, pero eso es lo que hacen los amigos —recalcó como si fuera obvio—. Debemos cuidarnos entre nosotros, boba.

La morena hizo una mueca dando un trago a su vaso con cerveza. Cuando lo dejó sobre la mesa, me centré en la espuma que había encima de la bebida, inmerso en mis pensamientos.

Siempre pensé que un buen polvo era un buen polvo sin importar quién fuera mi acompañante, pero aquello era demasiado. De todas las mujeres con las que pude liarme, ¿por qué Leah McCartney? Leah, la personificación del capricho y la frivolidad, amante de las miradas matadoras y controladora compulsiva; la chica que vivía dentro de su tonta burbuja donde toda su vida era perfecta, novia de mi mejor amigo e hija de las personas que mis padres más odiaban en el mundo. Y eso no era lo peor. No solo nos habíamos liado. No, nos habíamos casado. Un problema más que añadir a la ya plagada lista.

Follarse a Leah no era la peor de las atrocidades. Ella era jodidamente preciosa y cualquier persona sobre la faz de la Tierra con dos ojos y dos dedos de frente lo confirmaría, pero era peligrosa. Además de ser una arpía controladora, Leah me arrancaría los huevos si osaba hacer algo tan atrevido como rozarla por accidente en un corredor atestado, porque como la buena hija de papi que era, me odiaba hasta la médula sin conocerme, solo porque así fue educada. Era digna de admiración e idolatría por su belleza, pero nada más.

Salí de mis cavilaciones cuando se puso de pie y fue hasta el *buffet*. Contra mi mejor juicio, la seguí y me formé justo detrás de ella en la fila. Reparé en que había cambiado su ropa y ahora vestía unos *jeans* ajustados y una blusa color arena de cuello alto que no le hacía justicia a esas curvas que tuve el privilegio de recorrer la noche anterior. Era una arpía, pero mi polla estaba de acuerdo conmigo en que me había dado uno de los mejores polvos de mi vida.

—¿Qué haces aquí? —cuestionó escrutándome con el semblante endurecido.

—¿La línea para el *buffet*?

—No te hagas el gracioso conmigo, Colbourn —escupió con desdén—. ¿Me estás siguiendo?

—Noticia de última hora, McCartney: no eres el centro del puto mundo —respondí con el mismo tono—. Tengo hambre.

Dio unos pasos hacia adelante cuando la fila avanzó un poco y después echó un vistazo hacia los chicos como la paranoica que era. Estaba seguro de que no nos prestaban atención.

—No deben vernos juntos —sentenció lacónica.

—Esto es un *buffet*, debemos hacer la línea y compartir el espacio, por desgracia.

—Yo no quiero compartir ni siquiera el aire contigo.

—Lástima, porque ya compartimos hasta fluidos, princesa —apunté y me acribilló, su rostro rojo y sus ojos letales. Estaba tentando a la bestia; sin embargo, lo peor ya había sucedido, solo me quedaba disfrutar en medio del desastre.

—No es gracioso.

—No, es aterrador, la verdad. De todas mis pesadillas nunca pensé que se cumpliría la de terminar atado a una arpía neurótica con problemas de control.

Hizo una mala cara conteniendo su enojo mientras avanzaba un poco más y yo la seguía de cerca. Quería resolver esto, pero no tenía idea de cómo hacerlo.

—No quiero hablar más contigo, vete —demandó.

Enarqué una ceja, impresionado por su audacia.

—¿No quieres que te bese los pies también?

Me encaró con decisión.

—Solo quiero que esto se arregle cuanto antes.

Elevé mi comisura en un rictus.

—¿Por qué? ¿Te da miedo que lo de anoche pueda repetirse?

Sus ojos llamearon.

—No, claro que no, solo no quiero estar cerca de ti, se me revuelve el estómago.

—Por mucho que ambos queramos eso, debemos hablar para resolver *nuestro problema.*

—¿Para qué? Con que nos ignoremos como hasta ahora y te envíe los papeles de divorcio basta, ¿no? —dijo molesta—. Preferiría ser amordazada y amarrada antes que convivir contigo otra vez.

—Amarrada, ¿eh? No sabía que te gustaran ese tipo de cosas —la molesté sin perder la oportunidad, haciéndola enrojecer.

—Eres un descarado —siseó—. Hablo en serio, no quiero tener ninguna relación contigo.

—¿No? —Sonreí de lado—. ¿Entonces quieres hacer las cosas por las malas? ¿Te gustan esos rollos?

—¿Qué roll…? —Se cortó cuando comprendió mi comentario—. Cállate, Colbourn, y lárgate de una vez, me agobias.

Toda la diversión del asunto se perdió cuando volvió a hablarme con ese tono mandón.

—No sé qué clase de relación tengas con Jordan, pero a mí no puedes ordenarme.

Tensó la mandíbula y movió la cabeza con altivez, el cabello oscuro y largo cayendo sobre su espalda.

—Bien, entonces me voy yo.

Salió de la fila con la frente en alto y comenzó a andar moviendo sus caderas con esa seguridad que la caracterizaba, como si se sintiera muy cómoda en su piel, pisando el mundo que le pertenecía.

—Oye, McCartney. —La detuve cuando dio unos cuantos pasos y se giró un poco, inquisitiva—. Cuidado. —Hice una seña para apuntar el pañuelo que llevaba en torno a su cuello. Palideció y se apresuró a acomodar la prenda para cubrir las marcas que dejé la noche anterior. Me dedicó una última mirada matadora y fue a sentarse junto a los chicos.

Reí por lo bajo. Había encontrado una nueva afición: molestarla. Jordan podía quedarse con chicas complicadas como ella, no eran mi estilo en absoluto. Entre más lejos estuviera de la arpía ponzoñosa que era Leah, mejor.

Cuando por fin regresamos del viaje, todo pareció volver a la normalidad. Todo excepto el hecho de que ahora estaba casado. Y con mi némesis, quién más.

Había quedado con mi madre para desayunar juntos en casa. Era una práctica que desarrollábamos desde que ya no vivía con ella. Toqué el timbre y el mayordomo que atendía la residencia abrió. Una vez que estuve en la entrada del recinto que albergaba el comedor, tomé asiento del lado izquierdo y tomé un poco de jugo. La enorme mesa que se extendía frente a mí me hizo recordar por qué odiaba comer en ese lugar: era gigante para solo dos personas. Algunas veces tres.

—Alex. —La voz de mi madre me sacó de mis cavilaciones y me incorporé para saludarla con un beso rápido en la

mejilla—. Me alegra verte, pensé que no llegarías para el desayuno. ¿Qué tal el viaje?

Se alejó para sentarse del otro lado de la mesa y se alisó el pulcro *blazer* blanco para evitar arrugas. Esos gestos siempre me hacían reír, porque mi madre ya llevaba consigo una esencia de pulcritud y elegancia inigualable, como si fuese un ente etéreo.

—Nada fuera de lo normal.

«Solo me casé por accidente, pero todo bien», se mofó mi conciencia.

La persona de servicio dispuso una taza de café para cada uno y después carraspeó.

—Señora Colbourn, ¿gusta que sirva el desayuno?

Mi madre asintió.

—Sírvelo, por favor.

—¿Qué tal el *Fashion Week*? ¿Papá se reunió contigo en París? —pregunté en un intento por hacer conversación de un tema diferente, lejos de mi desafortunado matrimonio.

—Sí, aunque ya lo conoces, se quedó solo el día de la rueda de prensa y después ha corrido tras los huesos de su secretaria. —Detecté un toque de resentimiento en su voz, pero decidí ignorarlo.

—¿Ha ido bien?

—Nada fuera de lo normal —imitó mi respuesta.

Mis padres estaban separados, no divorciados; simplemente habían decidido que lo mejor para la salud mental de los dos era que un mundo entero los separara, así que papá vivía en Inglaterra, de donde yo era oriundo, y mi madre se había asentado aquí, en Washington. Yo la seguí porque pensé que aquí tendría mejores oportunidades para dedicarme a lo que realmente me apasionaba: la fotografía.

Era mitad inglés, pero odiaba el té y el pescado con papas, tal vez por eso papá y yo nunca lográbamos congeniar. Vivía bien, pero en este círculo tan frívolo las apariencias siempre resultaban más importantes que la salud mental, por ese motivo mis padres llegaron a un arreglo que mantenía la endeble paz en nuestra familia: él viviría en Inglaterra, pero viajaría aquí siempre que tuviéramos un evento importante al cual debiéramos asistir como familia.

—Por cierto, tu padre está aquí. Vendrá a almorzar con nosotros —informó.

*Hablando del diablo.*

—¿Está aquí? —repetí y asintió—. Pensé que se quedaría en París con...

—Tenía algunos asuntos que resolver con Leo —dijo con esa típica mueca de disgusto que adornaba sus facciones cuando algo relacionado con esa familia era puesto sobre la mesa.

Normalmente, los McCartney me importaban lo mismo que una montaña de mierda sobre la acera, pero ahora que la había pisado y estaba embarrado con ella *(entiéndase como casarme con la joya de su corona),* la curiosidad por saber dónde yacía el origen del odio entre ambas familias me comía la cabeza más que nunca, sobre todo porque me parecía una reverenda estupidez.

—Parece que estamos destinados a convivir con ellos, aunque no lo deseemos —apunté.

—¿Por qué lo dices? —indagó curiosa, enarcando una ceja mientras el personal de servicio colocaba frente a nosotros un plato de fruta.

Me aclaré la garganta.

—Leah McCartney también estuvo en el viaje a Las Vegas —le hice saber.

Calibré su reacción para saber cuánto le había molestado. Frunció los labios con desprecio y se irguió.

—Alex, no deberías mezclarte con esa gentuza, ya lo sabes.

—Ella es parte de mi grupo de amigos.

—Entonces tal vez deberías conseguirte mejores amigos si alguien como ella está ahí.

—¿Por qué los odias tanto? —inquirí casual para ocultar la curiosidad que me cosquilleaba por dentro—. Nunca he entendido de dónde proviene ese odio entre nuestras familias, y sinceramente, me parece una tontería.

Mamá entornó los ojos con la fresa a medio camino de su boca.

—¿Me estás diciendo que te agrada esa chica vulgar?

—No, pero no porque nuestras familias se odien, sino porque ella es insoportable, es distinto —enfaticé severo.

—Esa familia es una farsa. —Dejó el tenedor sobre el plato.

Enarqué una ceja, recalcándole que su pobre explicación no era una respuesta. Suspiró y comenzó a hablar a regañadientes.

—Tu tía Chelsea literalmente casi muere por culpa de Leo McCartney, y ni siquiera pienso hablar sobre su esposa. Allison es lo más falso de esa familia. —Una pequeña vena se hizo visible en su frente—. No puedo creer que él haya terminado casándose con esa... esa... —hizo aspavientos con las manos y si no conociera a mi madre tan bien como lo hacía, podría jurar que estaba celosa—, esa clase de mujer. No conoce la educación ni el pudor, y si no fuera por el dinero de su esposo, ella seguiría siendo una estúpida y vulgar...

Se detuvo y masajeó sus sienes, algo que hacía a menudo para evitar la aparición de arrugas.

—¿Una qué?

Chasqueó la lengua.

—No importa, hijo. —Me dedicó una pequeña sonrisa—. Esa familia solo representa problemas para nosotros, lo mejor que puedes hacer es mantenerte tan alejado de ellos como sea posible —aconsejó, recuperando la compostura.

Quise reír por lo irónica que resultaba la situación, pero me controlé.

«Ya, buen consejo me has dado, mamá, aunque es un poco tarde para escucharlo».

—Come tu desayuno y, por favor, no olvides que tu padre vendrá hoy.

Curvé mi boca en una sonrisa.

—Entonces tendrás que terminar tu entrenamiento personal antes de que llegue para que no te interrumpa con tu entrenador, ¿no? —bromeé, pero enrojeció al comprender el sentido de mis palabras.

—¡Alexander!

—Solo te doy un consejo como los que me das tú. —Me llevé un pedazo de piña a la boca, pero mi buen humor no duró mucho.

Mi móvil vibró dentro de mis pantalones. Cuando lo extraje y leí los mensajes en la pantalla, la comida me supo a ceniza.

 Número desconocido

El tiempo se agota, Alex 7:46 p. m.

Entrega el dinero, no queremos tomar otras medidas. 7:46 p. m.

Rick está perdiendo la paciencia. 7:46 p. m.

Observé los mensajes durante largos segundos con el estómago constreñido y con mi mente trabajando a toda velocidad, sopesando mis posibilidades. Lo mejor que podía hacer era hablar con Leah, explicarle la situación y esperar que aceptara ayudarme a salir de esta. Aunque, conociéndola, era más probable que el mundo se acabara mañana a que ella me diera el sí.

Ya no podíamos ignorarnos por más tiempo. Teníamos que negociar.

# 4
# PODRÍA SER RABIA

## *Alexander*

Habían transcurrido diecisiete días desde que me casé con Leah.

Aunque había mantenido una prudente distancia por la salud mental de ambos, mi paciencia ya estaba colmándose y el tiempo que me habían concedido para entregar el dinero se agotaba.

Ella continuaba partiendo el mar de estudiantes al caminar por los pasillos, seguía pavoneándose como la niña creída y apretada que era, riendo con su círculo de amigos y mostrándose afectuosa con Jordan, como si nada hubiera pasado entre nosotros. Como si nunca hubiéramos follado. Como si no estuviéramos casados. Necesitábamos solucionar el problema de nuestra indeseable unión cuanto antes, pero para mí, era más urgente resolver el problema con Rick, y para ello necesitaba de Leah. Si tan solo pudiera encontrarla a solas un momento...

—Bonito tatuaje —dijo Jordan en los *lockers* y me tensé de inmediato.

Mierda. Olvidé que ahora estaba marcado como una vaca. ¿Lo decía en serio, o era que ya había visto el tatuaje que tenía Leah en su tobillo, ató cabos y estaba controlándose para no romper mi bonita nariz? Me giré para encararlo y atrapé la sonrisa pícara en su rostro.

—¿Te lo hiciste en Las Vegas? —Se puso los pantalones, disponiéndose a hacer lo mismo con su camiseta. Me pasé una mano por el cabello húmedo después de la ducha. El entrenamiento de fútbol americano había sido mortal.

—Sí —contesté aliviado.

—Es un poco cursi, ¿no crees? —se burló—. No sabía que eras de los que se hacían ese tipo de cosas. ¿Quién tiene la otra pieza?

«Tu novia».

Me pregunté cómo reaccionaría Jordan si se enterara de que había probado del festín que era su novia y que, en mi gran estupidez, la hice mi esposa.

—Nadie. —Disipé el pensamiento y terminé de abotonar mi camisa—. No la he encontrado aún.

Salimos juntos del vestidor después de eso y nos dirigimos a la cafetería para comer algo antes de la siguiente clase. La ingeniería empresarial era una carrera aburridísima, pero ser el heredero de un imperio corporativo de energía imponía deberes de los que no podía escapar. Ordenamos nuestro almuerzo, nos sentamos en una mesa de la atestada cafetería y comimos en silencio.

—Aún no me has contado los detalles —comentó mi amigo una vez que tuvo el plato casi vacío.

—¿Sobre qué?

—La chica con la que te fuiste de la discoteca. —Me dio un empujón a modo de juego y casi me atraganté con el bocado que engullía—. ¿Era buena? ¿Tenía buen cuerpo?

Me miró de manera sugerente y quise soltar una carcajada.

«Si tan solo supieras...».

—Pues...

Antes de formular una frase, Ethan se sentó con nosotros cargando su bandeja, acompañado por Edith y Leah.

—Les he dicho que esperaran por mí —espetó el moreno indignado.

—Tardaste demasiado en tu desfile —aclaró Jordan, depositando tiernos besos en la mejilla de su novia.

Leah me miró por un instante, dura y penetrante, como si emitiera una amenaza muda que me esforcé por ignorar.

—¿De qué hablaban? —preguntó Edith con una sonrisa y tan cerca que percibía su dulce perfume a coco.

—Le preguntaba a Alex sobre su aventura en tierras inexploradas —dijo Jordan.

—¿Eso qué significa? —cuestionó la rubia.

—¡Por Dios, Edith! ¡Actualízate, mujer! —Ethan puso los ojos en blanco y después sonrió con picardía—. Se refiere a la chica con la que estuvo en Las Vegas. Que, por cierto, yo tampoco he escuchado los detalles, ¿cómo fue?

Me encogí de hombros con indiferencia.

—¿Eso qué quiere decir? Porque según las marcas que te dejó en el cuello, yo juraría que ella quería comerte vivo.

Todos fijaron su vista en mí, expectantes; sin embargo, yo clavé mis ojos en Leah, disfrutando de la manera en que me perforaba con la mirada.

—Fue muy interesante, en realidad. —Esbocé una sonrisa lenta, asegurándome de mostrar la satisfacción que sentía por dentro—. Aunque lo último que hicimos fue hablar.

Observé con diversión sádica cómo el rostro de *mi esposa* iba del color rojo al verde, después al blanco para terminar con el rojo otra vez.

—No pierdes el tiempo, hombre. —Ethan me palmeó la espalda con orgullo—. ¿Recuerdas cómo era?

—Exquisita. No podré olvidarla. —Saboreé cada letra de esa oración—. Y estoy seguro de que ella tampoco podrá hacerlo. Usamos muy bien ese cuarto

de motel porque follamos en cada lugar disponible —completé y sorbí de mi botella de agua sin perder detalle de ella.

Si las miradas mataran, yo ya estaría enterrado tres metros bajo tierra hace mucho tiempo.

—¿Podemos cambiar de tema? —intervino finalmente la abeja reina con tono tenso—. No todos somos tan vulgares para escuchar ese tipo de cosas.

Contuve una carcajada, disfrutando de las reacciones que le causaba y de su desesperación por abandonar el terreno tan peligroso que habíamos pisado.

—Tranquila, reina del hielo, sabes bien lo mucho que nos gustan los chismorreos —dijo Edith y todos rieron en la mesa, a excepción de nosotros dos.

Si esto al final iba a terminar, al menos haría de este juego algo entretenido para mí.

Fue cuando salía de la última clase del día que la atrapé girando en uno de los pasillos y me apresuré a seguirla. Antes de pensar mejor la manera de abordarla, la tomé del codo con brusquedad y la encaré. Detuve su andar y la atrapé sin mucho cuidado contra uno de los *lockers* del pasillo. Leah me miró sorprendida un momento, para luego dejar que el hastío se adueñara de su semblante.

—¿Qué demonios está mal contigo? —escupió recuperándose del susto—. ¿Quién te crees que eres para tomarme así?

—Tenemos que hablar —demandé.

—Primero, suéltame en este momento. —Trató de zafarse, pero no lo consiguió—. Segundo, tú y yo no somos iguales, así que *respétame*.

Sonreí mordaz.

—Ya, y yo que pensaba que el papa vivía en el Vaticano. ¿No quieres que me arrodille también?

—Pues si reconoces tu lugar...

—Leah —la corté y caí en cuenta de la poca distancia entre nosotros.

Era lo más cerca que habíamos estado desde el fiasco en Las Vegas y percibía claramente su aroma, el mismo que me intoxicó cuando follamos. Detallé con mayor claridad sus ojos: siempre creí que eran azules, pero ahora reflejaban un gris más profundo, pigmentados y enmarcados por unas largas pestañas. Me maldije porque delineé también la forma de su cara, la curva de su nariz y lo rellenos e incitantes que lucían sus labios. Estábamos tan cerca que solo tenía que inclinarme un poco para eliminar los escasos centímetros entre nosotros, estaba tan cerca...

—Suéltame, no pienso repetirlo —ordenó fría y la obedecí de mala gana, porque a una parte de mí su cercanía no le desagradaba del todo.

—¿Y bien? Habla. No quiero que las personas nos vean juntos y comiencen a asociarnos. Se harán ideas equivocadas.

—¿Equivocadas? —Enarqué ambas cejas, divertido—. Yo más bien diría que serían correctas.

Se cruzó de brazos y miró a ambos lados del pasillo desierto.

—¿Has hablado ya con tu padre? —pregunté y abrió los ojos como si le hubiese pedido que regalara todos sus bolsos Chanel.

—¿Eres idiota o solo pretendes serlo?

Ofendido, di otro paso cerca de ella, pero se mantuvo firme.

—No puedo decirles a mis padres lo que he hecho, me matarían. —Se pasó una mano por el cabello, preocupada—. Pero creo que tengo otra solución.

—¿En serio? —pregunté y alzó el rostro para enlazar su mirada con la mía; de nuevo estuvimos tan cerca el uno del otro que incluso noté su leve temblar—. Porque te he visto tan feliz los últimos días que he llegado a pensar que te gusta ser la señora Colbourn.

—Créeme, no hay nada que desee más que terminar con esta pesadilla.

—Para ser alguien que quiere terminar con esto, yo esperaría que al menos ya tuvieras una solución sobre la mesa luego de diecisiete días.

—¿Cuentas los días? —Se llevó una mano al pecho y su boca se elevó maliciosa—. Parece que es a otro al que le gusta que yo sea la señora Colbourn.

Estaba prácticamente encima de ella. Solo tenía que inclinarme unos centímetros para tomar su incitante y maldita boca para callarla. Quería ver sus labios tan hinchados como aquella vez del motel. Y entonces, cuando estaba a punto de cometer la mayor estupidez de mi vida —por segunda vez—, Jordan apareció entre nosotros, aclarándose la garganta. Ambos dimos un respingo y tomé unos cuantos pasos de distancia.

—¿Interrumpo algo? —Mi amigo se detuvo junto a Leah, quien no perdió la oportunidad para mandarme miradas de advertencia.

Parecía receloso y un poco descolocado por lo que acababa de presenciar.

—No, solo le pedía a Leah un bolígrafo de punta fina, ya sabes, el señor Dott odia que tracemos con punta gruesa —expliqué apresurado, antes de que ella dijera algo.

—Le he dicho que no llevo uno —completó y Jordan sacó uno de su mochila. Lo acepté esperando parecer convencido de lo que hacía.

—Gracias, amigo.

Di la vuelta y me marché sin mirar a ninguno de los dos.

Los mensajes no se detuvieron ese día, ni el siguiente, hasta que transcurrió una semana en la que fui asediado sin tregua por los matones de Rick. Ya no había tiempo, debía actuar cuanto antes. Con eso en mente, anduve hasta la mesa que los chicos ocupaban en la cafetería durante una de las horas libres, y me regocijé al sentir a Leah congelarse cuando me senté junto a ella. Aproveché el poco espacio que había en la mesa redonda para pegarme a su cuerpo, a tal punto que nuestros hombros se rozaban.

—Estoy harto de Dodders, lo juro —se quejó Ethan, hastiado—. La próxima vez que vea a esa chica detrás de mí, voy a darle con una silla.

—¿Por qué? —preguntó Edith.

—Hoy en la mañana parecía que el edificio se estaba incendiando, porque el pasillo principal estaba lleno de gente tan lenta —espetó Ethan—. Si la escuela realmente se estuviera quemando, ya nos habríamos muerto diez veces por culpa de esos idiotas.

Una ola de carcajadas inundó la mesa y Leah se removió incómoda junto a mí, buscando pegarse más a Jordan, quien estaba sentado a su lado izquierdo.

—Pero ¿qué tiene de malo Isabella Dodders? —inquirió Jordan—. Siempre te desvías del tema, Ethan.

—Eres un asco para contar historias —comenté, negando.

—El punto es que mientras caminaba para llegar a clase entre ese montón de idiotas, Isabella no paraba de pisarme el talón. Estuve así… —hizo una seña con la mano para demostrar su poca paciencia— de girarme para gritarle.

Una carcajada salió de mi garganta.

—Pero claro, como soy un caballero —se irguió dándose importancia, al tiempo que Leah, Sara y Edith soltaban un bufido—, no lo hice, y en cambio, me giré para decirle que la próxima vez que volviera a pisarme el talón, yo iba a romperle el pie.

—Todo un caballero —se burló la rubia, mordaz.

—Claro, guapa, solo tendrías que salir conmigo para comprobarlo.

—Creo que puedo morir sin saberlo, gracias. —Le sonrío burlona.

Mientras todos reían y trataban de recuperar el aire con las tonterías que contaba nuestro amigo, coloqué mi mano sobre el muslo de Leah. Ella reaccionó al tacto de inmediato y su sonrisa se desvaneció al instante. Miró mi mano cautelosa y le di un leve apretón sin despegar la vista del frente, fingiendo prestar atención a la próxima idiotez que diría Ethan. Trató de apartar mi palma con disimulo y en un rápido movimiento, tomé su mano hasta que nuestros dedos estuvieron prácticamente entrelazados. Asegurándome de que nadie nos prestaba atención, deposité una nota en su palma, que era tan suave y cálida como la recordaba, para después ponerme de pie con brusquedad.

—Tengo cosas que hacer —me disculpé y miré a Leah empuñando el papel bajo la mesa—. Nos vemos luego.

Salí de la cafetería sin darle importancia a los alegatos de los chicos.

Nada sucedió en la siguiente hora y una parte de mí comenzó a dudar de la capacidad de Leah para leer. ¿Habría entendido mi mensaje? Qué va, si no era clave morse ni una ecuación. El mensaje era claro. Sin embargo, mientras estaba en clase y el señor Robins no paraba de balbucear respecto a un tema que hizo a mi cerebro desconectarse a los seis minutos, sentí mi móvil vibrar. Miré la pantalla con disimulo —porque podía jurar que ese hombre tenía ojos en la espalda— y contuve la respiración, pensando que sería otra amenaza.

**Arpía**

¿Por qué no puedes ser una persona normal y mandar un mensaje por aquí? 14:09 p. m.

Una sonrisa se deslizó por mi rostro y respondí.

Siempre tan linda. ¿Dónde está la emoción en hacer eso? 14:10 p. m.

Yo apostaría más bien a que tu cerebro no tiene la capacidad suficiente para usar un celular correctamente. 14:10 p. m.

Te sorprendería enterarte de lo que mi cerebro es capaz, pero ¿no son más románticas las notas? 14:11 p. m.

Se me ocurre un buen lugar donde podrías meterte tus malditas notas y tu romanticismo retorcido, Colbourn. 14:11 p. m.

Contuve una sonrisa por su astuto comentario.

Oh, por favor, ilumíname. Comienza a interesarme la conversación ahora que hablas de meter cosas en orificios. 14:11 p. m.

La respuesta llegó un segundo después.

Leí tu nota. Te veré en ese café que escribiste a las seis. Llega puntual. 14:12 p. m.

Bingo.

Por supuesto, tu SOE siempre a tus órdenes. 14:12 p. m.

¿Mi qué? 14:13 p. m.

Tu Siempre Obediente Esposo. 14:14 p. m.

Una sonrisita maliciosa se extendió por mi rostro y se ensanchó cuando Leah mandó un *emoji* que dejaba en claro su mal recibimiento de la broma. Había descubierto que me gustaba desequilibrarla, hacerla bajar de su inmaculado pedestal de superioridad para que mostrara su lado mortal.

Era lo único que mantenía mi cordura durante los últimos días.

El café donde la cité estaba prácticamente vacío. Lo conocía de las veces que ayudé a hacer un par de sesiones para promocionarse. Era privado y silencioso, y nosotros, por el tipo de personas que éramos, necesitaríamos tanta privacidad como fuera posible.

Así que ahí estaba yo, sentado en una mesa para dos personas en una esquina, con una taza de café en las manos y esperando a una chica que no debería representar nada para mí. Diablos, en un día normal ni siquiera debería pensar en ella.

Leah McCartney debería ser irrelevante para mí, pero no lo era. Sí, parte de ello se debía a que ahora estábamos casados sin haberlo planeado; sin embargo, sabía que eso no era todo. No tenía idea de por qué ella representaba algo más, pero lo hacía. No sabía por qué sentía la necesidad de hablar con ella, pelear con ella y saber más de ella, pero la sensación estaba ahí, latente. Así

que permanecí esperando, confiando en mis instintos. Ya había pasado media hora desde lo acordado y seguía sin aparecer. ¿Por qué había insistido en que yo llegara temprano si ella iba a aparecer tan tarde?

—¿Necesitas algo más? —preguntó la mesera, afable.

—Estoy esperando a alguien. —Sonreí y ella me sonrió a su vez.

—Oh, en ese caso… —se acercó para abrir la carta en mi mesa y señalarme un postre a una muy corta distancia—, puedo recomendarte la tar...

Escuché a alguien aclararse la garganta con dramatismo y ambos levantamos la vista. ¡Oh por Dios! Luché horrores para no partirme de risa.

Leah se bajó un centímetro los enormes lentes oscuros que cubrían sus ojos y le lanzó una mirada asesina a la camarera. No supe si lo hizo para alejarla o porque esa era la manera en que miraba a todo el mundo.

—Iré por un menú para ti —se disculpó la muchacha con un toque de nerviosismo—. Los atenderé en un momento.

Salió corriendo como un cachorro asustado. ¿Y cómo no iba a asustarse si Leah parecía una versión renovada de Cruella de Vil? La miré divertido mientras se quitaba la pesada gabardina negra. Debajo, reveló una blusa del mismo color, con mangas largas, y se ajustó el enorme sombrero de ala negra sobre su cabeza sin quitarse los lentes.

—Veo que no pierdes el tiempo —rompió el silencio en un tono cortante.

—¿Yo? ¿De qué hablas? —Apenas podía contener la risa para hablar.

—Tienes el agua hasta el cuello y sigues ligando como si nada.

—¿Te molesta? —Le sonreí sugerente.

—Puedes hacer lo que quieras, Alexander. No me importa en lo más mínimo —sentenció y mi sonrisa se ensanchó.

—Gracias, lo tendré en cuenta. —Sorbí del café mientras me tomaba mi tiempo en observarla. Se veía tan ridícula con ese atuendo—. ¿No crees que llamas más la atención así vestida?

—No. Imagina que alguien se dé cuenta de que estamos aquí. He tenido muy malas experiencias con reporteros en lugares públicos y lo último que quiero es que saquen una foto de nosotros dos —se inclinó sobre la mesa, obsequiándome una preciosa vista del inicio de sus pechos—, porque entonces no tardarían en especular que tú y yo tenemos algo que ver.

—Pero sí lo tenemos, ¿no? —pregunté con inocencia.

—No por mucho tiempo.

La camarera llegó con un menú, pero Leah ni siquiera se molestó en abrirlo.

—Quiero un americano, negro. Uno de azúcar, por favor. —Le regresó la carta y la chica obedeció al instante.

—Pensé que eras el tipo de chica que pedía un montón de especificaciones en su café, hasta convertirlo en todo, menos en café.

Sonrió y seguí de cerca sus labios. Debía reconocer que tenía una sonrisa muy bonita.

—Soy una chica fácil de complacer.

—En eso estamos de acuerdo. —Me incliné colocando los codos sobre la mesa y su gesto se desvaneció.

—Ya tengo una idea de quién puede ayudarnos a salir de esto —me informó de pronto, buscando cambiar de tema, y yo la insté con una seña a continuar—. Tengo que hablar con él primero, pero creo que no va a negarse.

—¿Un abogado?

Asintió.

—Veo que tienes mucha prisa porque esto termine —comenté con humor.

—Esto fue un error. Uno muy grande, y lo mejor que podemos hacer es resolverlo lo más rápido posible.

—¿Un error? ¿Tan mal estuve? —Guardó silencio—. Por lo que yo recuerdo, tú no dejabas de pedir *más*.

Se bajó los lentes oscuros para fulminarme y se removió en la silla, abanicándose con la mano. La camarera depositó su café sobre la mesa en ese momento y ella se dispuso a beber.

—Deberías ser un poco más amable con los demás —comenté, solo para hacer conversación—. Eres demasiado fría y exigente.

—¿Quién eres tú para decirme eso? —me desafió.

—¿Actualmente? Tu esposo. —Disfruté de la mueca de exasperación que compungió sus facciones.

—No por mucho. Entre más rápido acabe esto, menos posibilidades hay de que mis padres me crucifiquen.

Solté una risita baja.

—¿Por qué tanta prisa? Que nuestros padres se odien no quiere decir que tú y yo no podemos ser amigos, Leah. Lo prometo, no muerdo.

—Viniendo de ti, yo diría que podrías pegarme hasta la rabia —me cortó displicente y se retiró los lentes, dejando sus vibrantes ojos al descubierto—. No quiero ser tu amiga, Alexander.

—Entonces podemos ser más que amigos. Ese no es problema. —Rocé su pie con el mío bajo la mesa y ella lo retiró al instante.

—Lo único que quiero es divorciarme para ya no tener que dirigirte la palabra otra vez.

—Y yo lo único que quiero es que me montes igual que en ese motel de Las Vegas, pero no todo lo que deseamos se nos concede, ¿o sí?

Pareció atragantarse con su café.

—No lo recuerdo, y si no lo recuerdo, entonces no pasó.

—Pero yo *sí* lo recuerdo.

—¿Así es como ligas? —Parpadeó, descolocada—. Porque si esa es tu técnica, no sé cómo consigues llevar chicas a tu cama.

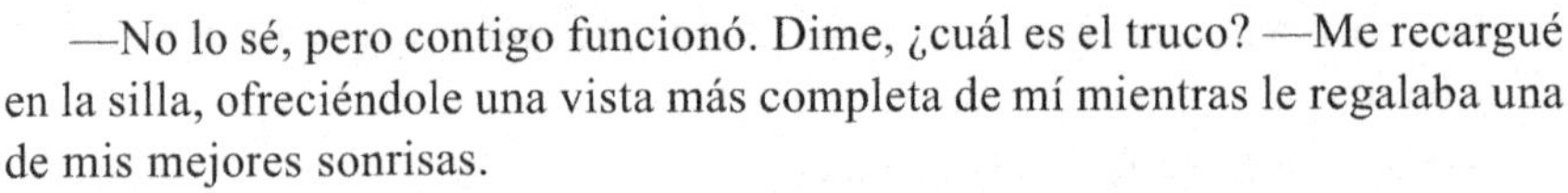

—No lo sé, pero contigo funcionó. Dime, ¿cuál es el truco? —Me recargué en la silla, ofreciéndole una vista más completa de mí mientras le regalaba una de mis mejores sonrisas.

Movió el pie bajo la mesa y tamborileó los dedos sobre la superficie. No quería demostrarlo, pero estaba nerviosa. De nuevo percibí la misma tensión que se construyó entre nosotros cuando la intercepté en el pasillo.

—¿Estás coqueteando conmigo? —Enarcó una ceja.

—No. —Me incliné sobre la mesa—. ¿Quieres que lo haga? Porque podría no haber vuelta atrás, soy encantador.

—Yo más bien diría que eres idiota. —Me sonrió desdeñosa—. ¿Y bien? ¿De qué querías hablarme? —preguntó después de algunos segundos en silencio, adquiriendo un tono diplomático.

—Negocios —respondí con el mismo matiz—. Quiero proponerte algo.

—Te escucho.

—No termines el matrimonio todavía —solté y no fui capaz de descifrar la expresión que se asentó en su rostro.

—¿Por qué?

—Necesito que me ayudes en algo, Leah.

Su cara era una máscara de confusión pura. Suspiré y me preparé para hablar e intentar persuadirla.

—Tengo problemas y necesito de ti para resolverlos.

—¿Qué tipo de problemas? —indagó, cautelosa.

—Debo dinero a unos tipos.

—¿Qué tipos? ¿Por qué? ¿De cuánto hablamos? —De pronto, pareció interesada.

Ya, era mucho pedir que no hiciera preguntas.

—Eso no importa ahora. Lo que es urgente es que me ayudes a conseguirlo.

Se dejó caer en el respaldo de la silla con una expresión de incredulidad apenas escuchó mi respuesta.

—No me digas, y quieres que permanezcamos casados por bienes mancomunados para así pagar con el dinero de mi familia, ¿no? —Negó con la cabeza y yo la miré enfadado—. Hasta donde yo sé, tus padres también están pudriéndose en dinero.

—No, no necesito tu dinero —aclaré—. Escucha, puedo obtener el dinero que necesito si cobro la parte de la herencia que mi abuelo tiene reservada para mí. Lo único que tengo que hacer es cumplir la condición que me impuso.

—¿Y qué condición es esa?

La observé por un momento, nervioso por su reacción.

—Tengo que casarme y presentarle a mi esposa.

Palideció de ira.

—Así que realmente planeaste esto, ¿no? La idiota de Leah no se dará cuenta de que la he hecho mi esposa para conseguir el dinero. —Su voz

salió teñida de rabia y estaba seguro de que en su mente me asesinaba de la peor manera posible—. Sabía que tú me habías abducido, sabía que eras una mierda, Colbourn, pero no creí que a este nivel.

—¡Yo no planeé esto! —levanté el tono una octava y los pocos clientes en el lugar fijaron su vista en nosotros, pero los ignoré y me acerqué lo suficiente para que me escuchara—. ¿Crees que yo quiero estar atado a una arpía obsesiva como tú? No lo he planeado y daría lo que fuera porque esto jamás hubiera ocurrido, pero ya que estamos aquí debo aprovecharlo, ¿no te parece?

Me miró escéptica y colérica.

—Bien, y suponiendo que este maldito plan descabellado funcione, cosa que no creo, ¿cómo se supone que tu abuelo te entregará el dinero?

—Debes viajar conmigo a Inglaterra.

Sus ojos casi salieron de sus cuencas.

—Estás demente. ¿Qué les diría a mis padres? —Negó, cada vez más reticente.

—No lo sé, cualquier cosa. Necesito tu ayuda, Leah.

Se mordió el labio, tal vez pensando en sus posibilidades.

—¿Cuánto dinero debes? Tal vez yo pueda prestártelo para no estar más tiempo en esta situación.

—No lo creo. —Clavé la vista en la mesa, considerando si debía decirle o no. Al final decidí arriesgarme—. Debo cinco millones de dólares.

—Joder, ¿no quieren un riñón tuyo también? —Se mordió una uña, pensativa.

—Lo mejor es que me acompañes, después te dejaré libre.

Alzó la vista con su ceño arrugado y los labios muy fruncidos.

—¿Quién eres tú para imponerme condiciones? No necesito de tu consentimiento para divorciarme. Lo siento, Alexander, pero no voy a ayudarte con esa locura. El problema es tuyo, no mío, no me embarres en tu mierda. Iré a ver al amigo de mis padres con o sin ti, y terminaré con esto cuanto antes —sentenció enojada.

Se puso de pie, metió la mano en su bolso y dejó varios billetes para pagar la cuenta.

—Leah, escucha...

Me incorporé junto a ella y la tomé del brazo cuando estaba por irse. Inspiró profundo.

—Tienes una manía increíble por tomarme como te plazca y eso me molesta muchísimo. —Se deshizo de mi agarre con brusquedad—. La próxima vez que me tomes así, te romperé la mano.

Salió del lugar envuelta en la pesada gabardina y con las gafas en su lugar, dejándome pasmado en medio del desastre.

Mierda, la había cagado. ¿Ahora qué?

# 5
# LA MANZANA DEL EDÉN

*Leah*

—¿Qué harán los insectos para divertirse? —preguntó Edith con una expresión de molestia en el rostro, mientras trataba de espantar a la mosca que no dejaba de zumbar en torno a ella.

Era obvio que matar moscas resultaba mil veces más divertido que la grave y monótona voz de la señora Molina. La clase de Contratos Internacionales era una tortura.

—Molestarnos hasta la muerte, de seguro —contesté divertida.

—Las moscas son como las mascotas de Satanás, son tan molestas y casi inmortales —se quejó la rubia para después rendirse a su miseria y permitir que la pobre mosquita pululara a su alrededor.

Solté una risa baja y mi celular vibró en ese momento.

> Buenos días, su apretada majestad. ¿Ha pensado mejor las cosas?
> 11:28 a. m.

Mi gesto se desvaneció al leer el mensaje de Alexander.

Había hecho un buen trabajo evitándolo desde nuestro desastroso encuentro en el café, y desde entonces habían transcurrido cinco días. Casi cumplíamos nuestro primer mes de matrimonio y todo lo que quería era que nuestra unión desapareciera por arte de magia. Quería… Quería…

«Tranquila, Leah. Piensa las cosas con lógica».

¿Pero cómo podía pensar con lógica si él seguía apareciendo en mi mente durante el día y asediándome en mis sueños por la noche?

No había dejado de correr dentro de mi cabeza desde que despertamos casados en esa habitación de motel. Una parte de ello se debía a que obviamente no quería estar casada con un completo extraño a mis veintidós años, quien, por cierto, también resultó ser un imbécil. Pero había otras razones por las que seguía impreso en mi memoria: desde que regresamos tenía destellos de lo que había sucedido entre nosotros en Las Vegas, de todas las veces que nuestros cuerpos entraron en contacto, de la manera en que sus manos me exploraron e hicieron uso de mí a su antojo.

Sacudí la cabeza. No podía estar pensando en estas cosas. Jordan no se lo merecía.

Alexander no me atraía en absoluto. Ni siquiera me agradaba, así que esos ridículos sueños y reacciones debían ser producto de algo más lógico... O eso me gustaba pensar.

Volví a la realidad cuando la profesora Molina carraspeó como un tractor. No podía pensar con claridad si él estaba cerca. Prefería mil veces evitarlo, pero no nos divorciaríamos si continuaba haciéndolo. Con un suspiro, respondí su mensaje.

Te veo en el ala este en veinte minutos.
11:39 a. m.

Alexander esperaba por mí en el pasillo del ala este con esa misma postura de seguridad despreocupada que tensaba mi estómago y lo hacía ver a él tan peligrosamente atractivo.

Lo ignoré y subí las escaleras al final del pasillo, invitándolo a seguirme. Obedeció dando una última ojeada para asegurarse de que nadie nos observara.

Los escalones llevaban a una parte de la academia que estaba en remodelación desde hacía algunos meses, pero suspendieron la obra por el mal tiempo. Desde entonces era un lugar abandonado. Recorrí el pasillo evitando el montón de herramientas y materiales dispersos, hasta que encontré una puerta que no estaba cerrada con llave. Entré con el chico Colbourn siguiendo mis pasos de cerca y cerró la puerta tras de sí.

El aire estaba viciado y olía a moho y pintura vieja. Una pesada capa de polvo cubría los escritorios y sillas que llenaban la habitación. No me atreví a sentarme en ningún lugar, a diferencia de Alexander, que se recargó en uno de los escritorios y sacó una manzana de su mochila. Lo miré reflejando una interrogante muda, los brazos cruzados y las cejas enarcadas.

—¿Qué? Me salté el almuerzo por tu culpa y tengo entrenamiento en diez minutos —se defendió—. ¿Para qué me arrastraste hasta acá, de todas formas? —Fijó sus ojos en mí—. ¿Acaso quieres que te ayude a recordar?

Una sonrisa mortal se extendió por su rostro, ángulos y líneas definidas, y por un momento olvidé cómo respirar.

—No. Es para decirte que ya me he puesto en contacto con el amigo de mis padres y he comenzado a planear lo que vamos a decirle, como un borrador.

—Dios, ¿un borrador? —se burló—. ¿No puedes hacer algo sin planearlo hasta la muerte primero?

—Jódete, Colbourn.

Él siguió sonriendo, marcando su hoyuelo, y odiaba admitir que su sonrisa era brillante, pasmosa. Si fuera una chica más idiota, diría que Alexander tenía el tipo de sonrisa fácil que robaba el aliento.

—¿Y cuándo se supone que lo veremos? —Jugó con la manzana entre sus largos y masculinos dedos, lanzándola al aire y atrapándola. Me obligué a desviar la vista.

—En un par de días me dirá cuándo podremos reunirnos.

—¿Y cómo sabemos que no irá con el chisme a tus comprensivos y tolerantes padres? —inquirió con sarcasmo.

—No lo hará, confío en él.

Recargó su trabajado cuerpo sobre el escritorio, como si estuviera posando para un retrato: «El demonio probando la Manzana del Edén» era el nombre que yo le daría a la obra de arte que era para mí, en ese momento, Alexander Colbourn.

Estaba hechizada por su presencia, tanto que no pude contenerme y lo detallé. Mis ojos viajaron desde sus definidos pómulos hasta la suave y sensual curva de su boca. Mordió la manzana, revelando un destello de perfectos dientes blanquecinos; un hilillo de jugo corrió por la esquina de su boca y lo quitó con un lento movimiento de su lengua.

«Mira a otro lado, Leah. Estás volviéndote loca».

De pronto, me sentí mal por obligarlo a saltarse el almuerzo. De haber sabido que contemplar a Alexander comer una simple fruta era todo un espectáculo, habría esperado hasta salir de clases para citarlo.

—Haz eso de nuevo —pidió con voz grave y caí en cuenta de que él me miraba con la misma intensidad.

—¿Hacer qué? —Parpadeé un par de veces para concentrarme.

—Mirar a mi boca. Haces mucho eso.

¿Era yo o la estancia se sentía más caliente?

—¡Claro que no! ¡Estás delirando! Por si lo has olvidado, estamos tratando de resolver el problema en el que nos hemos metido. Además, deberías cuidar lo que haces y cómo me tratas. La gente comenzará a notar que algo raro está pasando si de pronto hemos olvidado años y años de odio mutuo.

Asintió un par de veces sin prestarle mucha importancia al asunto y le dio otra mordida a la manzana con su fuerte mandíbula, arrancando el pedazo y repitiendo el mismo espectáculo. Malditos mis ojos que cobraban voluntad propia cada vez que se trataba de Alexander Colbourn.

—Honestamente, Leah, ¿te arrepientes de lo que pasó? —Había un brillo extraño en sus ojos y algo me decía que estaba jugando conmigo, otra vez.

Sentí mi cara arder. Quería darle una bofetada para arrancarle esa incitante y presuntuosa sonrisa. De verdad, él me hacía perder el equilibrio.

—Sí.

—Dije honestamente. —Dejó el resto de la manzana sobre la polvosa superficie, se alejó del escritorio y se plantó frente a mí.

—Y honestamente, ¡sí! ¡Me arrepiento de cada asqueroso y vomitivo momento de ello!

—No pudo ser tan malo, ¿o sí, McCartney? —Dio otro paso más cerca y yo me alejé, golpeando uno de los escritorios con la parte trasera de mis piernas—. ¿Dónde está tu espíritu aventurero?

—Sucede que entre tus constantes emboscadas en pasillos y tu forma tan bruta de tratarme, no he tenido el tiempo de ser aventurera.

—¿No te gustaría experimentar? —preguntó, cerniéndose sobre mí y sentí la misma tensión que en el pasillo construyéndose entre nosotros.

Un destello codicioso brilló en sus ojos, como si le ofrecieran un regalo que no conocía, pero que se moría por descubrir. La distancia que nos separaba era prácticamente nula y sentía su respiración acariciar mis labios.

—Debes ser el secreto mejor guardado de los McCartney, Leah.

Mi cerebro abortó la misión y saltó de mi cabeza, porque no fui capaz de detenerlo.

No quería detenerlo.

—Solo un pequeño recordatorio —susurró y no pude definir si la súplica era para que él recordara o para que yo lo hiciera.

Dios mío. Estaba besándome. Un leve roce al principio, casi inocente. Entonces, enredó sus dedos en mi cabello y me besó a profundidad.

No tenía idea de cómo había logrado mantenerme de pie mientras me comía la boca a su antojo, porque mis piernas temblaban como gelatina.

—¿Estás feliz ahora? —preguntó sobre mis labios.

No me dio tiempo de responder porque volvió a besarme, igual de profundo, igual de demandante. Le correspondí con el mismo apetito y cada nervio de mi cuerpo reaccionó enviando un placentero escalofrío por mi columna cuando su experta boca tomó la mía.

Sabía dulce, a manzana, a prohibido y a malas decisiones.

A un irresistible error.

Me sentía igual que Eva, mordiendo de la manzana prohibida. Pero ahora... Ahora la entendía, porque se sentía terriblemente bien.

Ajustó su cabeza para profundizar más el beso y mordió mi labio inferior con codicia. Eso fue suficiente para que mi cerebro decidiera regresar al cuartel.

Lo alejé con brusquedad, lanzando un chillido y me miró sorprendido.

—¡¿Qué haces?!

Alexander lucía tan tranquilo como siempre y, *¡diablos!,* ahí estaba de nuevo esa sonrisa fácil que me descolocaba todo el tiempo.

—Besar a mi esposa, ¿qué no es obvio?

Lo fulminé con la mirada, al tiempo que él volvía a acercarse, y antes de poder pensarlo mejor, tomé su mano y la doblé sobre su espalda en una dolorosa posición.

Emitió un gruñido.

—¿Estás loca? —refunfuñó—. ¿Dónde demonios aprendiste a hacer eso? ¡Suéltame, me lastimas!

—No vuelvas a tocarme. Te dije que te rompería la mano si lo hacías —le recordé, impregnando la mayor cantidad de veneno posible en mi voz.

—Eres una lunática.

—Jordan es tu mejor amigo, no deberías hacer estas cosas.

—También es tu novio y no opusiste mucha resistencia que digamos —refutó mordaz y el llanto me picó la garganta.

Estaba por replicar cuando la alarma de incendios comenzó a sonar, emitiendo agudos pitidos que taladraron mis oídos. Nos miramos por un instante. Lo dejé libre con poca delicadeza, tomé mis cosas y salí del lugar a toda prisa.

En definitiva, era la peor hija y novia del universo.

Rogué a todos los dioses una y otra vez mientras bajaba las escaleras a la velocidad de la luz.

Podía correr un maratón con tacones de ser necesario, pero ¿bajar las escaleras para huir de Colbourn? Eso era otra historia. Alex me seguía de cerca. Ignoré su presencia, casi pegada a mi espalda, y me dediqué a recorrer los metros que me separaban del pasillo principal y la dulce seguridad de estar rodeada por más personas.

El pasillo que llevaba a la entrada estaba atiborrado de gente peleando cual hipopótamos frenéticos por salir primero y evitar una muerte inminente, aunque esto era solo otro simulacro.

Apenas puse un pie en el mar de estudiantes, fui remolcada y absorbida por el tumulto que buscaba llegar al exterior. Traté de seguir el paso acelerado de los demás, pero con los jodidos tacones y el montón de pisadas y codazos que recibía a la vez, resultaba imposible.

Alguien pasó junto a mí tan veloz como una ráfaga de viento y me dio un golpe en el hombro que me desequilibró. Mi cara habría terminado embarrada en el piso de no ser porque alguien me sostuvo con firmeza del brazo y me ayudó a incorporarme colocando una mano en mi cintura.

Cuando levanté la vista, Alexander se cernía sobre mí, tan alto y firme como un muro conteniendo ese mar de estudiantes alterados.

Las comisuras de sus labios se alzaron en un *rictus* y pareció divertido ante la situación.

—¿Qué?, ¿quieres morir aplastada ahora? —inquirió y retiré su mano de mi cintura con brusquedad, aunque seguía sosteniéndome del brazo.

—¡Suéltame!

—¿No sabes decir otra cosa? ¿Se te acabó tu repertorio del día?

—Tengo un vocabulario muy amplio —alcé la barbilla—, pero no puedo usarlo contigo si lo único que haces es seguir invadiendo mi maldito espacio personal.

La presión que ejercía sobre mi brazo aminoró y sonrió mostrando un hoyuelo. El detalle resultó casi... encantador.

—Solo estoy tratando de evitar que mueras, con un simple *gracias* es suficiente.

—Nadie te lo pidió.

—Ah, eso es muy maduro de tu parte, McCartney.

Alguien más me empujó en su carrera y él me sujetó de nuevo para que recuperara el balance. Me miró enarcando las cejas, aún divertido por la escena, con un claro "¿decías?" plasmado en sus facciones.

Sin mediar otra palabra, me tomó de los brazos para colocarme frente a él, me pegó a su pecho y se abrió camino en la multitud de estudiantes con sus anchos hombros.

—No necesito que hagas esto, puedo cuidarme sola.

—No lo hago por ti, lo hago por humanidad —contestó en mi oído para que pudiera escucharlo a través del bullicio.

Seguí caminando pegada a él, consciente de cosas de las que no debería, como el calor que irradiaba su cuerpo o la manera en que olía, la forma en que mi sentido del tacto registraba sus manos en mis hombros, guiándome a salvo hasta la salida.

—¿Humanidad? No estoy segura de que tú conozcas esa palabra —repliqué mordaz.

Su pecho vibró con la risita baja que emitió y envió un placentero escalofrío por mi columna.

—No soy tan malo como tú crees, podría sorprenderte.

—Nada que venga de ti podría sorprenderme.

—¿Quieres apostar? —susurró por lo bajo, con su respiración cálida rozando en mi oreja.

Quería alejarme, pero habíamos llegado al umbral de la puerta y la gente se había amontonado ahí, dificultando la salida.

—Ven aquí —ordenó y me tomó de la muñeca para seguirlo, abriéndose paso entre el montón de personas hasta que llegamos al exterior.

Una vez fuera, respiré profundo y me solté de su agarre como si fuese radioactivo. Encontré a Edith saliendo del edificio detrás de nosotros.

—¿Están bien? —preguntó llevándose una mano a la frente para cubrir sus ojos del sol. Asentí tratando de desprenderme de la molesta sensación que Alexander había dejado sobre mi piel.

Edith me dedicó una mirada extraña.

—No he visto salir a Jordan ni a Ethan... Ustedes son los primeros que encuentro. ¿Estaban juntos?

—No.

—Sí —me contradijo Alexander.

Le lancé una mirada de advertencia al chico que lucía indiferente y después me concentré en Edith, quien sonreía confundida.

—Se refiere a que salimos juntos, no a que estábamos juntos —aclaré tensa.

—¡Oh! —Su sonrisa se extendió, casi con alivio, y yo me removí incómoda—. Deberían considerar invertir en un buen programa para entrenarnos en este tipo de situaciones, es una locura ahí adentro.

—Y que lo digas —concordó él y yo me limité a asentir.

—Sentía que me asfixiaba. —Le lancé una ojeada al chico Colbourn y no pareció afectado por mi pobre intento de ofensa.

Ethan y Jordan salieron del edificio para llegar hasta nosotros minutos después. Mi novio no perdió el tiempo y me atrajo hacia él.

—¿Estás bien? —preguntó preocupado y asentí, sonriendo con alivio al tenerlo cerca.

—He logrado salir ilesa, gracias.

—Me alegro. —Besó mi frente y recibí feliz el gesto. Me confortaba su familiaridad.

—No hay necesidad de ser tan dramático, por Dios —intervino Ethan—. ¿No tienes un poco de respeto por ti mismo? Tu controladora Julieta está sana y salva.

Mi novio le hizo una grosería con el dedo al tiempo que me rodeaba con su brazo y cometí el grave error de mirar a Alexander en ese momento: mantenía sus ojos clavados en nosotros, ensombrecidos por algo que nunca había contemplado antes.

Algo extraño se extendió por mi pecho.

Lo ignoré y volví a centrarme en Jordan. Quería erradicar al chico de mi mente, pero parecía imposible.

—¡Al fin! —Suspiró Jordan cerrando la puerta tras de sí una vez que entramos a su departamento—. Lo único bueno de todo ese alboroto fue que suspendieron las clases.

Me mantuve estática en el lugar, observando los muebles que tantas veces había visto en su departamento. Reparé en el viejo, pero cómodo sofá que adornaba su sala, las mesitas dispuestas a ambos lados y la desgastada alfombra. Lo conocía de memoria, pero ahora me resultaba extraño estar ahí. Me sentía fuera de lugar.

Había evitado ir a su departamento desde que volví de Las Vegas, porque el animalillo de la culpa que me carcomía se hacía cada vez más grande.

Tomó mi brazo y me giró para encararlo.

—Has estado muy rara últimamente. —Llevó su mano a mi mejilla y la acarició con los nudillos—. ¿Qué sucede?

—He... he tenido algunas cosas en la cabeza.

Permití que mis ojos viajaran desde sus pies hasta sus orbes miel. Eran brillantes y amables. De forma inconsciente los comparé con los de Alexander, recordándome que no todas las miradas tenían que ser tan penetrantes e invasivas como la suya.

—¿Qué cosas? —indagó, preocupado.

Negué con una pequeña sonrisa al tiempo que eliminaba la poca distancia que nos separaba y lo acercaba más a mí. Agradecí la altura extra que me proporcionaban los tacones y lo besé, con la misma emoción que sentiría alguien que no había visto a la persona que más amaba en el mundo en un siglo.

—Nada importante —susurré contra sus labios antes de volver a besarlo.

Me regocijé en la sensación de calidez que él siempre me transmitía y me dejé llevar por ella, por la familiaridad, la seguridad y la certidumbre.

Nuestros labios siempre habían encontrado un ritmo lento, envolvente y despreocupado. Conocía la manera en que su boca se movía contra la mía y dejé escapar un gemido cuando me tomó de los pómulos y profundizó aún más el beso.

Había extrañado tanto aquello.

Disfruté de la lentitud y la dulzura por un poco más de tiempo antes de separarnos. La sombra de la duda asomó en su mirada.

—Estoy cansada, caminar por toda la universidad con tacones durante el simulacro me mató —me excusé.

Por un momento pensé que insistiría en tener sexo. No lo habíamos hecho desde hacía casi un mes, pero no lo hizo. En su lugar, besó mi frente y me sonrió.

—Está bien. —Acarició de nuevo mi pómulo con cariño.

Sabía que no estaba feliz con el rechazo, pero desde mi matrimonio con Alexander me sentía una mierda. Por engañarlo y, sobre todo, por desear a mi esposo más que a mi novio.

No se lo merecía.

—¿Tienes hambre? Puedo preparar algo para los dos, tengo la receta de un *spaghetti* que va a encantarte; luego podemos ver alguna película mientras me cuentas tu día, ¿qué te parece?

Frunci los labios, debatiéndome en si debía o no quedarme más tiempo, pero la sutil súplica impresa en sus bonitos ojos terminó de convencerme.

—Claro, suena genial.

Sonrió y me guio hasta su cocina, donde nos avocamos a la faena.

Conocía a Jordan desde los dieciséis años. Fue mi primer amigo en el instituto y con el tiempo se convirtió en algo más. En realidad, fue de los pocos chicos que no me abandonó porque yo era *demasiado*. Demasiado intimidante. Demasiado demandante. Demasiado controladora.

JORDAN

Nuestra relación tuvo una lenta construcción, basada en mucha convivencia y atención. Nos acostumbramos a la cercanía del otro y supongo que la química se dio eventualmente. No discutíamos mucho y sabíamos ceder; Jordan era algo que yo podía controlar y eso era perfecto para mí, porque me hacía sentir estable y segura. Además, era bastante guapo.

—Te amo, lo sabes, ¿no? —solté de repente y mi corazón se comprimió con culpa cuando él se giró, acunó mi rostro entre sus manos y me sonrió.

—Claro que lo sé. —Me besó en los labios y agradecí la atención—. También te amo, y lo haré siempre, no importa qué.

«¿Estás seguro de eso?», quise preguntarle, pero me abstuve y en cambio, puse mi mejor sonrisa.

Me repetí que todo iba a resolverse y que, al final, Alexander Colbourn no sería más que el recuerdo de un grave error que cometí en mi juventud.

# 6
# DAMISELA EN APUROS

## *Alexander*

El aire estaba impregnado por el humo del cigarro, y el olor a alcohol y sudor agrio inundó mis sentidos de golpe en cuanto entré a la casa de apuestas.

Habían transcurrido tres días desde el desastre del simulacro y desde entonces no había cruzado palabra con Leah. Los mensajes de los matones de Rick presionándome para que entregara el dinero no cesaron, así que decidí que lo mejor era hablar con él para llegar a un acuerdo.

—Eh, Alex, tiempo sin verte —me saludó Michael con una palmada en el hombro e incliné la cabeza a modo de reconocimiento—. ¿Qué te trae por aquí?

—Quiero hablar con Rick.

Su expresión se tiñó de sorpresa y enarcó las cejas.

—¿Tiene trabajo para ti?

—No precisamente.

—Entiendo. Ven aquí.

Me guio entre las mesas de juego, donde se desarrollaban partidas de póker y *blackjack*, hasta que llegamos a la parte trasera del establecimiento. Una vez ahí, el bullicio inicial de la parte frontal quedó ahogado dejando una atmósfera silenciosa. Los hombres que estaban concentrados jugando partidas de póker alzaron la vista. La mayoría eran personajes importantes, hombres de negocios con un serio problema de ludopatía o un talento para las apuestas. Algunos inclinaron su cabeza en reconocimiento, ya fuera porque me ubicaban como el hijo de Byron Colbourn o porque les había vaciado los bolsillos en algún juego.

Rick charlaba con unos tipos con cara de pocos amigos, pero acalló la conversación cuando se dio cuenta de que estaba ahí, para después dedicarme una sonrisa enorme.

—¡Alex, qué gusto! —Me invitó a sentarme junto a él en uno de los sillones y, con un movimiento de cabeza, mandó a retirarse a los otros dos que lo acompañaban—. Pensé que no nos honrarías otra vez con tu majestuosa presencia.

—¿Por qué?

—Porque llevas tiempo escondiéndote como una rata. —Conocía ese tono. Estaba molesto—. ¿Has venido a traerme el dinero, príncipe? —Se inclinó, mirándome severo.

—No, he venido a negociar.

Se echó a reír.

—Alex, ya has tenido tiempo suficiente. Es hora de que pagues. Ve con mami y papi, que para eso están, ¿no? Para limpiar tu mierda.

—No quiero meter en esto a mis padres, déjalos fuera, Rick. Solo necesito un par de semanas más, ya tengo la fuente de ingresos.

Se reclinó en su asiento, cruzó las piernas y sonrió.

—¿Ah sí? ¿Y cuál es esa fuente de ingresos?

—Nada que te interese porque recibirás tu dinero. Además, no te conviene estar en malos términos conmigo, soy tu mejor jugador.

Otra grave carcajada brotó de su garganta y negó.

—¿Jugador? Tú no eres un jugador, eres un estafador, un ladrón —me corrigió.

—¿No son esos los mejores jugadores? Al final, cuando comprendes las reglas del juego, ¿no nos convertimos todos en eso? —Sonreí con arrogancia.

Alzó su vaso de *whiskey* a modo de brindis.

—Tienes razón. —Dio un sorbo—. Pero no estás en posición de condicionarme, Alex. No seas insolente. ¿Tus padres nunca te enseñaron a respetar a tus mayores?

—Me enseñaron a no perder.

—No eres más que un niño. Sigues jugando y ganando para mí, porque me lo debes y soy considerado contigo, pero no abuses de mi bondad —me advirtió.

—No es abuso, solo un pequeño favor. —Esperaba no sonar tan desesperado como me sentía—. Dame un par de semanas más.

Rick se acarició la incipiente barba grisácea como si estuviese considerándolo.

—Está bien, te concederé un par de semanas más, en tanto sigas jugando para mí.

Asentí aliviado, pero sus facciones se endurecieron.

—Hay un tipo que ha estado acudiendo a mi bar para apostar y ha estado ganando la mayoría de las partidas. No quiero que deje en bancarrota a la casa ni que espante a mis clientes, por eso necesito que le vacíes la cartera. Quiero que me quede debiendo hasta su culo, ¿entiendes?

Solté el aire que ni siquiera sabía que estaba conteniendo.

—Perfectamente. —Me incorporé e hice el ademán de retirarme ahora que había cumplido mi cometido—. Me pondré en contacto para conocer los detalles del tipo que debo estafar.

—¿No te quedas a jugar, príncipe? —inquirió con una sonrisa torcida.

—Hoy no, Rick. Te veré luego.

Asintió con la cabeza a modo de despedida y salí del lugar. Michael estaba en una de las mesas de la parte frontal, inmerso en una partida de póker junto con Ethan y otros tres hombres que parecían mayores. Mi amigo dejó las cartas sobre la mesa en cuanto reparó en mí y se acercó.

—¿Qué te dijo? ¿Te cortará los huevos? —habló a modo de broma y le palmeé el hombro.

—¿Dudas de mi encanto? Me dio un par de semanas más.

—Qué alivio, pensé que te encontraría colgado de un puente o algo así. —Sonrió y fijó su vista en la mesa, con los hombres esperando a que continuara el juego—. ¿Te quedas a una partida?

—No, tengo cosas que hacer.

No tenía nada pendiente en realidad, pero ese lugar me resultaba inquietante. Ethan me había llevado ahí por primera vez seis años atrás, y aunque no éramos más que niños, aprendimos a jugar con bastante rapidez. Ahora no representaba nada para mí, a excepción de una deuda enorme e interminable.

Salí del establecimiento y me sentí mareado por el cambio brusco de ambiente. Caminé por la calle y extraje las llaves de mi auto. Justo cuando me disponía a quitarle el seguro, sentí que alguien me tomaba del hombro hasta girarme y asestar un fuerte golpe en mi estómago.

Todo el aire dejó mis pulmones y no alcancé respiración. Me doblé por inercia, buscando aminorar el dolor. Sin embargo, la oscura figura no perdió el tiempo y acertó otro golpe en mi rostro, que dejó zumbando mis oídos y amenazó con desequilibrarme.

Me recuperé el tiempo suficiente para empujarlo y darle un golpe en el mentón, seguido de otro en su mejilla que dejó mis nudillos doloridos. Alguien me empujó por detrás y cuando me giré, otra alta figura se materializó frente a mí. Sentí uno de mis pómulos doloridos y pude probar el sabor de la sangre en mi boca.

Volvió a golpearme hasta que trastabillé y caí. La voz agitada de uno de ellos llegó hasta mis oídos aturdidos.

—Un recordatorio de Rick, niño. Dice que necesitas aprender modales —sentenció antes de alejarse junto a su compañero.

Regresaron al interior del establecimiento sin decir nada más. Permanecí tirado en la calle buscando aminorar el dolor que se extendía por todo mi cuerpo.

Ya me había parecido muy considerado de Rick concederme otra prórroga sin ninguna advertencia.

Leah me miraba pálida desde el otro lado del comedor con los ojos desmesurados.

No la culpaba. Los matones de Rick me habían reventado el labio, tenía un moretón en la barbilla y otro hematoma más que se extendía por mi pómulo derecho.

Decidí no sentarme junto con Jordan y los demás aquel día en la cafetería, sobre todo porque no estaba de humor para lidiar con sus preguntas. En su lugar, opté por mi equipo de fútbol; hicieron unas cuantas preguntas que logré evadir bajo la excusa de que había peleado fuera de un bar. Luego de eso dejaron el tema.

Me concentré en la comida que tenía delante y mi celular vibró sobre la mesa.

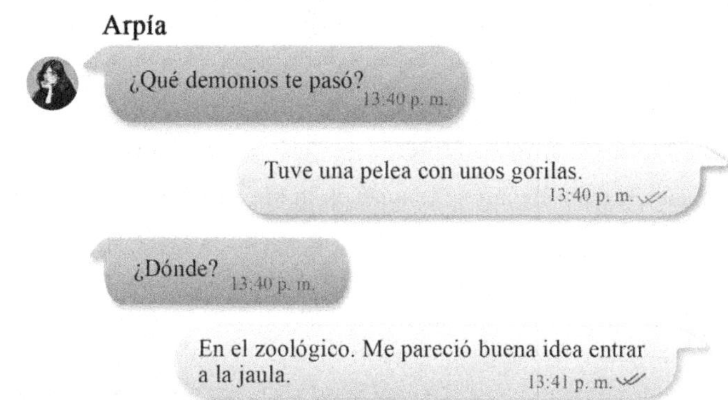

Arpía
¿Qué demonios te pasó?
13:40 p. m.
Tuve una pelea con unos gorilas.
13:40 p. m.
¿Dónde?
13:40 p. m.
En el zoológico. Me pareció buena idea entrar a la jaula.
13:41 p. m.


Alcé la vista justo a tiempo para captar la leve sonrisa que se extendió por su rostro y sonreí también.

Qué idiotez. ¿Estás bien?
13:41 p. m.

Enarqué ambas cejas, sorprendido.

¿Acaso es preocupación lo que percibo?
13:41 p. m.

No lo hago por ti, lo hago por "humanidad"
13:42 p. m.

Volví a levantar la vista, divertido.

Creí que ya estabas adoptando tu papel de buena esposa. Qué estúpido de mí. 13:42 p. m.

Observé a Leah desde el otro lado del comedor conteniendo una risotada.

Dime algo que no sepa. 13:42 p. m.

Que debemos vernos hoy en el mismo café a las 6. 13:42 p. m.

Eso no lo sabía. 13:43 p. m.

¿Ves? Tu esposo siempre atendiendo a tus deseos. 13:44 p. m.

Negó en mi dirección.

Jódete, Colbourn. 13:44 p. m.

Batió las pestañas y sonrió con fingida inocencia.

«Mejor jódeme tú, preciosa», quise escribirle, pero me abstuve cuando dejó el celular sobre la mesa y volvió a concentrarse en Jordan, que le susurraba algo al oído. Sus mejillas se tiñeron de rojo un instante después.

Una sensación de malestar se instaló en la boca de mi estómago solo de ver la escena y esta no desapareció durante el resto de la tarde.

No puedo asistir hoy, he quedado con Jordan. 17:35 p. m.

Releí el mensaje al menos un minuto entero, creyendo que, si lo miraba lo suficiente, el malestar que sentía en mi estómago aminoraría. Pero no. Solo logré aumentarlo.

¿Qué podía ser más importante que vernos para resolver la mierda en la que estábamos metidos?

Mi parte racional me decía que debía dejarlo pasar y esperar a que ella estuviera disponible para quedar en otro momento, discutir esto como personas civilizadas y llegar a una solución.

La otra parte, de mayor partido, se moría por decirle que debía cancelarle. Salir con su noviecito no borraría el hecho de que era *mi esposa* y si lo que buscaba era librarse de mí de una vez, lo mejor sería venir conmigo.

Arrugué los labios. ¿Por qué no podía deshacerme de esa sensación de molestia?

Bloqueé el celular cuando la maquillista de mamá regresó con una nueva esponja para retocarme. Mi rostro se sentía extraño con la pasta que embarró sobre los feos hematomas para ocultarlos de los ojos indiscretos durante la gala que mi padre organizó para celebrar las buenas inversiones del año. Mi madre asistiría también y la aprovecharía para la presentación de su nueva colección de temporada.

¿Lo bueno? Había canapés. ¿Lo malo? No podría escapar porque yo era uno de sus modelos. Se había encargado de entallarme con un costoso traje diseñado para la marca de Dries Van Noten y debía lucirlo con gracia, elegancia y...

—No lo arruines —susurró acomodándome mejor el traje—. Se te ve precioso. —Suspiró encantada—. No esperaba menos de mi hijo.

Despidió a la maquillista con un gesto de la mano y la chica obedeció dejándonos solos.

—Un poco de modestia no es mala, mamá.

—La modestia es para gente insegura, yo no necesito eso. —Me admiró fascinada—. Bien, solo tienes que modelarlo por el salón durante la gala de tu padre, no es nada complicado. Sus inversionistas son clientes potenciales.

—Lo sé, lo dijiste las últimas, no sé, cuarenta veces.

—Es una pieza única y muy costosa que me tomó tiempo crear, así que, por lo que más quieras, no lo manches o rasgues. Se echará a perder.

—¿Cuándo te he fallado, mamá?

—Nunca, por eso eres mi persona favorita en el mundo. —Me tocó la mejilla e hice una mueca de dolor por el golpe en mi pómulo. Me miró con dureza—. Y por favor, nada de peleas, Alexander. Me preocupas.

Mi madre no era precisamente la persona más dulce del mundo, al contrario, era una mujer severa, regia y correcta, con un temperamento de los mil demonios y un talento nato para hacer que te cagaras de miedo solo con una mirada. Pero era buena madre.

Se alejó para recibir a los invitados luego de nuestra breve conversación y la seguí. El salón estaba atestado con un montón de personas que jamás había visto en mi vida. Algunas me sonreían cordiales, elogiando el traje que vestía o la manera en que había crecido. Papá estaba inmerso en charlas que parecían no tener fin. Iba de un círculo a otro, enzarzándose en pláticas sobre las que no entendía nada.

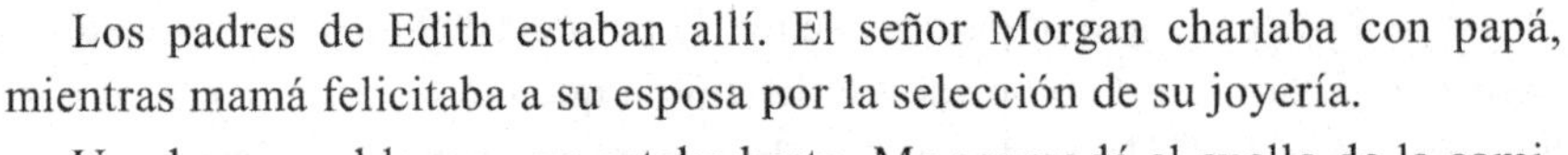

Los padres de Edith estaban allí. El señor Morgan charlaba con papá, mientras mamá felicitaba a su esposa por la selección de su joyería.

Una hora en el lugar y ya estaba harto. Me acomodé el cuello de la camisa, ofuscado, y ubiqué la mesa de los canapés. Al menos eso apaciguaría mi malhumor. Me encaminé hacia allá con la posibilidad de conseguir un bocadillo, pero me encontré con algo mucho mejor.

Los McCartney entraron por las ornamentadas puertas del salón. Leo lucía tan regio y prepotente como siempre, con su esposa tomándolo del brazo, como si se tratasen de Zeus y Hera atravesando las puertas del Olimpo. Sin embargo, su pomposa entrada no fue nada comparado con lo que captó mi atención: Leah caminaba justo al lado de sus padres, ataviada con un bonito vestido color marfil que se ceñía a su pequeña cintura, resaltando sus exquisitas curvas y con la delicada línea de sus hombros al descubierto por el recogido que sostenía su cabello.

Ella era, en definitiva, una obra de arte personificada que valía la pena contemplar.

Tenía un increíble parecido con sus padres. Tenía la misma forma de la cara de su madre y el mismo tipo de cuerpo que te detenías a mirar cuando caminabas por la calle. Compartían la mayor parte de los rasgos, femeninos y delicados, pero el verdadero contraste yacía en los ojos: los de la señora McCartney tenían un bonito color verde y su mirada era suave, un poco melancólica; los ojos de Leah eran fuego puro. Grises como el hierro que lograba incrustar a través de ellos, avasalladores como su presencia y vibrantes como su persona.

Sin duda, eran los ojos de su padre: escrutadores y enigmáticos.

Era jodidamente preciosa y lo sabía, lo sabía tan bien que se movía conforme a ello, con gracia y petulancia.

Desvié mi atención, buscando no evidenciarme más al engullirla de esa manera tan descarada con la vista. Permanecí cerca de mis padres y pronto le perdí la pista. La sala se llenaba cada vez más y no fui capaz de ubicarla. El señor McCartney acudió a saludar a mi padre con deje cortés para después saludar a un montón de personas más.

Hastiado y hambriento, fui hasta la mesa de aperitivos que estaba al fondo de la sala. Agradecí el que estuviera desierta y sonreí para mis adentros cuando ubiqué el último de los pequeños postres. Ya podía saborearlo.

Estaba por tomarlo cuando alguien me adelantó y lo retiró de la bandeja. ¿Era en serio? Suspiré y conté hasta diez para no gritarle al ingrato que había terminado por arruinar mi día. Sin embargo, todo el hastío se disipó cuando reparé en la sonrisa arrogante de Leah.

—Eso es mío —me quejé sin apartar la vista de su bonito rostro.

—¿De verdad? —Miró por todos lados el postrecito—. No veo tu nombre en ningún lado.

—Estaba por tomarlo.

—Lástima. Hay que ser rápidos en la vida o te comen.

Tomó la cereza que adornaba el pastelillo y la llevó hasta su boca, abrazándola con sus labios y mordiéndola con sugerente lentitud. Mi garganta se secó. La maldita arpía incitante. Lo hacía a propósito.

—No pensé verte aquí hoy —comenté, en un desesperado intento por tranquilizar la excitación que se construía en mi sistema y se concentraba en mi entrepierna.

—Sorpresa. Vine a iluminar esta aburrida fiesta.

—¿Y Jordan? Pensé que tenías planes con él.

—Primero tenemos que hablar.

—Te escucho.

—No aquí, es arriesgado. Les parecerá extraño que convivamos.

Reí sin humor.

—La mayoría de la gente tiene una vida, Leah. No están concentrados en ti.

Me fulminó con la mirada para dejar en claro que el tema no estaba a discusión, y suspiré.

—Te veo en el jardín trasero en cinco minutos —ordené.

Me regaló una sonrisa brillante. El tipo de sonrisa que, si no tenías cuidado, podía hechizarte.

—Perfecto.

—Llegas tarde —me riñó cuando la alcancé en el lugar acordado.

—¿Me extrañaste? —la molesté mostrando una media sonrisa.

—Para nada.

Hice todo lo posible por no mirarla más de la cuenta, pero joder, era difícil no hacerlo con ese bonito vestido. Lucía tan apetecible.

—¿Y bien? ¿Qué es tan importante? —fui el primero en hablar.

—Ya tengo la fecha en que veremos al amigo de mis padres para resolver todo esto. —Clavó la vista en el suelo de adoquín que adornaba los jardines de mi casa.

Una sensación extraña se extendió por mi pecho y arrugué los labios.

—¿Cuándo?

—Dijo que me recibiría en dos semanas. Es decir, *nos* recibirá, si quieres venir conmigo —explicó mientras caminaba junto a mí cerca de la piscina olímpica que papá había mandado a construir para ejercitarse.

—Claro, ¿por qué no?

—Bien. Entonces me mantendré en contacto contigo. —Alzó la vista—. Y por favor, no más interacciones en la universidad. No quiero que Jordan empiece a sospechar.

—¿En serio? —No pude ocultar la diversión que tildaba mi voz—. Pagaría por ver su reacción al enterarse de que eres mi esposa.

—Te regalaría una nueva cara.

Una carcajada brotó de mi garganta. Una parte de mí se moría porque Jordan se enterara de lo que yo tenía con su dulce y leal novia.

—¿Qué es tan gracioso? —preguntó molesta.

—Tu forma casi desesperada por pretender que todo con Jordan es perfecto, cuando no es así.

—¿Tú qué sabes? —Situó las manos en su cintura—. No es como si estuvieras en una relación estable, al menos no con alguien como Mercy Parkinson.

Enarqué una ceja, suspicaz.

—¿Mercy Parkinson?

Hizo un mohín con la nariz, como si hubiera dicho algo que no debería.

—Edith y Matt dijeron que te vieron hablando con ella hace unos días. —Noté un toque de molestia en su voz.

Hablé con Mercy para entregarle las fotografías que sacamos en su última sesión y por las cuales pagó. No había nada más entre nosotros, pero lo usaría a mi favor para ver qué tan lejos podía llegar jugando con los celos de Leah.

—¿Son celos lo que percibo?

Pareció descolocada por un segundo, antes de volver a adoptar su típica faceta estoica.

—Sueñas —rebatió—. Es solo que no tienes derecho de recriminarme nada cuando tú estás con Mercy.

—Leah, no te estoy recriminando nada, y si vas a enumerar todas mis indiscreciones, esta será una larga noche —dije divertido y ella se tensó.

Percibí el aroma a rosas que despedía, seguí la forma de su cara, la línea de su boca. Era imposible no admirarla por más que luchara.

—Prefiero no hacerlo o nunca terminaría —masculló.

Permanecimos en silencio, con unos cuantos pasos de distancia separándonos. Sus ojos miraban a todos lados, menos a mí, y yo la observaba.

Entonces, de un momento a otro, carraspeó y se dispuso a marcharse.

—¿Por qué Jordan? —pregunté sin resistir el impulso cuando me dio la espalda.

Se giró y alzó la vista, confundida.

—¿Qué?

—¿Por qué buscas con tanto desespero arreglar las cosas con él?

Se mordió el labio. Dios, yo también quería morderlo.

—Porque siempre hemos estado juntos, siempre hemos sido él y yo, y no puedo permitir que esto —nos señaló a ambos— arruine mis planes.

—¿Entonces es todo por costumbre? —Acorté un paso más entre los dos—. ¿Es lo que tratas de decir?

Dio un pequeño paso hacia atrás.

—No. Siempre hemos estado juntos, nosotros...

—¿Dónde termina el amor y dónde empieza la costumbre, McCartney? —cuestioné—. Qué vida tan aburrida, Leah. Todo construido tan sistemáticamente, tan...

—¿Y qué? Al menos él es mejor hombre de lo que eres tú —me interrumpió desafiante.

Enarqué una ceja, avanzando otro paso.

—Él no es ni la mitad de lo que soy yo.

—No lo creo. Jordan es amable, dulce, divertido...

Toda su seguridad se desvanecía en la misma medida que yo me acercaba.

—Encantador —me burlé—. Los mismos atributos que, no sé, ¿un perrito? Lo tratas igual que a una mascota.

—¡Claro que no! También es valiente y...

—Es, veamos, ¿inteligente? —inquirí—. Cuando hablas, ¿están al mismo nivel? ¿Te hace pensar? ¿Te desafía?

Pareció sorprendida.

—Pues, yo...

—¿Es centrado? ¿Tiene metas? ¿Deseos? ¿Aspiraciones?

—Yo...

—Cuando estás con él, ¿qué sientes? ¿Tienes esa necesidad de tenerlo cerca? ¿Sientes esas estúpidas mariposas que todas las mujeres dicen sentir? —continué sin tregua.

—Nosotros...

—¿Te impulsa? ¿Te lleva más allá de tus límites? ¿Te pone los pies sobre la tierra?

—Alex, déjame...

—¿Te excita lo suficiente?

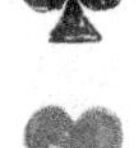



Estábamos tan cerca que inclinó la cabeza para mirarme, sin respirar.

—Voy a responder por ti —la corté—. No lo hace. Estás con él porque puedes controlarlo, eso es todo.

Dio otro pequeño paso y la tomé de la muñeca por instinto para mantenerla en el lugar.

—¡Suéltame! Te pedí que no volvieras a tocarme.

Adoptó la misma posición de aquella vez que nos besamos en el ala este y tomé su otra mano, anticipándome a su movimiento.

—Tranquila, Jackie Chan, no te alteres, solo estoy tratando de...

—Dije que me sueltes —insistió y volvió a construir esos impenetrables muros en sus ojos.

—Leah...

—¡Suéltame!

La obedecí y alcé las manos a modo de rendición. Se alejó con brusquedad y, entonces, miré cómo caía directo a la piscina con un grito.

La escena resultó tan ridícula que no pude contener la carcajada. Comenzó a dar manotazos para tratar de mantenerse a flote, salpicando agua por todos lados. Miré divertido todo su alboroto, hasta que dejó de aletear.

Mi sonrisa se desvanecía con cada segundo que pasaba sin que ella volviera a revolotear. Debía saber nadar, ¿no?

Mi corazón dio un salto cuando no pude localizarla en la superficie.

«Me tienes que estar jodiendo».

Antes de que pudiera pensarlo mejor, me lancé a la piscina para rescatarla. El cloro me escocía los ojos mientras nadaba más al centro. La encontré casi al fondo, hundiéndose.

Salí a la superficie jadeando por aire, ella rodeando mi cuello con desesperación, como si fuera su salvavidas.

—¿Qué demonios fue eso? —dije rodeándola con mis brazos para mantenerla a flote.

—No... No sé nadar —musitó con un hilo de voz, sujetándose a mí con mayor ahínco—. No me sueltes.

—No planeo hacerlo.

—Te odio. —Temblaba ligeramente—. No te tolero.

—¿Así tratas a quien te rescató? Yo esperaría al menos un trato de amigos.

—Jamás podríamos ser amigos.

Sonreí al tiempo que retiraba un mechón de cabello de su mejilla.

—Tampoco creo que pudiéramos ser amigos, Leah.

Mi corazón latía a través de mis oídos, rápido. Cada sentido que poseía se intensificó, consciente de cada parte de su cuerpo que entraba en contacto con el mío. La pegué más a mí, con su respiración enredándose con la mía, apreciando sus ojos desafiantes, escrutadores. Sus labios estaban ligeramente entreabiertos, incitantes, invitándome a tomarlos. ¿Y quién era yo para negarme? Si no me había ahogado hasta ahora, no lo haría por besarla.

Quería probarla una vez más, y una más después de esa, y otra más, hasta perder la cuenta. Hasta sofocar esta insistente necesidad y saciarme.

Incliné mi cabeza para concretar lo que tenía en mente, para tomarla como me moría por hacer desde la vez del ala este, quería...

—¡Leah!

Ambos dimos un respingo y me alejé al instante. Cuando nos giramos, sus padres nos miraban confundidos. La solté al tiempo que ella se impulsaba con mi cuerpo para llegar a la orilla. Su padre la tomó de los brazos para sacarla del agua y yo salí un segundo después.

—¡Aleja tus asquerosas manos de mi hija! —El señor McCartney me empujó con tanta violencia que caí al piso, estupefacto.

—¿Qué mierda haces? ¿Qué demonios está mal contigo, Leo? ¡No te atrevas a hablarle así a mi hijo! —siseó mi madre acercándose a la piscina también, con papá pisándole los talones.

Su padre colocó su saco sobre los hombros de Leah, al tiempo que ella se apresuraba a cubrir el tatuaje en su tobillo con el vestido.

—Tu hijo estaba aprovechándose de mi hija —espetó su madre, perforándome con sus ojos verdes.

—*¿Disculpa?* —Mamá se irguió, desafiante—. Tu hija era la que estaba pegada a mi hijo como una garrapata.

La señora McCartney pareció enfurecer en ese momento y dio un paso más cerca de mi madre.

—¿Cómo te atreves a llamarla de esa manera? Quién ca...

—¡Basta! —Mi padre tomó lugar en medio de ambas, interviniendo—. No haremos un espectáculo aquí. —Miró a Leah con displicencia y después a Leo—. Vamos al estudio, le daré una toalla a tu hija para que pueda secarse.

Las cosas en el estudio no mejoraron.

Mi madre y la señora McCartney sostenían una batalla muda con la mirada y el ambiente se sentía demasiado tenso.

—Lamento mucho lo sucedido —habló mi padre tendiéndole una toalla a Leah para que se secara y otra a mí.

—No importa, en tanto le digas a tu hijo que se mantenga lejos de mi hija —repuso el señor McCartney, regalándome una mirada matadora.

Mamá rio con desdén.

—Como si mi hijo pudiera caer tan bajo. —Miró a Leah de la cabeza a los pies, asqueada—. Él tiene estándares.

—Mamá... —intervine, incómodo, pero mis padres me mandaron a callar con los ojos.

—Por favor —rebatió Allison—. No me sorprendería que fuera un desequilibrado como tú, al final eres su madre, ¿no?

Mamá emitió un jadeo de indignación y vi la vena que aparecía solo cuando estaba furiosa.

—Si a esas vamos, no me sorprende que tu hija estuviera tan agarrada a mi hijo. De seguro es una oportunista igual que tú; tal vez, incluso, es igual de p...

—Agnes —la amenazó Leo con tono duro.

—Olvidemos este embarazoso incidente —habló papá, tranquilo—. Les ofrezco una disculpa.

Leo asintió con rigidez, pero la señora McCartney aún echaba fuego por los ojos y Leah parecía estupefacta. El odio en nuestras familias era profundo y palpable. Pero ¿por qué? ¿Qué podría haber sido tan grave?

—Todo estará bien en tanto él se mantenga alejado de Leah —sentenció su padre.

—Créeme, será un placer —escupió mamá—. Creo que más bien deberías decírselo a tu hija.

Las dos mujeres se dedicaron una última mirada antes de ser escoltados fuera del estudio por papá.

Una vez que estuvimos solos, me miró colérico.

—¿Qué mierda tienes en la cabeza, Alexander? —Se acercó amenazante—. Por Dios, de todas las mujeres posibles, ¿la hija de Leo McCartney? —Puso sus dedos en el puente de la nariz, buscando tranquilizarse. Parecía al borde del infarto.

—Papá, yo solo...

—No, escúchame y hazlo bien. —Clavó sus ojos azules en mí, severo—. Me importa una mierda si te coges a todas las mujeres de Washington, créeme, no me importa un carajo.

—¡Byron! —intervino mamá, alarmada.

—Pero no a ella —continuó, ignorándola—. Deja a la niña de Leo fuera, ¿entendido? Él es alguien con quien tengo una relación empresarial importante y no la perderé porque no puedes mantener la polla dentro de tus pantalones.

Lo miré incrédulo.

—Papá, estás exagerando. Solo la ayudé porque cayó a la piscina, eso es todo.

—Has arruinado el traje por eso —dijo mamá, irritada—. Ella no valía la pena, hubieses permitido que se ahogara, le habrías hecho un favor al mundo. No es más que la hija de una...

—Agnes —la reprendió papá y ella puso los ojos en blanco—. ¿Me has entendido, Alexander?

Mantuve mi boca tan sellada que se convirtió en una fina línea.

—No puedo creerlo. —Mamá tocó el saco.—. Has tirado mi trabajo a la basura por esa...

—¡Ya basta! —insistió papá—. Te quiero lejos de esa chica, ¿está bien?

Le sostuve la mirada, negándome a ceder y desafiándolo por el bien de mi orgullo, hasta que me rendí y doblegué. No me desgastaría por esto, aunque el animalillo de la curiosidad me comía la cabeza más que nunca.

—Sí.

¿Qué tenía de especial aquello que sabías que no podías tomar? Me sentía como un niño al que le habían puesto un dulce enfrente, pero le prohibían comerlo. Gran error, porque solo sirvió para atizar mis ganas de llegar hasta ella.

Leah McCartney era el tipo de mujer con un rígido sentido de la disciplina y la obediencia, y una parte de mí quería corromper aquello y obligarla a quebrantar las reglas que la habían moldeado como persona.

Quería orillarla a traicionar todo lo que había conocido y creído verdad, bajarla de sopetón de su inmaculado pedestal de superioridad.

Cuando toda esta mierda se resolviera, quería que *recordara*. Cuando fuera mayor, con un obeso esposo y tres mocosos que ocuparan sus días, quería que yaciera sobre su cama sin poder conciliar el sueño, recordando cómo había estado atada a mí, cómo había sido tomada por mí, cómo había sido mía, incluso aunque fuese por error.

# 7
## BONA FIDE

*Leah*

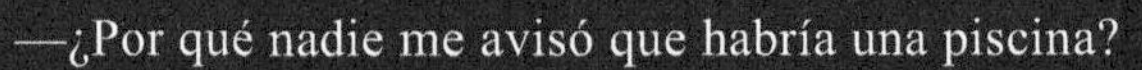

—¿Por qué nadie me avisó que habría una piscina?

Damen despegó los ojos de la pantalla, cosa que resultaba imposible cuando jugaba en su Nintendo Switch —típico de un adolescente de quince años—, y nos siguió de cerca con la vista mientras yo tomaba asiento en el sillón contiguo.

—Cállate, insecto —espeté sin un ápice de paciencia para sus comentarios infantiles.

Mi hermano menor entornó sus ojos verdes y me sacó la lengua.

—¿Por qué siempre tienes que ser tan amargada?

—Paren ya, ustedes dos —intervino papá y mi hermano hizo una mueca burlesca—. Damen, a tu habitación.

—Pero están a punto de sermonear a Leah, no quiero perderme el espectáculo —se quejó y lo fulminé con una mirada asesina.

—No voy a repetirlo, Damen.

—Pero papá...

—¡Ahora! —insistió con un tono tan autoritario que por poco me hace correr a mí también.

Mi hermano se levantó a regañadientes y abandonó la sala del recibidor arrastrando los pies. Mamá apareció en ese momento y se apresuró a retirar la húmeda toalla que descansaba sobre mis hombros para colocarme una seca.

—¿Estás bien? —preguntó consternada. Era lo primero que me decía desde que abandonamos la fiesta.

El camino de regreso fue tan silencioso y tenso que consideré la posibilidad de tirarme por la ventana.

—Sí.

—¿Estás segura? ¿No intentó nada? ¿Te hizo daño? —Palpó mi cuello, mis hombros y mis brazos con ansia, casi con desesperación, buscando alguna evidencia de que Alexander me había lastimado—. ¿Se ha propasado contigo? ¿Ha intentado hacerte algo...?

—Mamá, tranquila. —La detuve cuando estuvo a punto de levantar el vestido y notar el tatuaje en mi tobillo—. No ha hecho nada.

Se incorporó retorciéndose los dedos y miró a papá de una manera que no logré identificar.

—Leah, ¿él te empujó? —cuestionó mi padre con gesto serio.

La pregunta me resultó estúpida y extremista.

—No —me apresuré a decir—. Al contrario, yo caí en la piscina y él solo...

—¿Cómo te caíste? —preguntó mamá hecha un manojo de nervios.

—Pues... Estaba en el jardín, caminé cerca de la piscina, trastabillé y caí.

Mierda. Era una pésima mentirosa, mucho más cuando tenía a mi padre enfrente.

—En primer lugar, ¿qué hacías en el jardín? ¿Y qué hacía él ahí también? —inquirió papá con el tono que seguro usaban los jueces en la Inquisición.

—Salí para llamar a Jordan —mentí—. Había demasiado ruido en el salón y como estaba tan distraída mientras charlaba con él, di un paso en falso y caí en la piscina. En cuanto al chico Colbourn..., qué se yo por qué estaba allí.

—¿En serio? Porque él parecía a punto de darte respiración de boca a boca, aunque tú respiraras a la perfección.

Toda la sangre viajó hasta mis pies y rogué porque mi rostro no reflejara lo asustada que me sentía.

—¡Claro que no! Has visto mal. Por Dios, es Alexander Colbourn de quien hablamos, yo jamás... jamás... —Levanté la vista hasta mis padres—. Además, ¿qué hacían ustedes afuera?

Ahora que lo pensaba con detenimiento, mis padres no tenían motivos para estar en los jardines, ni tampoco los padres de Alex. Se dedicaron una mirada extraña antes de que mamá respondiera.

—Te perdí la pista y no estaba cómoda contigo yendo por ahí en esa casa del terror. Tu padre hablaba con Byron y se ofreció, junto con Agnes, a ayudarnos a buscarte. —Imprimió tanta agriedad en el nombre de la madre de Alex que incluso hizo una mueca—. Jamás pensamos encontrarlos tan... juntos.

—Él solo estaba tratando de ayudarme. ¿A qué viene tanto alboroto? Están exagerando.

—¿Exagerando? Estabas allí sola con ese chico y él podría haberte hecho daño.

—Jamás me haría daño —me encontré diciendo antes de pensarlo mejor y mamá me miró con incredulidad.

—Leah, él es hijo de alguien... —carraspeó, como si no encontrara las palabras, y se puso de cuclillas frente a mí— muy impredecible. Agnes podría utilizarlo para hacerte daño, para hacernos daño.

Me hablaba como una niña de cinco años que además era tonta y eso me molestó.

—De verdad, ustedes dos solo son paranoicos. Yo caí en la piscina y él me salvó como cualquier humano normal, ¿cuál es el problema con eso?

—Estamos tratando de protegerte, cariño. —Mamá tomó mi mano entre las suyas. Percibí su leve temblor y la preocupación que se adueñaba de sus facciones.

—¿De qué? —Retiré mi mano, muy hastiada para aceptar su toque—. Toda nuestra vida nos han educado a mis hermanos y a mí para odiar a esa familia, ni siquiera sé por qué. Siempre que Erick y yo sacamos el tema, ustedes lo evitan.

Tenía mucho tiempo sin apreciar a mamá tan nerviosa. Cuando era más pequeña, la escuchaba gritar por las noches, presa de pesadillas tan horribles que yo corría a la habitación de Erick para sentirme segura. Mi hermano siempre me tomaba de la mano y me guiaba hasta donde dormían nuestros padres.

Papá rodeaba a mamá con sus brazos mientras le acariciaba la espalda, susurrándole cosas al oído que no comprendía, buscando acallar el llanto que no tardaba en convertirse en sollozos, hasta que se tranquilizaba poco a poco. Entonces ella nos abrazaba a ambos y dormíamos los cuatro en la cama. Desde esa escabrosa temporada habían pasado años y era la primera vez que la veía tan preocupada y alterada como aquellas noches, pero ¿por qué?

—Obedece, Leah —ordenó papá, severo—. Te quiero lejos de ese chico, ¿entendido?

—¿Por qué?

—Porque te hará daño —dijo mamá con voz ahogada.

—No lo saben.

—¿Y tú sí? —replicó papá—. ¿Cómo podrías saberlo si ni siquiera lo conoces? Lo mejor que puedes hacer es seguir de esa manera, sin conocerlo.

Fruncí el ceño. Dios, se estaban comportando de una manera tan irracional.

—Pero...

—¡Pero nada, Leah! ¡Nada! —vociferó papá al final, perdiendo el control como pocas veces lo hacía—. Este tema no está a discusión, obedecerás y punto.

Su mirada era tan dura que incluso pesaba sostenérsela.

—Bien.

¿Qué podía ser tan terrible para que papá perdiera el control de esa manera? Podía contar con los dedos de mi mano las veces en que había levantado la voz, siendo él una persona tan templada.

Si esta era su manera de asustarme, de protegerme y alejarme de Alexander Colbourn, entonces les había salido el tiro por la culata.

Ahora la curiosidad que permanecía dormida en mi interior se había convertido en una bestia sedienta de respuestas. Necesitaba averiguar por qué nuestros padres se odiaban tanto y no pararía hasta saberlo.

Salí de la ducha luego de la discusión. Estaba por ponerme los pantalones del pijama cuando Jordan entró a mi habitación sin avisar. Solté un grito y estuve a punto de caer al piso por la impresión. Sonrió divertido y me apresuré a ponerme la prenda para cubrir el maldito tatuaje que me urgía remover. Estaba harta de no poder utilizar faldas e ir por ahí cubriéndome para evitar que la gente se diera cuenta.

—¿Qué haces aquí? —El reloj en mi buró indicaba casi media noche.

—Tu madre me dejó pasar. —Cerró la puerta tras de sí y me sentí incómoda de pronto—. ¿Estás bien?

Acortó la distancia entre nosotros hasta quedar a un palmo. Lucía consternado.

—Entera, en una pieza. ¿Cómo supiste que algo me había sucedido?

—Edith me llamó para contarme... —Calló un momento—. Sus padres te vieron entrar al estudio de los Colbourn, empapada.

—¿Edith te llamó? —Enarqué una ceja.

—Sí, quería saber cómo estabas porque no le respondías el celular.

—Ya, lo he olvidado por completo. —Me mordí el labio—. Sabes que podrías haber esperado hasta mañana para verme, ¿no?

—No podía esperar, necesitaba saber que estabas bien. ¿Cómo te caíste?

Resistí el impulso de rodar los ojos. No quería repetir la misma mentira.

—Estaba caminando, tropecé y caí.

—Lamento no haber estado ahí para salvarte. —Retiró de mi rostro un mechón húmedo—. ¿Quién te rescató?

Claro, Jordan sabía que era un tronco para nadar. Clavé mis ojos en él, considerando mentirle, pero al final decidí que lo mejor era decir la verdad.

—Alexander.

Su expresión se oscureció de pronto.

—Alexander —repitió—. ¿Cómo es que él siempre está ahí para salvarte?

—¿A qué te refieres?

—También te sacó de toda esa jauría en el incidente de la alarma de incendios, ¿no?

Mi garganta se secó. ¿Cómo lo sabía?

—En realidad...

—He escuchado rumores de que fue él quien te sacó de ahí y que estaban muy juntos ustedes dos —recriminó con tono ácido.

—Jordan, esos son *rumores*. Como si no me conocieras, por favor. Él y yo ni siquiera nos dirigimos la palabra. —Me mantuve firme en mi posición esperando sonar convincente.

—¿En serio? —Era la primera vez que lo veía tan molesto—. Porque desde que regresaste de Las Vegas, él ha estado muy cerca de ti.

«No entres en pánico, no entres en pánico», me repetí una y otra vez, aunque mi corazón latía desbocado.

—Jordan, ¿estás celoso? —Entorné los ojos, buscando alejarlo del terreno tan peligroso al que habíamos entrado.

Su postura se tensó aún más y desvió la mirada otorgándome la razón.

—¡Por Dios! —dije en una combinación de sorpresa, alivio y diversión—. ¿Hablas en serio?

—Leah, es extraño que convivan. Casi me cago en los pantalones cuando los vi hablando en el pasillo la última vez.

—Solo estaba pidiéndome un...

—Lo sé, lo sé —me cortó y cerró los ojos, negando—. Es estúpido de mi parte, pero todas las chicas dicen que él tiene ese... ese... *no sé qué inglés.*

Lo evalué seria por un momento para después partirme de risa. No alcanzaba respiración por lo divertido que resultaba todo esto. Un *no sé qué inglés;* me tenía que estar jodiendo. Palmeé su hombro cuando por fin pude recuperarme.

—Perdón, es solo que suena ridículo. ¿Te estás escuchando? Jamás podría fijarme en él, aunque fuera el próximo heredero a la corona inglesa. Es más, no podría fijarme en alguien que no fueras tú. Y por si no lo sabías, la presencia de Alexander me molesta muchísimo —mientras hablaba, trataba de convencerme de cada palabra.

—Tengo miedo de que alguien más llegue, te robe de mi lado y derrumbe todo lo que hemos construido. —Acunó mi rostro entre sus manos con delicadeza.

Mi corazón dio un salto y toda la diversión del asunto se desvaneció.

—Eso jamás pasará. Siempre seremos tú y yo, ¿recuerdas?

«¿Dónde termina el amor y dónde empieza la costumbre, McCartney? Qué vida tan aburrida, Leah». Las palabras de Alex resonaron en mi cabeza.

Sus ojos brillaban igual que los de un perrito fiel... No, no un perrito. Mierda. Traté de erradicar la imponente silueta de Alex de mi mente, sin éxito, y sus palabras se repitieron en mi cerebro como un mantra. Ahora, por su culpa, no podría pensar en Jordan sin asociarlo *con un perrito.*

Mi novio me besó con ternura y continuó sonriendo.

—¿Sabes? Creo que deberíamos casarnos al terminar la universidad —propuso casual y me alejé de su toque por inercia.

«Por mí encantada, en tanto termine con mi actual matrimonio».

—Claro, aunque es muy pronto para pensar en esas cosas —dije evasiva—. Hay que esperar a que la graduación se acerque, ¿no crees?

Asintió. Permanecimos en silencio unos segundos, hasta que habló otra vez.

—Tomaré cartas en el asunto para que Alex deje de molestarte.

«No», fue mi primer pensamiento, pero por fortuna mi cuerpo no controlaba mi cerebro.

Sonreí apenas sin que nada más acudiera a mi mente. Se acercó y depositó un beso en la comisura de mi boca.

—Ahora tengo que cerciorarme de que de verdad estás entera. —Apretó mi culo a través de la tela del pijama y jadeé sorprendida. Percibí su duro cuerpo contra el mío y su boca viajó por mi cuello hasta la clavícula, pero lo detuve colocando mis manos en sus hombros.

—Mis padres están aquí —le recordé con voz grave—. Me parece una falta de respeto.

Era una buena excusa, porque no me sentía de humor para hacer algo así. Sus ojos miel parecieron apagarse, entristecidos igual que los de un perr...

¡Carajo!

Edith parloteaba sobre lo mucho que detestaba esa clase, lo mucho que le distraían los dientes de castor del señor Traynor y lo difícil que era concentrarse en las finanzas internacionales.

—Creo que dejaré la carrera de Relaciones Internacionales para dedicarme a vender droga, estoy segura de que me iría mejor.

—Como tú digas, Walter White —me burlé.

Nuestras risas se acallaron en el momento en que nos acercamos a nuestra mesa habitual de clase. Sobre ella, justo de mi lado, había un café con una nota debajo.

—¿Qué es eso? —Tomó el vaso desechable y lo olfateó mientras yo tomaba la nota.

—¡Qué emocionante! —chilló Edith sobre mi hombro y di un respingo—. ¡Tienes un admirador! ¿Alguna idea de quién puede ser?

En espera de complacerte.
Sinceramente,
TSAE ♥

«No te lo imaginas», quise decirle, pero me abstuve.

—Ni idea.

Le quité a Edith el vaso de las manos para darle un sorbo y estuve a nada de sonreír. Me sorprendía que hubiese recordado cómo tomaba el café. Una calidez se asentó en la boca de mi estómago y no por la bebida.

—Tal vez son sus iniciales. —Me quitó la nota de las manos y la analizó con ojo crítico—. ¿Tyler? ¿Thomas? ¿Terrence?

—No conozco a nadie que se llame así. —Tomé asiento con una enorme sonrisa en el rostro.

—Creo que tenemos un misterio entre manos, Watson. —Edith se dejó caer sobre la silla a mi lado.

«Dilo por ti».

El aula se llenó con bastante rapidez y pronto el profesor Traynor comenzó con su aburrida letanía de siempre. Aproveché que Edith estaba durmiéndose sobre el escritorio para sacar mi celular.

¿Qué te había dicho sobre las notas?
8:35 a. m.

Alex no tardó en responderme.

¿Que te gustaban?
8:35 a. m.

No te hagas el gracioso conmigo. Esa no fue la regla que impuse.
8:35 a. m.

Soy malo para seguir las reglas, creo que soy mejor rompiéndolas, más si tengo una buena razón para hacerlo.
8:36 a. m.

¿Y cuál es esa razón?
8:36 a. m.

Tú 8:38 a. m.

Mi estómago vibró ante la declaración y lo odié, así que cambié de tema.

¿A qué se debe el detalle? 8:39 a. m.

Bona fide. 8:39 a. m.

¿Qué? 8:40 a. m.

Buena fe. Tómalo como una ofrenda de buena fe por lo de la piscina. 8:40 a. m.

Me mordí el labio, considerando su respuesta.

Tendrás que hacer más para complacerme. 8:41 a. m.

En ese caso, créeme, no voy a decepcionarte. 8:42 a. m.

El texto envió una repentina llamarada de excitación por mi sistema y apreté las piernas.

¿Y qué significa la A en la nota esta vez? 8:44 a. m.

Esperé, pero no recibí respuesta. Pensé que se había rendido, cuando mi celular volvió a iluminarse.

Tu Siempre Atento Esposo. 8:50 a. m.

¿Acaso estás coqueteando conmigo? 8:50 a. m.

Créeme, Leah, cuando lo haga, lo sabrás. 8:51 a. m.

Ahí estaba de nuevo. Esa sensación que hacía volcar mi estómago y lo llenaba de una emoción que no podía definir. ¿Eso qué quería decir?

Justo cuando salí de la clase del señor Traynor me topé con Jordan. Me sonrió apenas reparó en mí.

[1] Bona fide: expresión latina que significa «de buena fe».

—¿Has comprado un café? —Señaló el vaso que sostenía en la mano.

—Fue un regalo de... —le lancé a Edith una mirada de advertencia para callarla antes de que se le saliera alguna estupidez— mi parte, tu servidora.

Al parecer Jordan estaba sensible respecto al tema de otros hombres cerca de mí y no quería alimentar sus inseguridades trayendo a la luz a un misterioso admirador.

Él nos miró a ambas con un deje curioso, pero al final lo aceptó.

—¿A qué se debe tanto cariño de tu parte, Edith? Siempre se están tirando mierda una a la otra.

—Es que no somos amigas convencionales, ¿verdad? —Me pasó un brazo por los hombros y me estrechó contra ella—. Pero no está mal hacer cosas bonitas por esta zorra estirada de vez en cuando.

Jordan rio ante el comentario.

—¡Mike! —gritó Edith haciendo el ademán de ir hasta él—. Los veré luego, ¿de acuerdo? —Se despidió con un gesto y corrió al encuentro de su novio semanal. ¿O era mensual?

De repente, me sentí extraña ante la cercanía de Jordan, así que seguí andando para llegar a la cafetería. No quería percibir esa sensación; no tendría por qué sentirme incómoda en la presencia de mi novio. Todo ese asunto con el heredero de los Colbourn estaba haciéndome perder la razón.

Caminamos juntos en silencio, hasta que me detuvo en uno de los pasillos aledaños a la cafetería, donde se pegaban los anuncios de la universidad. Quise peguntarle qué pasaba, pero no tuve que hacerlo, porque en el momento en que miré a Alex acercándose, supe de qué iba todo eso. Una sensación de terror cerró mi garganta y tomé a mi novio del brazo.

—Jordan —hablé con un hilo de voz, pero no me escuchó. Se sacudió mis manos sin esfuerzo y fue hasta Alex.

Mi indeseable esposo alternó la mirada entre ambos sin comprender. Reparé en los moretones que adornaban su rostro. Los había disimulado bien ayer en la fiesta.

—¿Qué pasa?

—Jordan —imprimí toda la autoridad posible en mi voz para hacerlo retroceder, pero por primera vez, no obedeció.

—Escucha, Alex —comenzó y yo quise que la tierra me tragara—. Hemos sido amigos desde el inicio de la universidad y no me gustaría que eso cambiara, por ello, te pido que te mantengas alejado de mi novia; a ella la incomodas y a mí me molesta.

*Mierda*. Qué poco sutil, por Dios. ¿Tenía que elegir justo el día de hoy para defender mi honor?

Miré a Alexander: se mantenía impasible, hasta que clavó sus ojos en mí, sin un ápice de emoción. Por mi parte, yo que permanecía unos pasos detrás de Jordan, hice todo el abecedario de señas para evitar que él soltara un comentario sobre nuestro matrimonio.

—De acuerdo —habló seco. Se concentró de nuevo en Jordan—. ¿Eso es todo?

Quería ocultarlo, pero percibía el toque de molestia en su voz.

—Sí. —Mi novio se removió incómodo, con toda la valentía que un segundo atrás lo llenaba desvaneciéndose.

—Bien —sentenció el chico y siguió su camino sin mirar atrás.

Yo, en cambio, pensé que me quebraría el cuello por lo mucho que lo estiré para seguir contemplando su formada espalda. Joder, si aquello era lo correcto, ¿por qué me sentía tan mal?

Después del vergonzoso incidente, no pude pensar en algo coherente para decirle a mi novio. Era una mezcla de emociones, así que lo único que se me ocurrió fue excusarme alegando que tenía clase y huir.

Dejé mi bolso en la mesa que ocupaba junto a Sara en el aula de Gestión de *marketing* y tomé mi cara entre mis manos apoyándome en el mueble. No pensé que Jordan hablara en serio.

Escuché la puerta cerrarse y di un respingo.

—Con que tu cachorro decidió mostrar los colmillos. —Alex me miraba desde la puerta con su característica sonrisa burlona en el rostro—. Se había tardado bastante.

—¿Qué haces aquí? Alguien podría verte.

—¿Y qué? Es un aula de clases, no tu habitación. Hasta donde yo sé, es un lugar público —replicó acercándose—. Me sorprendió que me enfrentara, debo darle créditos por eso.

—Es más valiente de lo que crees.

Ahí estaba de nuevo, esa sensación de nerviosismo de la que no podía desprenderme cuando él estaba cerca.

—Así que, ¿te incomodo, Leah? —Se cruzó de brazos y me observó con dureza.

—No. Eso significaría que tienes algún efecto sobre mí, cosa que no es así.

—¿No tengo ningún efecto sobre ti, dices? —Una sonrisa maliciosa adornó sus facciones.

—Ninguno —reafirmé y sumó otro paso, mis hombros se tensaron en reacción.

—¿No te pongo nerviosa? —Inclinó la cabeza casi con inocencia y el gesto resultó encantador.

—En absoluto.

—¿Ni un poco? —susurró tan cerca de mí que incliné el cuello para mirarlo a los ojos.

—No —insistí, buscando mantenerme fuerte, aunque fuera una tortura, porque todo mi cuerpo gritaba por estar en contacto con el suyo—. Es más, deberías dejar en paz a mujeres con novio.

Mi cuerpo hormigueaba con expectación y mi corazón latía tan rápido como una locomotora.

—Puede ser. —Su voz salió ronca y estaba tan cerca que podía percibir su respiración sobre mis labios.

—No lo hagas —pedí en un patético intento por parar toda aquella locura y evitar que me besara. Otra vez.

Escuché una pequeña risita.

—¿Para quién es esa súplica, Leah? ¿Para mí o para ti?

«Para mí», fue mi último pensamiento coherente. Sabía que estaba mal, que no debería hacer esto, pero no podía evitarlo.

Cerré los ojos, esperando con más ansia de la que me atrevería a admitir que tomara mi boca. Rozó mis labios con los suyos y por inercia, me impulsé hacia adelante buscándolo, pero no encontré ningún contacto. Un quejido de decepción se escapó de mi garganta antes de que pudiera acallarlo y cuando lo miré, sonreía satisfecho.

—¿Decías? —se burló, con sus ojos tan oscuros como el mar en medio de una tormenta.

Me sentí furiosa con él. ¿Cómo se atrevía a jugar conmigo de esa manera?

—Eres un imbécil. —Golpeé su pecho para alejarlo—. Quítate, ¿qué te he dicho sobre invadir mi esp...?

Todos mis alegatos fueron acallados cuando me tomó de la nuca con brusquedad y estrelló sus labios con los míos, abriéndose paso con rudeza. Suspiré dentro de su boca y me besó con más profundidad, satisfecho con el sonido que había conseguido arrancarme. El impacto de su cuerpo contra el mío fue tal que trastabillé hacia atrás y choqué con el escritorio.

Mordió mi labio inferior con lentitud, consiguiendo un gemido de mi parte. Coloqué mis manos sobre su pecho, no para alejarlo, sino para sentirlo; para tomar tanto de él como fuera posible en ese lapso de inconciencia. Alex arrastró su mano desde la parte trasera de mi cabeza hasta mi cuello, deslizando el pulgar sobre esa parte tan sensible. Sonrió contra mis labios al notar mi desbocado latir, pero no me permitió protestar, porque volvió a tomar mi boca con deseo y experticia.

Joder, yo debía estar divorciándome de aquel tipo y no *besándolo.*

Era la primera vez que experimentaba algo así. No era nada como lo que había vivido hasta ahora; no eran los besos dulces a los que estaba acostumbrada y me permitían tomar el control. Él sabía perfectamente cuándo empujar y cuando estirar, sabía cuándo tomar y cuándo dar, pero era mucho más que Alexander en su área más experta.

Deslizó sus manos por el costado de mi cuerpo, hasta abrazarme por la cintura para levantarme un poco y estrecharme contra sí. Dios, podía sentir su erección contra mi vientre.

Caí en cuenta de que habíamos encontrado nuestro ritmo, encajando tan bien que besarlo se sentía casi como algo natural, no algo en lo que tenía que trabajar, como había sucedido con Jordan. Me percaté también de que, estando entre sus brazos, no podía concentrarme ni pensar en nada más; no había otro lugar para estar más que allí, con él, porque muchos rasgos de su personalidad estaban impresos en su forma de besar: intenso, arrollador e irresistible.

Lo dejé prenderme en fuego, con su boca tomando la mía de manera demandante y contundente, una y otra y otra vez. El ritmo se ralentizó y se separó de mí solo unos centímetros. Sus labios estaban hinchados y sus ojos oscuros igual que pozos. Jadeé por aire, buscando recuperar la respiración.

—Pienso que es Jordan quien debería dejar en paz a mujeres *casadas*, ¿no crees? —recalcó con voz ronca.

Estaba tan aturdida por el encuentro que nada acudió a mi mente. Entonces volvió a tomar la palabra.

—¿Sabes? Si me quieres tan cerca, solo tienes que pedirlo —dijo, divertido.

—¿Qué? —Lo miré sin comprender y él bajó la vista hasta su camisa, la misma que yo hacía puños con mis manos.

Me sentí avergonzada y lo solté como si quemara.

Sonrió y estaba a punto de acercarse otra vez cuando escuchamos la puerta del aula abrirse y toda mi vergüenza se evaporó dejando a su paso un miedo crudo, imponente, al tiempo en que mi corazón se convertía en una bomba cronometrada a punto de estallar en pedazos. Estaba acabada.

# 8
# CONCEPTO DE AMISTAD

## *Alexander*

No reconocí al chico que nos daba la espalda mientras tomaba la perilla y se partía de la risa. Por un momento estuvo a punto de entrar, pero pareció pensárselo mejor y volvió a cerrar la puerta tras de sí, dejando a su paso una silenciosa atmósfera.

Leah soltó el aire que había estado conteniendo y se apoyó en el escritorio.

—¿En qué estábamos? —pregunté en un intento por aligerar el pesado ambiente.

Me dedicó una mirada que podría matar a un ejército entero.

—¿Qué haces aquí todavía?

—Mi plan original era hablar... Antes de que las cosas se nos salieran de las manos. —Esbocé una pequeña sonrisa, pero mi comentario pareció no hacerle gracia.

—No te preocupes, no volverá a repetirse.

—Sí, ciertamente no aquí.

—Ni aquí ni en ningún otro lugar —sentenció con severidad.

—¿Segura?

Se pasó una mano por el cabello, hastiada.

—¿Por qué haces esto?

—Porque es divertido. ¿Has notado que cuando te molestas tu labio inferior tiembla de una manera...? —Me acerqué y lo acaricié apenas, antes de que me diera un manotazo.

—Eres agotador, Alexander.

Sonreí satisfecho ante su muestra de espíritu.

—No tienes idea de lo agotador que puedo ser.

Captó el doble sentido en mis palabras porque me miró con una mezcla de emociones plasmadas en la cara.

—No sé a qué estás jugando ni tampoco me interesa, así que llévate tu patético manual de técnicas de ligue contigo y lárgate. Tú y yo no tenemos nada que hablar, al menos no hasta dentro de dos semanas.

—¿Manual de técnicas de ligue? No eres muy creativa para los insultos, ¿o sí, McCartney? —Sacudí la cabeza con diversión—. Al menos dime, ¿están funcionando contigo?

Resopló y cruzó los brazos sobre el pecho.

—A diferencia de ti, yo tengo... ¿qué palabra utilizó tu madre? —Arrugó la nariz para simular que pensaba—. Ah, sí, *estándares*. Yo tengo estándares.

Me sonrió desdeñosa. Quería partirme de risa por sus patéticos intentos de ofensa, pero sabía que, si lo hacía, ella terminaría rompiéndome la nariz.

—Vaya, pues es un honor saber que califico dentro de sus estándares, majestad. —Hice una pequeña reverencia que terminó de enfurecerla.

Colocó las manos sobre sus caderas y adoptó su típica faceta autoritaria.

¿Qué era más excitante que una mujer sumisa? Una mujer fuerte y segura de sí misma.

—¿Tú? Jamás calificarías, por Dios. Yo soy la que nunca podría *caer tan bajo*.

Mentirosa. Su boca decía todas esas cosas, pero su cuerpo contaba una historia diferente.

—¿Entonces por qué me correspondías el beso con tanto entusiasmo?

Pareció sorprendida un instante, antes de volver a armar las paredes de su fortaleza.

—Yo no te estaba correspondiendo, solo trataba de no morir asfixiada. —Contuve una risotada. Era la peor excusa que se había inventado hasta ahora—. Tú eras el que estaba besándome como si quisieras comerme, como si... como si fuera tuya o algo así.

—Técnicamente lo eres —recalqué para molestarla. No podía evitar hacer esos comentarios cuando ella me dejaba el camino libre.

Enarcó las cejas, incrédula.

—Y un cuerno, me importan una mierda tus tecnicismos. —Me señaló con un dedo—. Tú y yo no somos iguales, Alex. No puedes tomarme como te apetezca cada vez que lo desees, deberías reconocer tu lugar.

—¿Y cuál es mi lugar, según tú? —Me crucé de brazos y encuadré los hombros, de pronto molesto porque utilizara otra vez ese argumento sobre nuestra desigualdad, como si tuviera algún privilegio sobre mí.

—Soy mejor persona de lo que eres tú, al menos yo tengo una familia y una relación estable y no voy por ahí besando a cualquiera.

Entorné los ojos, buscando la lógica en su ataque. Odiaba que se metieran con mi familia.

—¿Eso qué tiene que ver?

—Que yo tengo clase y tú no. —Alzó el mentón con superioridad—. Y respeto y principios. A lo que sea que estés jugando, no te va a llevar a ningún lado, yo no voy a acostarme contigo y, ¿sabes por qué? Porque ni siquiera me agradan los tipos como tú: hombres arrogantes que creen que tienen a todas las chicas a sus pies solo por ser quienes son.

—¿Estás escuchando las estupideces que dices?

—Solo estoy diciendo la verdad sobre alguien inmaduro. —Me sostuvo la mirada, dura y severa.

—¿Inmaduro? Tú eres la que hace berrinches cuando las cosas no salen como desea, pero ¿yo soy el inmaduro?

—Sí, eres inmaduro.

—Y tú una jodida hipócrita. —Di un paso más cerca, hastiado—. Tú eres la que se comporta como una niña malcriada todo el tiempo, tú eres la que corre con su papi siempre que tiene algún problema.

—Al menos yo tengo alguien a quien acudir, a diferencia de ti. Todos sabemos que tu familia es una farsa, que...

—Ya. Y tu vida es perfecta, ¿no?

—Pues a diferencia de la tuya...

—¡Todo lo que haces es juzgar a los demás! —Estampé la mano contra el escritorio en el que ella se apoyaba y dio un respingo—. ¡Todo lo que haces es esperar por la próxima palabra o acción recriminatoria para juzgar! Miras a los demás desde tu jodido pedestal y los juzgas, porque si no actuamos como tú, no hablamos como tú o no respiramos como tú, entonces no valemos la pena, entonces no somos dignos, ¿no es así?

—¡Juzgo a los demás porque sé...!

—Crees que lo sabes todo, crees que eres tan inteligente que lo tienes todo resuelto. Caminas como si el mundo entero te debiera algo, pero aquí tienes un dato, Leah. —Me acerqué mirándola con dureza—. El mundo nos debe a todos algo, no te sientas especial por eso, porque no eres más que otra chica estúpida de ciudad con un terrible complejo de superioridad.

—¡Tú no sabes nada sobre mí! Te quejas de que juzgo a los demás, pero tú estás haciendo lo mismo.

—¿Cómo se siente estar en la tribuna ahora?

—Tal vez la razón por la que juzgo a la gente es porque sé que ellos están juzgándome, es como me protejo a mí misma. —Podía percibir su leve temblar, efecto de la cólera—. Es como me doy cuenta de cuáles opiniones valen la pena y cuáles no. Como la tuya, por ejemplo.

Reí sin humor.

—Pobre, pobre Leah. Con sus problemas de guardarropa, fiestas y...

—No te atrevas...

—Bien, ¿quieres sacar toda la mierda que llevas dentro? Por mí perfecto. —Estrellé la mano sobre la madera una vez más, colérico—. No eres más que una idiota que no tiene la voluntad suficiente para decidir *qué* creer y a *quién* creer. Ni siquiera puedes formarte un criterio propio sobre mí, siempre me has odiado porque no sabes hacer otra cosa más que *obedecer*.

—¡Yo no...!

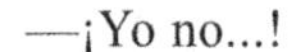

—Jamás he hecho una ofensa contra ti y, aun así, me insultas y subestimas, cuando tú tampoco sabes un carajo sobre mi vida.

—¡Porque es la forma en la que me criaron! —gritó, con el rostro rojo y los ojos brillantes—. Todo lo que sabía era que debía odiarte porque eres el hijo de personas malas. No había otra forma de mirarlo, porque creía que esa era la única manera posible. Yo actué conforme a ello, justo como tú aprendiste a odiarme a mí.

—¡Por la persona que eres, no porque así me criaron! ¡Por ser una arpía llena de prejuicios y soberbia! —escupí, tan cerca que notaba la tensión en sus hombros, pero no me detuve—. ¡Tú me odias por algo que no puedo cambiar!

Parecía a punto de entrar en combustión, con los puños apretados a los costados.

—Tu insulto contra mí era solo *estar* ahí. Me enseñaron a odiarte, así que te odiaba —dijo con los dientes apretados—. Dios, te odiaba tanto.

—¿Ves? Ese es mi punto sobre el criterio.

—¡Tú me odias igual! ¿Cuál es la maldita diferencia?

—¡Hay una gran diferencia!

—¿Cómo cuál? ¡No hay diferencia, no hay...!

—¡Yo no te odio! ¡A diferencia de ti, yo no te odio!

Se echó hacia atrás como si la hubiera abofeteado y su boca se convirtió en una fina línea.

—A diferencia de ti, yo *decidí* no odiarte, porque no te conocía y porque quería formar mi propia opinión sobre tu persona. Pero ahí vas tú de nuevo, pensando que lo sabes todo y que estás un paso delante de todos los demás cuando no es así.

—¿Y por eso crees que tú eres mejor? —espetó con frialdad—. ¿Crees que tú tienes más autoridad moral porque tu familia ha demostrado que vale la pena y que no son una mierda? ¡Ja! —bufó, negando—. Ustedes...

—No, pero...

—Son un...

—¡Yo lo he hecho! —exploté, gritando tan fuerte que me sorprendió que las paredes no temblaran—. Yo he demostrado que no soy una mala persona, al menos no contigo. Así que deja de juzgarme.

Sus ojos se abrieron desmesurados.

—Eres imposible —dijo de pronto, agachando los hombros—. Solo quiero que esto termine.

La urgencia en su voz avivó la furia que corría por mi sistema. ¿Por qué sentía tanta repulsión hacia mí?

—¿Y tú crees que yo soy feliz atado a alguien tan soberbia como tú?

—¡Pues tú tampoco estabas en mis jodidos planes!

Le dediqué una sonrisa desdeñosa y di dos pasos más cerca de ella.

—Pues aquí te va una lección de vida, *princesa:* no importa cuánto te esfuerces en hacer tus planes de mierda, ¿sabes por qué? ¿Sabes? ¡¿Sabes?! —Estaba tan cerca que las puntas de nuestros pies se tocaban—. ¡Porque al final, la vida te meterá tus jodidos planes por el culo y te tirará a la cara con lo que le dé la gana!

Estaba por mandarla directo al infierno, con todo y sus malditos zapatos Versace, cuando escuché cómo alguien carraspeó.

—¿Quién le meterá qué al culo de quién, joven? —Un hombre con más barba que pelo en la cabeza y gordo como un tambo nos miraba desde la puerta, expectante.

Detrás había un par de cabezas curiosas, entre las que destacaba la cabellera rubia de Edith y los ojos de mosca de Sara.

Me recompuse lo suficiente y me dispuse a salir.

—Los problemas de pareja son para resolverse en casa, jóvenes. No aquí —escuché decir, a quien imaginé que era el profesor, antes de cruzar la puerta y atravesar el tumulto de gente que se había congregado a la salida.

Confirmado. Leah sacaba, en definitiva, lo peor de mí.

—*Okay*, estoy esperando. —Ethan me miraba expectante apoyado en la pared del vestidor mientras yo terminaba de ponerme la camisa después de ducharme.

—¿Qué cosa? —pregunté, aún con restos del hastío por la catástrofe en el aula con Leah.

—Ah, no sé, vamos a ver... —Colocó un dedo sobre su barbilla simulando que pensaba—. Por ejemplo, ¿por qué estabas peleándote a gritos con Leah?

Resistí el impulso de estrellar la puerta del *locker* para dejarle en claro que de ninguna manera hablaría del tema. En su lugar, me concentré en ponerme los zapatos. El entrenamiento de fútbol hizo maravillas con mi temperamento, porque de no haber liberado toda esa tensión enviando a la mitad del equipo al suelo, estaría encima de Ethan partiéndole la cara.

Leah era la mujer más exasperante, estresante y terca que había conocido en toda mi vida. ¿Cómo la soportaba Jordan? Se merecía el jodido Premio Nobel de la Paz.

—Así que ya te enteraste. Qué rápido viajan las noticias.

—Sí, claro que me enteré, ¿con quién crees que estás hablando, guapo? —Me miró con indignación—. Ahora, vas a contarme todo el rollo que tienes montado con Leah.

—No tengo ningún rollo montado con esa arpía ponzoñosa —escupí, tal vez con demasiada emoción.

—Mi radar me indica todo lo contrario, amigo. Puedo leer tu mente y te juro que sé cuando estás en problemas.

—¿Ah sí? —Lo miré al fin y estrellé la puerta del *locker*—. Pues mi radar me indica que se te van a caer los huevos si no cierras la boca y vas a cambiarte ya.

Pasé a su lado y jalé de la toalla que llevaba envuelta en la cintura para dejarlo desnudo.

—Y por favor, no le digas nada de esto a Jordan —pedí.

—A juzgar por lo fuerte que estaban gritándose, me sorprendería que no los escucharan en China. —Se volvió a cubrir con la toalla—. Además, es muy tarde. Allí viene el diablo.

Cuando me giré, reparé en Jordan. Parecía un oso furioso caminando hacia mí, ataviado aún con su uniforme.

—¿Qué mierda está mal contigo? —Me empujó con excesiva brusquedad, estrellándome contra la pared—. Lo único que te pido que no hagas, ¡y es lo primero que haces!

Quise quitármelo de encima, pero él volvió a empujarme. Lo miré con dureza, tratando de controlarme para no partirle la cara, porque el pequeño vaso de mi paciencia estaba colmándose.

—Eh, Jordan. —Ethan rio nervioso en medio de ambos, buscando separarnos—. Somos todos amigos, ¿recuerdas? Mejores amigos. Pulseritas de la amistad, compartir el mismo bóxer, reír juntos y todo eso...

—Cualquiera que le haga daño a mi novia, no es mi amigo —advirtió en tono bajo, amenazador.

—Yo creí que sí lo éramos —mencioné y me fulminó con una mirada rabiosa.

—No sé cuál sea tu concepto de amistad, pero si la lastimas, te lastimaré el doble. Aléjate de ella, Alex. No voy a repetirlo.

—No tienes que hacerlo. Podemos seguir siendo tan unidos como siempre. —Sonreí con ironía, pero a Jordan no le causó gracia. Me tomó de la camisa, tan cerca que podía oler el sudor, tierra y pasto que permanecía adherido a su piel.

—¿Qué mierda hacías encerrado con ella en un aula?

«Teniendo nuestra primera pelea marital. ¿Quieres un video de recuerdo?»

—Solamente fui a disculparme por si la incomodé en algún momento, pero la histérica de tu nov... —Gruñó y me sacudió. Ethan lo tomaba del hombro para evitar que mancillaran de nueva cuenta mi bonita cara.

—Empezamos a discutir por estupideces y la situación se salió de control, ¿de acuerdo? Eso es todo.

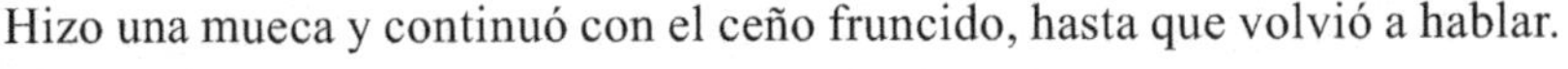
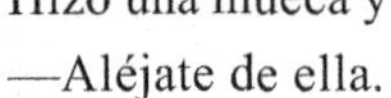

Hizo una mueca y continuó con el ceño fruncido, hasta que volvió a hablar.

—Aléjate de ella.

Resistí el impulso de poner los ojos en blanco. Estaba harto de que todo el mundo me dijera lo mismo.

—Lo haré felizmente. Aún no entiendo cómo soportas a esa arpía pon... —Volvió a apretar los puños que hacía con mi camisa y decidí que lo más inteligente era no seguir por esa línea.

—Ahora, por favor, suéltame que estás arrugando mi camisa favorita. —Me sostuvo la mirada por un momento más antes de dejarme libre e ir hacia las duchas.

—¿Ves? Mi radar nunca falla y tú estás en serios problemas, amigo mío —intervino Ethan, suspirando.

—No te preocupes, que voy a resolverlos todos con un solo tiro.

—Tu dinero. —Le tendí a Rick el fajo que había conseguido quitarle al tipo durante todas las partidas, más dos pagarés—. Le he dejado limpio.

Sonrió satisfecho y comenzó a contar los billetes a velocidad de la luz.

—No esperaba menos de ti, príncipe. —Se relamió los labios y me hizo una seña para que tomara asiento, pero rechacé la oferta con un gesto—. ¿Se puso difícil?

Quería salir de ahí lo más pronto posible. Ese lugar me hacía sentir incómodo e inseguro, más después del *regalito* que los matones de Rick me hicieron la última vez.

—Para nada. ¿Por qué me has llamado a mí? Hasta tú podrías haberlo vaciado. ¿Qué tenía de difícil ese tipo?

Rick se acarició la barbilla grisácea.

—Ese no es el tipo del que te hablé, pero tenía tiempo sin verte y quería tenerte en casa de vuelta. Extrañaba ver tu arrogante cara.

—Esta no es mi casa.

—Lo era hasta hace poco, ¿o no, príncipe?

Hice una mueca de exasperación, ansioso por salir de ahí, pero a él pareció no importarle.

—El tipo viene a jugar solo los fines de semana —explicó—. Pero eso es suficiente para que vacíe casi toda la casa. No me gusta para nada que sea tan bueno, así que tendrás que demostrarle que tú eres mejor.

—Ya, y que a mí me parta la cara cuando lo haga perder, ¿no?

—Gajes del oficio. —Se encogió de hombros restándole importancia—. Te recuerdo que es parte de tu deuda.

—Sí, sí —dije fastidiado—. Lo mismo de siempre.

—Además, quiero que te acerques al tipo. Es muy probable que nos esté robando con alguna técnica diferente a las tuyas. Háganse amigos, después de todo, tienen mucho en común, ¿no?

—Lo que tú digas, Rick.

Volvió a esbozar esa grotesca sonrisa, que no favorecía nada a su fea cara, y tomó el vaso que tenía enfrente al tiempo que yo me disponía a salir.

—¿No te quedas a jugar por más tiempo?

—No.

Salí del privado, pasé por el local repleto de mesas de juego y llegué hasta la acera, donde tenía mi auto.

Cuando llegué a mi departamento, me dejé caer con pesadez sobre el sofá, esperando que la sensación de cansancio aminorase. Estaba quedándome dormido cuando mi teléfono comenzó a vibrar y lo contesté sin mirar el identificador.

—¿Ahora qué? —ladré ofuscado, pensando que era Rick llamándome para otra limpia.

—Esa no es la manera de dirigirte a tu padre, Alex.

Me incorporé enseguida, tocándome el puente de la nariz.

—Lo siento, pensé que eras... No importa. ¿Qué pasa?

—He venido a la ciudad por asuntos de negocios, y me gustaría que habláramos. ¿Te apetece salir a cenar?

Un dolor de cabeza de proporciones épicas se avecinaba, pero como se trataba de mi padre y pocas veces podíamos darnos lujos como ese, acepté.

—Excelente. Estoy cerca, llego por ti en cinco minutos.

Y justo como lo predijo, cinco minutos después ya estaba en la entrada de mi complejo con su bonito auto negro centellando bajo el sol. Condujo en un cómodo silencio hasta un restaurante de comida inglesa —que él odiaba pero que decía era el más decente de la ciudad— y pronto nos acomodamos en una de las mesas.

Ordenó una botella de vino para ambos y agradecí el gesto. Necesitaba relajarme un poco antes de empezar la siguiente batalla que ya veía venir con mi padre.

—¿Cómo va la universidad? —Dio un pequeñísimo sorbo a su copa.

Siempre empezaba con la misma pregunta.

—Bien. Sigo teniendo las mejores notas.

—Me sorprendería que no. El sistema de este país está tan por debajo del deseado... —Ignoré su comentario y tomé un poco de pan del centro de la mesa—. ¿Te mencioné que Oxford tiene nuevas adiciones en su programa?

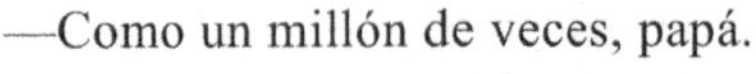

—Como un millón de veces, papá.

—Pues van un millón y una, Alexander, hasta que aceptes regresar al lugar al que perteneces.

—Me gusta la universidad aquí, además, una vez termine, pienso largarme a Suiza.

—¿Sigues con esa tontería de la fotografía? —Asentí y él resolló—. Te vas a morir de hambre. ¡Por Dios! Eres el único heredero de los Colbourn... ¿Vas a mandar todo lo que tu abuelo y yo hemos construido a la mierda por perseguir un sueño inútil?

—No es inútil, no voy a mandar nada a la mierda y soy bueno en lo que hago —aclaré, demasiado cansado para sentirme enojado—. Pienso dirigir la empresa, ¿de acuerdo? Por eso he estudiado lo que me has dicho toda la vida, pero eso no significa que no pueda dedicarme a lo que me gusta, a lo que amo.

—¿Amor? —Rio con sorna—. Eres demasiado joven para entenderlo, Alex, pero cuando crezcas un poco más te darás cuenta de que cosas como el amor son prescindibles en un mundo como este.

Arrugué los labios, sin saber cómo sentirme.

«Al menos yo tengo alguien a quien acudir, a diferencia de ti. Todos sabemos que tu familia es una farsa». Las palabras de Leah llegaron a mi mente como un rayo y calaron profundo como una flecha.

—¿Eso qué significa? ¿Que no amas nada?

—Hijo, claro que amo: el dinero, el poder y a ti.

—¿Y a mi madre? —la pregunta resultó infantil, pero quería saber. La relación de mis padres era escabrosa y extraña.

—Tu madre… —carraspeó, como si buscara las palabras correctas— es alguien muy capaz, muy fuerte y decidida. Una mujer bella que me dio lo que más amo en el mundo. Y una buena inversión.

—¿Inversión? —Incluso yo me sentí ofendido de que la categorizara de esa manera.

—El matrimonio es un contrato que se trata precisamente de eso: unirte con alguien que tenga la capacidad de aportar a tu patrimonio.

Lo escruté desconcertado, pero dejé morir el tema. Comimos en silencio, hasta que otra pregunta más se instaló en mi cabeza. Ahora que él y yo estábamos solos y nos encontrábamos en el círculo de la confianza, quería saber algunas cosas.

—¿Por qué mamá no soporta a los McCartney?

Papá terminó de masticar y se limpió la boca con la servilleta.

—No lo sé, tu madre no es precisamente una santa, pueden existir muchas razones. —Se encogió de hombros—. Supongo que nunca superó a Leo, qué se yo.

—¿A Leo? ¿A qué te refieres?

—Fue su prometido, pero las cosas terminaron mal, no sé bien. Tampoco es que me importe mucho, pero es muy probable que esté relacionado con algo de eso.

—¿Y no te molesta? ¿No te dan celos?

Papá se echó a reír. Una carcajada tan fuerte y sincera como pocas veces lo había escuchado. Me miró igual que a un niño incrédulo, negando.

—¿Molestarme? Alex, por Dios. Ella podría estar cogiéndose a Leo en este momento y créeme, no me podría importar menos. Además, sé que se coge a su entrenador personal desde hace meses, ella sabe que yo tengo algo con mi asistente Charlotte, ¿y sabes qué? Ambos estamos bien con eso.

Una mueca de repulsión contorsionó mis facciones. De pronto, me sentí ansioso por cobrar la parte de la herencia que mi abuelo había dispuesto para mí y así no ver a mis padres por un largo tiempo.

Si eso era el matrimonio, yo no estaría listo para vivirlo nunca.

Hablamos de otras cosas el resto de la cena —menos escandalosas e impactantes— y cuando terminamos, el celular de papá comenzó a sonar con una especie de alarma.

—¡Mierda! —maldijo, sin quitar la vista del aparato—. Casi lo olvido.

—¿Qué?

—Tengo que ver a Leo para revisar unos temas. Vendrás conmigo. —Dejó la tarjeta en la cuenta. El camarero no tardó en retirarse y yo lo miré ofuscado. No quería estar más tiempo fuera—. Será rápido, lo prometo —agregó al ver mi cara.

Me froté el rostro y suspiré.

¿Cuán más largo iba a ser ese día?

# 9
# EL ARTE DE LA DIPLOMACIA

## *Alexander*

—El señor McCartney los espera en su estudio —habló la mujer mientras nos guiaba por el recibidor de la mansión hasta un largo pasillo que, después de varias puertas de madera pulida, llevaba a un recinto decorado con piso de mármol. Era una parte de la casa que no conocía.

Leo estaba sentado detrás de un imponente escritorio de caoba y no tardó en incorporarse al reparar en nosotros.

—Colbourn.

—McCartney.

Se estrecharon la mano con cortesía y procedió a saludarme con un fuerte apretón sin dejar de perforarme con la mirada.

—¿Dónde está lo que se debe firmar? —preguntó papá tomando asiento frente a Leo y colocándose las gafas. Yo me senté a su lado, fastidiado y aburrido.

—Son los contratos con tus proveedores —clarificó Leo—, y las especificaciones de algunas cláusulas.

—Excelente. ¿Ya han empezado la extracción? —Papá tomó el fólder que el dueño de la casa le tendía y comenzó a revisarlo.

Quería salir de ese lugar ya. ¿Cuánto más iba a tardar?

—Sí, aunque hay una situación con los permisos para la concesión.

—¿Otra vez? ¿Ahora qué?

—Verás...

—¿Dónde está el baño? —lo interrumpí cuando me di cuenta de que esa conversación iba a ser larga. Muy larga.

Leo me miró con hastío y un amago de desagrado. Me desconcertaba lo mucho que sus ojos se parecían a los de Leah.

—Al final del pasillo, cruzando la sala. La primera puerta a la derecha.

Asentí y le dediqué una corta mirada a mi padre antes de ponerme en pie. Prefería escabullirme hasta sus jardines para fumar un cigarrillo y relajarme un poco, en lugar de pasar la próxima media hora siendo escrutado por Leo McCartney.

Mi familia se dedicaba a la industria energética, mientras que la de Leah ostentaba un monopolio en la metalurgia. No era sorpresa que decidiéramos aliarnos para potencializar las ganancias, pero todo era estrictamente laboral. Fuera de los negocios, ninguno se toleraba entre sí.

Suspiré para dejar de pensar en eso. Era mi futuro, sí, pero no tenía por qué martirizarme con él ahora. Estaba por girar a la derecha para llegar al baño cuando escuché la voz de la señora McCartney en el recibidor.

—Gracias, Ana.

—Señora McCartney, bienvenida —dijo la mujer de servicio.

—¿Sabes si Leah está en casa?

—Sí, está tomando un baño, señora. ¿Quiere que le diga algo?

—No, déjala. Después la busco yo —respondió con tono amable y sus pasos se alejaron.

Me mantuve de pie frente a la puerta del baño, a un costado de las escaleras que sabía llevaban a la habitación de Leah.

«Detrás de la puerta número uno hay un cómodo baño que podrá evitarte muchos problemas mientras continúas con sueños y fantasías», habló una voz en mi cabeza y consideré acatarla, pero siguió hablando.

«Detrás de la puerta número dos, si eres tan valiente como para abrirla, hay un sendero que llevará a problemas con un boleto sin regreso. ¿Ardiente? Sí. ¿Irracional? Sí. Pero el mal tiene ojos como un antiguo glacial y las piernas más hermosas que has visto en tu vida. Pueden odiarse hasta la médula, pero al parecer tú quieres algo que solo ella es capaz de darte...».

Antes de que pudiera detenerme, estaba subiendo las escaleras que conducían a la habitación de Leah. Conocía el camino por las veces que mi tía Chelsea me llevó a la mansión de los McCartney para intentar fomentar una relación. Aunque aquello resultó catastrófico, pasé algunos días en el cuarto de Leah y Erick jugando.

Entré en su habitación y sonreí al caer en cuenta de que había cambiado mucho desde la última vez que estuve ahí, unos quince años atrás. Donde antes había un montón de peluches, casitas de muñecas y juegos de té, ahora se alzaban modernos sillones, tacones regados por el piso lustroso, las puertas abiertas de un ropero tan grande como la sala y cocina de mi departamento, y una gigantesca cama con dosel.

Leah era, en definitiva, una chica con complejo de princesa.

Me detuve afuera de la puerta de su baño, bajo el fútil intento de parar esta locura, pero el deseo de verla fue más fuerte y giré la manija.

El baño —que también era enorme—, estaba lleno de vapor. Leah estaba sumergida dentro de una gigantesca tina ovalada de color marfil con la cabeza recostada en una almohadilla y los ojos cerrados. Su expresión era de alguien relajado y la envidié por ello.

«Va a odiarme por esto», pensé, pero me conforté diciéndome que era la única forma en que podría escucharme sin intentar huir.

Cerré la puerta tras de mí deliberadamente fuerte. Leah se sobresaltó y casi se rompió la cabeza con el borde de la tina. Clavó sus ojos en mí, atónita, como si yo fuera un fantasma. Moví los dedos en su dirección a modo de saludo.

—¡Alex! ¡¿Qué mierda estás haciendo aquí?!

El baño de Leah se veía agradable y relajante, así que dejé a mi parte irracional tomar el control, otra vez, y me quité primero un zapato.

—Estoy a punto de tomar un baño, ¿no ves? —Mi zapato izquierdo fue el siguiente en salir, seguido por mis calcetines.

Sus ojos estaban en verdadero peligro de salirse de sus cuencas.

—¿Un baño?

Incluso con esa cara de espanto y nada de maquillaje era preciosa, tanto que dolía admirarla. La escena parecía una representación real de Afrodita tomando un baño en el Jardín de las Hespérides.

—Sí, un baño —respondí casual—. Un acto que involucra agua, jabón, una tina y, si uno tiene suerte, compañía.

Se cubrió sus pechos con los brazos y pasó la lengua por los labios. Prácticamente podía escuchar los engranes de su cerebro trabajar para comprender qué mierda trataba de conseguir. Su mirada confundida dio lugar a reconocimiento y después a la furia.

—Tal vez tu nivel de estupidez es demasiado, Alex, y no lo has notado, pero ¡estás en mi casa! Mis padres también están, y si se enteran de que estás aquí...

—Hay algunos riesgos que valen la pena tomarse, ¿no crees?

Terminé de desabotonar mi camisa y noté satisfecho cómo Leah seguía cada uno de mis movimientos mientras la retiraba. Gruñó y el gesto me pareció adorable.

—No vas a hacer esto, maldito bastardo. No voy a jugar estos juegos contigo, ¡tenemos un acuerdo! —Estaba tan furiosa que golpeó el agua con sus brazos como una niña haciendo una rabieta.

Sus pechos fueron visibles a través de la espuma y ¡Dios!, ahora entendía por qué Matt no podía quitarle los ojos de encima a sus tetas. Tenían el tamaño perfecto que encajaba con mis manos y unos lindos pezones rápidos en reaccionar a mi tacto y mi boca, como había sucedido en Las Vegas.

Salí de mis cavilaciones cuando sentí agua caerme en el rostro y el pecho. Me lanzó una mirada fulminante y volvió a salpicarme. Peiné mi cabello hacia atrás y agradecí la sensación de frescura.

—Mediocre forma de defensa, te doy un siete por la creatividad —la molesté.

—Lárgate. —Volvió a mojarme con otro proyectil, pero lejos de enojarme, me divertía más.

—Tranquilízate, Leah. Te harás daño.

—Yo voy a lastimarte si no te largas en este momento —siseó y miró a sus alrededores, probablemente buscando un arma con la cual dejarme inconsciente. O matarme.

Comencé a tararear una canción solo para enfadarla más mientras me quitaba el cinturón. Gritó indignada y me lanzó la botella del jabón que chocó con mi pecho y cayó inerte al piso. Después le siguieron sales de baño, una esponja y al final, la almohadilla.

Gruñó frustrada, pero no tenía escapatoria. A menos que quisiera exponerse y coger su bata de baño desnuda, cosa que no haría. Tendría que escuchar mi propuesta.

—Te lo juro, Alex, si no te vas en este momento, iré directo a mis padres —amenazó con voz tensa.

No me inmuté. No iría donde sus padres porque no soportaría la idea de decepcionarlos. Además, yo le atraía, estaba casi seguro de eso.

—Adelante, ve. Llámalos. —Sonreí—. Estoy ansioso por darles la noticia a mis suegros.

Jadeó sorprendida.

—Mi padre te matará si se entera de esto.

—Moriré feliz, entonces. —Comencé a quitarme los pantalones.

—¡No! —Me señaló con un dedo—. ¡Vas a dejar tus malditos pantalones justo donde están, Alexander!

—No lo creo. —Los retiré al mismo tiempo que ella se giraba para darme la espalda, inmaculada y definida. Sentí el deseo de besar cada centímetro de esa parte suya.

—En realidad, he venido a negociar y esperaba que aceptaras —continué.

—Esperabas por un milagro entonces.

Me saqué el bóxer después. ¿Por qué se giraba si ya me había visto desnudo más de una vez?

—Voy a contar hasta cinco, insufrible imbécil. Si no te vas, voy a mutilarte. —Clavé los ojos en su espalda—. Uno... dos...

—Eres hermosa —confesé en un susurro—. Creo que nunca te lo he dicho. Me pongo duro solo de pensar en ti.

Era una desventaja ser alguien que hablaba sin filtros, pero no me callé. No podía hacerlo si se trataba de ella.

Se mantuvo en silencio por lo que a mí me pareció un minuto.

—Eres un mentiroso, un hijo de puta, y yo fui una idiota por dormir contigo, por casarme contigo. *Tres*.

—Ten corazón —supliqué, acercándome a la tina.

—¡Tú ten un poco de sentido de la propiedad! ¡Cuatro! —gritó sin mirarme.

Entré al agua con lentitud, manteniéndome en el extremo contrario al suyo, y la temperatura de la tina, cálida y perfecta, me arrancó un suspiro de alivio, todos mis músculos relajándose a la vez. Recargué mis brazos en el borde y ella se arrebujó en su extremo cubriendo sus pechos.

—No sé por qué haces eso. He visto todos tus atributos y tú has visto los míos, ¿recuerdas? —Mis palabras salieron con un deje de diversión, a lo que ella se cubrió con más fuerza.

—Sí, desgraciadamente lo recuerdo.

Al menos dos minutos pasaron en los que ambos nos mantuvimos en silencio, hasta que Leah habló.

—¿A qué has venido, Alex?

Dejé escapar el aire con pesadez.

—Realmente necesito que vengas a Inglaterra conmigo. Es importante que lo hagas.

—¿Por qué no le pides a alguna de tus chicas que te acompañe? Mercy estaría más que feliz por casarse contigo —dijo el nombre como si le escociera la lengua.

Solté una risita. No quería admitirlo, pero sabía que en el fondo le molestaba.

—Porque creo que tú serías una esposa más... adecuada. Además, necesito el dinero en menos de un mes y no creo que pueda divorciarme y volver a casarme en ese tiempo.

—¿Y qué recibo a cambio por acompañarte? Tendría que poner mi culo al fuego por ti, y créeme, no lo haré gratis. —Se acomodó en su lado y me sostuvo la mirada. Era, en definitiva, la hija de un empresario.

—Lo que tú quieras —concedí—. Cualquier cosa que yo pueda darte, la tendrás a cambio.

—¿Eso incluye no volver a saber de ti?

Sentí una rara presión en el pecho de la que no pude deshacerme.

—Sí.

—Bien, pero de nuevo, ese no es mi problema —respondió con dureza y se incorporó. Al parecer su necesidad por estar lejos era más grande que su pudor.

—¿A dónde vas?

—Lejos de ti. —Se irguió por completo—. No aceptaré, ahora vete.

En un rápido movimiento, la tomé de la muñeca y la atraje hacia mí, hasta que sus piernas aterrizaron a cada lado de mi cadera y sus pezones rozaron mi pecho.

—Quédate —pedí con un deje de súplica en mi voz.

La sorpresa emboscó sus bonitas facciones.

—Alex, estás completamente loco, ¿sabías?

—Quédate —repetí y la sensación de su cuerpo contra el mío terminó por despertar mi polla, que ya llevaba tiempo alerta.

—No puedo seguir casada contigo más tiempo. Tengo mis planes y si mis padres se enteran...

—Lo sé. Puedes empezar con los trámites de divorcio, por mí perfecto. Solo... acompáñame. Cobraré mi herencia y desapareceré de tu vida, lo juro.

Levanté mi mano, solemne, pero no me prestó atención, tenía los ojos clavados en el tatuaje que adornaba mi pecho. El tatuaje que compartíamos.

—No estoy tratando de robarte, ni quitarte tu dinero, ni hacerte caer en desgracia con tus padres, solo estoy tratando de salvarme a mí mismo.

Removió sus piernas bajo el agua y el contraste de su suave y delgada piel contra la mía me enervó los sentidos. En un impulso, la atraje más hacia mí, lo suficiente para que sintiera mi erección contra su vientre.

—¿Ves? No tengo secretos para ti.

—Más bien no tienes vergüenza —sentenció sin alejarse—. ¿Cómo sabes que la opinión de mis padres es tan importante para mí?

—No eres la única que mira y aprende, Leah. —Retiré una gota de agua de su mejilla y acaricié su pómulo.

Me miró de manera indescifrable.

—No deberías haber venido, Alex —susurró con la vista fija en mis labios.

—No, no debería haberlo hecho. —Rocé su cuello con mis nudillos y mi corazón aceleró sus latidos.

—Por favor, vete —pidió, temblando a pesar de la calidez en la atmósfera—. No quiero que te acerques más a mí.

—Te juro, Leah, que estoy tratando de no hacerlo.

El tiempo se detuvo por un instante y latió al aire, igual que un corazón expuesto, y la caricia de su aliento contra mis labios me hizo vibrar.

—Quieres que me vaya, ¿cierto? —susurré contra su boca, el contacto fugaz.

—Solo un poco más. Quédate un poco más —fue un hilo de voz, endeble, pero lo suficientemente fuerte para ser la chispa que terminó por carbonizar cualquier vestigio de racionalidad.

Antes de que pudiera pensarlo mejor, ya estaba besándola. Fue como una llave de agua que destruía el tubo de escape debido a la fuerte presión que ejercía sobre él.

Sus piernas permanecían a cada lado de mis caderas mientras me correspondía con la misma avidez, con mis manos tomándola de su precioso culo para darle soporte. La sensación de piel contra piel era exquisita y me regocijé en ella.

Mi último pensamiento coherente fue que mi padre seguía en el estudio con Leo.

«Me estoy volviendo loco».

Los besos de Leah eran igual que ella: concentrados, sensuales y demandantes. No había nada exagerado o asfixiante sobre su forma de besar. Coloqué una mano sobre su bonita espalda para acercarla más, quería fundirme con ella. La tensión del día se evaporó en el momento en que sus brazos rodearon mis hombros para apoyarse, con sus manos viajando hasta mi cabello y sus dedos enredándose en mis mechones.

Acaricié su cuello hasta llegar a la parte trasera de su cabeza y la incliné tomándola de la nuca para tener completo control del beso. Rocé su labio y me concedió la entrada de inmediato, con su lengua danzando en torno a la mía con pericia. Sus tetas se comprimieron contra mi pecho. Repartí besos por su pómulo, viajé hasta detrás de su oreja cuando se inclinó a un lado para darme mejor acceso y succioné esa parte tan sensible de su piel.

—Dios —gimió. Sacudió sus caderas, frotando su sexo contra el mío y regalándome sensaciones que no eran de este mundo.

Quería aprovechar este lapso de inconciencia antes de que volviera a ser de hierro y piedra. Quería memorizar texturas y sensaciones antes de que todo esto se fuera a la mierda. Si íbamos a cometer otro error, al menos debía ser uno que ambos disfrutáramos.

Pasé mi lengua por su cuello y apreté con fuerza una de sus nalgas para tenerla más cerca. Repartí besos por su clavícula y el inicio de sus pechos, hasta que coloqué una mano tras su espalda y se irguió en respuesta, dándome completo acceso a sus deliciosas tetas. Tomé el peso de una con mi mano y la llevé hasta mi boca, sin importarme el tenue sabor a jabón que no tardó en desaparecer con mi saliva. Gimió fuerte y me sentí complacido por todos los sonidos que le arrancaba, cada uno más excitante que el anterior.

Clavó sus uñas en mi cabeza y yo complací su petición muda, succionando y jalando de su pequeño pezón con más ímpetu. Me alejó tomando mi cara entre sus manos para volver a besarme y gimió en mi boca cuando acaricié su culo bajo el agua, con mi erección rozando su vagina en un lento vaivén.

«¿Deberíamos llevarlo más lejos?», me pregunté; pero el pensamiento se desvaneció al percibir sus manos entrar en contacto con mi polla, masajeándola de arriba abajo.

El aire quemaba en mis pulmones mientras sus manos trabajaban sobre mi miembro y sus ojos eran voraces, dos seres brillantes dispuestos a devorar mi alma.

Me arrancó un gemido hondo cuando apretó fuerte en la cabeza e hizo un recorrido hasta la base. Percibí el orgasmo construirse, avisándome de su llegada, pero no quería correrme así.

Dejé un beso ferviente en su boca.

La alejé con un manotazo y levanté su cuerpo un poco para tener acceso a su vagina. Con cuidado, rocé mi pene en su entrada, ansioso por estar dentro

de ella otra vez. La miré por un momento, de la misma manera en que había hecho en Las Vegas.

—Leah, ¿quieres...?

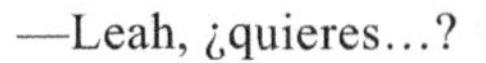

—Hazlo. —Se relamió los labios y movió sus caderas contra mi polla, colocándola ella misma en la entrada.

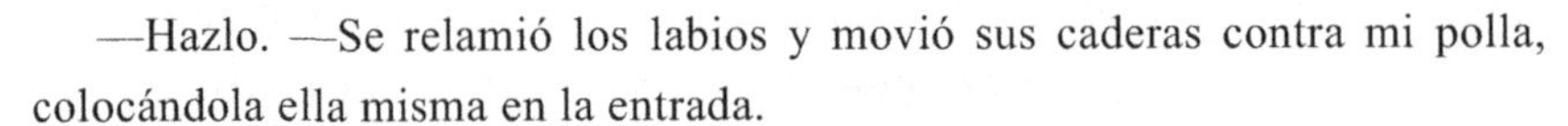

Iba a enterrarme en ella yo mismo cuando tomó la delantera. Se deslizó lento sobre mi virilidad, provocando que ambos soltáramos un jadeo cuando nuestros sexos entraron en contacto.

*Leah era jodidamente apretada.* Le hacía perfecto honor a la forma en la que yo la llamaba y no podía ser más feliz por ello. Era una maldita delicia. Había olvidado lo bien que se sentía estar en su interior.

Se sujetó con fuerza a mis hombros para acomodarse mejor y me hundí en su sexo un poco más, su boca susurraba mi nombre como una plegaria.

La sensación inicial de estrechez dio paso a una calidez y suavidad embriagadora y me sentí muy celoso de Jordan.

Nos mantuvimos estáticos por un momento, absorbiendo las múltiples sensaciones que nuestra cercanía ofrecía y permitiéndole a Leah acostumbrarse a mi invasión, pero tenía miedo: si esperaba demasiado, ella terminaría por recobrar la conciencia. Sin embargo, yo no podría detenerme aunque la casa se nos estuviera cayendo encima.

De nuevo tomó la delantera y antes de que pudiera moverme, ella lo hizo primero. Dibujó círculos con sus caderas con mi polla dentro y era tan estimulante que una maldición cayó de mis labios. La tomé de la cintura para guiar el ritmo, con mis dedos enterrados en su piel tan fuerte que dejaría marcas, pero no me importaba.

Comenzó a montarme, a follarme con ganas. Se movía de arriba abajo, tan húmeda que se deslizaba con facilidad. Repartí besos en su hombro, con su respiración agitada en mi oreja y sus exquisitos gemidos como un dulce mantra tomando mi cerebro.

No me importaba que nos descubrieran ahora, porque podría morir en paz después de esto.

# 10
## LEAH, ERES UN DESASTRE

*Leah*

Soltó una maldición en voz baja, tensa y sensual. Su caliente respiración chocaba con mi hombro y el calor en la atmósfera aumentaba mientras movía mis caderas sobre él.

Su boca dibujó un montón de figuras sobre mi cuello, hasta que lo mordió y fue recompensado con un fuerte jadeo de mi parte.

Cerró sus manos en mi cintura como grilletes, marcando un ritmo que lo llevó aún más dentro de mí. Me extasiaba la manera en que expandía, tomaba y se enterraba en mi interior: severo y cruel, como un emperador tirano empeñado en no dejar un solo centímetro de mi cuerpo sin conquistar.

La fricción fue incómoda al principio, la resequedad ocasionada por el agua era molesta, hasta que el deseo terminó por empaparme entera. Jadeé cuando dio un brusco envite y la consideración abandonó sus acciones para que la crudeza de sus ganas tomara el lugar. Perdí cualquier rastro de sentido común con el inclemente mover de sus caderas.

Era consciente solo de *él*, y de sus inexorables embestidas sacudiéndome, de su respiración agitada y cálida erizando la piel de mi cuello, de mis gemidos, de sus manos estrujando mi culo para abrirse camino.

Gruñó y clavó sus ojos en los míos con el mismo ímpetu con el que se clavaba en mí, una y otra vez, sin tregua. Lo tomé de los hombros para estabilizarme mejor, un chorro de agua estrellándose contra las baldosas con el mismo estruendo que creaban nuestros cuerpos al encontrarse.

Percibí el familiar nudo en mi bajo vientre construirse y tensarse, tan fuerte como la manera en que yo tomaba el borde de la tina para seguir su ritmo, para encontrar sus estocadas, para que me llenara y me llevara hasta el filo del mundo...

—Leah, ¿estás ahí?

La voz llegó seguida de un par de toques en la puerta y me congelé igual que un témpano. El tiempo se detuvo y solo fui consciente del loco latir de mi corazón. Los ojos de Alex eran pura intensidad, su mandíbula tensa y su pecho agitado. Sus manos presionaban mi cintura para mantenerme en el lugar.

—¿Leah? —repitió la misma voz.

Alex negó con el cuello rígido sin dejarme ir, pero el calor del momento se fue, dio lugar a la racionalidad y me percaté de lo que hacía: me estaba follando a Alexander Colbourn, *otra vez.*

—¿Qué estás haciendo? —Otro par de golpes resonaron en la estancia, esta vez más insistentes.

Me deshice de su agarre como si fuese radiactivo y él dejó caer la cabeza hacia atrás a modo de rendición.

—Sí, ¡perdón! Estoy aquí. —Me incorporé con las piernas temblorosas, trastabillé con el borde de la tina cuando estaba por salir y me golpeé la espinilla. Ahogué una maldición y me coloqué la bata de baño lo mejor que pude.

—¿Qué demonios estás haciendo? —preguntó Erick desde el otro lado de la puerta y presioné un dedo sobre mis labios mirando a Alexander en un signo inequívoco de silencio.

—Ya voy, estoy poniéndome la bata. Ahora salgo. —El intruso suspiró con pesadez y pegué mi oreja en la madera. Cuando lo escuché alejarse un par de pasos, salí a la velocidad de la luz.

Erick me daba la espalda con las manos en los bolsillos de su pantalón y sonreí cuando se giró con el mismo gesto. Se acercó en dos zancadas y me envolvió en un fuerte abrazo que terminó por expulsar el aire de mis pulmones.

—¿Por qué no salías? ¿No querías verme? —cuestionó mi hermano mayor—. ¿Qué hacías?

—Es que estaba... —Tomé una bocanada de aire para ganar tiempo e inventar una buena excusa—. Muy concentrada meditando.

—¿Meditando?

Mierda. Adiós a la buena excusa.

—Sí —dije más convencida—. ¿Recuerdas que te hablé de mis cursos de yoga? Pues también hacemos meditación. Tenía los auriculares puestos y no te escuché la primera vez que tocaste.

—¿Estabas meditando en el baño?

—La instructora dice que es mejor en la ducha —me apresuré a explicar y deseé que mi mentira sonara real para él.

—¿Y por qué estás tan agitada?

—Porque me asustaste, idiota. —Le di un golpecito en el hombro. Al menos esa parte sí era verdad.

Asintió con lentitud, como si quisiera comprender mis disparates.

—¿Cuándo llegaste? —pregunté para cambiar de tema.

—Hace como cinco minutos. Ya he saludado a todos. ¿Bajas a cenar? Te estamos esperando y muero de hambre.

—Claro, déjame vestirme. —Señalé mi bata—. Ya quiero escuchar todas tus aventuras en el viaje.

—Te vas a partir de risa. Soy un imán de la mala suerte.

«No creo que tengas peor suerte que yo».

—Debe ser algo de familia.

—Te veo abajo, hermanita. —Sonrió una última vez antes de salir de mi habitación.

Una vez que cerró la puerta, entré al baño como una exhalación. Alex me miraba desde el mismo lugar donde lo dejé.

—¿Vamos a terminar lo que emp…?

—Vete. Ahora. Ya —demandé tajante. Junté su ropa esparcida por el suelo y la coloqué sobre la taza del baño.

—¿Por qué tanta urgencia? —preguntó sin moverse.

Lo miré incrédula y sentí una repentina repulsión por mí misma.

—Porque esto es un error.

—Siempre que tú y yo estamos juntos es un error, Leah. —Se incorporó y me esforcé por mantener los ojos arriba de sus hombros.

—Me alegra que lo entiendas.

—Y, aun así, seguimos haciéndolo. Seguimos cometiendo el mismo error.

—Pues habrá que hacer todo porque no se repita —sentencié y lo miré, completamente desnudo a dos pasos de distancia—. No es necesario que hablemos hasta que nos reunamos con el amigo de mis padres.

—Leah...

—Vete. Distraeré a mi familia para que puedas salir.

Abandoné el baño dando un portazo y me apresuré a vestir con un conjunto deportivo. Me pasé los dedos por el cabello en un intento por acomodarlo un poco y bajé para reunirme con los demás. Mamá estaba ayudando a Ana a colocar la comida en los platos, mientras Damen hablaba con Erick sobre algo que no comprendí. Estaban todos, excepto…

—¿Y papá? —Traté de no sonar tan nerviosa como me sentía.

—Está con Byron Colbourn en su estudio —respondió mamá con un deje de desagrado en la voz. Ahora todo tenía sentido. Eso explicaba por qué Alexander estaba en casa.

Como si los hubiera invocado, la voz de los dos hombres llegó desde el recibidor. Salí de la cocina junto a mamá y mi hermano mayor. Los acompañamos hasta la salida y mi corazón se aceleró cuando no encontré a Alex junto a su padre.

—Todo estará en marcha en un par de días —aseguró el señor Colbourn en el umbral de la puerta.

—Espero que arregles todo lo relacionado a las concesiones —pidió papá y el hombre asintió.

Alexander apareció en ese momento al pie de las escaleras que conducían a la entrada, emergiendo desde la penumbra que rodeaba el jardín frontal, y subió los escalones con tranquilidad.

—¿Dónde te has metido? —preguntó su padre cuando estuvo junto a él.

—Salí a fumar un rato —contestó con la vista fija en mí.

Desvié mi atención, pero la quemazón de sus ojos sobre mi piel no se fue.

—¿Por qué tienes la ropa húmeda? —Tocó la tela de su camisa y mi corazón dio un vuelco.

—Me he cruzado con los aspersores en el jardín.

—Ten más cuidado —le pidió el señor Colbourn a su hijo para después enfocarse en mamá—. Señora McCartney. —Hizo una pequeñísima reverencia con la cabeza y asintió hacia nosotros.

Nuestros padres se dieron la mano.

—Hasta luego —se despidió Alexander, impasible, como si nada hubiera pasado, como si no hubiéramos estado a punto de ser descubiertos por mi hermano.

Papá soltó el aire que había estado conteniendo y sus hombros se relajaron.

—Bien, vayamos a cenar. ¿Damen ya está abajo? —preguntó al tiempo que se retiraba junto a mamá.

—Sí, está con Ana.

Me dispuse a hacer lo mismo cuando Erick me tomó del brazo con delicadeza.

—¿Puedo hablar contigo un momento? —cuestionó en voz baja y me condujo al jardín.

—¿Qué pasa?

—¿Has terminado con Jordan? —soltó de pronto y me crispé.

—Claro que no, ¿por qué?

—Porque el chico Colbourn olía igual a ti —dijo severo y rogué porque mi cara no mostrara el terror que sentía por dentro—. Y curiosamente tenía el cabello y la ropa húmeda.

—¿Y qué? Él dijo que se había cruzado con los aspersores en el jardín y no olía a *mí*, olía a cigarro.

—El césped está seco.

Mierda. El pánico floreció en mi interior, pero luché por vencerlo.

—Tienes dos meses sin estar aquí, sabes que Ana cambia la programación de los aspersores para que crezcan sus azaleas —repliqué lo más natural que pude—. Además, no revisaste todo el jardín, ¿o sí?

—No —admitió y enarqué las cejas—. De acuerdo... Sabes que puedes contarme lo que sea, ¿no? —Su postura pareció relajarse un poco y asentí con una mezcla de alivio y preocupación—. No tengo idea de por qué esa familia y la nuestra tienen tantos roces, así que si tienes algo con él...

—Que no, Erick.

—Solo espero que no te metas en problemas, eso es todo.

—¿Claire sabe que tiene de prometido a un sabueso? —pregunté en broma y mi hermano soltó una risita.

—Estoy tratando de cuidarte, idiota, deja a Claire fuera de esto.

—Yo solo pregunto para que se cuide de ti.

—Tú eres la que debe de cuidarse, pero de los chicos.

—¿Por qué?

—Tienes un regalito en el cuello. —Me hizo saber y de nuevo creí que sufriría un infarto.

Debía ser una marca hecha por Alexander. Quería matarlo por imbécil.

—¿Un regalo de Jordan? —inquirió.

Cubrí la evidencia con mis dedos y asentí, avergonzada.

—Sí, es suya.

—Cúbrelo antes de que alguno de nuestros padres lo vea y te sermonee por eso. —Sonrió con complicidad—. Anda, vamos a cenar. Tengo mucho que contarles sobre mi viaje.

—Te alcanzo en un momento, llamaré a Jordan. —Forcé una sonrisa. Me miró con recelo, pero me creyó.

Mi hermano entró a la casa y lo hice después, corriendo al espejo que había en el recibidor. Abrí los ojos desmesurados al ver la marca que había en mi cuello, rojiza y notoria.

¿Existía alguna forma en la que Alexander no me jodiera la vida?

Me acomodé el cuello de la chaqueta antes de salir del aula. Sentía que todos me observaban, como si supieran lo que había sucedido entre Alexander y yo.

Me excusé con Edith y me escabullí hasta el tablero de anuncios para cerciorarme de la fecha de los próximos parciales. Mi mundo era un desastre, pero no podía darme el lujo de tener malas calificaciones.

Me sentía cansada e irritada, consecuencia de la infructífera noche de sueño que había tenido gracias a mi *queridísimo esposo.* No había desaparecido de mi cabeza ni un segundo desde el día anterior, y la sensación me resultó extraña y frustrante, porque quería arrancarlo de raíz, quería...

Salí de mis cavilaciones cuando dos brazos rodearon mi cintura desde atrás y me estrecharon con fuerza. Mi corazón dio un vuelco y mi estómago se contrajo. Me deshice del agarre con brusquedad y lo encaré.

—¿Estás loco? ¿Qué te dije sobre...? —Me callé cuando Jordan me miró perplejo—. Perdón, pensé que eras...

—¿Quién? ¿Por qué esa reacción tan violenta?

—Estaba concentrada en el calendario de los parciales, lo siento —me disculpé y ajusté de nuevo la chaqueta para cubrir la marca

—Leah, has estado actuando muy extraño. —Tomó una de mis manos para besarla—. ¿Está todo bien?

—Sí —mentí y lo miré. Grave error, porque mi pecho se comprimió al hacerlo.

Jordan no se merecía lo que yo le estaba haciendo. La culpa que me carcomía por dentro no me permitía ni siquiera respirar.

Lo alejé, porque sus acciones inocentes, dulces y sinceras solo servían para que yo me odiara con mayor vehemencia.

—¿Vienes conmigo a la cafetería? Creo que los chicos están ahí —mencionó.

—Claro, vamos.

Quería pensar que ahora, por ceder a la tentación, el capricho que tenía por Alexander desaparecería. Él era alguien nuevo, alguien que mi cuerpo veía como una novedad. De ahí nacía toda esa emoción cuando estaba cerca. Estaba segura de que desaparecería con el tiempo. Podía manejarlo. Yo tenía el control. Sin embargo, una vez que estuvimos sentados en la mesa habitual en la cafetería, me di cuenta de que todo mi curso de autoayuda y motivación no había servido un carajo.

Hice acopio de todas mis fuerzas para no mirarlo a la cara cuando tomó asiento en la mesa, frente a mí y junto a Sara, que no dejaba de reírse a carcajadas por algo que Edith contaba.

Sabía que debía actuar como si nada hubiese ocurrido. Como si nunca hubiese aparecido en mi baño. Como si nunca nos hubiésemos besado. Como si nunca hubiésemos follado en mi tina. Pero había pasado y sabía que no iba a ser capaz de ignorarlo.

—Odio el periodo de parciales —dijo Edith—. Son tan innecesarios.

—¿Prefieres hacer solo un examen y reprobar la materia? —preguntó Ethan.

Mi amiga se echó la cabellera rubia a la espalda con parsimonia.

—Jamás reprobaría.

—¿Cómo sabes eso?

—Porque tengo mis encantos —respondió dándose importancia.

Intenté concentrarme en lo que decían mis amigos para olvidar la presencia de mi esposo en la mesa, pero cuando miré en su dirección, sus ojos conectaron con los míos y un amago de sonrisa jaló de las comisuras de sus labios. Resistí el impulso de hacerle una grosería con el dedo. Alex no me miró por más de dos segundos antes de volver a enfocarse en mi mejor amiga. Era mejor que yo pretendiendo que nada había pasado entre nosotros. Parecía que para él nada había cambiado.

—¿Podemos hablar de algo más? Ya tengo pesadillas sobre los parciales —pidió Sara, sacándome de mi ensimismamiento.

Como si esa fuera su señal de retirada, Alexander tomó su mochila y se puso en pie.

—Yo me voy, tengo cosas que hacer.

—¿Tan pronto? —Edith parecía desilusionada.

—Sí. No todos tenemos encantos para ganarnos buenas notas —contestó con tono burlón y emprendió su marcha.

Justo cuando pasaba por mi lado, detecté algo moverse por el rabillo del ojo. Fue un destello blanco y creí que lo había imaginado, hasta que noté la pequeña bola de papel sobre mis piernas. Mi corazón dio un vuelco violento. ¿Cómo se atrevía a lanzarme una nota frente a todos? Había perdido la cabeza.

Miré al resto de los chicos esperando encontrar caras de desconcierto o confusión, pero todos parecían absortos en la charla, incluso Jordan.

Cuando el descanso terminó y nos encaminamos a clase, leí la nota que había escrito Alexander.

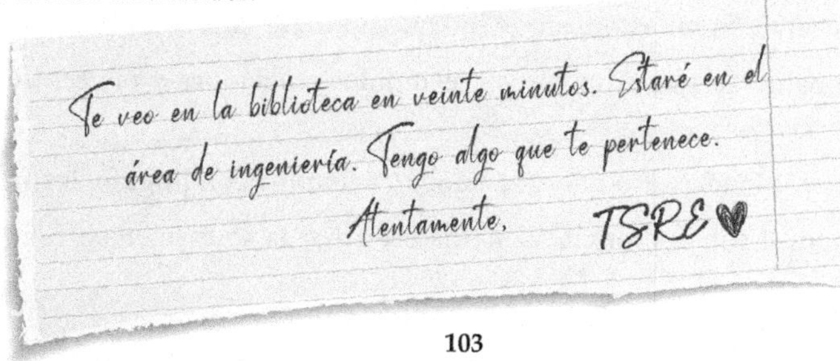
Te veo en la biblioteca en veinte minutos. Estaré en el área de ingeniería. Tengo algo que te pertenece.

Atentamente, TSRE ♥

Fruncí el ceño tratando de averiguar qué demonios significaba la «R» dentro de las siglas y miré la hora en mi móvil: habían transcurrido veinticinco minutos desde entonces.

Mi parte lógica alegaba que ir a su encuentro era una locura, que solo alimentaba algo que debía parar..., pero la otra, la más insensata, me pedía a gritos encontrarme con él otra vez.

«Puede que ni siquiera siga ahí», pensé mientras tomaba el pasillo que llevaba a la dichosa biblioteca.

El lugar estaba en completo silencio. Había algunos chicos ocupando las primeras mesas, pero el resto de la estancia estaba vacía. La bibliotecaria me miró mientras la pasaba de largo y me dirigía a la última sección del lugar.

El área de ingeniería estaba abandonada, ni siquiera había rastro de Alexander. Eché una ojeada sobre mi hombro y me sentí incómoda al percibir los ojos de la señora Pince en mi espalda, así que me interné en uno de los pasillos, extraje mi móvil y comencé a escribir.

Cualquier cosa mía que tengas, puedes quedártela. No me interesa.
14:32 p. m.

Envié el mensaje con la molestia borboteando bajo la piel, sintiéndome idiota por seguirlo cuando era claro que ya no estaría aquí. Tomé la resolución de marcharme cuando uno de los libros fue retirado del estante y solté un jadeo de impresión al ver el rostro de Alexander al otro lado.

—¿Segura que no te interesa saber qué es? —musitó con jovialidad y me maldije por lo rápido que comenzó a latir mi corazón.

—Creí que no estarías aquí. Es tarde.

—Decidí esperarte. Sé que eres impuntual.

—No soy impuntual —me quejé.

—Lo eres. Comienzo a conocerte, aunque no lo creas —dijo sin más y algo extraño se asentó en mi estómago. Algo que no logré descifrar.

Hice un esfuerzo por esfumar esas estúpidas reacciones y me centré en lo importante.

—¿Y bien? ¿Qué es eso mío que tienes? —inquirí con fingido desinterés.

—Ven aquí, Leah —pidió. Casi podía escuchar la sonrisa en su voz.

Lo miré por el pequeño espacio. Su semblante era serio, pero había diversión en sus ojos. Maldito. Estaba jugando sus juegos y yo estaba cayendo en ellos sin remedio.

—Dámelo por aquí. —Quité otro libro para crear un mejor acceso—. No pienso acercarme a ti otra vez.

—¿Por qué no?

—Porque eres un demente —contesté, molesta con él por todo lo que me hacía sentir cuando estaba cerca.

Me sostuvo la mirada a través de la pequeña ventana y mi ritmo aumentó.

—Ven aquí. Por favor —fue todo lo que dijo, su voz tranquila y considerada, lejos de todos los insultos que creí me echaría en cara.

No sé qué me impulsó a hacerlo, pero a pesar de mi reticencia, dejé el libro en su lugar y me encaminé a su encuentro. Alexander estaba en el otro pasillo, con las manos en los bolsillos de su pantalón, las mangas de su camisa dobladas y luciendo tan apetecible que debí darme una cachetada mental para seguir en mi papel.

Desde lo de la tina, era cada vez más difícil pasar por alto lo atractivo que era, y más complicado aún era obviar lo que me hacía sentir.

—No tengo tu tiempo. —Me crucé de brazos en un pobre intento de escudo—. ¿Qué quieres?

Me observó en silencio, como si me estudiara, y me sentí pequeña bajo su avasalladora mirada. Dio un paso y yo retrocedí otro a pesar de que nos separaban al menos dos metros.

—Solo quería saber si alguien de tu familia te dijo algo.

—¿Sobre qué?

—Lo que pasó en tu casa, el que apareciera con la ropa húmeda.

Tensé la mandíbula y la llamarada de enojo se hizo más grande.

—Sí, mi hermano.

—¿Qué te dijo? —Odié que luciera tan indiferente, como si no le importara y disfrutara con joderme la vida.

Quizá lo hacía.

—No importa, lo solucioné. —Di un paso hacia él—. Pero eso no habría pasado si no hubieras tenido la grandiosa idea de colarte en mi baño —espeté furiosa—. No estuvo bien, no debiste hacerlo.

—Lo sé, lo siento. Fue estúpido. —Había un toque de arrepentimiento en su voz, pero no sabía si era real o solo jugaba conmigo. De nuevo—. Quería que me escucharas.

—Ya te dije que no iré contigo a Londres. No quiero tener nada que ver contigo. Ni siquiera te soporto.

Eso generó algo en él, porque cambió su expresión de impasibilidad.

—Para ser alguien que no me soporta, ayer parecías disfrutar mucho de follarme —me echó en cara y una mezcla de cólera y vergüenza me invadió.

—¡No estaba disfrutándolo!

—Tus gemidos me hicieron pensar lo contrario.

—¡No es cierto! —siseé mientras acortaba la distancia entre nosotros—. Estás delirando. Todo lo que siento por ti es repulsión. *Mucha. Repulsión* —punteé cada palabra mientras lo apuñalaba en el pecho.

Tomó la mano con que lo acribillaba y su tacto repentino me hizo dar un respingo.

—Lástima, porque tú me haces sentir muchas cosas, McCartney, y ninguna de ellas se asemeja a la repulsión.

Una vez más se las arregló para que mi corazón saltara por un precipicio. Fue solo cuando movió su mano a mi brazo que reaccioné y me alejé de su tacto.

—No me importa. Yo te odio.

Esbozó una media sonrisa que me robó la respiración.

—Si vas a demostrarme cuánto me odias igual que en la tina, por favor, ódiame más, McCartney.

La respiración se atoró en mi garganta y sentí mis mejillas arder. Quizá mi reacción fue muy notoria, porque su sonrisa se ensanchó.

—¿Por qué demonios no te consigues una novia para atormentarla? —me quejé cuando logré recomponerme.

Inclinó la cabeza a un lado, curioso.

—Podría, pero no tiene sentido. El lugar como mi esposa ya lo tienes tú.

—¿Y qué? Lo nuestro no es real.

—Podría empezar a serlo.

Fruncí los labios, negándome a aceptar que algo revoloteó en mi estómago tras sus palabras. No, no y no. No generaba nada en mí y no sería tan idiota para caer por él cuando estaba claro que solo se divertía conmigo.

—Ya, ¿y se supone que debo creerte esa estupidez? —Reí mordaz—. Bien, si no dirás nada, me voy.

Le di la espalda con la intención de retirarme, pero apenas di un paso, su mano en mi muñeca me detuvo.

—Puedes creerme o no, pero no te lo diría si no fuera real. A mí no me gusta andarme con rodeos. —Me tendió una fotografía con su mano libre.

—¿Qué es esto? —inquirí cuando soltó mi brazo y pude tomarla.

Era una foto mía en Las Vegas. Yo era lo único que el lente enfocaba. No sabía cuándo la había sacado, pero mi sonrisa era genuina, como si tuviera el tiempo de mi vida. En la parte de atrás había unas breves líneas escritas con su letra:

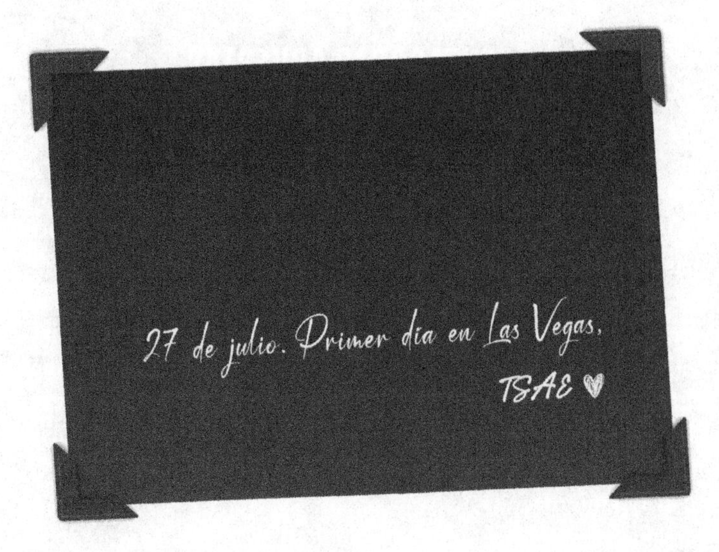

27 de julio. Primer día en Las Vegas,
TSAE ♥


—La encontré entre mis fotografías reveladas. Pensé que deberías tenerla tú, ya que soy un demente y debes tener cuidado conmigo. Quién sabe qué podría hacer con esa foto. —Noté la broma en su voz.

—No sabía que me habías fotografiado.

—Solo esa. Tienes una bonita sonrisa y lucías feliz. Pensé que debía inmortalizarla.

Alcé la vista hacia él con algo muy distinto a la ira llenándome, cálido y placentero. Sus ojos brillaban con una emoción que no descifré, pero llenó mi estómago de aleteos.

Bajó la cabeza y el momento terminó. Sin decir nada más, me pasó de largo y salió por el pasillo, dejándome con la fotografía en mis manos y un montón de emociones extrañas en el pecho. De repente, me sentí furiosa... Furiosa con Alexander porque de no ser por él y mi poca resistencia al alcohol, nada de esto estaría pasando. De no ser por él, yo tendría una bonita y tranquila relación con Jordan. De no ser por él, me habría rendido a un romance sencillo que había florecido de una sólida amistad.

Pero no más.

Ahora, gracias a Alexander Colbourn, tendría que enfrentarme a un reto. Tendría un igual. Tendría que lidiar con mi corazón acelerado y las mariposas en mi estómago. Tendría que luchar contra un deseo tan fuerte que era estremecedor.

Y no sabía si era capaz de vencer todo aquello.

# 11
# TENTADORAS APUESTAS

## *Alexander*

Bajé de mi auto y entré a la casa de apuestas. Luego de dejar a una chica en su casa y fallar en la misión de tener sexo para olvidar a Leah, esperaba que vaciar unas cuantas carteras me hiciera sentir mejor.

Desde nuestro furtivo encuentro en la biblioteca habían transcurrido tres días y durante ese tiempo no había conseguido expulsar su imagen de mi cabeza. Estaba harto de no poder dormir por las noches y despertar con una erección dolorosa por las mañanas gracias a las imágenes de mi esposa montándome en su tina. Jamás pensé que disfrutaría más de masturbarme pensando en mi mujer que follándome a otra, pero al parecer había llegado a ese punto. Vaya mierda.

Quizá estar aquí no era la mejor solución, ni la más sensata, pero estaba desesperado por expulsar a esa arpía de mi mente, y situaciones desesperadas requerían medidas desesperadas.

Saludé a Michael mientras él permanecía de pie esperando su turno para apostar en el *blackjack*.

—Dichosos los ojos —me saludó con burla—. ¿Qué te trae por aquí? ¿Te has perdido?

—No, he tenido una mala semana y una noche aun peor. Creo que puedo mejorarla mucho estando aquí.

—Y vaya que sí —concedió y extrajo un fajo de billetes de su chaqueta—. El dinero siempre hace sentir mejor.

—Vigílalo bien o podría quitártelo antes de que te des cuenta. ¿Sabes si Ethan juega hoy?

—Lo he visto salir y regresar con una pareja. —Hizo una seña con la cabeza detrás de mí.

—¿Una pareja?

Localicé los rizos de Ethan a un par de metros de distancia, de pie en una de las mesas del fondo charlando con alguien.

—Te veré luego, Michael —me despedí y me dispuse a ir hasta mi amigo.

—Ethan —lo saludé y le estreché la mano al otro hombre con el que hablaba, de barriga prominente y bigote.

Jordan giró la cabeza desde el asiento que tomaba en la mesa de póker y asintió en señal de reconocimiento. Sentí mi sangre congelarse. ¿Qué hacía él aquí?

—Parece que todos nos hemos reunido hoy —dijo Ethan con alegría, palmeándole el hombro.

—¿Puedo hablar contigo un momento? —le pedí a mi amigo y aceptó sin perder la sonrisa.

Nos alejamos un poco de la mesa de juego y mis hombros se tensaron apenas estuvimos solos.

—¿Qué mierda te pasa? ¿Por qué has traído a Jordan aquí?

—¿Por qué no? Él sabe que tú y yo jugamos y tenía tiempo queriendo venir, así que lo he invitado hoy que hay buen dinero en casa.

Puse los ojos en blanco. Jordan era de las últimas personas que quería ver en ese momento y que estuviera aquí era solo un horrible recuerdo de que su novia era la dueña de mis peores pesadillas y mis mejores fantasías.

—Mantenlo alejado de Rick —le advertí—. Y no permitas que apueste con Hudson y Michael, porque van a dejarlo sin nada.

Ethan soltó una risita.

—También tengo que cuidar a Leah. —Señaló detrás de sí con el pulgar y toda la sangre viajó hasta mis pies al reparar en ella. Estaba de pie frente a la barra charlando con el *bartender*.

—¿Por qué carajo la has traído a ella? —El enojo fue imposible de disimular.

—Yo no la traje. Jordan se presentó con ella y no podía pedirle que se fuera.

Observé a Jordan abstraído en el juego y, antes de pensarlo mejor, pasé de largo a mi amigo y caminé hasta Leah con la sangre hirviendo en mis venas.

No me gustaba en absoluto la idea de que estuviera aquí. Era demasiado buena para algo como esto, demasiado inmaculada para un lugar tan perverso. Ya llamaba la atención con su simple presencia y la idea de que Rick o alguno de sus matones la notara me inquietaba más de lo que me atrevía a admitir.

—¿Qué haces aquí? —La tomé del brazo, interrumpiendo su plática con el empleado.

Leah me dedicó una de sus emblemáticas miradas matadoras. El tipo pareció entender que no tenía razón para inmiscuirse y fue a atender a otros clientes.

—¿Qué te pasa? —Se zafó de mi agarre—. Te he dicho que no me gusta que me toques.

—No tienes nada que hacer aquí, Leah. Vete —ordené con tono autoritario, pero como siempre, me ignoró.

—¿Tan rápido estás perdiendo los papeles? Te recuerdo que no puedes ordenarme.

Me incliné más hacia ella para que me escuchara con atención.

—Este no es lugar para ti, lárgate.

Enarcó las cejas, desafiante.

—¿Quién te crees que eres para darme órdenes? —siseó—. Además, ni siquiera deberías estar hablándome. Jordan empezará a sospechar que entre nosotros hay algo si sigues acercándote así.

—Si no lo ha hecho a este punto, nunca lo hará.

Sus ojos lanzaron fuego.

—¿Quieres que vuelva a enfrentarte como lo hizo en el pasillo de la universidad? —dijo como advertencia, pero el recuerdo solo me generó gracia.

—Solo si me prometes que volveremos a hacer lo del aula de clases otra vez —la molesté, pero no esperé una reacción de su parte. Por mucho que quisiera seguir discutiendo con ella, no era el lugar ni el momento—. Como sea, si quieres evitar más problemas, vete ahora.

La inquietud de que algo le sucediera estando aquí todavía me aquejaba.

Me obsequió una sonrisa socarrona.

—Por si no lo has notado, no vengo contigo, sino con Jordan, así que mientras él juegue, yo me quedo.

Fruncí el ceño, molesto. ¿Por qué era tan terca?

—Le harías un favor sacándolo de aquí antes de que lo dejen sin un dólar.

Posó las manos en su cintura, en su característica faceta altiva.

—Para tu información, ha estado ganando desde que llegamos —lo defendió y solté una risita.

—Suerte de principiante.

—No creo. Diría que incluso es mejor jugador que tú.

—Lo dudo.

—Yo no.

—¿Quieres apostar? —Fue solo un simple ataque, pero la idea flotó entre nosotros como una idea tentadora. Clavó sus ojos en mí, sorprendida, y supe que sería una buena oportunidad para joder más a mi querida esposa en venganza por lo mucho que me había jodido la cabeza.

—No voy a jugar a esto contigo.

—Si estás tan segura de que es mejor, ¿qué tienes que perder? —insistí, cada vez más deseoso por concretar lo que tenía en mente.

—¿Qué quieres apostar? —Su tono se tiñó de cautela.

—Si él gana la partida, prometo no hablarte después del viaje que haremos mañana para ver al amigo de tus padres en Long Island —propuse, calibrando cada una de sus reacciones—. No tendrás que dirigirme la palabra hasta que firmemos los papeles de divorcio.

—¿Y cómo sé que lo cumplirás?

—Te doy mi palabra. —Alcé la mano con burlesca solemnidad—. Y te concederé otro deseo, el que tú quieras.

Enarcó una ceja.

—No se me viene otra cosa a la cabeza que desee más que eso.

—Entonces tienes tiempo para pensarlo.

Se mordió el labio, quizá sopesando sus probabilidades. Me costaba horrores resistir el impulso de morderlo yo mismo.

—¿Y si tú ganas? —preguntó con recelo.

—Si yo gano —hice una pausa para añadir más dramatismo, saboreando la expectación en sus ojos—, irás conmigo a Inglaterra. Y también me concederás cualquier otra cosa que desee.

La sorpresa se asentó en su rostro, pura y cruda.

—Estás idiota si crees que voy a aceptar.

—¿A qué le tienes miedo? ¿No confías en tu campeón?

Me sostuvo la mirada, negándose a parecer intimidada, pero sabía que en realidad estaba considerando mi propuesta. A Leah no le gustaba perder, ni siquiera de forma indirecta.

Se mantuvo en silencio un momento más, y después de fruncir los labios, dejó caer los brazos a sus costados.

—De acuerdo, acepto. —Tendió la mano y sonreí triunfal al tiempo que se la estrechaba.

—¿No hay un beso de suerte para tu esposo? —pregunté con inocencia, sin soltarla.

Sus ojos se posaron en mí, calculadores y fríos como un glacial. Creí que desharía el agarre luego de esa provocación, pero me sorprendió cuando se inclinó peligrosamente cerca de mis labios. Sin embargo, los pasó de largo hasta llegar a mi oreja, con su aliento cálido rozándola y erizándome los vellos de la nuca.

—Me muero por ver cómo Jordan te patea el culo, cariño. —Dejó un beso fugaz en mi mejilla, para después incorporarse e ir hasta la mesa donde estaban Ethan y su novio jugando una partida.

Clavé mis ojos en su espalda mientras se alejaba, mi molestia y deseo hacia ella avivándose a la par con cada paso que daba en dirección contraria a la mía. Era como un juego confuso de la presa y el cazador: algunas veces me hacía pensar que le gustaba ser perseguida, y otras, que era yo quien estaba a su merced. Estaba cansándome de ello.

Era hora de definir los papeles.

Me senté frente a Jordan en la mesa, con Ethan a mi lado y dos hombres más de traje que nunca había visto conformando la partida. Leah estaba de

pie detrás de su novio sin dejar de mirarme, así que le guiñé un ojo solo para hacerla desatinar y funcionó, porque hizo una mueca de exasperación. El encargado del juego administró el *ante*, la apuesta obligatoria: todos colocamos el primer conjunto de fichas para dar inicio.

Una vez que se cerró la primera ronda, el *crupier* se encargó de repartir las cartas y administrar las apuestas, dejando el resto del mazo en el centro. Observé mis cartas y me mantuve impasible mientras calculaba mis posibilidades.

—¿Apuestas? —preguntó Thomas una vez que todos revisamos nuestras manos.

Uno de los hombres de traje y cabello ralo que yo no reconocí apostó un montoncito de fichas. El otro hombre que estaba a su lado igualó la apuesta, mientras que Jordan deslizó un conjunto mayor al centro de la mesa, señal de que tenía una buena mano. Levanté mi vista hasta Leah: me sonreía satisfecha y eso fue confirmación suficiente. Ethan revisó una última vez sus cartas antes de decidirse y hacer la misma apuesta que Jordan.

En el póker solo había dos opciones: igualabas la apuesta del otro o la subías, pero nunca podías hacer una más baja. Me apresuré a aumentar la apuesta con el montón mayor.

Nos avocamos entonces a descartar y reemplazar las cartas que no eran útiles. El primer hombre de traje dejó sobre la mesa dos cartas y una maldición cayó de sus labios cuando tomó dos más del pozo. El que se sentaba a su lado descartó una carta y extrajo una nueva. Ethan desechó dos cartas y tomó dos más, impasible. Deseché tres cartas y tomé otras tres, sin inmutarme.

Podía sentir la intensa mirada de Leah aunque no alzara la vista. Sabía que moría porque Jordan ganara. Una lástima por ella, eso no sucedería mientras yo jugara.

—Caballeros, ¿última apuesta antes de descubrir sus cartas? —intervino el *crupier*.

—No voy —dijo el primer hombre, dejando sus cartas sobre la mesa.

El hombre a su lado de ojos oscuros y espesa cabellera azabache chasqueó la lengua, pero colocó en el centro una torre de fichas y me relamí los labios ante la visión. Ethan tenía razón: había mucho dinero en juego hoy. Jordan puso el doble de fichas en el pozo y yo enarqué una ceja, observándolo con diversión. Sus ojos estaban llenos de suficiencia y contuve una carcajada.

—¡Joder, Jordan! —maldijo Ethan—. No te traje para que me hicieras perder, imbécil.

El aludido soltó una risa ante el comentario.

—No voy —dijo nuestro amigo con resignación.

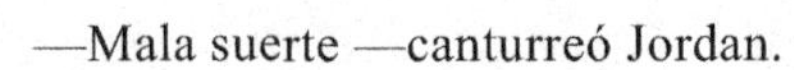

—Mala suerte —canturreó Jordan.

Miré el montón de fichas que había en el pozo y después a Leah. Tenía sus ojos clavados en mí para no perderse cualquier movimiento que yo hiciera, como si a través de ellos pudiera deducir qué clase de mano tenía.

«Lo siento por ti, princesa», quise decirle, porque ella ignoraba por completo el hecho de que me encantaba confundir a los demás jugadores para hacerlos perder.

Así que seguí mi *modus operandi* habitual y, en lugar de apostar más fichas que Jordan, lo igualé. Ethan me miró confundido. Usualmente hacía apuestas más grandes.

—Se cierran las apuestas —anunció el *crupier* y procedió a contar las torres de fichas—. La casa ofrece diez mil dólares, los que hay en el pozo.

Los ojos de Jordan relucieron, emocionado con la perspectiva de llevarse esa cantidad. Pude haber hecho uso de todas mis artimañas para ganarle, pero decidí jugar limpio para honrar la apuesta con Leah. Si yo tenía suerte, me llevaría algo mejor esa noche.

Jordan miró al hombre que tenía a su izquierda, tal vez tratando de adivinar cuál era su juego, y después a mí. Me encantaba la tensión que se construía siempre que la partida estaba a punto de terminar, con todos los jugadores expectantes, esperando ganar lo que albergaba el pozo.

—Descubran sus cartas, caballeros —pidió el *crupier* y el primero en hacerlo fue el hombre de ojos oscuros, mostrando un *full house.*

Su sonrisa de suficiencia se desvaneció cuando Jordan descubrió su mano de póker: cuatro cartas de diez. Nada mal. Leah me miraba desde su altura, satisfecha, saboreando la victoria.

—Buena mano —silbó Ethan, impresionado.

—Lo siento, *amigo* —dijo Jordan frotando sus manos con emoción.

Era verdad, su jugada era una de las más fuertes. Tenía mucha suerte de principiante.

Leah enarcó sus perfectas cejas, retándome a mostrar algo mejor que él y, como buen caballero, no la decepcioné.

—Yo lo siento por ti, amigo. —Mostré mis cartas y la sonrisa de Jordan desapareció.

Sacudí la flor imperial que había armado y Leah pareció al borde del desmayo.

—¡Carajo! —maldijo Jordan, ofuscado, y se pasó una mano por el cabello.

Sonreí sin despegar mis ojos de ella. Estaba furiosa. Muy muy furiosa.

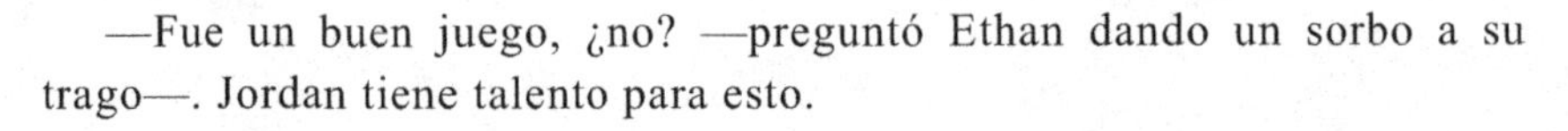

—Fue un buen juego, ¿no? —preguntó Ethan dando un sorbo a su trago—. Jordan tiene talento para esto.

—Y que lo digas —concedí, mirando con atención cómo Leah y nuestro amigo se enzarzaban en una discusión acalorada cerca de la puerta del lugar.

No le había gustado nada que su noviecito perdiera, pero no tenía escapatoria. Después de tantos años jugando contra ludópatas, semi profesionales e intentos de ladrones, había refinado mis habilidades en el póker y con tanto en juego esa noche, no había manera de que perdiera.

Negó enérgicamente con los brazos cruzados, igual que una niña enfadada, y le dio la espalda para salir del bar. Él parecía igual de molesto y llegó hasta nosotros dando zancadas.

—¿Problemas en el paraíso? —se burló Ethan.

Jordan bufó.

—Está molesta porque he perdido. ¿Por qué se lo toma tan personal? Es solo un puto juego.

—Ya se le pasará. ¿Se van?

—No, jugaré un par de partidas más para probar suerte. Tal vez me recupere.

—Te acompaño. —Nuestro amigo dejó el vaso sobre la barra—. ¿Vienes, Alex?

—Los alcanzo en un momento —dije sin más y ambos se encaminaron hasta una mesa disponible para jugar.

Una vez que me aseguré de que Ethan y Jordan estuvieran absortos en la partida, salí del casino. Reparé en Leah de inmediato. Caminaba para volver a entrar con un saco en las manos. Tal vez ella poseía un poder secreto para apagar mi lado racional o para que las ideas más estúpidas me parecieran las mejores, porque, antes de que llegara hasta el umbral, la alcancé, la tomé del brazo y la arrastré conmigo hasta el callejón en la parte lateral del complejo.

—¿Qué haces? —chilló, tratando de zafarse—. ¡Suéltame!

La obedecí cuando estuvimos alejados de la entrada.

—¿Lista para conocer Inglaterra? —dije con diversión y ella encuadró los hombros a la defensiva.

—Ya la conozco.

—Pero no conmigo.

Entornó los ojos con recelo.

—Estoy segura de que has hecho trampa.

—He jugado limpio, Leah. —Sonreí—. El problema no es que haga trampa, el problema es que yo siempre gano.

—Un poco más de modestia y te ahogarás en ella.

La ignoré y acorté la distancia entre ambos.

—Ahora tienes que pagar tus apuestas, princesa.

Sus ojos brillaron con enojo en la oscuridad.

—No me llames princesa. Lo haces sonar como un insulto cuando viene de ti.

—Puedes tomarlo como quieras —aclaré—. Tienes que venir conmigo, Leah.

—Sí, sí. Ya te dije que lo haría, ¡Dios!

—Te recomiendo que vayas pensando en una excusa convincente para tu familia y tu novio —sugerí y me fulminó con los dos glaciales que adornaban su hermoso rostro.

—¿Por qué tanta insistencia? Primero tenemos que hacer el viaje para reunirnos con el amigo de mis padres y...

—Primero tienes que pagar el resto de la apuesta —la interrumpí.

—¿Resto de la apuesta? ¿De qué hablas?

—Apostaste concederme otro deseo.

Su cuerpo se tensó.

—¿Y qué más quieres? Ya accedí a hacer ese maldito viaje contigo, ¿qué más vas a quitarme? —empezó a despotricar, alzando la voz—. Ya me has quitado demasiado esta semana, incluyendo mi dignidad y mi paciencia, ya me has humillado suficiente. ¿Pero sabes qué? No me importa, si quieres mi dinero, mis joyas o mi auto, me importa un carajo, tómalo, puedes tomar lo que quieras, imb...

Me moví entonces, grácil y decisivo. Coloqué mis manos a los costados de su rostro para estrellar su boca contra la mía en un intento por callarla.

Hizo un sonido entre la indignación y la sorpresa, con su cuerpo tenso por la impresión. Sin embargo, toda la tensión pareció desvanecerse cuando incliné la cabeza para besarla más profundo, tomando su labio inferior entre los míos. Dejó escapar el aire antes de soltar el saco que llevaba en las manos, hacer puños mi camisa y corresponderme el beso.

—¿Esto? ¿Puedo tomar esto? —murmuré apenas, las palabras un suspiro mientras me separaba.

—Si quieres —dijo con un hilo de voz, poniéndose de puntillas para alcanzarme, al tiempo que yo me inclinaba para volver a tomarla, encontrando sus labios a mitad de camino.

Fue una colisión de bocas y lenguas que me hizo caer en cuenta de que yo había deseado esto más de lo que me atrevería a admitir. La besé duro, con ansia y necesidad. Dejé escapar todo mi enojo hacia ella en ese contacto arrebatado y pasional, con mis sentidos agudizados y mis emociones al tope. Me sentía a punto de estallar.

No había coordinación alguna en nuestros labios, los movimientos resultaban torpes y desesperados, como si buscáramos devorar al otro antes de que el sentido común volviera a hacerse presente.

Tomó mi cara entre sus manos, presionándose contra mí como si quisiera fundirse en mi cuerpo y la estrellé contra la pared para tener un poco más de estabilidad mientras nuestras lenguas se enzarzaban en una lucha campal por la dominación, por necesidad, por algo que solo el otro podía dar.

Leah me correspondía con la misma intensidad, como si ella también dejara todas sus emociones en sus besos: furiosos, demandantes y hambrientos; sus manos trazando los ángulos de mi cara, mi cuello, las curvas de mis hombros, hasta rodearme con sus brazos.

Mis manos recorrieron su cuerpo, ansiosas por tocar cualquier retazo de piel desnuda. Mis dedos presionaron contra su espalda descubierta y percibí cómo se erizaba bajo el tacto. Apreté su culo con ganas, soltó un gemido en mi boca y mordí su labio.

Moría por tomarla justo ahí, contra esa pared, pero sabía que no iba a permitirlo, así que continué devorándola con un deseo abrasador recorriendo mi sistema y amenazando con consumirme. Así era como prefería a Leah: expuesta y fuera de control. Perdí la cuenta del tiempo que estuvimos besándonos, devorándonos con desesperación hasta que convertimos eso en una prioridad y decidimos ignorar la falta de oxígeno.

Yo fui el primero en alejarme, porque la presión en mi pantalón era una tortura y saber que no podía tomarla como deseaba era realmente doloroso. Su pecho subía y bajaba con pesadez, tratando de llenar sus pulmones del aire que tanta falta le hacía. Tenía los labios rojos e hinchados, sus pupilas dilatadas y teñidas de un oscuro color gris. Quería besarla un millón de veces más, pero me abstuve y traté de tranquilizar mi rápido latir al escuchar voces masculinas provenir del complejo.

—Deberías irte antes de que empiecen a buscarte. —Mi voz salió enronquecida.

Asintió luego de unos instantes, pero no fue capaz de moverse porque tenía su cintura aprisionada entre mis manos como grilletes. No quería dejarla ir hasta Jordan. No quería dejarla ir en absoluto.

A regañadientes, la dejé libre y me incliné para recoger el saco que había perdido en el proceso de nuestra colisión. Lo tomó con manos temblorosas. Se alejó sin decir una palabra y justo cuando estaba a punto de salir del callejón, se giró para mirarme sobre el hombro.

—Te veré mañana para el viaje, ¿de acuerdo? —Asentí, aunque no estaba seguro de que me hubiese visto por la falta de luz.

Cuando giró en la esquina del callejón para entrar al complejo, escuché la voz de Jordan.

—¿Por qué tardaste tanto? —Los observé desde la penumbra caminar hasta su auto.

—No encontraba el saco.

—Logré recuperar lo perdido en unas cuantas partidas más —le informó feliz—. Aunque Alex fue bastante bueno, ¿no?

—Sí, muy bueno —admitió ella y juraría que no hablaba solo de mi forma de jugar.

—¿Quién es la chica? —preguntó Rick acercándose hasta la barra donde yo tomaba un vaso de licor.

Asumí que él no estaba hoy en el casino o que no saldría del privado en toda la noche porque no lo ubiqué durante las partidas, así que cuando escuché su voz profunda a mi lado, me sorprendí.

—¿Quién? —pregunté con desinterés.

—La que ha venido hoy con tu amigo —clarificó y mi estómago se comprimió.

—Nadie.

Una fea sensación de temor se instaló en mi pecho. ¿Cómo mierda había reparado en ella si ni siquiera lo había visto por el lugar?

—Para ser *nadie* es bastante bonita —soltó una risita filosa—. Además, me dijeron que te vieron hablando con ella muy cerca.

Enarqué una ceja.

—No es nadie.

—Vamos, príncipe. —Me palmeó la espalda—. ¿Es alguna de tus putas?

—Permíteme ser más específico. —Me alejé de su toque y lo miré desde mi altura, severo—. No es nadie que te importe.

Estrechó los ojos y yo coloqué el vaso sobre la barra dispuesto a irme.

—Modales, príncipe.

—Vete a la mierda, Rick —espeté y salí del lugar sin mirar atrás, aunque la fea sensación de sentirme amenazado por él no desapareció.

Subí al auto y lo encendí. Y a medida que avanzaba en la carretera para volver a casa, más me percataba de la horrible verdad: Leah se estaba convirtiendo en alguien relevante. Era alguien en quien pensaba constantemente y de muchas maneras. Ella era mucho más que un simple objeto de deseo y lujuria, y ser consciente de ello me aterró.

La consternación se hizo más grande y corrió por mi cuerpo como veneno. Lo último que deseaba era que Rick supiera de la existencia de Leah. Era muy probable que, si él se enteraba de lo que ella comenzaba a representar para mí, lo usara en mi contra y no podía permitirlo.

No le mostraría ninguna debilidad ni tampoco lo dejaría tener más control sobre mí, mucho menos usándola a ella.

# 12

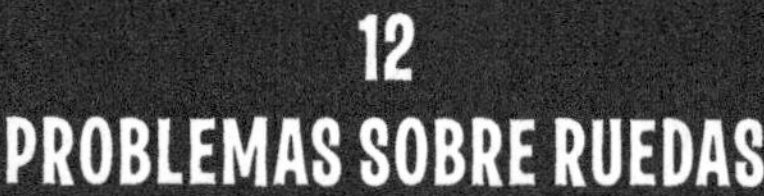

# PROBLEMAS SOBRE RUEDAS

## *Alexander*

El motor del Audi de Leah dejó de rugir una vez que entró en la plaza de mi complejo de departamentos.

El reloj en mi muñeca me indicó que, como siempre, llegaba tarde. Dos horas tarde. Descendió de su auto con la misma elegancia de un felino y tuve que ahogar una risa cuando miré cómo iba vestida. Esa chica nunca dejaría de sorprenderme.

—Llegas tarde.

Hizo un mohín y me miró a través de sus lentes oscuros.

—Tenía que inventar una excusa creíble para mis padres de dónde pasaría los próximos tres días.

—¿Y qué les dijiste?

—Que pasaría el fin de semana con Edith, en su casa de descanso.

—Tus padres y los de Edith son amigos, ¿no? —Asintió, sin comprender mi comentario—. ¿Quién te asegura que no se los encontrarán en una cena o un evento?

—Porque sus padres están en Roma en un congreso —dijo mordaz, como si fuera lo más obvio del mundo.

—¿Y qué le has dicho a Jordan?

Sus hombros se tensaron al tiempo que cruzaba los brazos sobre el pecho, desviando la atención.

—Que acompañaría a mi hermano a un viaje para visitar a un amigo de la familia.

No pude evitar la sonrisa divertida que adornó mis labios.

—No me parezco a tu hermano, Leah. Ni tampoco me tratas como tal.

—Gracias al cielo que no te pareces a él —dijo negando—. Sabes que lo de ayer fue...

—No lo digas, me sé de memoria el rollo del error —la detuve.

Nos mantuvimos en silencio y podía jurar que me escrutaba a través de sus Ray Ban, pero prefirió no discutir

—Como sea, vámonos ya. Es bastante tarde.

Una risita se escapó de mi boca ante su intento desesperado por mantener el cuidadoso control que había construido de nuevo en torno a sus emociones y su cuerpo. Prefería a la Leah de la noche anterior, sin embargo, agradecía que hoy fijara una línea entre los dos.

—¿Me sigues? —preguntó quitando los seguros a su auto.

—¿No es mejor si vamos juntos?

Lo pensó un momento y después asintió.

—Sube. —Hizo una seña con su cabeza, pero yo permanecí plantado en mi lugar.

—Yo conduzco.

—No vas a conducir mi auto.

—Entonces vamos en el mío.

—Contigo no voy ni a la esquina. —La miré de manera significativa, hastiado con su testarudez—. Podrías ser de esos locos inconscientes al conducir.

—No soy ningún loco al volante, puedes confiar en mí.

La indecisión ensombreció su semblante y el silencio se extendió entre nosotros.

—¿No prefieres ser la copiloto? Creí que preferías que los demás hicieran las cosas por ti —mencioné, esperando que aceptara.

En realidad, no había razón para que ella no condujera, incluso podíamos turnarnos si uno se cansaba, pero me sentía más familiarizado con mi auto.

—De acuerdo, bien, iré contigo —concedió a regañadientes luego de un segundo—. Ayúdame a bajar mis cosas del maletero, por favor.

Solté el aire que contenía cuando accedió. Me puse junto a ella al tiempo que lo abría y miré todo lo que llevaba dentro.

—Vamos a un viaje de tres días, no a mudarte de casa —espeté señalando las cuatro maletas tamaño jumbo que milagrosamente había logrado meter en el espacio tan reducido del maletero—. Elige solo una y esa es la que vas a llevarte.

—¿Qué? ¿Estás loco? ¡Necesito todo esto! ¡Es e-sen-cial!

—Esencial mis huevos. Elige una.

—Entonces iré en mi auto. —Se cruzó de brazos y puse los ojos en blanco.

—Solo estamos perdiendo tiempo con esto, lo sabes, ¿no?

Dejó escapar el aire luego de pensarlo un momento y, con resignación, se decidió por la más grande.

—Si hay algún imprevisto y yo no tengo ropa que ponerme, me las vas a pagar —amenazó severa y la ignoré mientras bajaba su maleta y la subía a mi Challenger.

—Con ese tamaño de maleta yo diría que tienes ropa al menos para lo que te resta de vida. Y si toda la que llevas es como la que tienes puesta, diría que incluso podrías presentarte en un evento de gala.

—¿Qué tiene de malo mi ropa? —inquirió y la miré de arriba abajo, admirándola con el pretexto de analizar sus prendas.

Me costaba horrores mantener mis manos alejadas de su cuerpo.

—¿Quién usa un saco Valentino para un viaje en carretera de seis horas? —pregunté saliendo de mi estupor y cerrando el portaequipaje—. Además, llevas en los pies unas botas Jimmy Choo.

Me miró sorprendida.

—¿Cómo sabes eso? Pensé que los hombres tenían una incapacidad congénita para reconocer marcas.

—Mi madre vive de eso, es obvio que voy a reconocerlas.

—¿Seguro que no es por otra razón? —Una sonrisa sagaz jugó en las comisuras de sus labios.

—No lo sé, ¿te gustaría ayudarme a comprobarlo? —pregunté con tono sugerente y me sentí satisfecho por el ligero sonrojo en sus mejillas.

—Idiota. —Abrió la puerta del auto y se montó con decisión.

—Toma la siguiente salida —me ordenó sin despegar la vista de su celular, siguiendo el mapa.

Llevábamos una hora conduciendo en un silencio que no era del todo incómodo, más bien tenso. Lo único que sesgaba la callada atmósfera era mi *playlist* aleatoria. La miré de reojo antes de volver a fijar la vista al frente.

—Es mejor si sigo unas millas más y tomo la salida posterior.

—No, ya he trazado una ruta.

—He visto el mapa que me has enviado y créeme, sé lo que hago.

—¡Harás que nos perdamos!

—Los hombres tenemos buen sentido de la orientación, princesa.

—No me importa si tienes hasta el sentido arácnido —atacó—. Ya he hecho un mapa incluyendo las rutas más seguras y también un itinerario. La próxima parada será para ir al baño; si administramos bien nuestro tiempo y me obedeces, será dentro de cuarenta y cinco minutos exactamente. Y si seguimos mi plan, llegaremos a la hora establecida.

Despegué la vista de la carretera para escrutarla.

—Estás loca, ¿sabías? —Solté una risa seca—. Por Dios, ¿acaso planeas todo lo que haces en la vida?

—No es locura, es logística.

—¿Planeas hasta las veces que vas a cagar?

—Eres asqueroso —siseó y yo sonreí.

—¿Eso es un sí? —continué, solo para molestarla—. ¿Planeas también las veces que coges? ¿Qué pasa cuando no dura el tiempo que tú estableciste? ¿Te da un ataque o algo?

—¡Alex! —Me dio un golpe en el hombro—. Eso es algo que a ti no te importa.

—¿Ah, no?

—No, y gira a la derecha para tomar la salida —chilló, pero pasé de largo la intersección y pude sentir el pesar de sus ojos, furiosos—. ¿Por qué la has pasado de largo?

—Porque te he dicho que conozco una forma más rápida de llegar.

—Pero te he dicho lo que tenías que hacer.

—Y yo te he dicho que no me gusta que me digan lo que tengo que hacer.

Lanzó un quejido de incredulidad.

—¿Por qué es tan difícil hacer lo que te pido?

Hastiado con su actitud, disminuí la velocidad hasta estacionar a un costado de la carretera en un espacio amplio.

—¿Qué haces? —preguntó asustada.

—Leah, mírame —le pedí estoico y ella obedeció.

Sus orbes, que ahora tenían un claro color gris, me miraban expectantes y me detuve en ellos un par de segundos más de los necesarios, solo para apreciar lo hipnóticos que eran.

—No soy Jordan —dije con determinación—. No voy a obedecerte solo porque me lo exijas. Hay maneras de pedir las cosas, niña.

Pareció dejar de respirar, antes de que su pecho volviera a moverse.

—No dije que lo fueras, ni espero que lo seas, y *claramente* no soy una niña.

—Bien, ahora repítelo hasta que te lo creas. —Un intenso malestar se instaló en la boca de mi estómago y no pude definir de dónde provenía.

Nos pusimos en marcha una vez más.

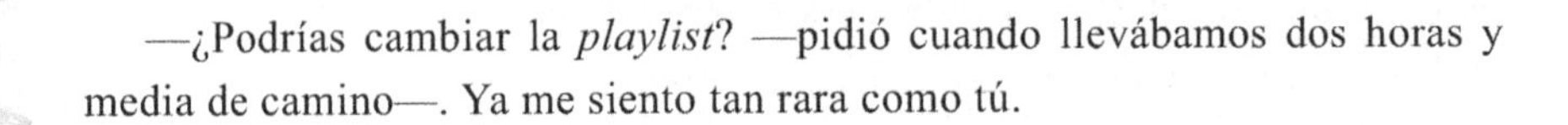

—¿Podrías cambiar la *playlist*? —pidió cuando llevábamos dos horas y media de camino—. Ya me siento tan rara como tú.

—No —negué con severidad, aún molesto con ella.

Resopló y de reojo la miré acercándose al estéreo.

—No toques. —Le di un leve manotazo para alejarla—. Mi auto, mis reglas.

Me imitó con voz burlona y habría sonreído de no sentirme tan ofuscado ante la idea de que Leah me mirara al mismo nivel que Jordan.

—Voy a tirar tu celular por la ventana si no me dejas cambiar la música —amenazó con tono sombrío.

—A ti voy a tirarte por la ventana si no dejas en paz mi estéreo.

—Eres un imbécil —se quejó, cruzándose de brazos.

—Voy a tomar eso como un cumplido.

—No me sorprende que no tengas novia.

Aquella vez no contuve la sonrisa que surcó mi cara.

—¿Te importa? —Me costó mucho mantener mi atención al frente cuando el filo de mi vista captó sus piernas descubiertas moviéndose en el espacio para acomodarse.

—La verdad, tengo curiosidad. ¿Cuándo fue la última vez que estuviste con alguien? ¿Estás con alguien ahora?

—¿Cuándo fue la última vez que estuviste con Jordan? —no pude retener la pregunta.

—Eso no es asunto tuyo.

—Misma respuesta —contesté tamborileando el volante.

—Responde mi pregunta, Alex.

—Responde la mía primero.

Dejó escapar un sonido de exasperación y alzó sus manos a modo de rendición. Se cruzó de brazos y fijó su vista en el árido paisaje que se apreciaba por la ventana.

—Si quieres saber si estoy follándome a alguien en este momento —hablé luego de unos minutos y ella despegó su cabeza del cristal—, la respuesta es no, no lo estoy haciendo. Pero si quieres saber si he tenido algo que ver sexual o amorosamente con otras mujeres, entonces no va a gustarte la respuesta.

Dejó escapar el aire en un pesado suspiro, casi aliviado.

—Lo de tus aventuras no es un secreto para nadie —dijo y me pareció notar cierto reproche en sus palabras—. Incluso diría que tienes cierta fama.

—¿En serio? —La perspectiva me parecía divertida.

—Sí, hasta hay un estúpido mito.

—¿Mito?

—He escuchado decir que tú no besas a las mujeres.

Solté una carcajada, larga y profunda.

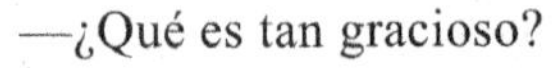

—¿Qué es tan gracioso?

—No es una mentira —clarifiqué y me miró perpleja—, pero me sorprende que ya se haya convertido en un mito.

—¿No es mentira?

—No las beso —confirmé, encogiéndome de hombros—. No necesito besar a una mujer para tener sexo con ella, es algo prescindible. Además, besar es una acción que considero muy personal, ¿para qué voy a besar a alguien que sé que no volveré a ver? No vale la pena.

—Pero tú y yo nos hemos besado, ¿por qué?

—Porque quiero.

—Ya, en serio, ¿por qué?

—Tú eres mi esposa, Leah. No hay nada más personal que eso.

—Ah, ahora soy tu esposa —se quejó—. Fuiste un completo imbécil conmigo la semana pasada, por cierto.

—Siempre soy un imbécil.

—No voy a discutir eso. Me alegra que al fin lo reconozcas, ya era hora.

—¿No se supone que como mi esposa deberías ser amable conmigo, respetarme, complacerme y hacer todo lo que esté en tus manos para hacerme feliz? —bromeé—. ¿Dónde está todo eso?

—En tu imaginación.

—¿Todos saben lo malvada y cruel que eres o soy el único privilegiado en recibirlo?

—Tienes mi atención especial, me atrevería a decir. —Despegué mi vista del frente para mirarla con travesura—. No de esa manera —se apresuró a añadir cuando comprendió la forma en que la escudriñaba.

—De cualquier manera —aclaré y por el rabillo del ojo atrapé la sonrisa que trataba de suprimir.

Llevábamos tres horas de camino sin incidentes.

El único problema era el dolor que laceraba mi cabeza porque Leah llevaba veinte putos minutos quejándose por no detenerme en el descanso que estableció en su estúpido itinerario.

—Ya te lo dije, podemos detenernos en la próxima gasolinera. Así perderemos menos tiempo y ya tendremos mayor camino recorrido —traté de explicarle por enésima vez, haciendo acopio de toda la paciencia que poseía—. Aún nos quedan al menos tres horas de viaje.

—¿Cómo sabes que estará funcionando? No revisé esa gasolinera en el mapa, podría estar desierta y entonces nos quedaríamos sin combustible antes de llegar a la más cercana, y...

—Está funcionando, Leah —gruñí fastidiado.

—¿Y qué tal si la calle por la que nos desviaremos está cerrada?

—Deja de ser tan paranoica, ¡Dios!

Lo único que quería era que se callara. El cansancio por conducir ya hacía mella en mi cuerpo y estaba tan ansioso como ella por detenerme y estirar las piernas, por respirar un poco de aire y, sobre todo, por estar alejado de sus incesantes alegatos.

—No es que sea paranoica, es que hiciste mierda el itinerario que tanto me esmeré en planear y ahora no tengo idea de a dónde estamos yendo —replicó—. Tampoco sé si llegaremos a tiempo. Además, imagina que la mal...

Estiré el brazo y la tomé del mentón despegando la vista del frente.

—Leah, cállate, porque estoy imaginando un montón de formas creativas para mantener tu bonita boca ocupada. —Apreté su mandíbula para mantenerla en el lugar.

—Eres asqueroso. —Intentó liberarse, sin éxito, y clavé mis ojos en ella esperando transmitir toda mi molestia—. Solo estoy...

—Solo cállate, estás tocándome los huevos.

—Ya quisieras. —Logró zafarse y se frotó el lugar donde la había mantenido cautiva. Yo tuve que contener la sonrisa que delataría que, en efecto, sí querría—. ¿Estás seg...?

Se calló en el momento en que escuchamos un estruendo viniendo de la carretera, entonces mi auto se inclinó hacia un lado, perdió altura y me impidió mantener el control del volante. Un miedo atroz se instaló en la boca de mi estómago. Mi primera reacción fue colocar un brazo sobre el pecho de Leah para evitar que saliera disparada por el cristal.

Logré dominar el auto hasta quedar a la orilla de la carretera y me detuve junto a unos pastizales áridos con poco color verde, en medio de la nada.

—¿Estás bien? —pregunté con el corazón desbocado, al tiempo que me giraba para verla, petrificada, pálida y con sus uñas clavándose en mi piel.

Asintió rígida mientras liberaba mi brazo y comenzaba a registrar todo a su alrededor.

—¿Tú estás bien? —Su voz fue apenas un susurro; asentí—. ¿Qué pasó?

—Creo que una llanta se reventó.

El humo manaba del lado del copiloto y reparé en el penetrante olor de caucho quemado. Bajó al mismo tiempo que yo, cubriéndose del sol con la mano.

—Creo que sí has perdido una llanta.

Me puse de cuclillas para analizar el desastre y caí en cuenta de que la llanta estaba casi desecha.

—¡Mierda! —Me quité la gorra que llevaba para pasarme las manos por el cabello, hastiado.

Leah permaneció de pie con los brazos cruzados, observándome mientras abría el maletero y extraía todo lo necesario para cambiar la llanta, incluyendo la de refacción.

—¿Por qué no mejor llamas a tu compañía de seguros? —preguntó y deposité las herramientas en el suelo.

—Porque no tengo ni puta idea de cuánto tiempo tardarán en llegar y no quiero estar aquí al anochecer.

—¿Y puedes cambiarla tú?

—Claro que sí. Es más, tú vas a ayudarme. —Me puse de pie y le coloqué la gorra para cubrirla del sol.

—No sé cambiar una llanta.

—Es tu día de suerte entonces, porque voy a enseñarte. —Esbocé una media sonrisa al tiempo que la pasaba de largo y depositaba el gato en el asfalto.

—No, voy a ensuciarme. —Se cruzó de brazos y plantó los pies en el piso—. Yo no hago esas cosas. Puedes ensuciarte todo lo que tú quieras, pero yo paso.

Enarqué una ceja, me puse de pie y le pasé una mano por el cuello, dejando un rastro de grasa y tierra por la llanta.

—¿Y si ya estás sucia? —la reté, dándole la espalda para avocarme a reparar el daño.

—¡Estás loco! No voy a ayudarte.

—Lo harás, o de lo contrario no vamos a salir de aquí —la amenacé poniendo una palanca en sus manos antes de acomodar el resto de las herramientas.

A regañadientes, se acercó para ayudarme —aunque lo único que hizo fue pasarme cosas de vez en cuando—. Para cuando coloqué los últimos birlos en el rin, el sol ya había comenzado a descender.

—¿Sabes conducir un estándar? —le pregunté serio.

Frunció los labios.

—Algo así.

—Necesito que conduzcas solo un par de metros para cerciorarme de que la coloqué de forma correcta, ¿de acuerdo?

Le tendí las llaves y se subió al volante. Sin embargo, caí en cuenta demasiado tarde de que ella no sabía conducir un estándar. Todo pasó muy rápido: por poco me atropelló cuando dio reversa de repente, para después salir disparada hacia adelante. Y antes de que pudiera frenar, cayó en una zanja repleta de lodo al lado de la carretera, con mi precioso auto hundiéndose en el proceso.

Ella iba a matarme de algún infarto un día de estos.

Corrí hasta Leah con una mezcla de emociones en el pecho. No sabía qué era más fuerte, si mi molestia porque casi hubiese arruinado mi precioso bebé o mi preocupación porque algo malo le hubiera pasado.

Salió del auto trastabillando antes de agotar la distancia entre nosotros y tomarme de los antebrazos para recuperar el equilibrio.

—¿No era más fácil decirme que no sabías conducir? —inquirí enojado una vez que comprobé que estaba bien, o tan bien como podría estar alguien tan loca como ella.

—Lo siento.

La defensa del auto y las llantas delanteras estaban hundidas en la lodosa zanja. Alcé el rostro al cielo cerrando los ojos para conservar los estribos.

—De acuerdo, esto es lo que vamos a hacer —me troné el cuello—: vas a ayudarme a empujar el auto hasta que pueda nivelarlo lo suficiente para sacarlo.

—Pero...

Le dediqué una mirada que no daba lugar a discusión y se dobló las mangas de su saco antes de posar las manos en el capó del auto.

—¡Empuja! —Dimos el primer empujón, sin que nada pasara—. De acuerdo, de nuevo.

Antes de que ella empezara a hacer presión otra vez, lanzó un gritito y vi en cámara lenta cómo se resbalaba en la zanja, derrapando en el camino antes de terminar espatarrada bocabajo en la mugre, chillando como un cerdo, lo que resultó muy adecuado para la escena.

Se incorporó con pesadez y cuando le vi la cara, no pude hacer otra cosa que doblarme de la risa porque se veía igual que si acabara de salir de la jaula de unos monos.

—¿Qué haces? —preguntó, de rodillas en la tierra húmeda—. ¡Ayúdame a pararme!

Con cuidado, la tomé del brazo, pero volvió a resbalarse, cayendo sobre su culo esta vez y rasgando la manga de su Valentino en el proceso. Miró el inerte pedazo de tela que pendía de su brazo, horrorizada, como si lo perdido hubiese sido el miembro y no una prenda. Gritó con exasperación, toda la tensión que los dos llevábamos acumulada por el viaje de mierda finalmente liberada por ella.

—¡Rompiste mi Valentino! ¡¿Cómo te atreves?!

—Tranquilízate, Cruella de Vil, puedes comprar otro.

—¡No! ¡No puedo! ¡Era una edición especial! —chilló y palmeó la tierra igual que una niña—. ¡Te odio! Dios, de no ser por ti, nada de esto estaría pasando y yo no estaría revolcándome en este pozo de mierda.

Me miró furibunda y solo sonreí.

—Toda una lástima tu tragedia, pero tenemos cosas más importantes que hacer que llorar por un saco perdido.

Me di la vuelta para seguir empujando el auto sin que me afectaran en lo más mínimo sus alegatos y, antes de que me pusiera a trabajar, algo húmedo chocó contra mi espalda.

Cuando me giré, Leah tenía un puño de tierra apuntando hacia mí y, con una sonrisita maliciosa, lo lanzó apuntando a mi abdomen. La gravedad hizo su trabajo y el montoncito cayó en mi zapato.

—Qué infantil. Vas a limpiar eso, ahora —le ordené.

—No, no creo.

—Lo harás.

Me amenazó con otro cúmulo de tierra.

—Oblígame.

—¿Realmente quieres que te obligue, arpía?

Me lanzó el lodo que tenía en la mano, acertándome en el pecho, y sonrió satisfecha con sus blancos dientes contrastando con el color acre que tenía su cara.

—Vas a lamentar eso —dije antes de entrar en la zanja, inclinarme un poco, tomar un puñado de tierra húmeda y lanzarla hacia ella, pero bloqueó el sucio proyectil con sus brazos.

—No creo. —Se apresuró a ponerse en pie, asentando otra húmeda mancha en la curvatura de mi hombro y mi cuello.

Me retiré la suciedad del lugar y luego la miré como un depredador. Toda su satisfacción se desvaneció cuando cayó en cuenta de que estaba acercándome y, sin aviso, le pasé un brazo por los hombros, colocando su espalda contra mi pecho y haciendo presión para doblarle las rodillas.

—¡Oye! ¡No, Alex! ¡No, no!

Volví a tumbarla contra la húmeda zanja con facilidad y me cerní sobre ella. No perdió el tiempo y comenzó a lanzarme todo lo que sus manos alcanzaran, con pequeños misiles de tierra asestando en mi cara, pecho, y hombros, hasta que tomé sus manos con la mía y, con la otra, hice un enorme puño de tierra que dirigí a su rostro.

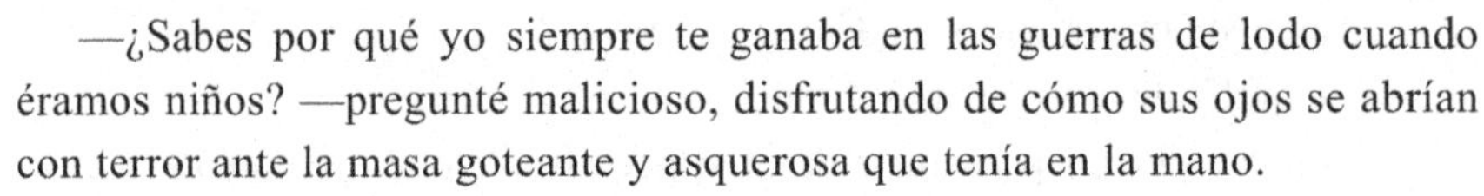

—¿Sabes por qué yo siempre te ganaba en las guerras de lodo cuando éramos niños? —pregunté malicioso, disfrutando de cómo sus ojos se abrían con terror ante la masa goteante y asquerosa que tenía en la mano.

—¡No, no en la cara! ¡Yo no te di en la cara!

—Porque no eres tan creativa.

Se movió desesperada tratando de liberarse, sin éxito, y emitió un quejido de estrés.

—Eso es lindo, Leah, lástima que no va a ayudarte.

Y sin decir nada más, le embarré el montón de lodo en la cara, con ella retorciéndose sin parar para apartarse. Dejé sus manos libres para que pudiera limpiarse. Se veía ridícula cubierta de suciedad por todas partes, incluyendo su cabello.

—¡Idiota! —Tosió para escupir la tierra y me tomó de la camisa con una mano, mientras que con la otra trataba de darme en el rostro. Nos enzarzamos en una pelea de miembros y fuerza, pero ella fue más rápida y logró colocarse encima de mí, con sus piernas apretándome para mantenerme en el lugar.

Sin perder un segundo, me embarró otra plasta de tierra en la cara en venganza y cuando recuperé de nuevo la visión, pensé que volvería a atacarme, pero solo me miraba atenta.

—¿Qu...?

No pude preguntar nada porque ya estaba partiéndose de risa, sacudiéndose encima de mí.

—Fue tan ridículo. —Rio, largo y tendido, posiblemente por cómo me veía o por todo lo que había pasado en los últimos quince minutos en general.

—Leah, ¿usas drogas? —pregunté preocupado por todas sus reacciones, pero solo se rio con mayor ahínco.

—Esto fue tan infantil, pero te juro que es lo más divertido que he hecho en mucho tiempo —dijo sonriendo—. Jamás pensé que pudieras ser así.

—¿Así cómo?

—Como... así: jugando y bromeando... Sabes a lo que me refiero.

—Defensa propia —argumenté y ella negó sin creerme.

—Claro.

Nos pusimos de pie después de la guerra, sacamos el auto de la zanja y nos dirigimos a la gasolinera más cercana, sucios hasta el culo, exhaustos, hambrientos, pero con un mejor humor.

No se lo dije, pero era la primera vez que parecía genuinamente cómoda en mi presencia. Verla reír y relajada fue, sin duda, la mejor parte de ese estúpido juego.

No me importaría ensuciarme más veces si el premio eran esas sonrisas genuinas y su cercanía.

Aún debíamos recorrer varias millas para llegar a Long Island y la lluvia que había comenzado como una brisa estaba arreciando, chocando furiosa contra el parabrisas.

Podía arriesgarme y seguir conduciendo, pero el clima, aunado con el cansancio de ambos, me decía que no era una buena elección.

Cuando un anuncio neón sesgó la profunda oscuridad de la carretera, aminoré la velocidad y me sentí feliz al comprobar que era un motel.

—¿Qué haces? —Leah me miró perpleja cuando ocupé un espacio en el estacionamiento del lugar y apagué el motor.

—Dormiremos aquí.

—¿Qué? ¡Claro que no! —berreó y yo no tenía idea de dónde sacaba fuerzas para discutir después de todo lo que habíamos pasado ese día—. Faltan solo dos horas para llegar, podemos seguir.

—Leah, estoy exhausto —expliqué con paciencia—. Voy a quedarme dormido mientras conduzco y eso será peor.

—Pero...

—Dormiremos aquí —repetí.

Salí del auto, lo rodeé y abrí su puerta para que bajara.

—No pienso entrar contigo a un motel de mierda como ese —masculló, plantada en el asiento.

—Vas a bajar porque ya no tengo paciencia para tus berrinches —le advertí.

—No voy a bajar.

—Lo harás.

—No.

—Leah...

—Oblígame.

Suspiré.

—De acuerdo, tú lo pediste.

Me incliné dentro para desabrochar su cinturón de seguridad, la tomé del brazo para sacarla del auto y antes de que volviera a protestar, la levanté y la deposité sobre mi hombro. La acomodé mejor y me dirigí al motel, proyectando una extraña escena para cualquier persona que nos viera, pero, para ser honesto, era lo que menos me importaba justo en ese instante. ¡Dios! Leah era realmente agotadora; necesitaba recuperar fuerzas y lo haría a pesar de su insensatez.

# 13
## LONG ISLAND

*Leah*

—¡Bájame! Alex, ¡bájame ahora mismo! —Intenté zafarme, sin éxito.

—No.

—¡Troglodita! ¡Salvaje! ¡Cavernícola! ¡Bestia!

Alex lanzó el suspiro de una risa.

—Impresionante que sepas tantos sinónimos de una misma palabra, pero eso no te ayudará a bajar. —Me acomodó sobre su hombro.

—Bájame ahora. Soy perfectamente capaz de caminar.

—Lo sé. También sé que eres perfectamente capaz de robarte mi auto y dejarme aquí tirado.

—Prometo no hacerlo, puedes confiar en mí. Maldición, ¡solo bájame! —Le asesté un golpe en la espalda para dejar en claro mi humor.

Él me regresó el gesto dándome una nalgada corta y sonora que arrancó un quejido de mi garganta por la impresión.

—Cállate, hablo en serio.

—*¿Disculpa*? ¿Quién te dio permiso de tocar? —inquirí, rígida por el inesperado contacto.

—Yo mismo.

—Ah, vaya. Vuelve a hacerlo y voy a lastimarte.

Soltó una risita baja.

—Podría tomar el riesgo.

Su respuesta envió una llamarada que empezó en mi estómago y se concentró en mi entrepierna.

—Estás disfrutando de esto, ¿no? —pregunté mordaz cuando me di cuenta de que él no iba a soltarme.

—Como no te imaginas.

Levanté la cabeza buscando ubicarme. Lo único que había visto por metros había sido pavimento y más pavimento; ya sentía la presión de la sangre acumulándose en mi cabeza. Por donde quiera que mirase había camiones de carga estacionados o en movimiento. Podía escuchar el sonoro rugir de los motores y algunos hombres gritándose cosas que no alcanzaba a comprender porque el viento las desvanecía.

«¿A dónde mierda me has traído?», pensé, ofuscada, al tiempo que la infinita alfombra de asfalto concedía el lugar a un piso de azulejos de formas continuas y nada agradables.

—Quiero una habitación —demandó Alexander, estoico y con nada de sutileza.

«Como todo un caballero».

El pánico comenzó a asaltarme ante el cambio de estancia, porque cualquier espectador se haría ideas erróneas al vernos entrar de esa manera: él pidiendo una habitación, igual que un cavernícola, mientras yo permanecía anclada a su hombro como una hembra lista para ser montada.

Alguien se aclaró la garganta, aparentemente con incomodidad, y sentí mis mejillas arder ante la perspectiva.

—¡Bájame! —Le di otro golpe en la espalda.

Un segundo después, me depositó en el suelo con poca delicadeza, dejando mis piernas temblando por el impacto. Le dediqué una mirada envenenada antes de concentrarme en el recepcionista del motel. Nos evaluó a ambos como si buscara adivinar por qué un par de jóvenes sucios como pordioseros exigían una habitación y si éramos de fiar.

—Son dos habitaciones, de hecho —me apresuré a aclarar.

El recepcionista hojeó lo que yo asumí era el libro de vacantes.

—Lo siento, tengo solo una habitación disponible.

Puse los ojos en blanco.

—La tomamos. —Alex sacó la cartera del bolsillo de su pantalón.

—Perfecto. Ahora solo necesito un apellido para el registro.

Nos dedicamos una corta mirada y me rasqué la cabeza, nerviosa. No sabía si decir nuestros nombres era algo bueno o no, pero al parecer Alex pensaba diferente.

—Henry Alexander Benedict Percival Colbourn —se apresuró a responder y enarqué una ceja, tan impactada como el hombre—. Pero puedes usar el nombre corto: Alexander Colbourn —añadió dedicándole una de sus ensayadas sonrisas.

—La habitación se entrega mañana a las ocho de la mañana —indicó el hombre luego de salir de su estupor. Nos entregó la llave y un par de toallas miniatura con las que yo no quería tener contacto alguno.

Alex asintió antes de apresurarse pasillo abajo para ir hasta la habitación al final del corredor, conmigo casi trotando tras él para alcanzar sus largas zancadas.

—¿Por qué le diste tu nombre completo a ese hombre? —pregunté cuando lo alcancé.

—¿Por qué no?

—Podría hacer algo contra ti.

Soltó una risita.

—Ni siquiera creo que sepa qué significa que yo tenga ese nombre o quién demonios soy.

—Tienes como cinco nombres y todos rimbombantes, algo debe significar.

Suspiró cuando llegamos a nuestra habitación.

—Damas primero —dijo con educación. Abrió la puerta e hizo una seña cortés.

Entré estrechando los ojos, porque apreciar esas pequeñas acciones de Alex hacia mí era tan poco común como encontrar un trébol de cuatro hojas.

La habitación no estaba tan mal como imaginé. Era pequeña, tal vez del tamaño de mi cuarto de baño. Tenía los mismos azulejos que el recibidor, con un televisor empotrado en la pared del frente, unas gruesas cortinas color beige que contrastaban con el verde vómito de las paredes, un intento de cocineta con alacenas y un microondas. En el medio yacía una minúscula cama.

Alexander dormiría en el piso, sin duda. Aunque la sanidad del lugar era cuestionable y dormir donde un montón de personas habían follado tampoco me parecía una opción muy atractiva.

Ubiqué la puerta de lo que asumí era el baño y corrí hasta ella.

—Pido el baño primero. —Cerré dando un portazo y coloqué el pestillo. Una maldición cayó de mis labios al comprobar que no funcionaba—. Si entras mientras estoy duchándome, lo lamentarás —lo amenacé sacando la cabeza por el umbral. Lo último que vi antes de cerrar fue a él poniendo los ojos en blanco.

Me desvestí y entré en el chorro de la regadera, permitiendo que el agua caliente relajara mis músculos y evaporara todas las tensiones provocadas por el viaje. No tenía idea de cuánto tiempo estuve bajo el agua, hasta que escuché el crujir de la puerta y mis sentidos se pusieron alerta.

—Es hora de que salgas, Leah. Llevas demasiado tiempo dentro. —Escuché su voz al otro lado de la cortina.

No quería salir. Me sentía muy cómoda allí.

—Si no sales en tres segundos, abriré la cortina —amenazó.

«¡Sí, por favor!», gritó mi parte irracional.

—¡No! —chillé en su lugar y lo escuché soltar una risita del otro lado.

—Sal entonces. Tengo una toalla para ti.

—Deja la toalla y sal del baño —exigí. No estaba convencida de mi autocontrol estando tan cerca suyo solo con una toalla de por medio.

—Solo sal ya de la regadera —dijo con hastío y cerré la llave.

—¿Te estás yendo ya?

—Leah, sal en este momento.

—Cuando te vayas.

—Leah... —Su tono era una advertencia que envió un escalofrío de excitación por mi columna y apreté mis piernas, porque una parte de mí *se moría* porque abriera la maldita cortina.

—Date la vuelta al menos —pedí asomando la cabeza. Dejó la toalla sobre la taza del baño y se giró mascullando un «ridículo», y tal vez sí lo era considerando que ya me había visto desnuda varias veces, pero necesitaba mantener el resquicio de autocontrol que aún conservaba, por mi salud mental y emocional.

—El baño es tuyo. —Salí casi corriendo envuelta en la no muy gruesa y mullida tela.

Cerré la puerta y me recargué en la dura superficie para tratar de ralentizar mi agitada mente.

Empecé a buscar un pijama y *rogué* porque en esta maleta estuviera la decente, la que tenía pantalones holgados de abuela que me hacían lucir el culo como una tabla y me mantenían calentita. Sin embargo, Dios pareció no escuchar las millones de oraciones que elevé al cielo, pues solo encontré el pijama de satín compuesta por un *short* y una blusa de tirantes. Mierda.

«Da igual, ¿qué es lo peor que puede pasar?», razoné y me vestí.

Desenredé mis largos mechones. El rugir de mi estómago era una clara protesta por no ingerir nada en las últimas trece horas y me dispuse a comer algo. Estaba rumeando entre las bolsas de la tienda de autoservicio en la que nos detuvimos antes de detenernos en el motel, cuando escuché la puerta del baño cerrarse y deseé no haber girado el cuello.

Fui despojada de todo vestigio de inteligencia en cuanto mis ojos se pegaron a su cuerpo y lo recorrieron como si tuvieran voluntad propia, admirándolo con apetito. Alexander permanecía ahí, de pie, con el cabello húmedo por la ducha y gotas perlando su fuerte mentón, su cuello, sus hombros, su torso; la toalla en torno a la cintura cubría su trabajada figura como un semidiós.

Él era para mí la personificación de la perdición.

Mis hormonas saltaron de inmediato como aceite sobre una sartén, agolpándose en mi vientre y generando un calor insoportable entre mis piernas. Estuve a punto de ceder a los deseos de mi cuerpo y abrirme de piernas para él, para que me tomara como quisiera, para que hiciera conmigo lo que le viniera en gana.

—Si sigues con el cuello así de torcido, te dará tortícolis —se burló, sacándome de mi estupor.

¡Lo hacía a propósito!

—No creo. —Tomé el frío sándwich que había conseguido en la tienda y le di la espalda bajo la excusa de usar el microondas para calentarlo.

Me concentré en sacarlo del empaque, maldiciéndome por mi falta de voluntad.

El deseo que mi cuerpo sentía por Alexander era irracional y abrumador. No tenía idea de dónde provenía ni tampoco dónde terminaba, pero la necesidad permanecía perenne. Cada parte de mí lo clamaba; anhelaba y ansiaba su toque.

«Date una bofetada a ver si así metes un poco de sentido común en tu cabezota», aconsejó mi conciencia y consideré hacerle caso.

—Odio estas cosas —mascullé una vez tuve el sándwich fuera, solo para distraerme—. Siempre permanecen frías de en medio, no importa cuánto tiempo los calientes.

—Córtalo a la mitad entonces —sugirió Alex y, con timidez, giré el rostro para encararlo. Volví a tener otro *lapsus stupidus* cuando lo contemplé en bóxer. ¿Era legal lucir tan bien?

—¿Podrías ponerte una camiseta o algo, por favor? —dije entre dientes fijando la vista en el sándwich.

—¿Por qué? ¿Estoy provocándole, señorita McCartney? —Su voz estaba tildada de travesura y fingida inocencia.

«¡Sí, joder, sí! Tendré que cambiarme las bragas por tu culpa», quise gritarle. En cambio, solté un bufido.

—No, pero me gustaría que por una vez en tu vida tuvieras un poco de decencia.

La pequeña y grave risita que salió de su garganta dejó a mis piernas temblando.

—¿Y cómo lo comerás entonces? —Tardé unos segundos en caer en cuenta de que se refería al sándwich.

—No lo sé, odio comerlo frío, pero para cortarlo a la mitad tendría que quitarle el plástico protector.

—Quítaselo —dijo sin más y me aventuré a centrar mis ojos en su dirección otra vez. Estaba sentado sobre la cama, con las piernas cruzadas bajo su cuerpo y, *gracias a Dios*, usaba una camiseta.

—Las instrucciones dicen que debe permanecer en el plástico para que pueda cocinarse mejor —argumenté.

Alzó la cabeza, incrédulo.

—¿Siempre tienes que seguir las instrucciones, Leah? Yo le quitaría el plástico, lo cortaría a la mitad y te aseguro que se cocinaría perfectamente. —Abrió el empaque de una barrita energética—. Está bien hacer lo que funciona cuando la otra opción no lo hace, incluso aunque *se diga* que es la manera equivocada.

—Pero...

—No voy a discutir contigo otra vez. Cómelo como quieras. —Se rindió para centrarse en comer su barrita.

Gruñí molesta y pensé en Jordan. Era tan buena persona que seguramente saldría a buscarme otra cosa que pudiera comer solo para complacerme y cumplir mis deseos. El hombre que tenía enfrente, por otro lado, haría hasta lo imposible por hacerme perder los estribos solo por diversión.

Permanecí de pie asimilando sus palabras. Una parte de mí sabía que tenía razón, aunque no quisiera reconocerlo.

Así que luego de salir de mi estupor, quité sonoramente el plástico que recubría el emparedado, lo partí a la mitad y cerré la puerta del microondas con fuerza.

—¿Feliz, Alex?

El amago de una sonrisa jugó en la comisura de sus labios antes de mirarme con fijeza.

—No se trata de mi felicidad, Leah. Se trata de la tuya.

Le di la espalda, con sus palabras resonando en mi cabeza como un mantra mientras esperaba a que mi escueta comida terminara de calentarse. Me arrastré hasta la cama y me senté con la espalda recargada en la cabecera, mis pies rozando apenas sus muslos, y me dispuse a comer. Ni siquiera tenía hambre; había perdido el apetito por nuestra estúpida discusión.

—¿Sabías que tú y yo podríamos haber sido hermanos?

—¿Qué? —Me quedé perpleja por su comentario salido de la nada. De verdad que a veces me preocupaba su salud mental.

—Tu padre y mi madre estuvieron comprometidos. —Sus palabras cayeron como una bomba sobre mi estómago y no supe qué decir o cómo reaccionar, así que lo miré con ojos de foca confundida.

—No... No lo sabía —logré articular, sorprendida, porque Agnes no se parecía en nada a mamá y siempre pensé que el único tipo de mujer de mi padre era mi madre—. ¿Y por qué terminaron?

De pronto, me asaltó un sentimiento de alarma. Tal vez papá odiaba tanto a Agnes porque ella había terminado con él; tal vez ella había roto el compromiso y estaba resentido. Tal vez él aún sentía algo por ella.

—Ni idea. —Se encogió de hombros con indiferencia—. Pero, de cualquier manera, es bueno que tú y yo no seamos hermanos.

—No me digas. —Enarqué una ceja—. No soportaría tener que ver tu arrogante cara todos los días.

—¿Y perderte toda esta obra de arte? —El pequeño hoyuelo en sus mejillas apareció cuando sonrió.

Odiaba que estar en su cercanía me convirtiera en una montaña rusa de emociones y sensaciones. Odiaba que tuviera la capacidad de hacer que mi corazón sufriera un mini infarto cuando me dedicaba cierta mirada.

Tal vez si él no hubiera ido a ese estúpido viaje a Las Vegas nada de esto estaría pasando. Tal vez si él no se hubiera acercado a mí en la discoteca no nos hubiésemos casado. Y tal vez si no nos hubiésemos casado, no estaríamos aquí, y yo no tendría la vehemente necesidad de tenerlo cerca, ni tendría esa sensación de que traicionaba a Jordan una y otra y otra vez.

—¿Por qué te acercaste en la discoteca? —inquirí de pronto, con la pregunta brotando sin pensarlo.

—No lo sé. —Sonrió con nostalgia, concentrado en mis pies—. Supongo que quería saber si realmente me odiabas tanto como parecía, si te resultaba tan repulsivo. Oh, sorpresa, me di cuenta de que no.

—No fue un buen experimento, estaba ebria.

—¿Te habrías ido con cualquiera? —Posó sus dedos sobre el empeine de mi pie izquierdo, donde tenía el tatuaje, y el tacto resultó cálido en contraste con mis fríos talones.

—No.

Las partes de mi cerebro que producían el sentido común fueron desconectadas de nuevo cuando trazó la forma de mi pie con el dedo, desde el empeine hasta mi tobillo, cerrando sus dedos ahí. Mis sentidos se concentraron en absorber el punto donde su piel entraba en contacto con la mía, pulsando con necesidad.

—¿Ves? Ahí está la respuesta. —Sus labios se alzaron con el amago de una sonrisa. Odiaba que jugara con mi mente de esa manera.

El aire se atascó en mi garganta cuando tomó mi pie para mirar la pieza de rompecabezas y trazar la forma de ella con cuidado, recorriéndola como si tuviera todo el tiempo del mundo.

—¿Por qué un rompecabezas? —preguntó con voz grave, sin levantar la vista—. Tú y yo no encajamos, Leah.

Si él seguía tocándome, mi buen juicio se iría al carajo. Y quería que así fuera.

Quería estar inmersa otra vez en esa sensación vehemente que se había convertido en una parte de mí cada vez que él estaba cerca, que me privaba de todo pensamiento, excepto, tal vez, del que se preguntaba dónde sería el próximo lugar donde sus dedos iban a tocarme. Poseía esa habilidad y por eso era tan peligroso.

—No tengo idea. —Mi voz fue apenas audible—. ¿Cómo esperas que sepa? Estaba ebria hasta el culo.

Soltó una risa que hizo vibrar su cuerpo, igual que el mío. Sus dedos dejaron la pieza para trazar un camino más allá de mi tobillo, subiendo por la piel de mi pierna. Yo tenía un río naciendo de mi sexo, igual que una adolescente hormonal.

«Solo házmelo ya», rogó mi parte más insensata, lista para despojarse de toda prenda y recibirlo.

De pronto, retiró su mano y me miró con diversión. Lo hacía a propósito.

—Mañana nos espera un largo día. Es mejor si dormimos un poco.

Reprimí el gruñido de exasperación que se moría por salir de mi garganta. La humedad en mi sexo era incómoda y la presión en mi vientre casi dolorosa.

—Dormirás en el piso —indiqué hosca, furiosa con él.

—Claro que no. Aquí cabemos los dos perfectamente.

—Ni lo sueñes. —Fruncí el ceño y tiré su almohada fuera de la cama—. Al piso.

Tomó mi almohada y se apresuró a recostarse sobre ella, con el brazo flexionado tras la cabeza.

—Tú vas a usar la almohada que tiraste, y si no quieres compartir la cama conmigo, yo no tengo problema en que tú duermas en el piso. Buenas noches.

Se cubrió con la mayor parte de la delgada cobija, se recostó de lado dándome la espalda y abrí la boca con indignación.

Recogí la almohada que permanecía inerte en el piso y le envié un mensaje a Bastian diciéndole que estaba bien y que llegaría a primera hora de la mañana debido a unos inconvenientes en el camino. Después me recosté rígida como una tabla en la orilla de la cama, dejando un enorme espacio entre nosotros, sin poder conciliar el sueño. No era que no confiara en él, no confiaba en mí estando tan cerca de Alex.

Eventualmente, quedé dormida después de contar cincuenta manchas en el techo, sin querer saber qué eran y cómo habían llegado allí.

Cuando desperté, el cuarto seguía engullido por la oscuridad y algo cálido y cómodo presionaba contra mi mejilla. Alcé la cabeza con pesadez y tuve un mini infarto cuando reparé en que dormía encima del brazo de Alex, rodeando su abdomen y con nuestras piernas entrelazadas.

Mi primer pensamiento fue alejarme para ganar distancia, pero no lo hice. En cambio, volví a recostarme sobre su brazo, diciéndome que lo hacía solo por instinto de preservación, porque la habitación estaba fría y él era cálido, nada más. Jamás había dormido tan cómoda.

El mayordomo en la casa de Bastian nos recibió con una inclinación de cabeza después de atravesar el imponente portón de hierro y el largo camino de gravilla que precedía a la entrada.

—Señorita McCartney, el señor Turner la espera en la sala de estar —anunció cortés y después de un rápido *gracias* me apresuré a su encuentro.

—¡Leah! —Se puso de pie apenas reparó en mí, con una enorme sonrisa surcando sus labios y recibiéndome con los brazos abiertos. Corrí hasta él, agotando la distancia que nos separaba para echarle los brazos al cuello.

Me correspondió con la misma fuerza, levantándome del piso y presionándome contra su cuerpo, fornido y conservado.

—Estoy tan feliz de verte. —Se separó para tomarme de los hombros y mirarme extasiado, estudiando mis rasgos, con su brillo de siempre asaltando sus bonitos ojos grises—. Mira cuánto has crecido. Te pareces tanto a tu madre. —Acarició mi mejilla y recibí de buena gana el toque.

—Gracias. También estoy feliz de verte. —Sonreí de oreja a oreja, permitiendo que la nostalgia y el alivio me inundaran a la vez—. Ha pasado tiempo.

—Sí, bueno, estamos un poco lejos —se excusó, alejándose para darle espacio a su esposa, a quien no había visto desde que tenía cinco años—. ¿Recuerdas a Malika?

Ella me saludó con una inclinación y un gesto de las manos antes de envolverme en un fuerte abrazo, con su peculiar aroma inundando mis sentidos. Malika era hindú; tenía unos ojos como el ónix; una sonrisa fácil igual que su esposo y un largo cabello negro que le llegaba hasta la cintura. Era una de las personas más amables que había conocido hasta ahora. Por lo que sabía,

Bastian la conoció en un viaje de negocios a la India, en un evento altruista, y se enamoró tanto de ella que tuvieron un noviazgo corto y un matrimonio que aún perduraba. Malika tenía un corazón enorme, justo como el de Bastian.

—La última vez que te vi eras una niña —dijo ella con un acento marcado, envolviendo mis manos entre las suyas—. Es bueno tener amigos en casa.

Me removí incómoda al recordar que por muy feliz que estuviera en presencia de esos dos, este no era un viaje de placer, así que carraspeé.

—No vengo sola —musité y ambos repararon por primera vez en Alex, que había permanecido en el umbral de la sala observando la escena—. Él es...

—El hijo de Agnes. —Bastian se irguió, adoptando una postura defensiva—. ¿Qué hace él aquí? ¿Por qué está contigo?

No me sorprendió en absoluto que lo reconociera. Su familia era una de las más importantes en este círculo, por ello había decidido omitir que vendría conmigo y el porqué de mi visita, hasta ahora.

—Porque...

Llegó hasta Alex en dos zancadas.

—Aléjate de él, Leah. —Lo miró directo a los ojos—. Como le hayas hecho algo, te juro que... —amenazó con el cuerpo tenso.

Era obvio que él también sabía algo de nuestra historia familiar, o de lo contrario no reaccionaría de esa forma. Alex enarcó una ceja, en una muestra muda de desafío.

—No, no. —Lo detuve, colocándome en medio—. No me ha hecho daño.

—¿Por qué está contigo?

—Porque es mi esposo —solté sin más y fue como si lo hubiera abofeteado.

Bastian estaba tan impresionado que parecía al borde del infarto.

—¿Cómo?

—Es parte del problema —habló él detrás de mí—. Nos hemos casado por error.

El amigo de mis padres estaba tan pálido como papel y tuve miedo de que tuviera un colapso o algo. No quería ni imaginar cómo reaccionarían mis padres si llegaban a enterarse.

Malika se aclaró la garganta.

—Voy a... ver si ya está lista la comida. —Salió casi corriendo de la estancia.

Bastian se dejó caer con pesadez en unos de los sillones, los dedos en el puente de la nariz, y yo extraje de mi bolso el acta de matrimonio para tendérsela mientras tomábamos asiento en el sofá de enfrente. Me sentía como en una sesión de terapia de parejas, cada uno en el extremo más alejado, buscando ganar la mayor distancia posible, y un tercero tratando de reparar lo irreparable.

—¿Sus padres saben lo que han hecho?

—No —saltamos los dos a la vez, aterrados ante la idea.

—Leah, cuando me llamaste y me dijiste que querías verme un fin de semana, pensé que era para distraerte porque habías terminado con ese novio tuyo, no para esto. —Sacudió el acta y mi estómago se comprimió.

—Perdón —dije apenada—, pero no sabía a quién más acudir y necesitamos deshacer esta... esto... esta cosa que hicimos.

Suspiró.

—¿Cómo es eso de que se han casado por *error*?

Nos miramos por un segundo y me aclaré la garganta, ordenando mis ideas.

—Fuimos a Las Vegas con unos amigos. Estábamos en una discoteca, bebimos de más, encontramos un registro civil abierto y... ¡*voilà*!, henos aquí —expliqué apresurada omitiendo muchos detalles innecesarios.

—¿Él te embriagó para que firmaras? —Volvió a atizar con una mirada asesina a mi compañero.

—No, se embriagó sola —replicó el aludido, desinteresado.

—¡Alex!

Bastian negó, luciendo repentinamente exhausto. Malika entró en la estancia con las manos entrelazadas sobre el vientre, tan silenciosa como un ánima.

—La comida está lista, deben estar muriendo de hambre, pasen por favor —nos invitó con una cálida sonrisa y Bastian se puso de pie para que lo siguiéramos, aún en su estupor.

Una vez en la mesa, me senté junto a Malika. Su esposo estaba a la cabeza y Alex ocupaba el único lugar al otro lado, como en un interrogatorio.

—¿Dices que tú también estabas ebrio? —inquirió con recelo, estrechando los ojos.

—Sí.

—¿Seguro que tus padres no saben nada de esto?

—No.

—Porque en el peor de los escenarios, si se enteraran, Byron buscaría alguna forma de aprovecharse de esta unión. Resultaría muy benéfico para él.

—Es muy probable —concedió Alex.

—Pero tu madre...

—Treparía por las paredes —terminó por él y no pude contener la sonrisa ante su comentario.

—Mi madre le haría compañía a la tuya.

Nos miramos por un momento, compartiendo la broma.

—En cuanto a tus padres —Bastian se pasó una mano por el cabello rizado—, decirles ni siquiera es una opción. No quiero ni imaginarlo.

—Yo tampoco. —Mi estómago se contrajo de terror ante la perspectiva. Tomé un sorbo de agua y me centré en Malika—. ¿Y los mellizos?

—Se han ido a pasar una semana en Los Alpes —respondió sonriendo—. Cuando se enteraron de que vendrías, estuvieron a punto de quedarse.

Bastian tenía dos hijos mellizos de la edad de mi hermano Damen: Zarine y Joseph.

—Me habría encantado verlos. —Jugué con mi comida mientras Alex era escrutado por Bastian. No confiaba en él.

El resto de la comida transcurrió con intervalos de conversaciones sobre la vida de mis padres —Bastian quería ponerse al día para no llevarse más sorpresas cardíacas— y silencios incómodos. Cuando terminó, su mayordomo nos condujo por el amplio terreno que rodeaba su casa hasta llegar a otra solo un poco más pequeña que la principal, pero igual de encantadora.

—No tenía contemplado que fueran dos —anunció Bastian entrando en la casa—. El ala de las habitaciones de huéspedes está en reparación, solo una está disponible y como imagino que no quieren dormir en la misma cama —nos evaluó a ambos, escrutador—, es mejor que se queden en esta casa. Tiene once habitaciones, pueden dormir en la que deseen.

—Gracias.

—Las personas de servicio vendrán a partir de mañana, pero puedo pedir que al menos dos se queden con ustedes para atenderlos —ofreció, palmeando mi mano.

—No es necesario —decliné agradecida—. Tal vez salgamos a explorar la ciudad un poco, ya que estamos aquí.

—De acuerdo, pero tengan cuidado. —Besó mi coronilla. Bastian tenía conmigo la misma aura protectora de papá—. Estaré vigilando, ¿entendido?

Alex asintió con rigidez, consciente de que el comentario iba dirigido hacia él, y el anfitrión salió de la estancia para dejarnos solos.

El aire palpitó entre nosotros y supe que nuestra odisea para conseguir el divorcio apenas había comenzado.

# 14
## CONSUMADO

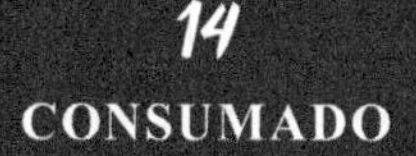

*Leah*

Long Island era una ciudad bulliciosa y activa, llena de vida. Había un sinfín de turistas que iban y venían por las aceras, ataviados con su camiseta de *I love Long Island*, una cámara en una mano y el celular en la otra. Las calles estaban tan atestadas que en cierto momento parqueamos el auto y decidimos recorrerla a pie.

Alex estaba extasiado admirando todo. Como buen turista —y fotógrafo—, no perdió el tiempo y comenzó a capturar todo cuanto su lente enfocara. Me resultaba fascinante contemplar esa faceta suya.

Luego de caminar varias horas, nos detuvimos en una pequeña plaza que albergaba una fuente con ángeles esculpidos. Por sus alrededores, se apostaban un sinfín de restaurantes, cafés y bares a la intemperie, dotando al lugar de una esencia bohemia y atrayente.

Alex capturó a una pareja en una de las mesas y me acerqué con curiosidad. Aún no entendía mucho de su afición por la fotografía.

—¿Qué tienen de especial? —inquirí colocándome a su lado con las manos en los bolsillos de mi gabardina.

Él alzó la vista de la cámara y me miró sin entender.

—La pareja que capturaste, ¿qué tiene de especial?

—Mira —inclinó la cámara para que pudiera ver el resultado en la pequeña pantalla, pero yo solo veía a dos personas muy juntas—, ella sonríe como idiota porque está enamorada y él parece no estar convencido.

—¿Cómo sabes eso?

—Por cómo frunce el ceño y arruga los labios cada vez que ella habla. La mira mucho porque está buscando las razones que le hagan ver que es la indicada y se debate entre dejar a su esposa e hijos por ella o dejarla ir porque no sabe si valdrá la pena.

Lo miré impresionada, antes de caer en cuenta de algo.

—Acabas de inventar eso último, ¿verdad?

Él soltó una carcajada.

—Sí.

—Idiota.

Me retiré los lentes oscuros y volví a fijarme en la pareja, que seguía tan junta como si se contaran un secreto que solo ellos dos podían conocer, buscando apreciar esos pequeños detalles que Alex capturaba tan diestramente en sus fotografías. Él tenía una enorme facilidad para comprender las minúsculas cosas de la vida que a mí me costaba tanto percibir.

—Leah.

Me giré para mirarlo, antes de que el *flash* de la cámara me dejara ciega por un segundo.

—¡Borra eso! —exigí molesta.

Él miraba la pantalla con una sonrisa.

—Hay cosas que merecen la pena ser inmortalizadas —mi estómago vibró ante la sinceridad de su voz—, en especial si sales bizca en la foto.

—¡Borra eso! —insistí, buscando arrebatarle el aparato, sin éxito, porque lo alzó en el aire y como era un monolito de al menos 1,90, me resultó imposible alcanzarlo.

Llegamos a casa luego de visitar otros lugares en la ciudad, con el aire frío colándose por todos lados y el sol a punto de ocultarse para dar lugar a la oscuridad.

Alex entró sin mirarme y se encerró en su habitación. Yo me senté en la barandilla del porche, tratando de darme apoyo moral, diciéndome que esto acabaría rápido y entonces todo lo vivido con mi compañero no sería más que una anécdota de la que me reiría con mis nietos.

Un *flash* me cegó de pronto y Alex se acercó. Apoyó sus codos sobre el grueso barandal de madera para enfocar el lente en el paisaje que tenía delante, iluminado con luces caleidoscópicas por el atardecer.

—Deja de tomarme fotos —demandé, estoica.

—Serías una buena modelo. —Siguió concentrado en capturar el paisaje antes de que la luz desapareciera.

—Gracias, pero no.

—Como quieras.

Nos mantuvimos en silencio, con el disparador como único sonido, hasta que no resistí más la tensión.

—¿Sabes qué pienso?

—Esa es una pregunta imposible, Leah. —El amago de una sonrisa se dibujó en su cara, con el sol iluminándolo de un lado.

—Pienso que siempre serás un imbécil.

—¿Porque no te permití borrar la foto?

—Solo porque así eres tú.

—Bien, porque creo que siempre serás una arpía —atacó a su vez, aún concentrado en enfocar.

—Pero al menos ya puedo tolerarte más —dije, ignorando su anterior comentario, y suspiró.

—Creo que el tono de tu voz se volverá más irritante entre más tiempo te conozca.

—Creo que no puedes vivir un segundo sin insultar a alguien.

—Creo que no puedes ni siquiera inhalar sin pensar que eres mejor que todos los demás haciéndolo.

—Creo que no puedes pasar un solo día sin ser un imprudente.

Dejó la cámara a un lado y centró sus ojos azules en mí, aún con los codos apoyados sobre la madera.

—Creo que seguir haciendo esto solo prueba lo inmadura que eres.

—¿Yo? —Me hice la loca—. Yo no empecé nada, solo estaba tratando de ser amable.

Me miró de manera significativa.

—Yo no lo empecé. ¿Qué fue eso que dijiste? ¿Que siempre seré un imbécil? Si esa es tu idea de un cumplido, princesa, no me sorprende que los hombres te tengan tanto miedo.

Lo miré con dureza, ofendida por tocar un punto sensible. Los hombres sí me tenían miedo. Incluso Jordan me temía algunas veces.

—Los hombres no me tienen miedo —objeté—, es solo...

Se irguió y clavó sus ojos en mí.

—Se necesita cierto tipo de carácter para lidiar con alguien como tú, ¿sabías? La mayoría de los hombres te tienen miedo porque eres intimidante.

—Si te resulto tan intimidante, tal vez deberías dejarme en paz.

Alex lanzó el asomo de una sonrisa y dio un paso más cerca de mí, hasta que mis rodillas rozaron sus muslos.

—Tú no me asustas, Leah.

Un cosquilleo viajó desde mi columna hasta mis rodillas, ahí donde sus dedos me tocaban. Presionó sus palmas sobre esa parte para abrirlas un poco y acomodarse entre mis piernas, acortando la distancia entre nosotros, su esencia apoderándose de todos mis sentidos. Estábamos a la misma altura, a pesar de que mis pies pendían al menos a quince centímetros sobre el suelo. Solía olvidar lo alto que era Alex y lo recordaba solo cuando estaba cerca de su arrolladora proximidad.

—Eres la chica más terca que conozco —musitó, subiendo sus dedos por mi muslo, trazando un camino sobre mi brazo.

—Lo que choca con tu propia terquedad —susurré de vuelta con voz frágil, mi corazón en la garganta y un deseo por seguir recibiendo su toque borboteando bajo mi piel.

Estar cerca de Alexander era igual que estar inmersa en una constante batalla entre la sensatez y la irracionalidad. Entre hacer lo correcto o cometer otro error. Éramos igual que dos imanes, buscándose el uno al otro mientras, al mismo tiempo, tratábamos de mantener una distancia segura.

—De hecho —sonrió apenas, demasiado concentrado en absorber con su tacto el molde de mi clavícula, la longitud de mi cuello, ahí donde el corazón me latía tan rápido como una locomotora.

—Chocamos terriblemente, tú y yo —afirmé. Su pulgar dibujó la forma de mis labios y sentí que me derretiría en cualquier momento.

Me tomó del mentón para inclinar mi rostro, mirándome por fin. Los últimos rayos de sol hacían resplandecer su cabello, que parecía hecho de oro oscuro en bruto e iluminaba sus ojos azules, eran solo intensidad y deseo. Nada jamás me privó de mi capacidad de respirar como esa visión, que me dejó desarmada para la guerra interna que se desarrollaba en mi cabeza.

—¿Terriblemente? Esa parte no la decido todavía.

Supe que la guerra estaba perdida en el momento en que sus labios entraron en contacto con los míos. El beso fue lento, deliberado y exquisitamente sensual, robándome la respiración y encendiendo en mis entrañas un infierno que me quemaba de a poco. Exploró la forma de mis labios con los suyos, con pericia infinita, sin arrebatos, sin presiones y sin interrupciones, como si tuviera todo el tiempo del mundo.

Caí en cuenta de lo mucho que me gustaba besar a Alexander Colbourn.

Estaba fascinada con cada forma que tenía de besarme, en realidad; desde los besos arrebatados, ardientes y avasalladores, hasta los lentos y deliciosamente sensuales, porque fuera cual fuera su forma de tocarme, siempre lograba hacerme arder bajo su tacto. Había olvidado lo bien que se sentía besarlo, pero él se encargó de recordármelo sin reserva, adueñándose de mi boca con experticia y convirtiéndome en una masa aturdida y moldeable a su antojo, con mi interior ardiendo.

Coloqué mis brazos en su cuello y enredé mis piernas en su cintura para agotar cualquier resquicio de distancia entre nosotros, con sus manos ancladas a mi cuerpo para mantenerme en el lugar.

—Vamos adentro —pedí entre jadeos cuando los besos me parecieron insuficientes y la ropa un estorbo.

—¿Has bebido? —bromeó. Sabía que solo quería asegurarse de que tomara una decisión consciente esta vez.

Pero daba igual; ebria o sobria, lo quería. Lo quería tanto que sentía que me quemaría viva si él no apagaba el fuego que llevaba tiempo ardiendo profundo dentro de mí.

—Ni una sola gota —dije sonriendo contra sus labios.

Me levantó de la barandilla, con mis piernas aún cerradas en torno a su cintura, mientras tratábamos de llegar entre besos y tropiezos a alguna de las habitaciones. Una vez dentro de la suya, me puso en pie y retiró despacio mi gabardina, que cayó al piso haciendo un susurro. Tomó el dobladillo de mi blusa y la sacó sobre mi cabeza sin perder el tiempo.

—Soy bastante capaz de desvestirme yo misma.

Enganchó uno de sus dedos en la pretina de mi pantalón para atraerme hacia él en un rápido movimiento, abriendo el botón.

—Tendrás que enseñarme cómo lo haces en otra ocasión —susurró en voz baja, mortal, y bajó el cierre de manera tortuosa.

«En otra ocasión», repitió mi mente, con la promesa erizando hasta el último vello de mi cuerpo.

Ese pareció ser el final de la conversación, porque volvió a reclamar mi boca, mucho más duro y demandante esta vez, con una mano cálida viajando por mi espalda y desapareciendo mi sostén incluso antes de que notara mis pechos libres, mis pezones erectos rozando la tela rugosa de su camiseta.

Me inclinó sobre la cama y procedió a deshacerse de mis botas y mi pantalón en un segundo, con mis bragas como la única barrera que nos separaba del paraíso, de aquello que ambos deseábamos con vehemencia. Pensé que se apresuraría a desvestirse para no perder el tiempo y tomarme, pero no. Permaneció de pie, observándome, *admirándome* tendida sobre su cama, lista y dispuesta para recibirlo. Se relamió los labios y se acercó igual que un depredador listo para devorar a la presa.

Me estremecí de mera expectación, igual que una colegiala idiota a punto de tener su primera vez, tan tensa como una cuerda por el ansia y sin atreverme siquiera a respirar. Mi piel hormigueaba, mis pezones dolían, mi sexo palpitaba y mi cuerpo entero gritaba con necesidad, necesidad de *él*. ¿Por qué se tomaba tanto tiempo?

—¿Puedo tocarte? —inquirió de pronto, con sus ojos clavados en mis pechos.

«Tócame donde quieras, cuanto quieras y como quieras, pero hazlo, hazlo, ¡hazlo!».

Lo único que atiné a hacer fue asentir.

—¿Aquí? ¿Puedo tocarte aquí? —La punta de sus dedos viajó hasta uno de mis pechos, dejando un delicioso hormigueo ahí por donde su mano formaba un sendero. Volví a asentir, pues no confiaba en lo que saldría de mi boca.

Tomó el peso de uno de mis senos en su mano, estrujándolo con ganas, y un jadeo brotó por sí solo de mi garganta, con mi estómago colapsando cuando solté el aire y absorbí la sensación del tacto. No me miró en ningún momento mientras jugaba con el pequeño pezón entre sus dedos, ni tampoco cuando se lo llevó a la boca, pasando su lengua por la sensible superficie que hizo a mi espalda arquearse para buscar mayor contacto y no perderme un solo segundo de la magnífica sensación que él estaba provocando.

Cerré los ojos cuando se prendió de él y comenzó a succionarlo con apetito, apretándolo entre sus labios, mordiéndolo y pasando su lengua alrededor. Lo dejó libre una vez que estuvo enrojecido e hinchado. La humedad en mi sexo era tal que tenía miedo de mojar la cama.

Su mano viajó por mi estómago hasta llegar a mi vientre.

—¿Aquí? —volvió a preguntar, la voz tan ronca que apenas pude distinguir las palabras, perdida en el remolino de sensaciones que Alex despertaba.

—S-sí —tartamudeé.

Sus ojos encontraron los míos y se mantuvieron clavados en ellos mientras sus dedos descendían lenta y tortuosamente, viajando más allá del elástico de mis bragas. El primer contacto hizo a todos mis nervios prenderse igual que un montón de lucecitas. Soltó un suspiro, tal vez por palpar cuánto me ponía.

Mis caderas se movieron en reacción cuando su tacto encontró mi clítoris, levantándose como si tuvieran voluntad propia para no perder la sensación al tiempo que dibujaba diestras figuras sobre él. Jadeé por aire; mis pulmones ardiendo. La familiar tensión en mi vientre era tanta que estaba segura de que me correría justo ahí si seguía repitiendo sus exquisitas atenciones. Admiraba su autocontrol, porque yo estaba enloqueciéndome de ansia y deseo. No necesitaba más juego previo, necesitaba que me tomara ya.

Continuó estimulándome de manera magistral, separando mis pliegues y tocando todos los lugares correctos sin perder contacto visual en ningún momento, con las pupilas tan dilatadas que el azul de sus ojos se estaba perdiendo. Tenía la boca entreabierta y respiraba de forma errática, con su potente erección rozando mi pierna.

—¡Dios!, solo házmelo —rogué cuando el nudo en mi vientre me pareció inaguantable.

Era todo lo que necesitaba escuchar. Se puso de pie de un rápido movimiento, me retiró las bragas casi rasgándolas en el camino y se desnudó con gracilidad, permitiéndome apreciar cada parte de su anatomía que iba descubriendo. La boca se me secó cuando lo tuve al pie de la cama, desnudo y tan excitado que era imposible no ver la turgente erección.

Estaba bien dotado. La visión hizo a mis pies curvarse, ansiosos, y me prendió igual que un farol.

Se apresuró a tomar un preservativo de la mesita de noche.

«Muy conveniente que tenga consigo preservativos, ¿por qué crees que sea? Obviamente no era para inflarlos cuando estuviera aburrido», se mofó mi conciencia ante lo evidente. Él sabía que yo terminaría cayendo sin remedio.

Estaba por reclamarle cuando la cama se hundió bajo su peso y se hincó entre mis piernas, con la punta de su miembro frotando mi entrada.

—Respira, Leah —dijo con un deje burlón al tiempo que se cernía sobre mí, sosteniendo su peso encima de mi cuerpo con un brazo, mientras que con el otro se guiaba a sí mismo hacia mi interior.

Frotó la punta contra mi vagina, esparciendo mi humedad y estimulándome con la perspectiva de tenerlo dentro. No fui capaz de respirar hasta que lo sentí invadiéndome, abriéndose paso, desplegando y expandiéndome para recibirlo. Solté el aire en un fuerte gemido, mi garganta vibró y enterré mi cabeza en las sábanas. Era extraño tener a alguien nuevo dentro después de tantos años.

Mi sexo se contrajo en torno a él, arrancándole un gruñido que hizo a mis caderas sacudirse. Salió casi por completo antes de volver a hundirse en mí, robándome otro gemido por la maravillosa sensación de tenerlo dentro. Pareció complacido con mi respuesta, así que comenzó a moverse con más libertad, su rostro constreñido en un gesto de concentración mientras me embestía. Habría cerrado los ojos por todo el placer que estaba recibiendo, de no ser porque no quería perderme un maldito segundo de todo esto.

Me sujeté con fuerza a sus brazos en busca de algo sólido a lo que aferrarme mientras continuaba tomándome con determinación y firmeza. Disfruté de la tensión de sus brazos bajo mis palmas al final de cada estocada, del subir y bajar de su pecho en un pesado respirar, de la fuerza bajo su piel mientras me tomaba de manera inexorable, volviéndome un manojo de sensaciones y sonidos discordantes, sin coherencia ni armonía.

Mi pelvis se rindió ante su vehemencia, vibrando cada vez que arremetía contra mí, llenándome; fijé mi vista en ese punto donde nuestros sexos se conectaban, estrellándose con intensidad, y solo eso fue suficiente para que el orgasmo brotara desde ese lugar para extenderse, aturdiéndome y entumeciéndome por unos segundos.

Mi liberación resultó inesperada e insuficiente, porque lejos de apaciguar el deseo que rugía bajo mi piel, le dio rienda suelta, exigiendo más, mucho más. Alex detuvo su intromisión por unos momentos, apreciando mis gestos mientras vivía mi orgasmo. Se inclinó para besarme, duro y demandante, robando el aire que mis pulmones luchaban por recuperar. Su lengua se hundió con la mía y se batieron otra vez pulsando contra la otra.

Gemí dentro de su boca cuando sus caderas hicieron un lento círculo estimulando mi sensible vagina, antes de cambiar la intensidad de sus embestidas, que se volvieron implacables e impetuosas, enloqueciéndome una vez más en menos de dos segundos y formando el nudo en mi bajo vientre, con mis músculos desplegándose incluso más para darle cabida al nuevo ritmo.

Lo único que mi cerebro podía registrar era el insistente golpeteo de la cabecera contra la pared y el sonido de nuestro pesado respirar unido en una armonía que yo rompía sin cesar con un sinfín de jadeos, gemidos y otros sonidos que buscaba reprimir inútilmente. Su ritmo se volvió duro y rudo, con sus dedos enredándose en torno a mi cuello y presionando ahí donde sabía que mi corazón latía como si estuviera a punto de salirse por toda la estimulación que mi cuerpo experimentaba.

Iba a correrme otra vez y estaba tan lista para ello. Mi cuerpo gritaba y apreté la mandíbula para tratar de seguir su ritmo, rápido y despiadado. El nudo en mi interior estaba a punto de romperse para desatar otro infierno en el que yo ardería felizmente. Continuó arremetiendo contra mí, creando un sonido cada vez que nuestros sexos se encontraban, con nuestros cuerpos empapados por transpiración y las nubes del placer elevándonos a lo más alto. Cerré los ojos y abrí la boca para respirar. Lo sentía tan, pero tan cerca...

Entonces, sus embestidas se tornaron lentas y deliberadas. Abrí los ojos y fruncí el ceño, molesta porque me privara de algo que anhelaba con tanto desespero. Él me miraba desde su altura, encima de mí, con el rostro enrojecido, las pupilas dilatadas y el cabello alborotado. Sostenía su peso con una mano en la cabecera de la cama y soltó el suspiro de una risa cuando me miró a la cara. Se inclinó para lamer la superficie de un pezón y acarició con su dedo mi labio inferior.

—Enreda tus piernas en mi cintura, Leah —ordenó con rudeza y ese tono fue suficiente para que yo lo obedeciera al instante, prendida en fuego como una antorcha.

Mis piernas resbalaban en el sudor de su espalda y sus caderas, así que las cerré en torno a él con mayor fuerza. Solté un fuerte gemido cuando volvió a entrar en mí, tan profundo que la sensación fue vigorizante y mandó chispas por todo mi cuerpo. Volvió a embestirme de la misma manera: cruda, dura y demencial, tan demencial que la presión en mi vientre amenazaba con romperme entera; mi vagina contrayéndose cada vez que sus diestras estocadas golpeaban *ese punto exacto* donde todo mi placer se concentraba.

No fui consciente de nada; ni de los jadeos que se convertían en gritos de necesidad ni de la forma desesperada en que mis manos se sujetaban a sus hombros, aruñaban su espalda o hacían puño las sábanas para tratar de mantenerme anclada a esta tierra y no evaporarme en solo satisfacción.

—Quiero sentirte —demandó con los dientes apretados junto a mi oreja, con su respiración agitada mientras pasaba su lengua por mi cuello—. Quiero sentirte exprimiéndome mientras te corres, Leah.

Eso fue suficiente para sumergirme dentro de un torrente de placer, lujuria y deseo; un deseo tan crudo y ferviente que no tardó en convertirse en un huracán dentro de mí, conmigo dentro del ojo, rugiendo por ser liberado. Me sujeté a su cuello con tanta fuerza que por un momento pensé que estaba asfixiándolo, pero a él parecía no importarle porque siguió dando diestros embates a mi interior, sometiéndome a sus movimientos; mis talones clavándose en sus glúteos que parecían ser el compás de su ritmo, porque cuanto más los enterraba, más rápida e intensa era la invasión.

—*Dios, Dios, Dios* —jadeé, desesperada por el orgasmo que estaba a punto de desarmarme—. Alex...

Respiró con rudeza en mi oreja y llevó su mano hasta mi clítoris para frotarlo con la misma vehemencia con la que me embestía.

—Córrete ahora, Leah. Vamos, córrete ahora —demandó con voz cruda.

Y como toda buena chica, lo obedecí.

Los músculos de mi sexo se contrajeron y el orgasmo explotó igual de fuerte que un vendaval e invadió cada nervio de mi cuerpo con la misma intensidad con la que una ola rompe junto a la orilla, arrastrándonos a ambos a una liberación intensa, potente y profunda.

El mundo entero desapareció y por unos segundos no existió nada más que la manera en que yo me sentía, con las sensaciones rebasándome. No existía nada, ni el mundo, ni la cama, ni el cielo, ni absolutamente nada, solo ese punto de balance entre el limbo del placer y *él*; él por la manera en que me hacía sentir.

Caí de vuelta entre las sábanas cuando lo sentí desplomarse encima de mí, con su cabeza descansando sobre mi pecho, tratando de recuperar el aire perdido. Era una pesada y maravillosa carga contra mi cuerpo. Me tomó un par de segundos liberarlo del agarre de muerte que mis brazos ejercían sobre su cuello. Observé el techo aún con la vista nublada y saboreando los últimos resquicios del orgasmo. Alex rodó, se recostó a mi lado y se retiró el preservativo tirándolo a algún lugar de la habitación.

Mi mente volvió a activarse y a trabajar con una rapidez renovada. En realidad, yo no conocía a Alex ni tampoco conocía sus hábitos en la cama, pero sí sabía de su fama. Sabía que no era de los que te abrazaba después del sexo ni tampoco esperaba o quería que lo hiciera. Supuse que tampoco le gustaba permanecer mucho tiempo al lado de las chicas con las que se acostaba y yo no iba a ser una de esas mujeres estúpidas e incrédulas que pensaban que era diferente y que dejaría de lado sus preferencias por mí.

Lo miré por un momento. Mantenía los ojos cerrados con su pecho bajando más acompasado.

El silencio que se cernía en la estancia lo percibía incluso más tenso e incómodo que todos los demás que habíamos experimentado. Tal vez solo estaba en mi cabeza, pero no podía dejar de sentirme extraña.

Así que me resigné a ser una más de sus conquistas. Antes de que él se fuera o me sacara de su habitación, me puse de pie con las piernas temblorosas. Recogí mi ropa y me vestí lo más rápida y decentemente que pude, con mi gabardina en una mano y mi sostén y botas en la otra. Cuando me giré para enfrentarlo, él tenía sus ojos clavados en mí. Se veía tan bien desnudo que por un momento mis piernas y mi determinación flaquearon. Abrió la boca para decir algo, pero me adelanté.

—Gracias —fue lo único que me salió, patético y apresurado. Pensé que era lo peor que podía decirse después de tener sexo y quise abofetearme.

Salí de la habitación con un torbellino de emociones en el pecho y el estómago. La culpa amenazaba con aplastarme. Me había conseguido. Habíamos follado. ¿Ahora qué?

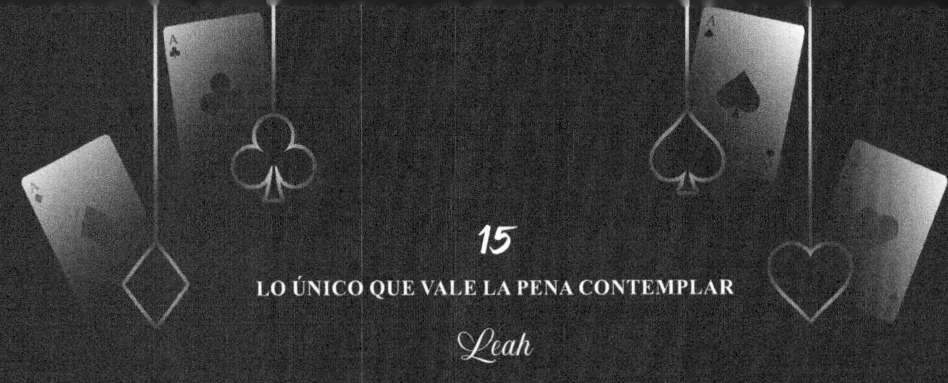

# 15

## LO ÚNICO QUE VALE LA PENA CONTEMPLAR

*Leah*

Después de analizar un millón de veces cuál sería el mejor movimiento, me levanté con pesadez y un leve dolor en mis extremidades. Una parte de mí quería esconderse en su habitación, ignorarlo y evitar todo contacto con él hasta que Bastian llegara a rescatarme, pero no era posible.

«Me he follado a Alexander Colbourn».

La realidad me golpeó tan fuerte que pasé las manos por mi cabello para tratar de tranquilizar mi desbocado latir.

«Corrección, cariño: te lo has follado otra vez», se burló mi conciencia, aumentando el peso que crecía dentro de mi pecho, tan duro y sólido como una piedra. Engañé a Jordan. Otra vez. Lo había deseado y esperado incluso.

«Solo sal, por el amor de Dios. Lo más probable es que te ignore y ya está», razoné.

Me acerqué a la puerta y escuché la voz de otras dos mujeres, posiblemente las amas de llaves de la casa. Me arrebujé más en mi chaqueta antes de salir, inflada de valor al saber que al menos ya no estábamos solos.

—Buenos días, señorita —habló una chica que parecía de mi edad, más pequeña que yo de estatura y con el cabello rubio recogido en un moño impecable—. Soy Rose, el ama de llaves. Ella es Giana. —Señaló con la cabeza a su compañera, igual de joven y de cabello negro—. Estaremos a su servicio.

—Gracias.

—¿Hay algo en que la podamos servir? —habló la otra—. ¿Quiere que le preparemos el desayuno?

—No, no es necesario —decliné educada—. Con un café es más que suficiente. Negro, por favor.

—Enseguida. —Ambas asintieron y se apresuraron a ir hasta la cocina para prepararlo.

Fijé mi vista en el pasillo. La puerta de Alexander permanecía cerrada, aunque en realidad aquello no significaba nada, porque podría estar en cualquier lugar de la casa.

Con el corazón en la garganta, me aventuré a la sala de estar más grande. Suspiré al comprobar que no estaba ahí y me senté en uno de los mullidos sillones.

Lo que pasó entre nosotros era algo que yo había ansiado, anhelado y *disfrutado* en la misma medida, lo cual me hacía sentir peor. Además, de todas las cosas posibles, ¿por qué le había dicho *gracias*?

El sexo con Jordan no era malo, todo lo contrario; me encantaba y me había hecho alcanzar el clímax un sinnúmero de veces, pero estar con Alexander resultó ser toda una *experiencia*. Fue arrasador, intenso y *consumidor*.

Disipé esos pensamientos y, mientras esperaba el café, me avoqué a revisar mi celular. Tenía mensajes de mamá preguntando si estaba disfrutando de mi fin de semana con Edith y si estaba bien. También tenía mensajes de Claire, la prometida de mi hermano. Un cosquilleo de decepción me invadió al comprobar que no había mensajes de Jordan. Estaba a punto de llamarlo cuando Rose entró en la estancia. Dejó el café sobre la mesa del centro y esperó solemne a que le diera la siguiente orden.

—Está bien, Rose, gracias. Puedes retirarte. —Inclinó la cabeza antes de salir.

Le di unos cuantos sorbos al líquido oscuro, disfrutando de la sensación cálida que invadía mi garganta. Aún con el chat de Jordan abierto, me debatí entre enviarle un mensaje o no.

Dejé la taza sobre el reposabrazos cuando lo miré en línea y mi corazón dio un salto, esperando un mensaje que nunca llegó, porque volvió a desconectarse.

Estaba por volver a beber cuando alguien retiró la taza del lugar. Alcé la vista y deseé no haberlo hecho: Alexander la sostenía mientras se acomodaba en el sillón de enfrente, con el diario del día entre sus manos y actuando tan normal que resultó desconcertante.

La garganta se me cerró, presa del pánico, e hice acopio de todas mis fuerzas para no salir corriendo igual que un venado asustado.

Tomó un sorbo directamente de donde yo estaba bebiendo y el gesto pareció tan irrelevante y a la vez tan íntimo que no supe cómo sentirme al respecto, porque no sabía si *debía o quería* alcanzar ese nivel de intimidad con él. Me ignoró al tiempo que leía las noticias en la portada tomando de *mi* café.

Lo estudié con atención. Había invadido la habitación con su esencia, embriagadora y agradable. Llevaba una camiseta de algodón gris manga larga, tan pegada a su cuerpo que podía ver el movimiento de sus músculos cada vez que flexionaba su brazo para tomar de la taza, envuelta en sus largos dedos. Bajé la vista hasta sus vaqueros rematados con botas negras.

Quise sonreír porque caí en cuenta de que la visión de Alexander leyendo el periódico cada mañana era algo a lo que yo podría acostumbrarme.

—Pensé que habías dicho que teníamos que dejar de mirarnos —habló de pronto, sacándome de mi ensimismamiento. Tuve que parpadear varias veces para enfocar.

—¿Qué? —Tardé un par de segundos en registrar lo que había dicho y me removí en el sillón—. Estaba pensando.

—¡Oh! —Su tono era sugerente y mi corazón dio un salto—. ¿En qué estabas pensando? Si se puede saber, claro.

«En lo mucho que me gustaría besar esa sonrisa tan incitante tuya».

—En nada que te importe, Colbourn.

—Un día de estos tu enorme cerebro va a explotar de tanto pensar, McCartney —se burló, dejando el diario a un lado y dando otro sorbo.

—Eso no sucede por pensar, pero como estoy segura de que es algo que tú no sueles hacer, es normal que lo creas.

Sonrió y se inclinó hacia adelante en el sillón, clavando sus ojos en mí, mortales.

—¿Por qué dijiste *gracias*? —preguntó petulante, sus ojos brillando con travesura y satisfacción mientras mi corazón sufría un paro cardíaco.

Estaba jugando conmigo y disfrutando de todas las reacciones que me causaba. Sentía mis mejillas tan calientes que tuve miedo de incendiarme. Iba a responderle con un insulto cuando escuché pasos acercándose y agradecí a todos los dioses. Me habían salvado por un pelo. Bastian entró en la sala aligerando la tensa atmósfera que se construía entre nosotros.

—Buenos días —saludó con una sonrisa al tiempo que se inclinaba para depositar un beso sobre mi coronilla. Asintió en dirección a Alex, a modo de reconocimiento, y colocó una mano sobre mi hombro—. ¿Han dormido bien?

—De maravilla, gracias —respondió Alexander con demasiada felicidad, recostándose sobre el sofá.

—Sí, bien —mentí, porque no logré conciliar el sueño en ningún momento.

—¿Sin incidentes?

Nos miramos por un momento en complicidad.

—Sin incidentes. —Sonreí lo más natural posible y Bastian me correspondió.

—Señor Turner —intervinieron a la vez Rose y Giana—, buenos días.

—¿Gusta que preparemos el desayuno? —se adelantó Rose, servicial.

—Hola, chicas —saludó amable—. Gracias, pero no será necesario. Iremos al club.

—¿Ahora? —inquirí.

Bastian asintió.

—Desayunaremos ahí. Tenemos que hablar. —Nos miró serio a ambos, y tragué saliva.

No sonaba como nada bueno.

El camino hasta el club fue todo menos cómodo, y suspiré aliviada cuando por fin el *chofer* nos abrió la puerta para descender en uno de los restaurantes que albergaba el lugar. Nos sentamos en una de las mesas frente al enorme ventanal que ofrecía una vista preciosa de la bahía por la mañana, con el sol elevándose a lo más alto. Alex y Bastian ordenaron su desayuno y yo opté por un plato de frutas que sabía que ni siquiera iba a tocar, demasiado preocupada por el semblante serio del amigo de mis padres.

—¿Y Malika? —pregunté una vez el camarero retiró las cartas—. Pensé que nos encontraría aquí.

—Tiene cosas que hacer en la organización, trabajará con niños —explicó su esposo, con las manos entrelazadas sobre la mesa, sentado en medio de nosotros.

—Quería preguntarle más sobre su trabajo. Mamá está muy interesada en aportar.

Los ojos de Bastian brillaron ante la mención de mi madre. Él la adoraba y jamás se había molestado en ocultarlo. Sabía que amaba a su esposa, pero también sabía que mi madre tenía un lugar muy especial en su corazón.

—Tu madre siempre ha sido una persona muy noble. —Sonrió con nostalgia—. Podrás preguntarle a Malika lo que quieras después, estará con nosotros a la hora de la comida.

El camarero depositó las tazas de café sobre la mesa, interrumpiendo la conversación hasta que se retiró de nuevo. Nuestro anfitrión se aclaró la garganta, irguiéndose.

—He revisado el acta de matrimonio —dijo de pronto y ambos nos concentramos en él al instante—. Es auténtica.

—Eso ya lo sabemos —intervino Alexander, ganándose una mirada severa, pero continuó igual—. Lo que queremos saber es cómo deshacerlo.

—Ahora, *eso* será más complicado. —Se pasó una mano por los rizos—. Se han casado bajo el régimen de sociedad conyugal.

—¡Joder! —maldijo mi *esposo*, haciendo una mueca de exasperación.

—¿Y qué? —pregunté confundida, buscando entender qué era tan grave—. Igual puede resolverse, ¿no?

—Sí, pero tomará más tiempo —declaró y sentí la sangre ir hasta mis talones.

—¿Por qué? ¿Qué importa que nos hayamos casado bajo ese régimen? No han entrado bienes en la sociedad; es decir, nosotros no tenemos…

—Sí que han entrado —interrumpió Bastian—. Es posible llevar a cabo un divorcio administrativo relativamente rápido ya que no tienen hijos. —Alex me miró de forma extraña y yo desvié mi atención, nerviosa—. Pero lo complicado es la separación de sus bienes para evitar la confusión en sus patrimonios —continuó.

—No tenemos bienes —insistió Alex cruzado de brazos.

Bastian suspiró.

—Leah, estoy casi seguro de que tu padre tiene varias propiedades a tu nombre y que algunas de las cuentas están vinculadas contigo y tus hermanos. Muchas de las ganancias y utilidades de la empresa llegan a tu cuenta directamente, dinero que entra en automático a la sociedad conyugal —explicó con paciencia, mientras yo trataba de comprender lo más posible.

—Pero…

—Es muy probable que tu padre haga lo mismo contigo. —Centró sus ojos grises en Alex—. Es algo que yo hago con mis mellizos, incluso. Es una medida precautoria, una forma para evitar que las empresas dejen de funcionar en caso de que algo nos suceda. Así, si llegáramos a faltar, el operar de la compañía no se vería inmerso en problemas sucesorios, porque ya tendrían la repartición de bienes establecida.

—¿Entonces qué propones? —inquirió Alex.

—Primero tiene que haber un cambio de régimen. —Me lanzó una ojeada y cuando enarqué las cejas en clara ignorancia, se apresuró a explicar—: Deben cambiar de sociedad conyugal a separación de bienes.

—¿Eso significa que tomará más tiempo? —solté alterada.

—Exacto.

Me dejé caer en la silla, derrotada, y puse atención a Alexander, que me escudriñaba con intensidad y curiosidad. Parecía tranquilo ante una situación que amenazaba con destruirme.

—¿No hay nada que puedas hacer para acelerar el proceso? —pregunté.

Negó, aún con las manos entrelazadas.

—Hay muchas cosas que debo revisar. Su matrimonio no es como el de personas normales, obviamente. Hay demasiados bienes y factores en juego, muchas cláusulas que debo analizar en los contratos de apertura de sus cuentas bancarias y escrituras de propiedad de los bienes que sus padres han puesto a su nombre, porque no tengo idea de si prevén el matrimonio y el régimen bajo el cual se constituirá.

—Es solo un matrimonio. ¿Por qué es tan complicado? —insistí.

—Estoy seguro de que tu padre hará firmar a Jordan al menos treinta acuerdos prenupciales antes de concederle tu mano —se burló Alex, con un deje ácido en la voz que no pude obviar.

—Por favor, tu madre hará firmar un contrato de confidencialidad a tu prometida para que no ventile tus estupideces —ataqué, enfadada.

Él enarcó las cejas.

—¿Sabes? Tal vez debería pedir una indemnización a tu padre por daño moral. —Se inclinó hacia adelante—. Soportar tu neurosis es algo muy desgastante.

—Eres un…

—Paren ya, ustedes dos —intervino Bastian.

El mesero llegó con los platillos, pero nadie se atrevió a mover un dedo. Contuve el impulso de patear al imbécil bajo la mesa.

—Haré todo lo posible porque el divorcio sea rápido y discreto —aseguró, colocándose la servilleta sobre las piernas y dedicándome una extraña mirada—. Mientras tanto, traten de no matarse el uno al otro, por favor.

Fulminé a Alexander con los ojos, a pesar de que él lucía complacido.

El resto del desayuno transcurrió en silencio, pero mi mente no dejaba de trabajar a toda velocidad.

La perspectiva de permanecer más tiempo casada con Alex era inquietante, porque no sabía por cuánto tiempo más podría controlar lo que me hacía sentir.

Si no resolvíamos esto pronto, podríamos llegar a un punto sin retorno.

Seguía sin recibir mensajes de Jordan, pero supuse que se debía a que estaba ocupado en algún negocio con su padre o algo relacionado con la universidad, y la verdad no tenía la fortaleza para tomar la iniciativa de escribirle.

Observé a Malika posar para Alex desde el porche de la casa de Bastian. Sonreía usando un sari precioso. Era, según había entendido, el traje tradicional y más común de las mujeres hindúes. La tela era fina, de un color rojo oscuro, rematada con detalles y ornamentos dorados que no hacían más que resaltar su belleza. Los escuché reírse mientras ella cambiaba de posición en la enorme fuente que custodiaba el centro del jardín.

—Parece que esos dos se han entendido bien —habló Bastian a mi lado.

Vestía una camisa estilo polo y un pantalón caqui. Con ese atuendo parecía casi un chico y recordé la fotografía que papá tenía en su estudio, donde aparecían ambos con unas motocicletas detrás. Por lo que sabía, ese dúo había tenido un largo, largo historial de conquistas y no me sorprendía en absoluto; exudaban belleza.

—Alex es una persona muy curiosa —expliqué—. Imagino que estará fascinado con una cultura tan rica como la de Malika.

—Es muy probable —concedió, mirando cómo mi compañero ajustaba ángulos y provocaba sonrisas a su esposa—. Leah, hay algo que debo preguntarte.

Clavé mis ojos en él, expectante.

—Puedo resolver su problema en menos de un mes —confesó y algo se removió en mis entrañas—. La otra opción es no acelerar las cosas y dejar que fluyan en su tiempo, lo que es igual a seguir atada al chico Colbourn por lo menos cuatro meses más.

Esperé en silencio a que siguiera hablando, porque no entendía cuál era su punto.

—La pregunta es, ¿qué quieres tú?

—Estar libre lo más pronto posible, obviamente —me apresuré a responder, aunque algo se asentó en la boca de mi estómago.

—¿Estás segura?

Me mordí el interior de la mejilla, dubitativa.

—Por supuesto, ¿por qué no lo estaría?

Él negó y acarició mi mano antes de soltar una risita seca.

—No soy ciego, Leah. He visto cómo lo miras y te juro que vi esa mirada antes, un millón de veces.

Fruncí el ceño, sin comprender.

—¿Qué?

Sonrió con nostalgia.

—Es la misma forma en que tu madre miraba a tu padre.

—¿Mi madre lo miraba con odio? —Me hice la desentendida.

Soltó una risa antes de fijar sus bonitos orbes grises en mi rostro.

—Lo miras como si fuera lo único en la tierra que valiera la pena contemplar.

Algo revoloteó dentro de mi estómago ante su observación y coloqué un mechón de cabello tras la oreja, sin saber qué decir.

—Yo no… No… —articulé, pero nada acudió a mi cabeza.

—Aunque debo confesar que su relación no era algo que veía venir.

—No tenemos una relación.

«Solo nos hemos comido y follado unas cuantas veces».

—Me refiero a su convivencia, a que se soporten y hablen civilizadamente.

—Sí, bueno, yo tampoco lo veía venir, pero estamos atascados en esto. No es como si tuviera muchas opciones. No es como si fuéramos amigos o sintiéramos algo por el otro.

Sus ojos estaban llenos de curiosidad cuando se posaron sobre mí.

—¿Y qué si lo fueran? ¿O si lo sintieran? ¿Qué habría de malo en ello?

—Todo.

—¿Por ejemplo?

Suspiré, percibiendo cómo los muros que contenían todas mis emociones se venían abajo.

—El hecho de que nuestras familias se odian, que yo tengo novio, que él es arrogante, obstinado, mordaz, impredecible y sarcástico. El lugar de donde viene, la familia a la que pertenece y los valores que tal vez tenga, o *no* tenga, y lo mucho que discutimos porque ambos somos demasiado tercos.

—Yo no conozco al chico, Leah —se encogió de hombros—, todo lo que sé es que es hijo de alguien cruel y mezquino, pero eso no significa que él lo sea. Malika dice que puede ver bondad en su persona y yo confío en su intuición. Además, debe tener muchas cosas buenas para que tú lo mires de la forma en que lo haces.

Cambié mi peso de un pie al otro, incómoda. Mi corazón se compungió ante la manera tan sencilla en la que Bastian podía leerme.

—Sé que Alex es una buena persona debajo de toda esa arrogancia y burla, por eso he intentado darle oportunidades para tener una convivencia decente, pero luego hace o dice algo que me hace pensar que no las merece y las tomo de vuelta, y es como si estuviéramos dando un paso delante y dos hacia atrás todo el tiempo. Yo no…

—Sé que no te gusta ser vulnerable —me interrumpió—, en eso eres igual a tu padre. Supongo que estás manteniendo la guardia con el chico porque sabes que lo eres, pero así no conseguirás nada.

—¿Entonces debería solo bajar mis defensas? Es Alexander *Colbourn*, por Dios.

—No, estoy diciendo que deberías verlo a través de tus propios ojos, no a través de los de tus padres. Hazlo bajo tu propio criterio, sin sus prejuicios.

Arrugué los labios.

—No debería hacer eso.

—*¿Por qué*?

—Porque entonces le permitiría entrar y eso es algo que no puedo hacer.

—¿Por qué?

—Porque mis padres jamás lo aprobarían.

Bastian estiró su brazo y lo posó sobre mis hombros, abrazándome.

—Tus padres aprobarían cualquier cosa que te hiciera feliz, pequeña. No hay nada que ellos quieran más en el mundo.

Negué, cruzándome de brazos.

—No puedo —insistí—. Además, aún está Jordan, él ha sido mi novio toda la vida y dejarlo me parece algo imposible. Ir más lejos con Alexander significaría un camino escabroso que de seguro nos llevaría al despeñadero.

—¿Y si no? —inclinó la cabeza y fijé mi vista en él—, ¿y si tienen un mejor destino?

—No quiero una relación complicada e incierta, eso me asusta. Quiero una relación tranquila y sencilla como la de mis padres, sin problemas ni complicaciones.

Bastian sonrió con tristeza, mirándome como si fuera una niña incrédula.

—La relación de tus padres fue todo menos sencilla. —Una risa seca brotó de su garganta de pronto—. Siento que estoy teniendo un *déjà vu.*

—¿Por qué?

—Escucha... —me soltó. Sus ojos eran insondables y su voz clara—, tomar riesgos es aterrador, pero hay algo que debería asustarte más que nada en la vida y eso es perder algo verdadero y maravilloso solo porque le temes a la incertidumbre.

Sus palabras hicieron eco en mi cabeza y calaron hasta mis huesos. Me mantuve en silencio asimilando lo que había dicho, hasta que una duda absorbió todos mis pensamientos.

—Bastian, ¿por qué mis padres y los de Alex se odian tanto?

Toda la jovialidad de su rostro se desvaneció para ser remplazada por repulsión.

—Muchas cosas sucedieron en el pasado. La madre de Alexander hizo cosas abominables. En el camino de la relación de tus padres, muchas personas resultaron afectadas, yo incluido. —Palpó el costado de su torso en una seña que no comprendí—. Pero, en resumen, todo se debe a resentimiento por parte de ambas familias y muchos prejuicios.

—Sí, pero ¿por qué? Algo grave tuvo que pasar para que se odien tanto.

—Esa es una pregunta que no me corresponde responder, cariño.

Permanecí de pie junto a él mientras Alexander terminaba su sesión con Malika y se acercaban a nosotros, subiendo las escaleras del porche. Bastian se apresuró a echar un brazo sobre los hombros de su esposa, estrechándola contra sí.

—Las fotos son divinas —dijo Malika con emoción—. Las mandaré a enmarcar en cuanto las envíes.

—Por supuesto que han sido divinas si tiene como modelo a la mujer más hermosa del mundo. —Su esposo inclinó la cabeza para besarla en los labios.

Un deseo enorme de que Alexander hiciera lo mismo conmigo me invadió de pronto y tuve que luchar contra el impulso de ser yo quien lo abrazara.

Permanecimos ahí, de pie, demasiado inseguros para acercarnos al otro, y me pregunté si era verdad que lo miraba como si fuera lo único en la tierra que valiera la pena contemplar.

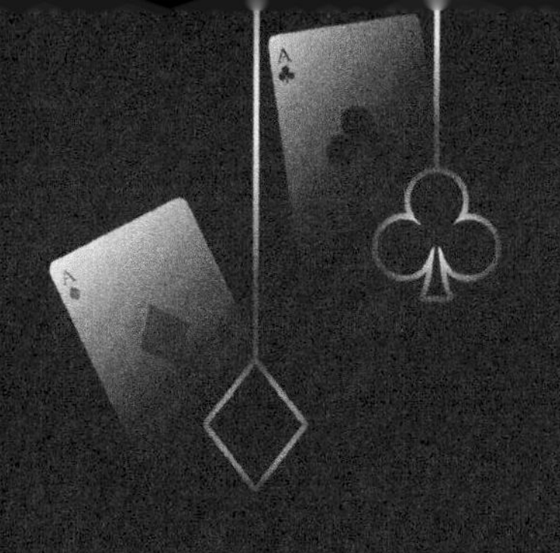

# 16

## CONFLICTOS

### Leah

Bastian y Malika se despidieron de nosotros con un fuerte abrazo y muchos buenos deseos, bajo la promesa de ayudarnos a completar nuestro divorcio, aunque no parecían muy seguros de ello. El resto del camino fue silencioso e incómodo, lleno de tensión y palabras sin decir por parte de los dos, incapaces de afrontar la incierta situación en la que nos encontrábamos. Llegamos a un acuerdo mudo, al menos de mi parte, de no volver a tener sexo.

Cuando llegué a casa, sintiéndome devastada y cansada, mamá estaba en el recibidor peleando con un enorme florero que contenía un hermoso arreglo de alcatraces.

—¿Necesitas ayuda? —pregunté cuando trastabilló.

—No, cariño, gracias. —La acompañé hasta la sala y colocó el recipiente sobre la mesa de centro. Una vez que estuvo seguro, me apresuré a abrazarla.

Mamá me correspondió al instante.

—¿Qué pasa? —preguntó sorprendida, porque no solía mostrar muchos gestos afectuosos.

—Nada, solo te extrañé.

En realidad, quería transmitirle todo lo que Bastian no podía y sabía se moría por hacer. La abracé de la misma forma en que sabía que él lo haría si la tuviera enfrente. Nos separamos luego de un rato y sus ojos verdes brillaron con amor infinito.

—¿Las flores son un regalo de papá? ¿Se han peleado?

—Tu padre jamás me manda flores por pelear. —Rio—. Tiene métodos más creativos de reconciliación. En realidad, creo que son para ti.

Enarqué las cejas al tiempo que mamá extraía de entre los tallos una pequeña tarjeta que me tendió sin ver.

Esperé la emoción exuberante que me invadía siempre que él hacía este tipo de detalles, pero nada acudió. En cambio, algo se asentó en la boca de mi estómago.

—¿Jordan? —habló mamá, curiosa. Asentí—. Qué lindo, debió extrañarte mucho estos días que estuviste ausente.

«Tanto que ni siquiera me mandó un solo mensaje de buenos días», pensé con agriedad, pero despejé el pensamiento cuando otro se presentó en mi mente. Me ocuparía de Jordan después.

—Seguro que sí. —Sonreí forzado—. ¿Papá está en casa?

—Sí, está terminando algo de la empresa en su estudio. Saldremos hoy, ¿quieres venir?

Puse los ojos en blanco. Mis padres seguían teniendo citas como cuando tenían mi edad.

—No, gracias. Yo tendré mi propia cita. —Agité la tarjeta que acompañó las flores.

Me encaminé al estudio de papá y luego de dos toques secos en la puerta, me permitió entrar.

—No te esperaba hasta más tarde. —Sonrió afable y le correspondí. Rodeé el escritorio hasta colocar los brazos sobre su cuello y darle un sonoro beso en la mejilla.

—Salimos temprano de la casa de Edith —mentí al tiempo que me acomodaba en la silla de enfrente.

—¿Qué tal el viaje?

Hice mi mejor imitación de una expresión relajada y feliz.

—Muy... revelador.

—¿Revelador?

—Sí. De hecho, hay algo que quiero preguntarte al respecto.

—¿Qué cosa? —Fijé mis ojos en sus brazos visibles por las mangas dobladas de su camisa, buscando ganar tiempo para reunir la valentía suficiente y exteriorizar lo que moría por saber.

—Verás... —me acomodé mejor en la silla—, estando en casa de Edith nos dimos cuenta de que su mamá tenía estas... estas revistas viejas —traté de formular la mentira lo mejor posible— y encontramos una sobre ti.

—¿Sobre mí? —Papá pareció divertido ante la perspectiva.

—Sí. Hablaba sobre... sobre tu compromiso con la señora Colbourn, con... con Agnes.

Toda la diversión se evaporó de su rostro y me contempló rígido. Mi estómago se comprimió.

—¿Y? —cuestionó cortante.

—Pues... No lo sabía.

—Porque no es algo relevante.

—Sí que lo es —rebatí—. ¿Por eso nuestras familias se odian tanto?

—No.

—Papá, quiero saber —insistí—. ¿Aún... aún sientes algo por ella? ¿Por eso no la soportas?

Mi padre me miró como si me hubiera crecido otra cabeza.

—No digas estupideces, Leah. —Negó con una mueca de asco—. Lo único que siento por esa mujer es repulsión.

—¿Por qué? ¿Es porque terminaron?

—No.

—¿Por qué terminaron, papá?

—Leah...

—Solo quiero saber por qué se odian tanto —aclaré, impaciente, igual que papá, que tenía la vena en el cuello saltada, señal de que estaba perdiendo los estribos.

—Porque no son una buena familia, eso es todo. Terminamos porque no era adecuada para mí.

Estaba mintiendo, lo sabía.

—Papá, por favor, no soy idiota. Necesito saber.

—No lo necesitas.

—Papá... —No iba a darme por vencida hasta tener al menos algunas respuestas.

—Que no.

—Pero...

—¡Que no, Leah! ¡No! —Se levantó del escritorio sobresaltado y estrelló una mano sobre la superficie. Di un respingo—. No insistas. Ya te he respondido lo que has preguntado.

—Claro que no. —Me puse en pie también, negándome a que me siguieran mintiendo—. No me has respondido más que con evasivas.

—Esto es un tema zanjado. —Levantó un dedo al frente, en una clara advertencia—. No necesitas saber más. Terminamos porque no era adecuado, porque no era una buena persona.

—¿Por qué?

—Solo mantente alejada de esa familia, hija —dijo de pronto, con la irritación dando lugar al cansancio—. No son nada bueno. Obedece.

—¿Por qué?

Me miró con exasperación.

Me mantuve en mi lugar, férrea. No quería ceder, pero terminé haciéndolo cuando me di cuenta de que no iba a conseguir nada más. Con un suspiro, relajé mi postura y agaché los hombros con resignación.

—Bien, como sea. Gracias por nada.

Salí dando un portazo, hecha una furia, sintiéndome engañada y dolida ante la reticencia de papá por proveerme de un poco de luz en toda esta oscuridad.

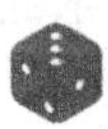

Me senté sobre la silla que Jordan sostenía para mí.

Sonreí lo más natural posible mientras él se acomodaba del otro lado, impecable y atractivo.

—¿Qué tal el viaje, cariño? —preguntó una vez ordenó vino, colocando su mano sobre la mía.

Estábamos en un moderno y agradable restaurante. Había varios comensales charlando y el ambiente era cómodo, con las luces de la ciudad siendo el espectáculo principal a través de los enormes ventanales.

—Bien. Fue muy... agitado y entretenido. —Retiré mi mano bajo la excusa de alisar las arrugas en mi vestido. No sabía si la incomodidad ante su cercanía se debía a mi inmenso sentimiento de culpa o a algo más—. ¿Tú qué tal? ¿Qué hiciste en estos días?

Carraspeó.

—Ayudé a papá con cosas de su negocio.

—¿Todo el fin de semana?

—Sí, fue bastante agotador.

Iba a preguntar en qué lo había ayudado cuando el camarero llegó con el vino y llenó las copas.

—Por tu regreso —dijo alzándola—. Te extrañé como no tienes una idea.

Choqué mi copa contra la suya, pero no bebí.

—Lo noté —mascullé en su lugar, sarcástica.

—¿Cómo? —Me miró sin comprender—. ¿Por qué lo dices así?

—No recibí ni un solo mensaje tuyo —reproché con agriedad.

Sus ojos se llenaron de una emoción que no pude definir. ¿Era mi imaginación o parecía nervioso?

—No quería interrumpir tu fin de semana con tu hermano.

—Un mensaje de buenos días no iba a matarte —me quejé. Hice el ademán de cruzarme de brazos cuando él interceptó mi mano.

—Lo siento, no peleemos, ¿sí? —suplicó y algo se removió dentro de mí.

Si quería recuperar mi relación con Jordan y erradicar en su totalidad a Alexander de mi mente, debía evitar todos estos conflictos y hacer todo lo posible por ser feliz.

—Tienes razón. —Esbocé el amago de una sonrisa, dándole un apretón—. ¿Cuál es la sorpresa?

Se irguió de pronto, sonriendo.

—Siempre tan impaciente, cariño.

—Vamos, dime —pedí contra sus labios, regalándole un corto beso que él correspondió.

Se alejó un poco y extrajo del interior de su saco una pequeña cajita. Mi corazón se volvió un peso muerto dentro de mi pecho, inerte y pesado como una roca en lugar de acelerarse.

«No», fue lo primero que pensé en decirle mientras observaba cómo abría la caja y mostraba el anillo que se anidaba dentro. Lo que pensé que sería el momento más excitante y esperado de mi vida se había convertido en una situación que me llenaba de terror e incomodidad.

—¿Qué...?

—No es de compromiso —se apresuró a aclarar, de seguro por ver mi cara de terror—. Aunque pensé que tu reacción sería diferente al ver el anillo.

Rio, pero yo seguí sin comprender.

—Es un anillo de promesa —lo sacó de la caja y lo sostuvo entre sus dedos—, una muestra tangible de que más temprano que tarde, tú y yo nos casaremos.

Yo no podía respirar, pero no por la emoción, sino por lo reacia que me sentía a tomar la joya, aunque estaba tan aturdida que no opuse resistencia cuando tomó mi mano. Deslizó el anillo con la banda de oro blanco en mi anular, con un diamante brillante coronándolo.

—Es una promesa de que algún día serás la señora Pembroke. —Besó mis nudillos, uno a uno.

Me mantuve en silencio, sin que nada acudiera a mi mente.

—¿No te gustó? —Debió notar mi conflicto emocional, porque sus ojos me miraban con tristeza cuando enfoqué.

—No, no —me sacudí la molesta sensación—, me ha encantado. Gracias.

Dejé un beso suave en sus labios.

—¿Eso es todo? —preguntó confundido—. Pensé que a estas alturas ya estarías bailando de felicidad sobre la mesa.

—Estoy feliz, es solo que estoy cansada. —Le dediqué mi sonrisa más brillante—. Pero tampoco puedo esperar a que nos casemos.

Mi cerebro no estaba de acuerdo con lo que salía de mi boca.

—Ni yo. Ya quiero ver a nuestros hijos correr por todos lados. —Había felicidad pura en su voz—. Te agotará cuidarlos todo el día.

Enarqué una ceja.

—No los cuidaré todo el día. Tendremos que contratar niñera porque también estaré trabajando.

Su cara se compungió en la mueca de desagrado que me dedicaba siempre que hablábamos de este tema.

—No vas a trabajar.

—Claro que sí.

—Preferiría que te dedicaras a cuidar de mí y nuestros hijos.

—¿Crees que solo sirvo para ser una esposa linda e inútil? —reproché con acidez.

Eso era algo que detestaba de él: me veía como un trofeo hermoso que solo servía para presumir. Ah, y no olvidemos la parte de la incubadora. Quería que se sintiera orgulloso de mí por el camino que me labrara con mis méritos, mi trabajo. Quería que me mirara como papá a mamá: con orgullo infinito por todo lo que era capaz de hacer.

—No digo eso, Leah. No tergiverses mis palabras. Digo que no lo necesitas. Yo tengo dinero, tú tienes dinero..., ¿por qué hacer eso?

—Por crecimiento personal —argumenté molesta. Él negó y eso solo me enfadó más.

«Cuando hablas, ¿están al mismo nivel? ¿Te hace pensar? ¿Te desafía? Cuando estás con él, ¿te impulsa? ¿Te lleva más allá de tus límites? ¿Te pone los pies sobre la tierra?».

Las palabras que Alex me dijo hacía más de un mes atrás acudieron de pronto a mi cabeza, tan dolorosas que me resultó imposible ignorarlas y traté de responderlas en mi mente, pero la respuesta era siempre negativa.

—No arruines esto peleando, ¿quieres? —pidió inclinándose hacia mí—. Por favor, solo quiero pasar una linda velada con mi novia.

Lo miré por unos momentos, aún fastidiada por todos sus comentarios, pero asentí con rigidez.

—De acuerdo.

—Gracias. —Besó de nuevo mis nudillos y sonrió—. Te amo, lo sabes, ¿verdad?

Esperé las mariposas que acudían cuando me decía esas palabras, pero nada sucedió. Me maldije para mis adentros, pero forcé una sonrisa.

—Lo sé, yo también te amo.

La mentira me supo más amarga que nunca.

Me miró con amor infinito y mi corazón dio un salto. Por un momento, fugaz e ínfimo, deseé que los ojos que me miraban impregnados de esa emoción fueran azules y no color miel.

# 17

## DECLARACIÓN DE GUERRA

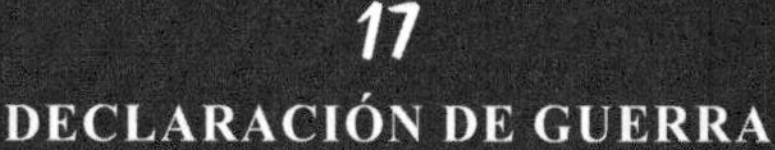

*Leah*

—*Okay*, tomen una y cuídenla como si fuera el boleto ganador de la lotería. —Ethan tendió a cada uno de los ocupantes de la mesa una invitación impresa en un fino papel con pulcra caligrafía.

Cuando le dio la de Jordan, enarqué una ceja, inquisitiva.

—Son pases dobles —aclaró—. Mis padres harán una exhibición en la nueva galería de arte con la que acaban de asociarse, así que, por su bien, espero ver sus feas caras allá.

—¿Qué pasa si no voy? —preguntó Sara.

—Tendrá un colapso y terminará en una ambulancia —bromeó Alex y contuve la sonrisa que amenazaba con surcar mis labios.

Lo miré por un instante. Lucía más atractivo que nunca y lo maldije porque fue difícil despegar mis ojos de él.

Se habían cumplido dos semanas desde que regresamos de nuestro agitado viaje a Long Island y no nos hablábamos desde entonces. Estaba en mi periodo de desintoxicación como un alcohólico, aunque en esta ocasión lo que esperaba conseguir era la sobriedad de Alexander. Él ayudaba bastante con mi recuperación ignorándome igual que las instrucciones de un s*hampoo,* aunque eso no hacía que doliese menos.

Algunas veces, cuando se sentaba en nuestra mesa o nos topábamos en los pasillos, lo atrapaba dedicándome miradas furtivas de menos de un segundo, antes de volver a centrarse en otra cosa. No quería reconocerlo, pero *odiaba* no tener su atención. Lo prefería escudriñándome, sonriéndome o retándome con alguna estupidez, no pretendiendo que no existía.

—Por tu bien, espero que no faltes —le advirtió Ethan—, o tendré que tomar medidas que no van a gustarte.

—¿Es estrictamente necesario ir acompañado? —Sara evaluaba con interés la invitación y mi amigo asintió—. ¿Y si no tengo a nadie?

La pregunta de a quién llevaría Alexander invadió mi mente como una flecha y mi estómago se comprimió ante las posibilidades.

—Pues te llevas a tu madre, a tu abuelita o a tu perro, no me importa, pero voy a retorcerte el cuello si no llevas tu escuálido culo a esa exhibición. No es opcional.

—¿Por qué tanta urgencia? —intervino Edith acomodándose la alta cola de caballo sobre el hombro—. Creí que tus padres no querían que convivieras con el puñado de alcohólicos imbéciles que tienes como amigos.

—Mis padres quieren conocer al puñado de alcohólicos imbéciles que tengo como amigos, cariño —respondió dándose importancia—. Sobre todo, después de tener que recogerme casi desnudo y ebrio de la estación la última vez.

Todos soltamos una risotada.

—Entonces, ¿es en parejas? —recalcó Edith, esbozando esa sonrisita maliciosa.

—¿Eres sorda o solo tonta? —Ethan le dedicó una mirada de fingida consternación.

—Yo diría que ambas —hablé divertida y mi amiga hizo una mueca. Alex sonrió ante mi comentario y mi corazón dio un vuelco a pesar de que no levantó la vista de la invitación.

—Tú no tendrás problema en encontrar pareja, solo dile a alguno de los desgraciados que tuvieron la mala suerte de caer entre tus garras —la confortó mi amigo.

—Quisieras ser uno de esos desgraciados —se defendió la rubia, petulante.

—Gracias, pero no me odio tanto.

—¡Ethan! —se quejó y la mesa estalló en carcajadas.

—Lo bueno de esto es que no todos tendremos problema para encontrar acompañante, ¿verdad, cariño? —Jordan dio un apretón a mi mano antes de depositar un beso sobre ella. Sonreí apenas.

—Van a provocarme un coma diabético —se burló Ethan, sacudiendo la cabeza.

No pude obviar la forma en que Alexander flexionaba sus manos, como si estuviera ansioso por algo. Los hielos que tenía en sus ojos se clavaban en Jordan, tan filosos y gélidos como lanzas. Era una mirada sombría que pocas veces había apreciado en él y que tomaba lugar solo cuando estaba verdaderamente molesto por algo. Decidí ignorarlo, pero algo me decía que, en efecto, estaba enojado.

Edith entró en el aula con una enorme sonrisa y se sentó a mi lado interrumpiendo mi charla con Sara.

—¿Por qué tan feliz? —preguntó nuestra amiga centrándose en ella desde el escritorio trasero.

—Le he devuelto la invitación a Ethan —admitió sin perder la sonrisa.

—Por favor, no me digas que no irás —suplicó.

—Por supuesto que iré.

—Por si tu pequeño cerebro aún no lo capta, necesitas la invitación para entrar —la regañé—. ¿Cómo lo harás si se la has devuelto?

—No la necesito.

—¿Por qué?

—Iré con Alexander.

—*¿Qué*? —La miré atónita.

—¿Cómo conseguiste eso? —Sara se inclinó sobre el escritorio, curiosa.

Se encogió de hombros batiendo sus pestañas.

—Soy irresistible.

—Sí, claro —se burló—. En serio, Edith, ¿qué brujería hiciste?

—Ustedes jamás suben mi autoestima —se quejó la rubia—. Se lo pregunté y dijo que sí.

Fijé mis ojos en la mesa, aún desconcertada. No por la situación, sino por la vehemente necesidad que sentía de arrancarle los ojos a Alexander. Enseguida, la molestia comenzó a picarme las costillas, insistente hasta convertirse en una emoción ferviente que borboteaba bajo mi piel.

—Ya lo tengo todo planeado, de hecho —se regodeó en su asiento—. Esta vez no se me va a escapar.

—A veces me preocupa tu obsesión con él —comentó Sara, riéndose.

—No es obsesión, pero es un hueso difícil de roer y eso solo hace que lo desee más. —Se inclinó hacia adelante jugando con un mechón de su cabello dorado.

Traté de aminorar la quemazón en mi pecho, sin éxito, porque solo lograba aumentarla con cada cosa que decía. No quería que Edith experimentara las mismas sensaciones cósmicas que yo, ni que lo contemplara de la misma forma en que yo lo había hecho. La imagen de él besándola o penetrándola me causó náuseas.

—¿Y cuáles son tus armas? Cuéntame tus tácticas de seducción, me muero por saber —la alentó nuestra amiga y la fulminé con la mirada.

—Leah, ¿recuerdas ese *corset* con liguero negro que compré en Victoria's Secret en Las Vegas? —Asentí con rigidez, esperando que mi rostro no reflejara mi enojo—. Usaré eso, lo volverá loco, estoy segura.

—Siempre sorprendiéndome con tus alcances —silbó Sara.

Traté de convencerme de que no me importaba. Que él y yo no teníamos nada y que podía cogerse a quien quisiera, incluso si era Edith. Además, nadie me aseguraba que se hubiera mantenido lejos de otras mujeres en este tiempo. Dios, la idea de imaginarlo con alguien más me enfermaba.

—No se preocupen, yo les contaré los detalles sucios —susurró mi amiga cerca para que los demás no pudieran escucharnos—. Les haré una reseña de qué tan bueno es en la cama, punto por punto.

Sara soltó una risita y no pude tolerar una palabra más.

—Tengo que ir al baño —dije de pronto. Me puse en pie de un salto, con la bilis en la garganta. Me marché de ahí viendo rojo de rabia y con los dientes rechinando.

No era engañar.

Si él se cogía a otras, no era engañar.

Yo no debía *ni podía* sentirme de tal manera. No tenía derecho de sentir celos ni esa posesividad que nacía de la parte más profunda de mi ser. Solo podía percibirlo hacia Jordan, nadie más.

Sin embargo, no podía evitar sentirme colérica solo de pensar que pudiera tomar a Edith de la misma forma en que había hecho conmigo; o que la mirara o le sonriera igual.

Por mucho que me repetí las mismas frases durante mi entrenamiento de artes mixtas, no logré que mi ira aminorara. No importó cuántos golpes y patadas asesté, la ira seguía ahí.

Mientras me duchaba, terminé de darle más forma a lo que me cruzaba la mente. Estaba cansada de soportar sus desplantes y actitudes extrañas. Estaba harta de tener que adivinar lo que pasaba por su cabeza; me sentía dentro de un jodido buscaminas y no hacía más que explotar sin llegar al otro extremo.

Salí de la regadera y me vestí a toda prisa para llegar a mi auto sin dejar que toda mi determinación se desvaneciera. No iba a quedarme callada mientras jugaba conmigo de nueva cuenta. El que saliera con Edith era una rotunda declaración de guerra y no iba a permitir que me humillara de esa manera.

Conduje con el acelerador hasta el fondo y en menos de diez minutos ya había cruzado la ciudad para entrar al lujoso sector donde el idiota tenía su departamento.

Entré en la recepción del complejo con fuertes zancadas. Me retiré los lentes oscuros y miré al hombre tras el mostrador. Parecía que se había cagado en los pantalones a juzgar por su expresión cuando reparó en mí.

—Quiero ver a Alexander Colbourn —exigí con dureza.

—¿Tiene alguna identificación, se-señorita?

—¿Para qué la necesitas? —No tenía tiempo para esto.

—Nadie puede subir a su departamento a menos que el señor Colbourn lo autorice —explicó, clavando su vista en el mostrador luego de alzarla por un segundo.

—Y una mierda —mascullé, porque no quería perder el factor sorpresa.

Caminé a pasos largos y firmes hasta el ascensor, con el hombrecillo del mostrador detrás. Entré al elevador y las puertas se cerraron antes de que pudiera alcanzarme. Presioné el botón que llevaba al último piso, donde *claro* que el maldito imbécil tenía su *penthouse.* Toqué el timbre con insistencia, olvidando todos mis modales, hasta que abrió la puerta con el rostro desencajado.

—¿Quién mier...?

No lo dejé terminar porque, en cuanto lo tuve enfrente, le planté una bofetada con toda la fuerza que poseía.

—¡Hijo de puta! —grité, sintiéndome un poco mejor después de eso.

Me sentía dentro de una escena de telenovela, pero me daba igual.

—¿Te has vuelto loca? —Giró el rostro solo un centímetro porque eso fue todo lo que mi fuerza *sobrehumana* había conseguido moverlo.

—¡Eres un cabrón! —volví a vociferar, dando rienda suelta a todo el enojo que hervía en mis venas—. ¡Te coges todo lo que ves!

—¿Quién te crees que eres para...?

El recepcionista se aclaró la garganta, incómodo, e interrumpió la guerra campal que se desarrollaba en el pasillo.

—Señor, se ha escabullido. ¿Quiere que la escoltemos fuera?

Me miró echando fuego por los ojos antes de centrarse en el hombre bajo.

—No.

—¿Prefiere que llamemos a la policía? —sugirió y tuve un momento de lucidez. Debía parecer una exnovia psicópata buscando venganza, y para colmo podían meterme a la cárcel por acoso.

Allí iban mis últimos fragmentos de dignidad.

—No, retírate —ladró para después tomarme del brazo, arrastrarme dentro de su departamento y cerrar dando un portazo que reverberó en toda la estancia.

—¡Suéltame! —Me deshice de su agarre y lo encaré, con la respiración errática y el estómago ardiendo.

—¿Qué te has metido para pensar que era una buena idea venir a mi departamento a agredirme? —Se irguió, plantándose con toda su intimidante estatura frente a mí.

—No me he metido nada, solo he venido a decirte tus verdades.

—¿Mis verdades?

—¡Sí! ¡No voy a soportar tus humillaciones y groserías por más tiempo!

—¿De qué mierda hablas? —Tenía una mejilla roja por el golpe, con los ojos azules exudando rabia. Era la misma forma en que miró a Jordan, pero mil veces peor.

—¡De que no tienes moral, ni valores, ni pudor, ni respeto! ¡Te lo pasas todo por el culo y haces lo que te venga en gana sin importar a quién embarres en el proceso!

—¿Qué hice ahora? ¿De qué estás acusándome, desquiciada?

—¡De tu falta de escrúpulos!

—¡Yo puedo hacer lo que me dé la puta gana! Tú no tienes idea de los valores que tengo o no tengo, Leah. No vengas aquí a juzgarme porque no me conoces.

—Sí que te conozco, conozco a todos los de tu clase. Hijos de puta, cabrones, insensibles...

—¡Jamás he sido así contigo!

—¡Sí que lo has sido! ¡No te importa nada mientras puedas seguir metiendo tu polla en cuanto coño se te atraviese en el camino!

—¿Y a ti qué mierda te importa dónde meto o no mi polla?

—¡Me importa porque no soy una basura que puedas desechar! —reproché, haciendo aspavientos—. Ni siquiera sé cómo pude acceder a estar con alguien como tú, ¡lo único que te importa es cuántos coños puedes reventar!

—¿De dónde sacas eso?

—¡Porque es precisamente lo que estás haciendo! ¡No creas ni por un maldito segundo que dejaré a Edith caer en la montaña de mierda que eres!

Dio un paso hacia atrás con la misma expresión que tenía cuando lo abofeteé.

—¿Todo este teatro tuyo es porque estás celosa?

«¡Sí, maldición, sí!»

—¡No, estás muy mal de la cabeza si crees que puedes provocarme algo así!

—Sí estás celosa —afirmó y me sentí tan expuesta que creé más murallas de ira porque eran las más fáciles de levantar.

—¡Solo estoy poniéndote en tu lugar, desgraciado, bastardo, cabrón!

—¿Y quién eres tú para decirme lo que puedo o no puedo hacer? ¿Con qué cara me juzgas cuando tú eres igual que yo? ¿Con qué cara me dices que no tengo valores cuando tú también estabas feliz de follarme?

Mi pecho se comprimió.

—¡Yo...!

—Ni siquiera te pasó por la mente tu noviecito mientras me tenías dentro, así que, de nuevo, baja del puto pedestal en el que te has montado tú sola que de santa no tienes nada. —Acortó la distancia dando otro paso, hasta que prácticamente se cernió encima de mí y tuve que levantar la vista para verlo—. No tienes ningún derecho de reclamarme un carajo, Leah.

La mano me hormigueó. Levanté el brazo para asestarle otra bofetada, pero la detuvo en el aire y aprisionó mi muñeca.

—No sé cómo te trate Jordan —dijo con voz tensa, clavándome cuchillos con los ojos—, pero yo no voy a tolerar tu mierda ni tus agresiones, ¿entendido?

Percibí su furia, pura y contundente.

—Vuelve a golpearme y te juro que voy a...

—¿Qué vas a hacer, ah? ¿Vas a golpearme? ¿Vas a romperme la mano? —lo reté, intentando liberarme sin éxito, pero me soltó de pronto.

—No tienes ni puta idea de lo que quieres. Me pides que me aleje para buscarme al día siguiente y *exigirme* un sinfín de cosas que ni siquiera tú estás dispuesta a dar.

Alexander no era como Jordan. Él no se sometía a mis demandas ni buscaba formas pacíficas de arreglar las cosas, no. Alexander me enfrentaba sin miedo, con todo su arsenal.

Respiraba afectado y su mandíbula se tensaba sin parar, con un mechón claro pegado a su frente por la acalorada discusión. Me gustaba verlo así, enojado y expuesto, mostrando su verdadera naturaleza, sin fingidos modales ni falsas contemplaciones. Lo miré iracunda, con un deje de excitación creciendo en mi interior. Incluso en ese estado tan colérico y airado, una parte de mí no podía dejar de sentirse atraída por su faceta imperiosa.

—¿Por qué Edith? ¿Tanto quieres follártela? —No pude dominar mis pensamientos cuando el momento álgido de la histeria cesó.

—Nunca dije que iba a follármela —respondió gélido—. Fue algo que tú asumiste.

—¿Entonces por qué vas con ella?

—Porque no puedo llevarte a ti, ¿o sí?

Mi corazón dio un vuelco ante la confesión.

—No —admití.

—¿Ves? Ahí está la respuesta. —Seguía furioso, lo notaba en el fuego que consumía sus orbes—. No tengo tiempo para perderlo con alguien como tú, así que no vengas a armarme escenas de celos sin tener una maldita idea de cómo resolver la mierda que tienes dentro, porque yo no voy a jugar a tus juegos de niña idiota. Elige qué quieres o lárgate de una vez.

—No me llames idiota.

—Deja de comportarte como una, entonces. Te crees parida por el mismo Zeus. —Se pasó las manos por el cabello, hastiado, y negó.

Una oleada de deseo me invadió solo de contemplarlo. Tenía el cabello claro alborotado, los hombros tensos, a la defensiva, el mentón contrayéndose y los ojos oscuros por todas las emociones de los últimos minutos.

«Elige qué quieres o lárgate de una vez».

Viví un auténtico lapso de inconciencia y, sin pensarlo, lo tomé del cuello de la camisa, me puse de puntillas para alcanzarlo y le planté un beso. Fue solo contacto, sin movimiento. Me dije que no podía perder más dignidad de la que ya había mandado por el caño. Además, moría por comprobar si había dejado de interesarse en mí.

Por un momento me sentí estúpida y dolida, porque permaneció sin inmutarse por largos segundos que me parecieron eternos, con el cuerpo tieso como una vara contra el mío. Estaba por alejarme con las migajas que me quedaban de orgullo cuando él reaccionó por fin. Posó las manos sobre mis brazos con determinación, antes de besarme como si quisiera comerme entera, con una energía y vehemencia casi imposibles de seguir.

Subió sus manos hasta mi cuello, enredando sus dedos en mi cabello para inclinarme más y tener completo control y acceso a mi boca, transmitiendo todo su enojo hacia mí en su manera de besarme, violenta y sin tregua. Me sentía devorada y engullida de la mejor manera posible, con mis dedos entumecidos por la forma en que lo tomaba de su camisa para tener algo sólido a lo que sostenerme.

—¿Estás feliz ahora? —susurró con voz grave contra mis labios, su aliento cálido chocando contra mi cara—. ¿Esto quieres?

Lo ignoré y me incliné buscando sus labios, pero su agarre detrás de mi cabeza era de hierro.

—Respóndeme —demandó, severo.

Clavé mis ojos en los suyos, que eran una maldita tormenta de deseo y algo más, algo oscuro e intenso. Me miraba de una forma en la que nadie jamás lo había hecho y mi corazón dejó de latir ante la visión. Dios sabía cuánto lo quería. Al carajo la determinación y el deber, lo quería a él.

—Sí —dije casi con desespero—. Sí, esto quiero.

Tardó menos de un segundo en volver a tomar mis labios con los suyos, con un ansia y apetito renovados. Por la manera en que estaba besándome en ese momento, podía jurar que no había perdido el interés en absoluto, sino más bien, había estado esperando por esto. Porque fuera yo quien hiciera el primer movimiento.

La necesidad se veía reflejada en la contundencia con la que se movía, rozando el borde de la desesperación. Caí en cuenta de lo mucho que me gustaba aquello. Podía percibir la dureza que chocaba con mi bajo vientre, que iba en incremento con cada segundo que seguíamos devorándonos sin descanso. Había cierto orgullo y petulancia recorriendo mis venas e inflando mi pecho al saber que yo causaba reacciones igual de volátiles en él, en comprobar que no era la única loca hormonal con necesidades imperiosas.

Él era más de lo que yo podía manejar, así que me rendí a su merced. Era deseo firme y sólido personificado, fundiéndose contra mi cuerpo.

No supe en qué momento llegamos hasta el sofá de su sala, demasiado ocupada en comerlo entero para reparar en algo más. Pensé que me tumbaría encima y volvería a tomarme de la misma forma en que lo hizo en casa de Bastian, pero no. En cambio, se alejó para sentarse en el sofá y jaló de mí hasta acomodarme sobre sus piernas, mi espalda chocando contra su pecho y la potente erección abultándose bajo mis nalgas.

—¿Tienes idea de lo difícil que es mantener mis manos alejadas de ti?

Un latigazo de excitación me recorrió el cuerpo cuando hundió su nariz en mi cabello e inspiró de mi aroma, estrujando mis pechos sobre la tela de la blusa.

—Si pudiera embotellar lo bien que hueles para mí ahora, haría una jodida fortuna, Leah McCartney —susurró contra mi oído, erizando hasta el vello más recóndito de mi cuerpo y provocando que me moviera sobre su creciente erección.

Volvió a estrujar mis pechos una última vez antes de deshacer el primer botón con destreza, para luego continuar con los demás con tortuosa agilidad, rozando con sus dedos la piel que iba descubriendo y causando deliciosos hormigueos de anticipación.

—No puedes ni imaginar las cosas que quiero hacerte cada vez que te tengo cerca, cada vez que te sientas en esa puta mesa.

Terminó de abrir mi blusa y se deshizo de ella con el sostén bajando por mis hombros, siguiéndola sin dilación. Mi cerebro estaba demasiado abrumado por la lujuria y las sensaciones para reaccionar. Ya no había un resquicio de sentido común en mi mente, solo la necesidad de contacto y de él.

—¿Sabes lo difícil que es contenerme para no ir hasta ti, sentarte sobre mis piernas justo como en este momento y abrirte la blusa para devorar estas dos? —Pellizcó mis pezones erectos, mi espalda arqueándose contra su pecho en reacción, ganándose un gemido de mi parte.

—Alex...

Acunó mis pechos entre sus manos, acariciándolos y estrujándolos a la vez, alternando presiones y sensaciones, familiarizándose con su forma, jugando con mis pezones entre sus dedos, halando de ellos y pellizcándolos, catapultándome hacia un lento quemar que amenazaba con incinerarme de placer.

Otro rebelde sonido escapó de mi boca cuando percibí sus labios trazando un camino sobre el inicio de mi espalda, mi hombro, mi cuello. Sus manos descendieron hasta mis muslos, cubiertos apenas por la falda que estúpidamente había optado por usar ese día. Metió las manos debajo de ella, hasta que sus dedos se engancharon en el elástico de mis bragas y no tuvo que mediar palabra alguna para que me levantara lo suficiente y le dejara el camino libre en su tarea de deslizarlas por mis muslos y despojarme de ellas. Terminé de quitármelas cuando llegaron más allá de mis rodillas, demasiado aturdida por el calor del momento para conservar el pudor. Percibí la forma en que tuvo que esforzarse por respirar con normalidad cuando acarició mis muslos de nuevo.

—He pensado tanto en ello que algunas veces tengo que permanecer sentado como un idiota después de que todos se han ido, esperando que desaparezca la erección que tú has provocado.

Su voz era baja, hipnótica, y se ahogaba cuando sellaba sus labios en alguna parte de mi cuello, con el sonido reverberando en mi columna.

—Abre tus piernas para mí, Leah —demandó, autoritario.

Inhalé por aire para darme seguridad y lo obedecí, siendo recompensada por un sonido gutural. Posó sus manos cálidas y grandes en mis corvas y jadeé cuando abrió aún más mis piernas, con cada una balanceándose sobre sus rodillas. Mi falda arrugada alrededor de mi estómago.

—Perfecto. —Lamió la longitud de mi cuello, pegándome más a su cuerpo, y mordió el lóbulo de mi oreja—. ¿Sabes cómo me doy cuenta de que estás lista para mí, princesa?

Quería hablar, decir algo, pero la anticipación y excitación sometían mis cuerdas vocales. Lo único que podía registrar eran las sensaciones magníficas que él desencadenaba con sus manos, sus labios y su voz.

Su tacto abandonó mi cuerpo de pronto y ancló sus brazos a sus costados, inmóvil. Percibía su calor demasiado cerca y el que no me tocara era agravante y tortuoso, porque lo único que quería era que se enterrara en mí.

—Alex, por favor... —Si él no hacía algo pronto, mi vagina se ahogaría en sus propios fluidos.

Un jadeo reverberó en mi garganta cuando sus manos entraron en contacto con mi clítoris. Comenzó a mover sus dedos despojándome de toda racionalidad, masturbándome de una forma en que ni siquiera yo sabía hacerlo y tocando sinfonías increíbles en mi cuerpo, materializadas por mis cuerdas vocales, que creaban un coro de gemidos, jadeos y otros sonidos producto del placer.

Lo acarició, estrujó y jugó con él entre sus dedos, con sus atenciones siendo el compás de mis caderas, que ondulaban sin control solo para no perderse de tal sensación. Pegué mi espalda a su pecho cuando introdujo un dedo y para el tiempo en que insertó el segundo, su mano había construido un ritmo en mi interior; recargué la cabeza en el sofá, abandonándome a su deliciosa merced.

Besó mi cuello y una de sus manos viajó hasta mi pecho para jalar de un pezón. Recibía estimulación por todos lados y sentía que mi corazón tendría un infarto en cualquier momento de mera satisfacción.

El placer era un lento quemar consumiéndome como la cera de una vela.

Mis dedos se cerraron en torno al brazo que cruzaba mi cuerpo estimulando mi vagina, sujetándome a él mientras mis uñas se encajaban en la piel de su cuello entre más cerca sentía el orgasmo. Mordió mi hombro y grité, demasiado ocupada en absorber las sensaciones que experimentaba mi cuerpo. Me sentía completamente fuera de control. Alexander podría haberme tomado justo ahí, podría haberme estampado contra el piso y follarme de forma cruel y violenta y me habría importado una mierda. Lo habría agradecido incluso.

El calor y la desesperación se construían en mis huesos y me olvidé de todo, tanto que estaba cogiéndome su mano sin consideraciones ni pudor y de una forma que sabía me avergonzaría después, pero me daba igual porque estaba *cerca, cerca, cerca, cerca...*

Entonces, se detuvo. Otra vez me había dejado pendiendo del borde del mundo. Gruñí de exasperación. Bajó el ritmo, trazó lentos círculos en mi interior, haciendo lo mismo con su pulgar sobre mi clítoris y se tomó su tiempo con sus dedos inmóviles enterrados en mí. Lo miré desde mi posición reclinada en su cuerpo: tenía las pupilas dilatadas, respiraba afectado, y me observaba sin perderse un solo detalle de mis reacciones. Movió sus caderas debajo de mí, enviando placenteras sacudidas y dibujando lentas circunferencias que estaban volviéndome loca. Eso era tortura en su máximo esplendor.

Pensé que iba a detenerse y dejarme así, pero entonces, frotó su pulgar contra mi clítoris de nuevo; abrí la boca para respirar y sacudí mis caderas. Su expresión era petulante, porque hacerme estremecer de satisfacción había sido todo su objetivo. Sus dedos comenzaron a moverse otra vez, de manera lenta y deliberada. Me llevaba al borde para detenerse, así hasta que me tenía rogándole porque me permitiera terminar, con la sangre corriendo por mis venas igual que una bestia viviente y furiosa, muriendo por liberarse. Era todo lo que quería. Mi mente se había ido y ya no existía nada más, solo él y las sensaciones.

—Voy a hacer que te corras tan duro, Leah. Haré que te corras. *Tan. Jodidamente. Duro* —susurró áspero contra mi oído, arrastrando su lengua por el sudor de mi cuello, su boca succionando sobre la intensidad de mis latidos, la vibración de mis gemidos por él. Sus dedos tomaron velocidad, curvándolos y haciéndome gritar por la nueva sensación. Enredó su mano en mi cabello jalando de él con fuerza y regalándome sensaciones explosivas.

Estaba casi desecho, igual que yo, así que por *fin* me dejaría ir, me daría mi liberación. Mis dedos se enterraron en la piel de su cuello otra vez y la intensidad de sus manos aumentó en respuesta, con su pulgar frotándose contra mi clítoris una y otra vez, los dedos de mis pies curvándose dentro de mis zapatos, la presión contra mi piel dura y contundente, pulsando sensaciones a mi vientre, mis piernas, mi centro, convirtiéndose en una bomba a punto de explotar. Hubo una inhalación, un jadeo que quemó mis pulmones y después, mis caderas se movieron erráticas antes de estallar a pedazos.

Mi alma salió expulsada de mi cuerpo para pender en el universo. Un pitido chillaba en mis oídos y no era consciente de nada, solo de lo bien que se sentía mi orgasmo, que me llenaba y recorría sin parar. Sentía que me desmayaría en cualquier momento.

Retiró sus dedos de mi interior, dejando un camino húmedo por mi estómago. Podía escuchar su agitado respirar uniéndose con el mío.

—Leah. —Fui apenas consciente de sus palabras—. ¿Tomas la píldora?

Me levantó un poco antes de que pudiera juntar las palabras y, sin aviso, se deslizó a mi interior, sin consideraciones ni vacilación, empalándome con su palpitante virilidad. Sacudió mi vagina y trajo a la vida todas mis terminaciones nerviosas de nuevo, deseosas de sentirlo una y otra y otra vez.

—Eres tan malditamente apretada —dijo con voz tensa comenzando a arremeter contra mí.

Un jadeo se escapó de entre mis labios por la impresión.

«Dios, esto es perfecto», fue lo único que pude pensar cuando comenzó a moverse, embistiéndome sin tregua. Eso era justo lo que había deseado con locura las últimas semanas; era lo que había anhelado desde el momento en que comenzó a tocarme. Era lo que mis dedos no podían hacer por mí y por una muy buena y gran razón.

El placer se hizo presente, inundando y absorbiendo todo a su paso, con los músculos de mi sensible vagina contrayéndose en torno a él por sus certeros embates. Volví a correrme en segundos por todo el remolino de sensaciones que se concentraban en mi feminidad.

Un sonido gutural rasgó el aire y se inclinó sobre el sofá, arrastrándome con él y colocándome de lado, sin dejar de embestirme por detrás. Ancló una mano detrás de mi rodilla para levantar la pierna y lograr mejor acceso a mi vagina. La tela de su pantalón rozaba contra mis muslos y el inicio de mis nalgas con cada embate, y aunque resultaba extraño, no dejaba de ser placentero y excitante.

Pensé en agradecerle por proveerme de sensaciones tan celestiales, por darme lo que necesitaba, antes de recordar que no iba a hacerlo porque llevaría a Edith a esa estúpida exhibición y no a mí. Iba a culparlo por hacerme enojar, hasta minutos después, cuando volví a caer por el borde del mundo de una forma tan arrebatadora que en verdad pensé que perdería el conocimiento. Después de eso me di cuenta de que, en realidad, no podía culparlo por muchas cosas.

Dio erráticos tirones antes de soltar un grave jadeo y vaciarse en mi interior, con su líquido caliente llenándome. Podía escuchar su elaborado respirar y percibir el agitado subir y bajar de su pecho, hasta que salió de mi interior. Nos mantuvimos estáticos y en silencio mientras la adrenalina del momento pasaba.

—Solo para que sepas —logré hablar por fin—, sí uso anticonceptivos.

—Es bueno saberlo. —Besó mi hombro antes de sonreír—. ¿No hay un *gracias* esta vez?

Sonreí también, demasiado feliz con lo que acababa de experimentar para reprimirme.

—No, sigo molesta —bromeé sin perder el gesto que adornaba mi cara y me incorporé con pesadez para buscar mi ropa.

Yo solo conservaba las botas y la falda arrugada en torno a mi cintura, mientras él seguía vestido por completo; con el cabello hecho un desastre y las mejillas sonrojadas por el orgasmo. Sus ojos eran de un azul sumamente claro.

Se arregló los pantalones y se incorporó para perderse dentro de la cocina al tiempo que yo terminaba de vestirme con mi cuerpo experimentando aún los efectos de los orgasmos. Me pasé las manos por el cabello para arreglar el desastre que era. Alex regresó con un vaso de agua y lo miré de forma extraña antes de beberlo de un solo trago. En verdad me sentía devastada.

—Esto no puede volver a repetirse —dije entregándole el vaso cuando la culpa volvió a aflorar en mi pecho—. Debemos parar.

—No quiero parar. —Dejó el recipiente sobre la mesa de centro y se sentó en el sofá individual, escrutándome.

—¿Qué? ¿Por...?

—Siempre dices que debemos parar cuando es obvio que tú tampoco quieres hacerlo. —Puso los ojos en blanco—. Lo dices y después estás encima de mí igual que una loba en celo.

Sentí mis mejillas arder. ¿Por qué tenía que ser tan crudo para decir las cosas?

—Esto que hacemos no está bien.

—¿Y? —Se encogió de hombros—. Escucha, odio hablar con rodeos, así que voy a decírtelo sin más: me gustas.

Mi corazón se disparó a mil ante la confesión.

—Al menos de manera sexual —se apresuró a aclarar, tal vez por la cara de susto que tenía—. Y sé que también te gusto, no veo razón para seguir engañándonos.

—Eres modestia pura, Colbourn —resoplé mordaz, cruzándome de brazos.

—Niégamelo —me retó.

Pensé en negarlo solo para conservar un poco de dignidad, pero no tenía caso hacerlo. Sonrió satisfecho ante mi silencio.

—Aun así, sigue sin estar bien, sigue sin ser lo correcto.

—De nuevo, ¿y? Negarte a tus deseos no impedirá que los sientas, y si dejas que se acumulen dentro, acabarán por hacerte explotar.

No supe qué decir.

—Te pondré las cartas sobre la mesa: me gusta follarte, Leah, y sé que lo disfrutas igual, así que creo que lo mejor que podemos hacer es dejarnos llevar por esto —nos señaló a ambos con un gesto— y disfrutarlo mientras dure.

Abrí los ojos desmesurados.

—¿Estás diciendo que engañe a mi novio? —me escandalicé y volvió a encogerse de hombros sin darle importancia.

—Ya lo has hecho igual, ¿o piensas dejarlo?

—No —me apresuré a responder, aunque no me sentí convencida del todo.

—¿Ves? Yo no te estoy proponiendo matrimonio. —Sus ojos brillaron ante la broma.

—Ja, ja, ja, muy gracioso.

—Lo único que estoy diciendo es que me gusta cómo me haces sentir y no quiero perder eso, al menos no mientras nos divorciemos. Cuando todo pase, podremos volver a nuestra rutina de siempre. Total, ya estamos casados, ¿por qué no cumplir con el principal objetivo del matrimonio?

—¿No se supone que las personas se casan para engendrar hijos?

Sabía que en realidad no era el fin principal de la unión, pero buscaría cualquier argumento para evitar que nos etiquetara de esa forma.

—Que nosotros no engendremos hijos no quiere decir que no podamos disfrutar el proceso, McCartney.

Me pasé la lengua por los labios. No sabía si debía abrir esa puerta. No sabía si era lo correcto por todas las posibilidades y problemas que representaba. Además, Jordan seguía acechándome y la traición hacia él asediándome.

—Pero Jordan...

—De lo que no se entere, no le hará daño —dijo sin más y me sentí acorralada por todos los argumentos que tenía para desvirtuar los míos.

Estaría mintiendo si decía que no me sentía completamente atraída por él, pero ese no era el problema. Lo era que el deseo que despertaba en mí venía acompañado de otras emociones igual de ineludibles e imperiosas como los celos, la necesidad o la posesividad, además de otros sentimientos en los que ni siquiera quería indagar.

Una parte de mí se mostraba inquieta, curiosa, y me costaba horrores ignorarlo. Parte de mí quería seguir acercándose a Alexander, conocerlo y explorar todas las cosas estrepitosas que me hacía sentir y que la mayor parte del tiempo me rebasaban sin que yo pudiera hacer nada para detenerlas.

Parte de mí se moría por seguir el consejo de Bastian y arriesgarse. Y tal vez, solo tal vez, valdría la pena.

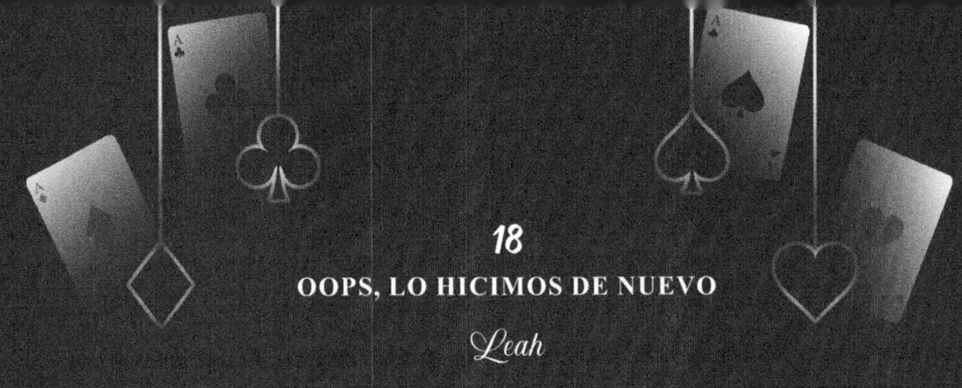

# 18

## OOPS, LO HICIMOS DE NUEVO

*Leah*

El aire en la galería era ligero. Las tenues luces iluminaban la estancia dotándola de un tinte ameno y elegante. Era la primera vez que asistía a una inauguración de ese tipo y me sorprendí de ver a artistas, críticos de arte y demás personajes de renombre congregados en la sala para la exhibición, reunidos en pequeños grupos en torno a algunas pinturas o fotografías.

Había camareros pululando por el lugar, ofreciendo copas de *champagne*, vino y canapés que lucían demasiado exóticos para comerlos. Los padres de Ethan desfilaban por la sala ataviados con atuendos sobrios justo como el resto de los invitados, recorriéndola de un lugar a otro mientras se encargaban de saludar a todos los asistentes.

Permanecí junto a Jordan. Estaba de buen humor pues no dejaba de sonreír, parlotear y depositar besos en mi sien de vez en cuando. Sara iba acompañada de un tipo que en la vida había visto y a juzgar por la incomodidad que se percibía entre ambos, era su primera cita. Mi novio se esforzaba por incluirlo en la conversación, presentando diversos temas de interés, pero comenzaron una verdadera plática cuando llegaron al fútbol americano.

—Se han salvado por un pelo —dijo Ethan rodeándonos a Sara y a mí con un brazo y estrechándonos contra sí—. Pensé que no vendrían.

—Sigo sin entender cuál era la urgencia —se quejó mi amiga.

—Estas cosas son mortalmente aburridas, quería tener con quiénes hablar —se justificó.

—Pensé que era un asunto de vida o muerte. —Negué con una sonrisa.

—¡Es un asunto de vida o muerte, mujer!

—A todo esto, ¿de qué privilegio gozan Edith y Alexander? Porque aún no están aquí y no te veo armando un escándalo —intervino Sara, encendiendo en una fracción de segundo esa insistente quemazón.

Era verdad. La exhibición empezó hacía poco más de una hora y no había rastro de ellos. Suprimí las imágenes vomitivas que mi mente ya estaba produciendo en su paranoia.

Ethan se encogió de hombros.

—No deben tardar, dijeron que vendrían.

Y como si los hubiera invocado por arte de magia, cruzaron el umbral de la galería a paso despreocupado. Edith iba colgada de su brazo, envuelta en un vestido color vino que remarcaba sus suaves curvas y dejaba al descubierto una parte de su muslo derecho por la coqueta abertura que tenía al lado; su cabello caía lacio por su espalda. Sonrió cuando llegó hasta nosotros y nos guiñó un ojo a Sara y a mí para denotar que tenía todo bajo control. Mi estómago se removió incómodo y un sabor a hiel inundó mi boca. No me gustaba verlos juntos.

Continué experimentando la misma sensación desagradable hasta que posé mis ojos en Alex.

Percibí la estancia mil grados más caliente, y mi corazón latiendo fuerte y férreo contra mi pecho solo de contemplarlo. Llevaba un sobrio traje negro confeccionado a su medida, con una simple camisa blanca abierta del primer botón y el cabello claro peinado hacia atrás. Lucía tan apetecible. Mis ojos no querían despegarse de él, así que tuve que llenarme de voluntad para desviar la atención.

—Perdón por la tardanza, había mucho tráfico por la zona —se disculpó Alex.

«¿Llegas tarde por el tráfico o porque te la estabas follando?», quise preguntarle, pero solo lo miré con las cejas enarcadas, dudosa.

—Llegas tarde y sin corbata cuando dejé en claro que era de regia etiqueta —masculló Ethan con mala cara—. ¿Tengo que ponerme un par de tetas para tener tu atención?

—No sería una mala idea, deberías intentarlo —se burló Alex, sonriendo—. Lo olvidé, pero creo que tengo una de emergencia en el maletero del auto.

—Pues ve a ponértela antes de que te parta tu cara de niño bonito —ladró Ethan fingiendo molestia y todos soltamos una risita.

—Eres peor dolor en el culo que Jordan cuando perdemos un partido.

—¡Eh! —se quejó mi novio, sonriendo.

Alex salió de la galería dirigiéndose al vestíbulo para llegar al estacionamiento. Me quedé de pie junto a los chicos por un minuto, antes de volver a perder la razón.

—Lo siento, ahora vuelvo —dije a Jordan—. Debo hacer una llamada importante. No tardo. —Sonreí lo más natural que pude y seguí los pasos de mi *esposo*, saliendo del complejo.

Lo localicé rebuscando en su maletero antes de extraer la corbata. Llegué hasta él justo cuando se giraba para regresar y se llevó una mano al pecho al reparar en mí.

—Deja de hacer eso, me provocarás un infarto —se quejó—. ¿Qué haces aquí?

—Pensé que tal vez necesitarías ayuda con la corbata. —Se la quité de las manos sin que pusiera resistencia.

—Sé cómo hacer un nudo.

—Yo los hago mejor —dije con seguridad, abrochando el botón de su camisa y percibiendo su envolvente aroma. Mis hormonas se prendieron como un montón de lucecitas.

—Me da miedo que tú tengas eso. ¿Cómo sé que no me ahorcarás con ella?

Pasé la corbata por su cuello para comenzar a anudarla.

—Tienes razón, mejor no me provoques.

Estábamos tan cerca que noté el vibrar de su pecho cuando rio. Me estremecí al sentir sus nudillos acariciando mi mejilla.

—¿Debería tener miedo?

—Deberías. Tengo libre acceso a todos tus puntos débiles justo ahora —advertí de forma sugerente y él lo captó de inmediato porque sonrió con malicia.

—Sí, sí lo tienes. —Inclinó su cabeza para besarme.

Me atrajo hacia él enredando sus manos en mi cintura, con su dureza creciendo entre ambos, en anticipación de lo que sabía que anhelaba. Lo besé con el mismo ímpetu y hambre desnuda, jalando de los extremos de la corbata, obligándolo a inclinarse, a esforzarse por obtener lo que deseaba.

—Me gustas así, Leah —susurró contra mis labios, sin soltarme—. Pierdes el control de una manera que nunca antes había visto. Creo que es porque lo mantienes todo herméticamente reprimido y no puedes hacerlo cuando estás así —me apretó más contra él—, o cuando estás a punto de tener un orgasmo, o cuando te corres. Haces maravillas para el ego masculino, ¿sabías?

—Como si necesitaras el tuyo más grande. —Traté de liberarme, pero mantuvo firme su agarre en torno a mi cintura. Una cosa era tener sexo con Alex y otra muy diferente hablar de eso con él. Me miró de forma predatoria.

—No pretendo ser descortés, señorita McCartney, pero siento el deber de informarle que en serio quiero follarla en este momento.

Perdí la capacidad de respirar ante la confesión.

—No podemos.

—Podríamos arreglárnoslas. —Sonrió de lado, derritiéndome—. ¿Alguna vez lo has hecho en un auto?

Mi corazón estuvo a punto de salirse de mi pecho y mi piel se prendió en fuego ante la perspectiva. Sin embargo, el sentimiento murió al recordar a Jordan y nuestra peligrosa situación.

—No, pero no podemos. Alguien podría vernos y es algo sucio e indecente —me encontré recitando las mismas palabras que dijo mi novio cuando le propuse hacerlo así en una ocasión.

Alexander me miró con una combinación de diversión y lujuria pura.

—El sexo que no es sucio e indecente no es buen sexo, Leah.

Sufrí de un pequeño infarto ante su expresión seductora y cuando volvió a besarme, supe que estaba perdida.

—¿Entonces eso nunca lo has hecho? —preguntó de nuevo y negué—. En ese caso, es tu día de suerte, porque voy a enseñarte.

Alexander se estaba convirtiendo, sin duda, en mi maestro favorito.

Me guio hasta el asiento trasero de su auto, envueltos en una ciega y peligrosa bruma de deseo, y comenzó a devorarme una vez que estuve sentada a horcajadas sobre él, con mis manos temblorosas de necesidad quitándole el saco para lanzarlo al asiento delantero, junto con la maldita corbata. Abrí su camisa tratando de no romperla por la desesperación entre besos y caricias rudas, absorbiendo tanto del otro como era posible en el poco tiempo que teníamos. Debíamos hacerlo rápido.

Arrastré mis manos por su pecho desnudo, impregnándome de su calidez y su firmeza, al tiempo que besaba su mentón y succionaba en su cuello, sus hombros, embriagándome de su loción.

—¿Sabes lo apetecible que te ves con este vestido? —Lo escuché hablar con voz ronca, sus manos tocando y magreando mi culo mientras yo continuaba dándole atención a su cuello. Abrí la hebilla de su cinturón con movimientos torpes y ansiosos, deshice el botón y liberé su dureza, envolviéndola con mi mano. Era seda sobre hierro.

Saboreé el vibrar de su gruñido a través de su piel, con mi mano viajando desde la base hasta la punta, rozándola con el pulgar para esparcir el líquido preseminal que chorreaba de ella. Apreté su erección, dura y turgente con mis dedos, deleitándome con la textura de sus venas visibles en excitación. Lo acaricié con pericia, cambiando presiones y velocidades hasta arrancarle un sonido de satisfacción. Tenía la boca hecha agua. Quería comérmela y envolverla con mis labios para empujarla lo más profundo que pudiese.

—No te imaginas lo que me costó resistirme para no meter las manos en tu vestido y tocar lo que escondes debajo. —Clavó los dedos en mis nalgas con decisión, antes de darme una nalgada que reverberó en el reducido espacio. Estaba tan excitada por lo arriesgado de la situación que suspiré cuando sus dedos hicieron a un lado mis bragas y palparon mi humedad—. Carajo, Leah.

Lo besé una vez más, con mis manos enredándose en su cabello. Me levanté un poco y alzó mi vestido hasta mi estómago. Tomó su erección con firmeza y me miró duro, colocando una mano tras mi nuca para mantenerme en el lugar.

—Escupe —ordenó.

—¿Qué? Pero eso es suc…

—Sucio, sí, y excitante. Quiero tu saliva sobre mi polla, así que escupe.

La intensidad en sus orbes me rebasó. Algo sobre Alex me volvía alguien valiente, así que lo hice. Salivé en cantidad, reuniéndolo en mi boca y escupí con fuerza sobre la punta, su glande rojo e hinchado recibiendo mi saliva mientras sus dedos se encargaban de esparcirlo por todo el tallo.

—Eso es, princesa. Ahora arriba. —Palmeó mis muslos y subí mi cuerpo un poco, colocándome sobre su polla. Hizo las bragas a un lado con una delicadeza que no encajaba con su tono demandante, y lo frotó con cuidado en un tortuoso vaivén, colectando lubricación y generando más con cada roce, cada encuentro de nuestros sexos, convirtiéndome en un coro de gemidos quedos. Enlazó su mirada con la mía, como si pidiera permiso para entrar y, cuando asentí, entró con lentitud, empujándome hacia abajo con sus fuertes manos para que mi vagina la engullera centímetro a centímetro.

Envolviendo. Absorbiendo. Exprimiendo.

Ambos soltamos un jadeo cuando estuvo totalmente enterrado dentro de mí. Dios, nunca me cansaría de sentirlo.

Volví a levantarme sacándolo casi por completo, lista para volver a bajar con la misma paciencia, pero él pareció no estar dispuesto a más juegos. Tomó mis caderas y volvió a introducirse de golpe, robándome un alto gemido. Ancló sus manos a mi cintura para guiarme, para marcar el ritmo y mostrarme cómo era que le gustaba ser montado.

Vi las luces de un par de autos entrando en el estacionamiento, pero la vergüenza y el pudor se perdieron por el halar del placer y las sensaciones. Me moví junto a él, sobre él, encontré el ritmo que nos hacía jadear a ambos, y sus manos viajaron a mi culo para manejarme a su antojo.

—Sí, Leah, así… —exhaló con voz grave—. Justo así.

Dejó caer la cabeza en el asiento, perdido en mis movimientos. Me gustaba estar encima suyo, con mis manos sobre su pecho o sus hombros para sostenerme mientras lo sometía a mi ritmo, al compás de mis caderas.

—Dios, sí. —Sus manos hicieron puño mi vestido, tensándose, y comenzó a moverse con mayor ahínco debajo de mí, embistiéndome a su vez y obsequiándome sensaciones exquisitas. Despegó la cabeza del asiento para mirarme directo a los ojos, con la misma expresión de un depredador—. Eso es, Leah. Fóllame.

Comencé a moverme con mayor ímpetu, con los instintos tomando el lugar de cualquier pensamiento coherente y arrastrándonos hasta lo más profundo de nuestra naturaleza: primitivos y carnales. Mis piernas ardían por el esfuerzo, mi corazón latía desbocado y mi vientre se comprimía en anticipación al orgasmo. El placer hacía estragos en mi cabeza y vaciaba mi mente de toda lógica para dar cabida solo a las sensaciones, a lo bien que se sentía la polla de Alex enterrada en mí.

—¡Joder! —Debía estar muy cerca o notar la expresión de satisfacción que tenía en el rostro por tenerlo debajo, porque cambió de posición bruscamente, cerniéndose sobre mí, con las partes en relieve de la puerta encajándose en mi espalda.

Me quitó las bragas casi rompiéndolas en el camino y se las arregló para volver a penetrarme en el pequeño espacio, ganándose otra serie de jadeos por mi parte. Me besó sin dejar de moverse en mi interior, con una de mis piernas colgando sobre su hombro y mi tacón encajándose en su espalda cada vez que arremetía contra mí.

—La próxima vez que estés cerca de mí y uses este jodido vestido, no seré tan considerado y voy a arrancártelo, ¿entendido? —dijo deteniendo sus embates por un instante y yo solo asentí, demasiado perdida en el deseo que me consumía.

Deshizo el moño que había en mi espalda y bajó el escote, liberando mis pechos para lamerlos y prenderse de ellos como un poseso. ¿Se podía morir de satisfacción?

Sus embestidas me sacudían como si estuviera en medio de un sismo, creando la promesa de un clímax que se avecinaba con la misma magnitud de uno, amenazando con derrumbarme. Llevó su mano hasta mi clítoris y no tuvo que frotarlo mucho para tensarme y comenzar a sacudirme mientras vivía y saboreaba mi orgasmo, arrastrándolo conmigo. La sobreestimulación me venció, comprimiendo los músculos de mi centro para regalarme una de las mejores liberaciones de mi vida.

Soltó un profundo gemido antes de derrumbarse también. Permaneció junto a mí hasta que tuvo la claridad y fuerza suficiente para moverse. Se sentó en el asiento echando la cabeza hacia atrás, disfrutando de lo último de su liberación. Acomodó sus pantalones, abrochó su cinturón y me ayudó a hacer de nuevo el moño en mi espalda, dejando un corto beso en mi cuello al terminar. Lo ayudé a hacerse el nudo de la corbata con manos temblorosas.

—¿Podrías darme mis bragas? —le pedí retirando un cabello de mi frente, pegado por la transpiración.

—No. —Sonrió con malicia, guardándolas en su bolsillo y abrí los ojos como platos—. Me quedaré con ellas como un bonito recuerdo.

—¿Estás loco? No puedo entrar a la galería sin ropa interior.

—Sí puedes. —Inclinó la cabeza con inocencia—. Solo yo sabré de su indiscreción, señorita McCartney.

Sentí mis mejillas arder y bajamos del auto. Tenía los vidrios empañados por la transpiración que creamos y que se cernía sobre nuestros cuerpos como una fina capa. Sentía mis piernas entumecidas y el cambio de aire me mareó un poco.

—¿Qué tal si Jordan lo nota?

Una mueca de molestia compungió sus facciones.

—Eso se soluciona muy fácil: no dejes que te toque.

—Se pondrá furioso si se da cuenta de que no llevo ropa interior.

Sonrió con satisfacción.

—Mayor razón para no entregártelas entonces —replicó y puse los ojos en blanco mientras caminábamos para llegar al vestíbulo de la galería—. Además, ¿quién se molesta porque su novia no lleva bragas? En todo caso, si fuera yo, me molestaría que aún no nos hubiésemos largado para poder cogerte.

—¡Alex! —Le di un golpe en el hombro por su falta de tacto, pero soltó una carcajada que me contagió a mí también.

—Ve tú primero. Te alcanzo en un rato. —Hizo una seña con la cabeza y permaneció en el umbral del complejo, observándome entrar al elevador para llegar al piso de la exhibición.

Llegué al baño para retocarme un poco y revisar los daños de nuestra pequeña *indiscreción*. Debía agradecer a Too Faced por crear una máscara resistente al sudor, lágrimas y el sexo. La pintura de mis labios era otra historia, pero la retoqué lo mejor que pude. Maldije cuando noté una marca roja en uno de mis pechos y me acomodé el escote para ocultarla.

Caminé hasta llegar a donde estaban los chicos, incómoda ante la falta de ropa interior.

—¿Viste a Alex? —fue lo primero que preguntó Jordan al reparar en mí y el corazón me dio un vuelco. Esperaba que mi semblante indiferente no se resquebrajara para mostrar el terror que escondía debajo.

—¿Q-qué? —tartamudeé, petrificada. ¡¿Nos había visto?!

—Fuiste al vestíbulo a atender una llamada, ¿no? —Estrechó los ojos con recelo y asentí rígida—. ¿Y no lo viste por ahí? Edith cree que tal vez se golpeó la cabeza en el baño porque ya tardó demasiado, pero cuando revisé no estaba ahí.

—No lo he visto —mascullé asustada—. ¿No lo buscaste en el estacionamiento?

Mi corazón estaba a nada de salirse de mi pecho.

—No, no bajé —respondió y expulsé el aire, aliviada—. De lo contrario habría esperado a que terminaras tu llamada para subir juntos. ¿Quién era, por cierto? Tardaste bastante.

—Oh, era Claire —mentí—. Dijo que la llamara para ponernos de acuerdo sobre el día en que iríamos a elegir el color del vestido de las madrinas.

Me escudriñó suspicaz, como si estuviera considerando el creerme o no. Jamás pensé que yo sería capaz de engañar. Creía que para hacerlo se necesitaba una ausencia total de escrúpulos y amor. Lo amaba, pero mis deseos eran más fuertes que yo.

—De acuerdo —asintió, pero noté la cautela en su voz.

—¿Dónde te habías metido? —se quejó Edith y me giré para mirar a Alex entrar en la estancia, relajado y con las manos en los bolsillos como si nada hubiese ocurrido.

—Lo siento, me entretuve buscando la corbata.

«¿Buscarla dónde?, ¿debajo de mi vestido?». Nos dedicamos una mirada cómplice antes de volver a centrarnos en nuestros respectivos acompañantes.

Empezaba a encantarme el desastre que éramos Alexander y yo.

# 19
# CARTAS SOBRE LA MESA

Alexander

Mamá entró como una exhalación al amplio estudio y dejó caer un pequeño sobre en la mesita de centro con desdén, para después situarse detrás de su lustroso escritorio. Volvió a concentrarse en su trabajo sin mediar palabra, como hacía siempre que estaba disgustada por algo.

—¿Alguna razón por la que olvides tu fobia a las arrugas y juntes así las cejas? —pregunté burlón.

Puso su cabello rubio sobre el hombro y suspiró exhausta.

—Arthur Whiteley acaba de irse.

Me incliné hacia adelante en el sofá, olvidando mi cuaderno de planeación en mi regazo.

—¿A qué ha venido?

—Vino a saludarme, somos buenos amigos. También me entregó eso. —Señaló el sobre con una mueca de desagrado—. Al parecer harán una fiesta para anunciar formalmente el compromiso entre los McCartney y los Whiteley.

Mis labios se alzaron en un *rictus*.

—¿Y por eso tienes cara de gastritis?

—Por supuesto. Lo último que quiero es convivir con esa maldita familia. No importa cuánto trate de evitarlos, siempre terminan apareciendo hasta en la sopa. Son como la peste. No quiero ver a la puta de Allison pretendiendo ser algo que no es. Dio un sorbo a su taza de té diaria, la única tradición inglesa a la que le había tomado afecto.

—¿Por qué tanto resentimiento hacia ella? ¿Eran mejores amigas en la universidad y te robó al novio o algo así?

Los ojos de mamá me fulminaron.

—No me digas, ya sé, ¿te hacía *bullying*?

—No digas idioteces, Alexander. —Su rostro se compungió en una mueca de asco y yo sonreí—. Solo estoy diciendo lo que es: una puta. No hay otra forma de referirse a las de su clase.

Me sorprendía su falta de filtros a la hora de referirse a ella.

—¿Es porque te quitó a Leo? —la pregunta brotó de mis labios sin poder detenerla—. ¿Por ella es que terminaron el compromiso?

La sorpresa inundó sus facciones.

—¿Cómo sabes eso?

—Lo escuché por ahí. —Fingí desinterés.

—No, no es por eso. Una relación con Leo McCartney nunca estuvo en mis planes. Él fue solo una plataforma para crear contactos e impulsar mi carrera.

Olvidaba lo calculadora y maquiavélica que podía ser mi madre algunas veces.

—Aunque jamás creí que él terminaría con alguien así.

—¿Así cómo?

—Así de vulgar, *ordinaria* y altanera, como si tuviera algún derecho para serlo —respondió como si la lengua le escociera.

Continué escrutándola con curiosidad, tratando de develar las verdaderas razones por las que sentía una aversión tan grande hacia esa familia, en especial hacia Allison.

—Y su maldita hija parece igual a ella —resopló ofuscada y mis sentidos se agudizaron ante la mención de Leah—. Está contigo en la universidad, ¿no? —Asentí al tiempo que ella volvía a negar con la cabeza—. Una verdadera lástima que los parámetros de las instituciones hayan mermado a tal punto de aceptar a personas tan ordinarias solo por poseer dinero. Aunque el lugar es bastante grande, imagino que ni siquiera cruzan palabra.

Resistí el impulso de reírme. En efecto, *Leah y yo no hablábamos mucho* cuando estábamos juntos. De hecho, lograba reducir el amplio vocabulario de la pequeña arpía a palabras monosilábicas, gemidos suaves, jadeos tenues e incluso gritos, y me sentía muy muy orgulloso de ello.

—No, no cruzamos palabra —mentí.

—Me alegro. —Se puso de pie con esa gracia inherente a ella y recorrió la distancia que nos separaba hasta colocarse detrás de mí, rodeándome el cuello con sus brazos y depositando un corto beso en mi sien—. No me gustaría que tú convivieras con esa gentuza.

Quise bufar. Era un poco tarde para eso.

—No sé en qué está pensando Arthur al permitir que su hija contraiga matrimonio con alguien de tan baja estirpe, pero yo sí tengo estándares para ti. Eventualmente tendrás que elegir a una esposa y estoy segura de que tú no me decepcionarás.

¿Acaso era hoy el día de las ironías?

—¿No crees que es muy pronto para pensar en eso?

—No tengo prisa en que te cases, Alexander, pero sí me gustaría que lo hicieras algún día. —Se incorporó y posó sus palmas sobre mis hombros—. Yo diseñaré el vestido de tu prometida y créeme, será la novia más bella del mundo.

Lo primero que acudió a mi mente tras el comentario fue la imagen de mi madre ahorcando a Leah con el velo de novia antes de permitirle poner un pie en el altar.

—¿Lo harías aunque no te agradara la chica?

—Me agradará, confío en que sabrás elegir a la indicada.

«¿Estás segura?», quise preguntarle, pero descarté el pensamiento tan rápido como apareció.

—En fin. —Se alejó y tomó la invitación que descansaba sobre la mesa del centro—. Presiento que no importará si deseo asistir o no, porque Arthur ha tenido la cortesía de extenderle otra invitación a tu padre y eso significa que primero muerto a perderse la oportunidad de convencer a nuevos inversionistas potenciales.

—Tal vez no sea tan malo ir —acoté, buscando una excusa para ver a la culpable de mis erecciones espontáneas.

Me dedicó una mueca extraña.

—Créeme, cariño, lo será.

**Rick**

Este fin de semana juegas, príncipe. Esta vez no puedes perder. 13:16 p. m.

El mensaje de Rick brillaba sobre la pantalla como el destello de una guillotina, lista para rebanarme el cuello a la primera oportunidad.

¿Juego contra el tipo que te está robando? 13:18 p. m.

La respuesta llegó en menos de cinco segundos.

El mismo. ¿Seguro que no es familiar tuyo? 13:18 p. m.

Te veré el fin de semana, tienes tiempo sin volver a tu casa. 13:19 p. m.

Como digas. 13:20 p. m.

Dejé caer el celular en el *locker* y salí al campo de juego con el casco bajo el brazo.

En el entrenamiento fui más rudo con Jordan de lo que debería, impulsado por ese resentimiento que no tenía ni puta idea de dónde provenía, y lo mandé al piso de forma más violenta de la necesaria, hasta que el entrenador me cambió de posición. Aunque no iba a negar que casi dislocarle un brazo me llenó de cierta satisfacción sádica.

El juego de final de temporada estaba cerca y los entrenamientos eran el doble de intensos y el triple de extenuantes, así que para cuando terminó, estaba completamente sudado, sucio y exhausto. Me dirigí a los vestidores al paso de Ethan mientras me contaba algo sobre su tía la loca.

—Lamento lo de hace rato —mi risa se desvaneció cuando registré la voz de Jordan, que se apresuró a llegar hasta nosotros—, debí ayudarte a defender mejor el balón, Alex. Lo siento.

—No importa, amigo, sabes lo mal que se pone aquí nuestra princesa cuando no hacemos trabajo en equipo. —Ethan me señaló mientras negaba.

—No volverá a pasar. —Parecía apenado de verdad—. Es solo que estoy distraído.

—¿Por qué? —pregunté.

—Estoy tratando de arreglar las cosas con Leah.

—¿Arreglar? ¿De qué hablas?, ¿se han peleado o algo? —preguntó el moreno.

—No, pero ha estado muy distante conmigo últimamente —respondió con pesar.

—Tal vez solo está en su periodo.

—¿En sus días desde hace meses? —acotó Jordan, escéptico—. Más bien creo que está engañándome —confesó y no pude definir si mi corazón se detuvo o estuvo a punto de saltar de mi pecho.

—¿Pero qué dices? —Ethan soltó una carcajada sin dejar de caminar por el campo para llegar a las regaderas y me obligué a seguir su paso, aunque estaba cagado—. Es más probable que yo me case mañana a que ella te engañe, ustedes son como la ridícula pareja que se conoce en el instituto, tienen una relación por décadas y son felices por siempre.

—Ya no estoy tan seguro de eso —replicó—. Cada vez estoy más convencido de que me engaña. Ha tenido llamadas extrañas, me evita todo el tiempo y ni siquiera me permite tocarla.

—¿Desde cuándo? —la pregunta resbaló de mis labios sin darme cuenta y me maldije por ello. No quería evidenciarme, pero me moría por saber.

—Desde hace meses. —Hizo una mueca—. No lo sé, uno o dos.

Ethan silbó, impresionado. Yo me sentí complacido.

—Tal vez solo está pasando por un mal momento, ya sabes lo raras que son las mujeres. —Trató de confortarlo.

—No creo que se trate de eso. Leah no es idiota, sé que no se iría con cualquiera, pero sí es una persona curiosa y tengo miedo de que quiera experimentar... cosas nuevas. Después de todo, soy el único con el que ha estado.

«Eras», me moría por corregirlo.

—¿Ustedes no han notado nada extraño? —continuó, mirándonos a ambos—. He intentado poner más atención a lo que hace, a las personas con las que habla, pero no he visto nada raro.

—Si ella quiere engañarte, encontrará la manera de hacerlo así le coloques un localizador y cámaras en la espalda para espiarla —dije con fingido desinterés y su cara se contorsionó en una mueca de terror—, así que no deberías desgastarte pensando en eso, parecía una idiota enamorada en la mesa de la cafetería esta mañana.

El recuerdo dejó un regusto agrio en mi lengua.

—Muy cierto —apoyó Ethan.

—La amo. —Clavé mis ojos en él ante su proclamación—. No quiero que otra persona llegue y la robe de mi lado.

—Estás exagerando. —Puse los ojos en blanco.

—No, no —Ethan parecía divertido—, deja que nuestra reina del drama siga con sus cinco minutos de fama.

—Eh, no se burlen. —Le dio un rudo golpe con el hombro—. En serio quiero arreglar las cosas con ella, no quiero perderla.

Por un momento, me invadió un atisbo de pena hacia él y me sentí el más grande hijo de puta.

—No creo que la pierdas. —Ethan lo alentó dándole una palmada en la espalda—. Leah está que se muere por ti desde hace años, está ciega de amor por esa fea cara de perro que tienes.

Yo no estaba de acuerdo con esa afirmación, pero no iba a decírselo, por supuesto.

—De cualquier forma —nos detuvo, colocándose frente a nosotros—, si ven algo extraño, ¿me lo dirán?

—Sí, sí, como digas, Sherlock. —Ethan negó—. Ya relájate.

Le dio una última palmada antes de correr para alcanzar a los demás en las regaderas. Yo estaba por hacer lo mismo cuando puso una mano sobre mi pecho para impedírmelo.

—¿Qué?

—Sé que Leah no te agrada —aseveró y enarqué las cejas—, por eso quiero pedirte que le pongas atención.

Una risita seca brotó de mi garganta.

—¿Qué tontería estás diciendo?

—Ethan adora a Leah y creo que, de los dos, él preferiría encubrirla en caso de que me engañara. Como sé que a ti no te agrada, no tendrás consideraciones con ella de resultar cierto, ¿no es así?

Me crucé de brazos.

—Ve al grano.

—Solo te pido que le pongas atención. Eres una persona muy observadora, estoy seguro de que te darás cuenta si está con otro.

No sabía si reírme o llorar por lo irónico de la situación.

—Jordan, no creo...

—Alex, por favor. Al menos prométeme que lo intentarás. —Había tanta intensidad en sus ojos que me sentí el amigo más mierda del mundo.

Consideré negarme, pero no pude hacerlo luego de contemplarlo.

—De acuerdo. Tendrá mi especial atención.

Sonrió, aliviado.

—Gracias, amigo. —Me dio una palmada en la espalda y se adelantó para alcanzar a Ethan.

Luego de ducharme y vestirme, miré el nombre de Leah brillar en la pantalla de mi móvil. ¿Debería advertirle sobre las sospechas de su novio? Si lo hacía, lo más probable era que quisiera terminar esta locura y no quería arriesgarme, pero tampoco quería ser un amigo más mierda de lo que ya era.

Maldije mi esbozo de lucidez moral y opté por alertarla.

Tenemos que hablar. 15:29 p. m.

Bloqueé el móvil y guardé mis cosas para salir del vestidor. Estaba ocupando mi lugar en la clase de Administración, esperando a que el profesor llegara, cuando respondió.

**Arpia**

¿Sobre qué? 15:41 p. m.

Consideré la posibilidad de advertirle por mensaje, pero quería ver su cara y calibrar su reacción cuando le diera la noticia.

Prefiero hablarlo en persona. ¿Tienes tiempo hoy?
15:41 p. m.

No puedo hoy, debo ayudar a mi hermano con algo.
¿Es muy importante? ¿Qué tal mañana? 15:42 p. m.

Estaba por acceder cuando recordé la conversación con Rick.

No puedo, tengo juego.
15:42 p. m.

¿De fútbol? 15:42 p. m.

Póker. 15:43 p. m.

Iba a proponer vernos el domingo en mi departamento cuando llegó su respuesta.

¿En el mismo lugar donde jugaste con Jordan? 15:43 p. m.

Sí, ¿por qué? 15:44 p. m.

Dime la hora y el lugar para verte, te acompañaré. 15:44 p. m.

Sentí un nudo en mi estómago.

¿Estás loca? No irás a ese lugar otra vez. 15:45 p. m.

Lo último que deseaba era exponerla luego de que Rick mostrara interés en ella. Eso nunca era buena señal.

Creí que le había quedado claro y se había rendido porque dejó de responder, pero no. En su lugar, decidió llamarme. Miré a ambos lados para cerciorarme de que no hubiera nadie conocido cerca y respondí.

—¿Qué haces llamándome? Mi clase está a punto de comenzar —susurré.

—Quiero ir, me pareció bastante entretenido la última vez —comenzó con firmeza, ignorándome.

La semilla de la preocupación se instaló en mi estómago.

—No. No es un juego. No irás.

—¿No lo es?

—Sabes a lo que me refiero, es peligroso, una palabra que creo tú no comprendes.

—Iré si me da la gana hacerlo, no necesito de tu jodido permiso.

—He dicho que no, no tienes nada que hacer ahí.

—Iré contigo o sin ti, así que tú eliges —me advirtió y sentí mis sienes punzar.

¿Por qué tenía que ser tan intransigente? ¿Tanto le costaba tener un poquito de sentido común? No quería llevarla conmigo y exponerla al montón de bestias que se congregaban en el casino, pero sabía que esta batalla estaba perdida y prefería que estuviera conmigo para cuidarla mejor.

—¿Y bien? —insistió cuando no di ninguna respuesta.

—Te veo mañana en mi departamento a las nueve —dije al final, resignado.

—¿Ves? Todo es cuestión de negociar.

—Chantajear, más bien.

—Eufemismos. Te veré mañana, ¿de acuerdo? Seré puntual, lo prometo.

Cortó la llamada sin dejarme replicar nada más. El señor Wilhelm entró entonces en el aula para comenzar la clase, pero la desagradable sensación que se asentaba en mi pecho como un mal presagio no desapareció el resto del día.

Mis hombros se tensaron apenas entramos en el recinto que albergaba el montón de mesas de apuestas, máquinas y pantallas. La casa estaba repleta y sobre ella pesaba una atmósfera densa.

Leah caminó junto a mí mientras saludaba a los gorilas que custodiaban la entrada con una inclinación de cabeza y escaneaba el lugar, buscando ponerle cara al dolor de cabeza de Rick. Sondeé las mesas de póker.

Creí haber localizado una cara distinta entre los asistentes habituales en una de las mesas del fondo, donde George hacía el papel de *crupier*.

—Mira quién se perdió y terminó aquí.

Le correspondí la sonrisa a Michael al tiempo que le palmeaba la espalda.

—Perderme una mierda, hoy juego.

Sus ojos avellana centellaron con diversión.

—Las cosas en casa se pondrán interesantes entonces —dijo y asentí—. ¿Hay mucho dinero en juego hoy?

—Sí.

El recordatorio puso a mis entrañas a retorcerse, y estaba a punto de decir algo más cuando noté que miraba a mi acompañante.

—Tú sí que te has perdido, muñequita. ¿De qué aparador te han sacado?

Leah soltó una risita, complacida con el halago.

—Viene conmigo —aclaré antes de que intentara algo, porque tenía las intenciones escritas en la cara.

—Por ahora. —Sonrió de manera felina—. ¿Seguro que ella no entra en el pozo de apuestas? Porque podría arriesgarme a que me destrozaras en una partida de póker por esa bonita cara.

—No creo que entraras, el precio de la apuesta sería demasiado alto —habló Leah por fin y Michael enarcó las cejas, sorprendido.

—Ya me agrada. Soy Michael, pero tú puedes llamarme como quieras, preciosa. —Le extendió la mano.

—Leah. —Correspondió el saludo con una sonrisa.

—Un nombre bonito para una chica bonita.

Él siguió hablando, pero me desconecté cuando localicé a Rick entrando a paso rápido a la parte privada del bar.

—Ahora vuelvo —avisé interrumpiendo la conversación.

Leah asintió apenas, con un atisbo de inseguridad oscureciendo sus ojos. Tampoco me agradaba la idea de dejarla sola, pero debía hablar con Rick antes de jugar.

—Yo la cuidaré por ti —se ofreció Michael sonriendo.

—Más te vale. —Le di un leve apretón al brazo de mi esposa antes de dirigirme a la parte final del casino.

Rick se acariciaba la hirsuta barba grisácea, sentado en uno de los sillones de cuero, cuando lo alcancé.

—Su alteza decidió honrarnos con su presencia —saludó y lo miré con dureza. No estaba de humor para sus juegos—. Es bueno tenerte en casa, príncipe. ¿Has visto ya al tipo?

—¿El que está jugando en la mesa de George?

—El mismo. —Se inclinó en el sillón, serio—. Hay mucho dinero en casa hoy, así que es muy probable que el tipo lo apueste todo si sabes cómo envolverlo.

—Bien. Dejaré que gane un par de veces para generar confianza.

Rick arrugó los labios, poco convencido.

—Es bueno, Alex. Espero que no se te salga de las manos esta vez. —Había una clara advertencia en sus palabras—. Tu deuda se incrementará si vuelves a perder.

—No sucederá. —Me troné el cuello, la tensión construyéndose ya sobre mi espalda.

—Ladrón que roba al ladrón, príncipe. —Las comisuras de sus labios se alzaron en una sonrisa ladina—. Quiero que lo obligues a apostar todo y lo dejes sin un solo dólar, ¿entendido? No necesito de esos tipos en mi casa.

—Entiendo.

Hizo un gesto con la cabeza hacia la puerta.

—Ve a hacer lo tuyo, niño.

Le dediqué una última ojeada gélida antes de largarme. Cuando salí del anexo donde estaba el privado, encontré a Leah y Michael frente a los televisores dispuestos en la sala de apuestas de deportes, abstraídos en una carrera de caballos.

—¿Has apostado? —pregunté a su lado, colocando una mano sobre su cintura.

—Sí y acabo de ganar —canturreó feliz mostrándome su pago.

—¿Cuánto?

—Cien a uno —respondió Michael a nuestro lado—. Esta chica no tiene miedo de apostar el todo o nada. No creí que me escucharía.

—Michael es bueno con las apuestas. —Sonrió.

—Tengo experiencia. —El aludido le guiñó un ojo con coquetería—. Se acaba de llevar cinco mil dólares limpios.

—Gracias.

—Puedo enseñarte cuando quieras.

Asentí en reconocimiento y le agradecí también, mi cuello rígido por la anticipación previa a la partida.

—Tengo un juego importante y no puedo distraerme, así que quédate cerca de Michael. —Me centré en él—. No la dejes apostar demasiado.

—A la orden, capitán. —Hizo una mala imitación de un saludo militar.

—Suerte. —Leah se acercó para depositar un beso en mis labios que los dejó hormigueando por más.

Asentí y me dirigí al puesto libre que había en la mesa de George.

—Cuánto tiempo —saludó el *crupier* que conocía de años—. ¿Con cuánto juegas hoy?

Me senté y evalué a cada uno de los ocupantes de la mesa. Eran jugadores habituales de la casa, a excepción de uno: el tipo al que debía vaciar parecía estar entre los cuarenta y cincuenta años, tenía el cabello color arena, el inicio de una barba clara y una mirada mezquina. De un lado de la boca le atravesaba una cicatriz y su nariz parecía haber sido operada más de una vez. Reparé en que una de sus manos temblaba ligeramente cuando la movía.

—Todo —respondí, sin despegar la vista del tipo.

George me entregó la cantidad de fichas correspondiente e iniciamos la primera partida.

No parecía tener nada de especial, pero a medida que avanzaba el juego caí en cuenta de que jugando limpio, como me había advertido Rick, no conseguiría nada.

Ganó la primera partida de forma sencilla y rápida, llevándose el primer monto del pozo de apuestas.

Cuando comenzó el segundo juego, de los seis participantes iniciales permanecimos dentro cinco, aumentando la cantidad de fichas al centro de la mesa. Logré persuadirlo lo suficiente para confiarse, igualando mis apuestas a la de los demás. Una vez que estuve seguro de que lo había conseguido, formé mi mano y gané el segundo juego, llevándome una cantidad mayor.

Al parecer había logrado captar su interés y, para la tercera ronda, apostó el triple de lo inicial, mirándome con atención a medida que avanzaba la partida para tratar de captar alguna emoción que se hubiese resbalado por mi rostro de

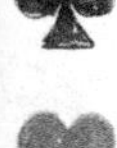



manera accidental, pero ese era precisamente el elemento *sine qua non* para ganar en el póker: la impasibilidad. Controlar las emociones bajo presión era algo difícil; hacerlo en una situación donde no solo tu dinero, sino también tu cabeza estaba en riesgo era casi imposible.

Me costó hacerlo y tuve que cambiar un par de tácticas, pero gané la tercera partida de manera consecutiva. Para el cuarto juego, el tipo se había quitado el saco y remangado su camisa hasta los codos. Ordenó un *whiskey* en las rocas que se bebió de un solo trago mientras el *crupier* partía las cartas. Había logrado ensimismarlo y penetrar en su seguridad. Era justo lo que quería.

Permanecimos cuatro hombres en el juego; los más adinerados cubrieron la alta suma de entrada, esperando que la suerte estuviera de su lado, y nosotros dos, esperando ser lo suficientemente ágiles para robar al otro primero. El tipo era bueno, muy bueno. Sus estrategias eran distintas a las mías, nuevas y extrañas, así que me costaba trabajo seguirlo y adivinar sus manos o sus movimientos, por lo que ganó la cuarta partida.

—¿Jugarán una quinta? —preguntó George, entregándole las fichas al ganador.

—No voy. —Uno de los hombres se levantó y se retiró.

El tipo contó sus fichas, extasiado, y sentí la jodida presión a punto de reventarme la cabeza.

—Opino que cerremos de manera excepcional —sugirió, con sus ojos miel brillando con codicia—: un juego de todo o nada.

Lo evalué contemplando las posibilidades. Eso era equivalente a arriesgar quinientos mil dólares por nada. No quería hacerlo porque la probabilidad de que el tiro me saliera por la culata era alta, pero no tenía opción.

—Acepto —dijo el otro tipo y yo asentí también con reticencia.

George repartió las cartas y las entregó con habilidad. Contemplé mi mano, satisfecho con lo que había recibido. Era un buen inicio que podría utilizar a mi favor.

Para el tiempo en que hicimos el primer descarte, ya sentía mi espalda tan tensa como una cuerda. Estaba tan concentrado tratando de descifrar el juego de mi contrincante, que di un respingo cuando percibí un par de manos posarse sobre mis hombros. Levanté la vista y contemplé a Leah esbozar una pequeña sonrisa. Me sentí un poco mejor.

—¿Vas o no? —Registré la voz de George dirigiéndose al otro tipo, pero este parecía haber abandonado la mesa de juego, porque tenía los ojos clavados en Leah como si fuera la aparición de la mismísima Virgen María.

La intensidad con que la escrutaba era tal que me perturbó sobremanera. Sabía que era una chica llamativa, pero esa reacción era excesiva.

—Sí —carraspeó, componiéndose, y descartó.

—¿Subes o igualas? —insistió George.

Se relamió los labios.

—Quiero subir. —Esbozó una sonrisa maliciosa—. ¿Ella no entra en las apuestas?

Tensé la mandíbula. Sabía que algo así podría pasar.

—No.

—Vamos, hará las cosas más interesantes. —Se inclinó sobre la mesa sin dejar de mirarla con un brillo codicioso iluminando sus orbes—. Podría ascender... ¿por un beso tal vez?

—No es una *cosa* que se pueda apostar —escupí molesto.

—Acepto —dijo Leah de pronto, sentándose al borde de la mesa y colocándose el cabello sobre el hombro con coquetería. Juro que estuve a punto de explotar y bajarla a rastras del puto centro—. Me tendrás el resto de la noche si ganas.

El imbécil sonrió con satisfacción.

«Tenía que ser una puta broma».

La acribillé con la mirada cuando sus ojos se posaron en mí, pero me ignoró y se incorporó de nuevo. Ya podía sentir la cólera quemándome la garganta. Tenía que estar demente aquel hijo de puta para pensar que yo le permitiría poner un solo dedo sobre ella. De ninguna maldita manera.

Igualé todas sus apuestas en el resto de los descartes subsecuentes, con los dientes apretados de ira, presión y estrés. Para el final del último descarte, el otro tipo se retiró y solo quedamos él y yo.

En ese punto no tenía idea de lo que podía esconder bajo la manga o si lo que yo tenía preparado sería suficiente para neutralizarlo, pero debía arriesgarme e intentarlo, porque ahora no solo era yo quien estaba en la línea, sino también la idiota de Leah. Ascendimos por última vez.

—¿No más apuestas?

Ambos negamos sin dejar de mirarnos con recelo. El corazón me latía fuerte contra el pecho y la ansiedad recorría mi sistema de una manera en que no había experimentado en un largo tiempo, demasiado confiado en mi habilidad para percibirla. Ahora esperaba con la misma anticipación que un principiante.

—Descubran sus cartas, caballeros —pidió el *crupier* e inhalé por aire, preparándome para el peor escenario.

La boca se me secó y la sangre se concentró en mis talones. Jamás me había sentido tan ansioso en un juego en toda mi vida. Giró su mano descubriéndola con lentitud y mostrando una escalera de color. Estaba impresionado de que

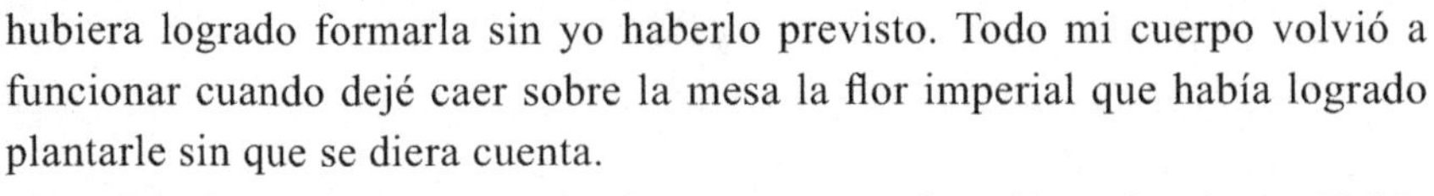

hubiera logrado formarla sin yo haberlo previsto. Todo mi cuerpo volvió a funcionar cuando dejé caer sobre la mesa la flor imperial que había logrado plantarle sin que se diera cuenta.

Palideció y la cólera, combinada con sorpresa, inundó sus facciones. Había ganado, pero por poco.

Me puse de pie y recogí el papel que me tendía George, donde se consignaba la cantidad del premio.

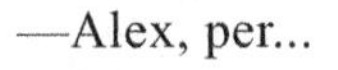

Leah aplaudió alegre mientras sonreía, pero la pasé de largo, demasiado enojado para soportar verla en ese momento. Fui hasta la barra y le pedí a John un trago buscando tranquilizar mi agotada mente. Ella permanecía junto a mí.

—Alex, per...

—Buen juego. —Ambos nos giramos para contemplar al idiota, que nos miraba con las manos en los bolsillos—. Me has vaciado.

—El juego es el juego —me limité a responder.

Soltó una risita ronca.

—Tenía tiempo sin ver a alguien tan bueno, me impresionas.

—Gracias.

—Deberías compartir conmigo algunas de tus tácticas. ¿Cómo te llamas?

—Alexander. —Estreché la mano que me estiraba con decisión.

Su expresión pareció oscurecerse cuando posó sus ojos en mi compañera.

—¿Y tú?

—Leah.

—Un verdadero placer, Leah. Soy Louis.

Enredé mis dedos con los suyos en reacción, esperando que me transmitieran tranquilidad o templanza, porque algo no se sentía bien. No se sentía nada bien.

# 20
# CONFRONTRACIÓN

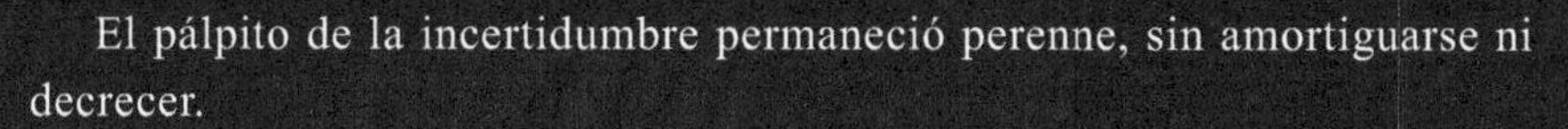

## *Alexander*

El pálpito de la incertidumbre permaneció perenne, sin amortiguarse ni decrecer.

Era una sensación desagradable que no podía definir, mucho menos explicar. Algo sobre Louis me hacía sentir incómodo. El póker me había ayudado a desarrollar la capacidad de leer a las personas y había afilado mi intuición, por lo que obedecía a mis instintos la mayor parte del tiempo.

Mantuve mis dedos entrelazados con los de Leah, apretando su mano para impedir que se la estrechara. Él pareció captar el gesto y retiró la palma temblorosa cuando cayó en cuenta de que ella no iba a corresponderle.

—Veo que tu novio es un poco posesivo —acotó mordaz, con una sonrisa que no llegó a consumarse—. No lo culpo, yo también lo sería.

—No es mi...

—¿Te quedarás a otra partida? —interrumpí, impaciente porque se alejara de nosotros.

—No, no creo. Me has dejado limpio.

Perfecto. Entre menos tuviera que verlo merodeando, mejor. Lo más probable era que no volviera a aparecerse por aquí, pues a los ladrones como nosotros no nos gustaba compartir territorio. Preferíamos no tener competencia.

—En ese caso, un gus...

—Rick quiere verte, príncipe —me cortó uno de sus *mamuts*—. Ahora.

Maldije para mis adentros, barajando mis opciones: no sabía qué era peor, si llevarla conmigo a la boca del lobo o dejarla ahí, con otro lobo que no conocía de nada para que le pusiera las garras encima.

—Ahora vuelvo —opté al final. Le di un último apretón antes de alejarme, no sin antes dedicarle una mirada de advertencia al hombre.

Lancé una última ojeada detrás de mi espalda cuando llegamos a la entrada del privado sin que el sentimiento de inquietud desapareciera.

Rick tenía a una de las camareras que atendía el bar sentada sobre el regazo. Me aclaré la garganta para captar su atención y la chica se puso de pie para retirarse y seguir trabajando.

—Tu dinero. —Le entregué el documento donde se consignaba la suma del premio—. El tipo está limpio, como me has pedido.

—No esperaba menos de ti, príncipe. —Despegó la vista del papel para mirarme satisfecho—. Sabía que solo tú podías hacerlo. Los idiotas de Michael y Gerard lo dejaron irse con más dinero del que traía consigo al entrar. Por un momento creí que a ti también se te escaparía.

—Me subestimas.

Soltó una risita ronca.

—Veo que sí. ¿Qué te motivó lo suficiente para no dejarlo ir? Michael me contó que estuviste a nada de perder, otra vez.

Algo pesó en la boca de mi estómago ante el comentario.

«No podía permitir que le pusiera una mano encima a Leah», fue mi contestación interna más sincera.

—No quería deberte más dinero —dije en su lugar, cruzándome de brazos—. Ya eres mucho dolor en el culo con lo que debo.

Soltó una carcajada profunda con su cara tornándose roja.

—Me encanta que me debas. Has sido mi mejor inversión, sin duda.

Puse los ojos en blanco, exasperado. Quería salir de ahí ya.

—¿Y bien? ¿Para qué me llamaste?

—Para felicitarte, por supuesto. —Entrelazó las manos sobre su barriga—. Y para mostrar mi buena voluntad con mis jugadores...

—Tus esclavos, querrás decir —lo corregí, pero a él pareció no hacerle gracia.

—He decidido concederte otra prórroga para que termines de liquidar tu deuda. Recuerda que el tiempo se agota y mis consideraciones también.

Permanecí en silencio, impresionado por su inesperada muestra de *buena voluntad.*

—No me gustaría perder a tan buen alfil. —Su tono era una clara advertencia. Cambié el peso de un pie al otro, incómodo. Sabía en dónde terminaría si no pagaba mis deudas: en un bote de basura a las afueras de la ciudad con una bala entre las cejas.

—Entiendo.

—Tienes un mes más. Si pagas, comenzarás el próximo año siendo un hombre libre de deudas. —Sonrió afable y resistí el impulso de reventarle de un puñetazo su asquerosa boca.

—¿Eso es todo? ¿Puedo retirarme ya?

—Cuánta insistencia. —Jugó con su barba—. Debes estar impaciente por volver junto a tu princesita, ¿no es así?

«Joder, aquí vamos de nuevo». Me mantuve impasible, creyendo que dejaría el tema si no respondía.

—¿No es la misma chica que vino la última vez con un amigo tuyo?

Claro que él la recordaría y claro que sabría que Leah estaría en su casa de apuestas. Era como un ser omnipresente en ese lugar.

—¿Te la estás tirando? —insistió.

—A quien me tire no es asunto tuyo, Rick —espeté ofuscado, aferrándome a los últimos resquicios de paciencia.

—Tienes razón, me importa un carajo, en tanto no te distraigas y sigas haciendo tu trabajo, por supuesto.

—Que eso no te quite el sueño —respondí mordaz.

—Niño insolente. Aunque debo reconocer que tienes un gusto excelente, es preciosa —había un deje lascivo en su voz y sentí náuseas—. ¿Me la puedes prestar? Su culo no está mal para una noche.

Inspiré para controlar las ganas que tenía de romperle el cuello.

—No. ¿Puedo largarme ya?

—Anda, ve tras tu princesa —concedió luego de unos segundos—. Te veré pronto, príncipe.

—Espero que no.

Salí para encontrarme a Leah aún en la barra, compartiendo un vaso de licor con Louis y hablando bastante animada. Una molestia ineludible corrió por mi sistema al contemplar la escena y llegué hasta ellos dando zancadas. La espalda del hombre me encaraba y los ojos de ella se iluminaron cuando repararon en mí.

—Tenemos que irnos —anuncié una vez que estuve a su lado.

—Tú estabas por irte también, ¿no? —se dirigió a él.

—Sí. Necesito descansar, no ha sido una buena noche. —Clavó sus ojos en mí cuando dijo lo último.

Leah extrajo la cartera de su bolso y colocó un billete demasiado grande sobre la cuenta de dos tragos.

—Fue un placer conocerlos a ambos. Tienes mucha habilidad, muchacho. —Louis me tendió la mano y se la estreché sin dejar de percibir esa molesta inquietud—. Espero nos encontremos en otra partida.

«Ojalá no», rogué.

Se fijó en Leah, mirándola de esa manera que estaba entre la admiración y la curiosidad, velando algo más.

—Un placer, en verdad. —Ella le correspondió esta vez y me tensé cuando lo vi acariciarle el dorso con el pulgar—. También espero verte otra vez.

—Claro, puede ser —dijo evasiva, soltándose de su agarre.

Emprendimos nuestro camino fuera del casino y, mientras salíamos, miré sobre mi hombro y lo encontré con su vista clavada en nosotros.

No pude deshacerme de la sensación de que lo tenía pegado a mi espalda.

Recorrimos el camino de vuelta a mi departamento en un silencio sepulcral. Sin Gwen Stefani, ni Rihanna ni Sam Smith. Sabía que me lanzaba ojeadas de vez en cuando, pero no estaba de humor para mirarla o hablarle, o estar en su presencia incluso. Su acción de ponerse por voluntad propia en el pozo de apuestas me había hecho enfurecer y lo último que quería en ese momento era estar con ella. Sabía que explotaría y me sentía demasiado cansado para otra pelea campal.

Dejé mi auto en la plaza dispuesta y me encaminé al interior del complejo.

—Buenas noches —dije sin más, con Bill abriendo la puerta.

—Alex, espera. —Escuché el repiquetear de sus tacones cerca, pero la ignoré y seguí caminando—. Alex, estoy hablándote. ¡Alex!

Hice oídos sordos a sus alegatos.

Llegamos hasta el vestíbulo donde Adam atendía una llamada tras la recepción y me apresuré a llegar hasta el ascensor.

—¡Alex! —Me tomó del brazo con fuerza para detener mi andar, girándome para encararla.

Debía tener una mirada de muerte plasmada en el rostro porque palideció.

—¿Qué?

—Estoy hablándote. No me ignores mientras lo hago. Yo...

—¡Largo! —Estiré el brazo para señalar la salida y reparé en que Adam nos miraba con una mueca que decía: «Aquí van esos dos de nuevo».

Lo último que quería era montar otra escena, así que me contuve lo mejor posible.

—No me iré de aquí hasta que me escuches.

—Que duermas bien mientras esperas afuera entonces. —Volví a darle la espalda al tiempo que el ascensor abría sus puertas. Me adentré y oprimí el botón que llevaba al último piso. Fue rápida en colarse antes de que este se cerrara y me enfrentó enarcando una ceja.

—¿Esta es tu forma de resolver las cosas? ¿Huir?

—Tú y yo no tenemos nada que resolver —aclaré exasperado.

—Sí tenemos. Necesito que me escuches.

—Me importa un carajo lo que tú necesites.

—Qué maduro de tu parte, Colbourn.

—Vete a la mierda, McCartney.

Salí del ascensor como una exhalación y me apresuré a quitar el pestillo de mi departamento. Leah se abrió paso dentro incluso antes de que yo me hubiera girado para cerrar la jodida puerta.

—No me iré hasta que me escuches. —Posó las manos en sus caderas.

—Nada de lo que digas es algo que me interese escuchar. —Le hice una seña con la mano, mientras que con la otra mantenía la puerta abierta—. Largo.

—No.

—Leah.

—No. —Se mantuvo férrea en su lugar y terminé cerrando de un portazo.

—Como quieras. —Estaba por ir a la cocina para tomar un vaso de agua cuando ella se interpuso en el camino, su expresión de piedra.

Inhalé fastidiado.

—Sobre lo del casino...

—Dije que no me interesa.

—¡Pues lo escucharás igual! —gritó—. ¡Solo fue un incentivo!

—¿Un incentivo? ¿Perdiste la cabeza? —La encaré con rabia—. Lo primero que te pido que *no hagas*, es lo primero que haces.

—¡No hice nada!

—¡Sí lo hiciste! —rugí, perdiendo los estribos—. ¡Te dije que era algo peligroso y tú vas y te pones sobre la línea!

—Por Dios, era solo un juego.

La miré como si le hubiera salido un tercer ojo.

—Tal vez tu cerebro no alcanza a comprenderlo, pero es algo peligroso. Por eso no quería llevarte, pero parece que tú no entiendes lo que eso significa. ¿Qué? ¿Te gusta estar en situaciones de peligro? ¿Te da placer? ¿Te excita?

—¡No!

—¿Entonces por qué mierda pones el culo al fuego todo el tiempo? Y lo peor es que también me afectas a mí en el proceso. ¡Te pedí que no me distrajeras y lo hiciste!

—Dijiste que era un juego importante y Michael dijo que estabas perdiendo —argumentó—. Solo trataba de motivarte.

Di un paso hacia atrás, impresionado y más furioso que nunca, porque odiaba que jugaran conmigo.

—¿Qué te hace pensar que me importa con quién te revuelques? —escupí con más veneno del planeado—. Si lo que quieres es tirarte al hombre del casino, por mí perfecto. Adelante, no me importa.

El comentario resultó ofensivo en la misma medida que liberador. Liberador de toda la tensión, incertidumbre y estrés construidos durante la partida.

—Sí te importa, de lo contrario no estarías tan furioso por haberme ofrecido. Por eso lo hice.

—¿Porque querías tirártelo?

—¡Porque sabía que no ibas a permitir que me tocara!

Me sentí expuesto y manipulado.

—Qué autoestima, en verdad. —Negué colérico—. Tal vez debí perder solo para darte una lección.

—No habrías podido —dijo con seguridad—. Habrías hecho todo para impedirlo.

—Yo no soy tu maldita niñera y cualquier cosa que hagas tiene consecuencias. Si la cagas, yo no estaré ahí para limpiar tu desastre.

—¡Pero sí estabas!

Había tenido suficiente. Dejé caer mis manos a modo de rendición.

—Jódete, Leah.

Le pasé por un lado tratando de llegar a la cocina y tomar mi vaso de agua, por fin; tenía la sangre hirviéndome.

—Alex, no me des la espalda mientras te hablo. —La escuché alegar y la ignoré dando un par de pasos—. Alex, ¡joder! ¡Ven y dame la cara! —insistió, iracunda—. No hemos terminado, no me dejes con las palabras en la boca. ¡Ignorarme no hará que te sientas mejor! ¡Vuelve aquí y enfréntame!

Entonces, cambié de idea sobre ignorarla y alejarme, arremetiendo contra ella en su lugar. ¿Quería lidiar con mi enojo? Excelente. La estampé contra la pared más cercana con rudeza y procedí a comerle la boca, con su suspiro de sorpresa perdiéndose dentro de la mía.

Inyecté todas mis emociones estrepitosas y fervientes en la forma de besarla, en la manera en que mordía su labio y mi lengua se enredaba con la suya, permitiéndome probar del tenue sabor a alcohol que se impregnaba en ella.

—¿Segura que quieres lidiar con esto? —pregunté contra su boca, su aliento agitado golpeando mi cara mientras la tomaba con rudeza de la nuca para mantenerla en el lugar.

Su garganta se movió cuando tragó, pero la determinación en sus ojos no desapareció.

—Sí. Puedo manejarlo.

Aumenté la fuerza de mi agarre en su cabello y gimió.

—Estoy enojado contigo, Leah.

—Lo sé.

El aire pulsó entre nosotros por un segundo, caliente y denso, y el enojo que sentía se transformó en mera lujuria.

—Gané —hablé sin soltarla—. Quiero mi jodido premio.

—¿Qué es lo que quieres?

—A ti.

Asintió sin despegar los ojos de mí, voraces.

—Sigue molestándome así y no me haré responsable por lo que te haré.

Capturé su boca con dureza arrancándole un quejido. Le quité la chamarra de cuero a punta de tirones y jalones ciegos, sin despegar mi boca de la suya. Presioné mi cuerpo contra el suyo, privándola del poco aire que había logrado aspirar.

Sus manos no se mantuvieron quietas y vagaron por mi cuello, la curvatura de mi hombro, mis brazos, peleando con los botones de mi camisa; mis palmas eran una excelente competencia porque querían tocar todo de ella a la vez y parecían no ser suficientes para beberla a través del tacto: estrujé su culo, firme y redondo, con una de mis manos acunando una de sus tetas.

Colé mis manos bajo su blusa y bajé sin consideración la copa de su sostén para liberar su pecho. Su pezón endureció al contacto con mis dedos, deseoso de atención. Mi boca se hizo agua y agaché la cabeza para chuparlo a través de la tela de su blusa, la textura rugosa de la prenda combinado con humedad de mi boca le arrancó un jadeo. Sus caderas se sacudieron al tiempo que yo

mordía su erguido pezón, sus manos enterrándose en mi cabello y su espalda arqueándose para mí.

Gruñí cuando la pequeña blusa representó un obstáculo, impidiéndome llegar hasta la piel que escondía debajo, así que, impulsado por el mismo frenesí, rasgué la delgada prenda para abrirme paso, destrozándola; la tela colgó inerte entre mis dedos. Estaría mintiendo si dijera que la acción no fue satisfactoria.

Leah me miró con una mezcla de sorpresa, perplejidad y deseo. Sus ojos eran tan oscuros como pozos y su pecho subía y bajaba con pesadez. Por un momento estuve seguro de que armaría un escándalo porque *de nuevo* le había rasgado la ropa, pero no.

En algún punto se había quitado los zapatos porque tuve que inclinarme más para besarla, para llegar hasta su maldita boca. Se estrechó contra mí, con sus manos trabajando en mi camisa con el fin de desabotonarla. Era el momento perfecto para vengarse al parecer, porque la rompió sin dificultad, con los botones saliendo disparados a todas partes. Sus palmas acariciaron la nueva piel expuesta, poniendo especial atención en el tatuaje impreso en mi pecho: la pieza de rompecabezas que compartíamos.

Adoptó de nuevo esa faceta de urgencia y salvajismo que me volvía loco y hacía a mi cabeza sentirse más ligera, con la necesidad plasmada en sus movimientos ansiosos por bajarme la camisa de los hombros, como si estuviera impaciente por besarme, por tocarme, por sentirme. Me deshice de su bonito sostén de encaje. Las caricias no tardaron en convertirse en apretones y jalones llenos de desesperación y deseo, en frotes y fricción; nuestros cuerpos y bocas demandando más, demandando todo y a la vez. Éramos hueso, carne y fuego.

Quería más de ella. *Necesitaba* más de ella. Lamí su cuello delineando su garganta hasta llegar a su oreja y suspirar de satisfacción justo ahí, con mi erección frotándose contra su cadera, impaciente por penetrarla.

—Deberíamos parar —hablé usando el resquicio de racionalidad que conservaba—. Si seguimos así, no llegaremos a la habitación y te follaré aquí, contra la pared.

—Entonces hazlo —dijo sin ninguna pizca de vacilación.

Ella me incineraría vivo. La levanté sin esfuerzo, con sus piernas enredándose en torno a mi cintura, empotrándola contra la pared para que esta cargara con el resto de su peso. Era como si acabara de emerger de un torbellino: jadeaba por recuperar la respiración, sus pantalones abultados debajo de

nosotros, sus bragas colgando inofensivas de uno de sus tobillos y mis propias prendas uniéndose a las suyas en el piso.

Besó la comisura de mi boca, hundiendo su cabeza en mi cuello cuando quise encontrarla. Exhalé pesadamente contra su sien cuando sus labios formaron un camino sobre mi garganta y mi cuello. Moví mis caderas cuando succionó ese espacio entre mi mentón y mi lóbulo.

Noté la forma en que su respiración cambió al colocar mi polla en su entrada, volviéndose más corta y pesada, como si se preparase para recibirme con sus pupilas pegadas al lugar donde nuestros cuerpos estaban a punto de destrozarse uno al otro.

—Mírame —le exigí y ella obedeció de inmediato—. Quiero ver la agonía en tu cara cuando mi polla se mueva dentro de ti, jodiéndote una y otra y otra vez.

—Mierda...

Tomó aire y me deleité con la manera en que sus facciones se convertían en una expresión de placer puro. Froté mi glande contra su entrada, soltando un suspiro de satisfacción al notar lo mojada que estaba.

—Jodidamente increíble, Leah. —Tiré de mis caderas contra ella y ambos gemimos, mi cuerpo quemando en expectación tanto como el suyo—. ¿Estás ansiosa por tener mi polla dentro?

Soltó un gruñido de reproche.

—¿Es aquí donde lo quieres, arpía? —Deslicé la punta contra su entrada, húmeda y caliente esperando por mí.

—Sí, joder, sí —dijo desesperada, aruñando mi espalda.

—¿Y crees que lo mereces después de lo que hiciste? —inquirí con voz tensa, mi polla a punto de reventar.

Me miró con agonía pura cincelada en su bonita cara y entonces no pude resistir un segundo más. Rocé su entrada bañándome de sus fluidos, impregnándome de su humedad antes de empujar un poco dentro de ella. Entré despacio para que sintiera cada centímetro de mí que deslizaba en su interior. Ahí estaba de nuevo: el maldito encaje perfecto de nuestros cuerpos. Saboreé la sensación de ella envolviéndome, embalando mi tallo con su húmeda y palpitante feminidad bajo la excusa de esperar a que se acostumbrara a mi invasión. Sus brazos y piernas se cerraron como grilletes en torno a mi espalda y mi cintura, ajustándose a mí en un agarre de muerte.

Dejó escapar un gemido frágil cuando di el primer embate y para el tiempo en que construí un ritmo bombeando, desplegando e invadiendo su interior,

ella ya estaba recitando un mantra de sonidos que iban en escala contra mi oído, formando la sinfonía más placentera jamás concedida.

Nuestros sexos se topaban sin tregua, continua y despiadada, con el eco de la piel contra piel inundando la estancia. Hundí mi cabeza en su cuello y el inicio de sus pechos para besarlos, succionarlos y morderlos sin dejar de embestirla, sin dejar de enterrarme en su interior una y otra vez. Quería llenarla de mí una y mil veces más hasta que se hartara.

—Deja de hacerme enojar —gruñí, apartándome de su cuello para mirarla a la cara, que estaba acomodada en una perfecta expresión de deleite.

—Creo... *ah* —gimió cuando golpeé una parte particularmente sensible. Había aprendido que Leah no era capaz de formular oraciones completas ni coherentes durante el sexo, y eso era algo que en definitiva planeaba usar a mi favor.

—¿Qué pasa? —pregunté con tono oscuro, sin bajar la intensidad de mis embestidas—. ¿No puedes hablar?

—Yo...

—No te escucho. —Sentía un placer sádico en desarmarla, en tenerla a mi merced—. ¿Te gusta así?

Volví a arremeter contra esa parte de su vagina que la privaba de su capacidad de hablar y su espalda se arqueó contra la pared, con sus tetas comprimiéndose contra mi pecho.

Carajo, esa visión por poco me hizo terminar. Logró componerse lo suficiente para mirarme directo a los ojos, determinada.

—Si esto es lo que pasará después de que te enojes... *Oh* —arañó mi espalda e hizo puño mi cabello—, entonces no veo razón para dejar... para dejar de hacerte enojar.

No pude contener la sonrisa que se extendió por mi rostro.

Sentí sus piernas tensas en torno a mis caderas, con su cuerpo resbalándose contra el mío, así que la solté y dejé sus pies de golpe contra el suelo. Me lanzó una mirada de inconformidad.

—No te corras aún. —La besé antes de que pudiera protestar—. Date la vuelta.

Hizo una pausa vacilante antes de hacerlo. Su nívea espalda me encaró, precedida por sus delicados hombros y rematada con sus preciosas nalgas. Percibí el vibrar de su cuerpo cuando colé mis manos al frente hasta acunar sus pechos, apretarlos y pellizcar sus pezones entre mis dedos.

—Manos en la pared, Leah. No he terminado contigo.

Separé sus piernas con mi rodilla y coloqué mis manos sobre sus caderas para sujetarme a algo sólido mientras mis dientes encontraban la tersa piel de su hombro, mordiéndolo al tiempo que volvía a entrar en su interior por detrás. El gemido largo y gutural que brotó de su garganta reverberó en su cuerpo, con su cabeza cayendo sobre la curvatura de mi hombro.

Establecí un ritmo constante, ferviente e implacable, con sus pies terminando en punta al final de cada intromisión, nuestro respirar volviéndose errático mientras el orgasmo se construía y el placer nos destruía.

¿Qué tenía ella de especial? Tal vez el coño de Leah era mágico o tal vez ella era una sirena o una ninfa en secreto, porque lo había hecho con un sinfín de mujeres; las había tomado y follado de mil maneras distintas, pero ninguna provocó ni la milésima parte de lo que ella me hacía sentir y eso no podía ser nada bueno.

Estiró su brazo detrás de sí para tomarme de la nuca, con mi respiración erizando la piel de su garganta llena de transpiración; su otra mano subiendo y bajando sobre la superficie de la pared.

Comprendí en ese instante por qué la gente decía que el sexo enfadado y duro de reconciliación era algo bueno, porque joder, lo era; solo que nunca lo había experimentado. Era la primera vez que sentía la necesidad de reconciliarme con alguien.

Jadeó fuerte y pronto percibí la manera en que su cuerpo se tensaba, como una ola formándose en el océano lista para romperse en la bahía. Los músculos de su vagina se cerraron en torno a mi pene y por un momento estuve obligado a detenerme mientras ella vivía su orgasmo, con su cuerpo entero vibrando en el proceso.

Tres embestidas más fueron suficientes para que la misma ola me tomara también y me orillara hasta uno de los mejores orgasmos de mi puta vida. Permanecimos así, juntos y encajados esperando que nuestra mente recuperara su estado de lucidez.

—¿Podemos ordenar comida china? —pidió con voz ronca y su mejilla pegada a la pared—. Muero de hambre.

Me deslicé fuera de ella y reí sintiéndome ligero. No pude resistir el impulso de besar su sien porque el comentario resultó tan inocente.

—Podemos ordenar lo que tú quieras —susurré enterrando mi nariz en su cabello.

# 21
# EFÍMERO PARAISO

## *Alexander*

Leah apareció usando solo mi camiseta negra de los Giants, interrumpiendo mi importante tarea de acomodar la bolsa de comida sobre la mesa. Mierda. Inconscientemente deseé tener esa visión tan estimulante solo para mí y disfrutar de ella todos los malditos días de mi vida. Sin embargo, la parte consciente me recordó que aquello era algo imposible.

—¿Has visto mi anillo? —preguntó rebuscando entre sus prendas junto a la pared.

—¿Cuál anillo?

—Uno que me dio Jordan. Debí haberlo perdido en... pues... ya sabes. —Se puso un mechón de cabello tras la oreja para después dirigirse a la mesa y tomar su cajita de comida.

Puse los ojos en blanco ante la mera mención de su nombre.

—Ya aparecerá.

Aunque rezaba a todos los dioses para que Vania, mi ama de llaves, lo aspirara por accidente.

Acomodó las piernas bajo su cuerpo al sentarse en mi sofá, mientras separaba los palillos y se disponía a comer. Levantó la cabeza cuando le tendí una cerveza.

—¿Comida china para llevar y cerveza? Es la cena más *gourmet* de mi vida. —Sonrió al tiempo que me sentaba también, dejando una prudente distancia entre nosotros—. Salud.

Chocamos nuestras botellas y dimos un sorbo.

—Siento que no sea comida importada de China y preparada por el chef que le cocina al papa —me burlé, empezando a comer—. Trataré de llenar las expectativas de la princesa la próxima vez para que sea más *romántico*.

—¿Tú? ¿Romántico? Creo que eso no está en el diccionario de Alexander Colbourn.

—Puedo poner un buzón de quejas si lo prefieres. ¿Algo más que le disguste, majestad?

—No estoy quejándome. —Volvió a sonreír, tomando un brócoli con los palillos—. Es de lejos la mejor cena que he tenido en mucho tiempo.

Elevé una ceja ante su proclamación.

—¿Estás diciéndome que prefieres esto a una cena con un *merlot* sobre la punta de la jodida torre Eiffel y tu novio recitándote poemas de amor al oído?

Tosió y comenzó a reír.

—Sigo sin entender cómo puedes soportarlo, mucho menos cómo puede gustarte toda esa mierda —me quejé.

—No es tan malo. Lo aprecio, es dulce. A muchas mujeres nos gusta eso.

—¿Qué cosa?

—Saber que el romanticismo existe, que hay algunos hombres que sí harían eso por ti, que sí te llevarían a la punta de la torre Eiffel por verte feliz. —Se mordió el labio y me miró con atención—. Creo que tú eres ese tipo de hombre, aunque te esfuerzas en ocultarlo.

Contuve una risa.

—¿Qué te hace pensar que lo soy?

Se encogió de hombros, pero el brillo esperanzado en sus ojos no pasó inadvertido para mí.

—Algo me lo dice. Solo hace falta que encuentres a la mujer por la que lo harías.

—¿Y cómo se supone que la encuentre si estoy casado con una arpía? —pregunté en broma—. ¿Debo poner eso en la red de citas? «Estoy casado, pero busco a alguien más». No atraerá a muchas.

Le robé una risa que no pudo contener y bebió un trago de su cerveza.

—Encontrarías a muchas. Eres atractivo, rico y bueno en el sexo. —Hizo un mohín, como si la idea le molestara y una ola de apego me invadió.

Quise presionar un poco más para saber qué tanto le incomodaba la idea de verme con otras mujeres, si le enojaba tanto como a mí el verla con Jordan o alguien más, pero desistí y, en su lugar, opté por el tema anterior.

—¿Entonces eres una romántica? —pregunté, divertido—. ¿Prefieres la poesía al sexo?

Dejó de comer y desvió la mirada, con sus mejillas tiñéndose de color.

—No soy una romántica, soy una persona práctica y el romanticismo no es práctico.

—Claro. —Di un largo sorbo a la cerveza—. Procuraré recitarte poemas al oído mientras te follo por detrás la próxima vez.

Soltó una carcajada larga y profunda, con sus hombros sacudiéndose y una mano sobre su estómago. No podía negar que me gustaba hacerla reír porque lucía relajada y sus ojos adquirían un bonito color gris claro.

—Eres todo un príncipe azul. —Se limpió las lágrimas de risa e inhaló un par de veces para tranquilizarse—. Que, por cierto, no sabía que te llamaban *príncipe* en el casino. —Me miró con curiosidad—. ¿Por qué?

—¿No me ves? Soy igual a uno.

—De los talones hacia abajo nada más. Del resto eres un idiota.

—Pero uno muy guapo. —Seguí escarbando en el contenido de la caja antes de mirarla—. Niégamelo.

Sus ojos brillaron con una emoción extraña y el esbozo de una sonrisa jugó en la comisura de sus labios. Negó con la cabeza y se concentró en su comida.

Comimos en un silencio cómodo, hasta que una interrogante se plantó en mi cabeza.

—¿Qué te dijo Louis?

—¿Quién? —Me miró confundida.

—El tipo del casino.

—Oh —frunció el ceño—, no mucho. Fue educado. Me preguntó si solía frecuentar el lugar y me dijo un par de veces que tenía un parecido extraordinario con alguien que él conocía.

—¿Un parecido con quién?

—Ni idea, no me lo dijo. —Se encogió de hombros—. Pero fue extraño. Fue como si... No sé, siento que lo he visto en otro lugar, pero no puedo recordar dónde.

—¿Tal vez en alguna fiesta de tus padres?

—Tal vez, no lo sé, aunque creo que lo recordaría. —Removió la comida en la caja con sus palillos—. Como sea, ¿por qué era tan importante el juego?

Me escrutó con duda y me acomodé en el sofá.

—Porque no podía perder, tenía que vaciarlo.

—Lo sé, pero ¿por qué?

Me aclaré la garganta y puse la caja sobre mi regazo, con el hambre abandonándome de pronto.

—Porque ese es mi trabajo. —Leah enarcó las cejas, en un claro gesto para que le explicara más—. Es parte de mi deuda, ¿recuerdas? Con la que te pedí ayuda presentándote como mi esposa ante mi abuelo.

—¿Y juegas para Rick como parte de la deuda?

No pude ocultar la sorpresa ante la mención.

—¿Cómo sabes su nombre?

—Fue el que usó el hombretón en el casino: dijo que *Rick* quería verte.

Me sentí inquieto ante la cantidad de información que Leah estaba encontrando y conectando. No quería que se acercara demasiado. Asentí rígido.

—¿Y por qué no la liquidas y ya está? No es como si no tuvieras dinero.

Suspiré, rindiéndome en mi fútil plan por contestarle solo con evasivas. Algo en ella me hacía confiar en su persona, aunque no pudiera explicar cómo ni por qué.

—Porque retirar cinco millones de mi cuenta de un día a otro podría alarmar a mis padres, ¿no crees?

—¿Ellos no saben que haces esto?

—No, por eso necesito cobrar la herencia cuanto antes. La condición que mi abuelo impuso es de lo más ridícula, pero no tengo alternativa.

—¿Y por qué le debes?

Me debatí entre mentirle o decirle la verdad; no quería que se inmiscuyera más de la cuenta, pero al final, opté por ser sincero.

—Perdí una partida importante. Era una suma muy grande y la perdí.

—Oh.

Asintió despacio, asimilando toda la información, y una sensación desagradable se instaló sobre mis hombros, tensándome.

—¿Cuándo iremos a Inglaterra? —preguntó de pronto.

—Pronto. Tengo solo un mes.

—De acuerdo.

Otro silencio se levantó entre nosotros mientras volvíamos a comer, pero no era incómodo en absoluto. La incomodidad e incertidumbre que se percibía al principio de nuestra convivencia había desaparecido, y la presencia de Leah era confortante y agradable de una manera que solo había logrado alcanzar con mi madre, Ethan y Sabine.

—Si pudieras tener cualquier cosa en la vida, ¿qué sería? —preguntó de la nada, sacándome de mis cavilaciones.

Hice una mueca de confusión. A veces era una chica muy rara.

—Poder absoluto —respondí luego de considerarlo unos segundos.

Ahora fue ella quien me miró como si le hubiese dicho que el sueño de mi vida era ser un *stripper*.

Pero era verdad. Si tuviera que elegir, optaría por tener el poder de huir de las manos de Rick, de la relación conflictiva de mis padres y poder llegar hasta Vevey en Suiza.

—¿Por qué?

—Porque lo necesitas para realizar cualquier cosa que tengas en mente.

—Supongo. Pensé que me dirías algo como... todo el dinero del mundo u otra de las cosas que todos dicen. Yo estaba por decirte que quería el hornito mágico que nunca tuve.

Solté una carcajada ante su ridículo comentario.

—Nunca tuve un *tamagotchi* y siempre quise uno —admití, siguiendo su juego.

—Yo tuve tres. —Alzó la barbilla con suficiencia.

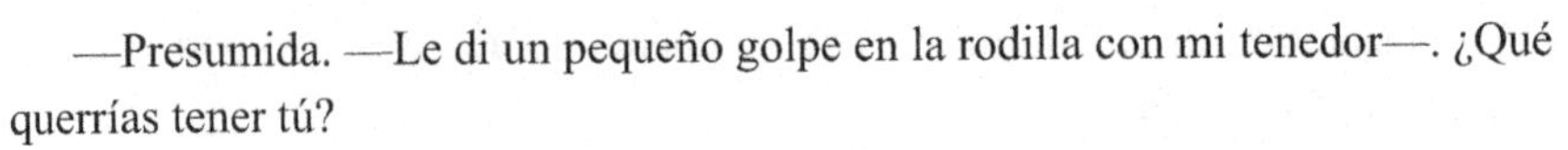

—Presumida. —Le di un pequeño golpe en la rodilla con mi tenedor—. ¿Qué querrías tener tú?

Se encogió de hombros.

—No es algo material, pero sí es algo muy cursi —continuó cuando no dije nada, esperando su respuesta—. Quiero ver el atardecer en una bahía.

Hice una mueca.

—¿No sabes que en los alrededores de Washington hay bahías? Llegar a una no te tomará más que un par de horas.

—Sí lo sé, pero siempre están atestadas de gente o está tan nublado que ni siquiera se aprecia el sol. Una vez acompañé a mis padres a Mykonos, en Grecia, y te juro que nunca he vuelto a ver un atardecer igual. Supongo que, si tuviera que elegir algo en la vida, sería contemplar algo así una vez más.

Estaba genuinamente sorprendido, porque nunca imaginé que ella pudiera apreciar tales cosas.

Pero no iba a demostrarlo, así que bufé para molestarla.

—¿No decías que no eras una romántica empedernida?

—¡Cállate! También quisiera tirarme con un paracaídas, suena muy excitante. —Rio y le dio un sorbo a su cerveza. Inclinó la cabeza luego de un momento, mirándome—. Nunca imaginé que pudieras ser así.

—¿Así cómo?

—Así —me señaló con sus palillos—, relajado y divertido. Siempre pensé que eras un imbécil.

—¿Y eso ha cambiado? —la desafié, enarcando una ceja con un deje de broma.

—Bueno, no —admitió—, pero sí eres diferente. Te encuentro... agradable.

Callé cuando no encontré nada con qué replicar.

—Me refiero a que olvido quién eras o de dónde vienes, por quién eres ahora. Lo recuerdo algunas veces, pero ya no puedo enojarme contigo por ello.

Me removí incómodo. Estábamos entrando en terreno inexplorado y peligroso, y no sabía cómo sentirme al respecto.

—Soy la misma persona, con un criterio diferente. No he hecho nada para ganarme tu agrado.

—Sí lo has hecho, o de lo contrario tú... yo... nosotros...

—No debería agradarte demasiado —la interrumpí—. Como dije, mi criterio cambió, pero sigo siendo la misma persona. Sigo siendo impredecible, cruel, malvado y todas esas cosas que tus padres te dicen siempre para que te mantengas alejada.

Clavó sus ojos en mí, determinados.

—Por favor, Alex, ahórrate el discurso de lástima personal. Tomo mis propias decisiones, así que puedo estar cerca de quien yo quiera.

—Eres imposible. —Sonreí, resignado.

—Tú también.

Me correspondió con calidez y algo se movió en mi estómago. Debía asustarme el que me acercara tanto a alguien con quien debía tener cuidado, más siendo consciente de la situación inestable y complicada en la que nos encontrábamos, pero no podía evitarlo; era demasiado bueno y me hacía sentir demasiado bien para detenerlo, para terminarlo.

—¿No sabes comer con palillos? —inquirió luego de un momento, observando con atención la mano con la que sostenía el tenedor.

—No.

—No te creo. —Parecía sorprendida mientras acortaba la distancia entre nosotros, rozando su brazo contra el mío—. Primera cosa que yo voy a enseñarte.

Resistí el impulso de sonreír y la miré embelesado mientras tomaba el otro par de palillos que venía dentro de la bolsa, partiéndolos. Quería decirle que ya me había enseñado varias cosas, que gracias a ella comenzaba a entender la importancia de la determinación, la priorización, la confrontación y los beneficios de la reconciliación.

Tomé el par que me ofrecía y los sostuve torpemente entre mis dedos. Me ayudó a acomodarlos y me mostró la manera en que debía moverlos para poder comer. Lo intenté tres veces y las tres veces terminaron en erupciones de risas de su parte.

—Eres una mala maestra —me burlé, dejándolos en la mesita y optando de nuevo por mi confiable tenedor.

—Eres un mal alumno. —Tomó un pedazo de pollo con facilidad entre los palillos—. ¿Cómo es que no puedes dominarlos si eres tan bueno con tus dedos?

La miré de forma sugerente.

—¿Te gusta lo que hago con mis dedos, Leah?

Pareció sentirse expuesta porque volvió a sonrojarse y se concentró en la comida que tenía en la mano. Me encantaba desconcertarla.

—No me refería a eso. Lo digo porque eres bueno dibujando, haciendo planos y...

—No sabía que tenías fetiches raros —seguí molestándola.

—Lo dice el que roba mis bragas.

—Soy un ladrón de bragas, ¿no te lo había dicho?

—¿Y para qué las usas? ¿Estás tan enfermo que las hueles?

—Las uso de antifaz.

La carcajada de diversión pura que brotó de su garganta reverberó en la estancia.

—¿Qué hice para terminar casada con alguien como tú?

—Algo muy bueno, de seguro. —Me incliné en un movimiento rápido y atrapé con la boca el pedazo de pollo que mantenía preso entre los palillos.

—¡Oye! Ese era mi último pedazo —se quejó, irguiéndose para buscar dentro de mi caja—. Dame uno tuyo.

—No. —La alejé de su alcance cuando estiró el brazo.

En realidad, ya no tenía ninguno, pero quería fastidiarla.

—Dame uno, Alex.

Volví a moverla cuando se inclinó hacia adelante, con una rodilla enterrada entre el espacio de mis piernas, estirándose para alcanzarla.

—Qué lenta, princesa. —Solté una risita cuando la quité otra vez, hasta que forcejeamos y terminó sentada en mi regazo, con sus piernas estiradas sobre el sofá—. Aunque sabes, podríamos negociar.

—¿Ah, sí? —Un brillo juguetón bailaba en sus pigmentados orbes—. ¿Y qué quieres a cambio?

Sus manos rozaron mi pecho a través de la tela de la camiseta, hasta posarse en mis hombros.

—No estoy seguro —respondí con falso desinterés, aunque mis palmas acariciaban sus piernas con demasiada posesividad para estar acorde con mi actuación.

—Estoy segura de que puedes pensar en algo —susurró hundiendo su cabeza en mi cuello y recorriendo su longitud con la nariz. Depositó un beso bajo mi mentón, hasta crear un húmedo y caliente sendero con sus labios, subiendo hasta mi oreja. Mi corazón aumentó en tempo.

Posé una mano en torno a su cintura, con sus dedos viajando por la longitud de mis brazos. Moví la cajita justo a tiempo para alejarla de sus garras, tomándola de la nuca para detenerla y guiarla hasta mi boca, estrellando sus labios contra los míos; su cabello hecho un puño entre mis dedos.

Nos movíamos con perfecta sincronía. Cuando ella me mordía, yo la mordía de vuelta, y al carajo con la última pieza de pollo; esto sabía mil veces mejor.

Dejé la comida en el sofá. Cerré mis brazos a su alrededor para estrecharla más contra mí. Sus dedos dejaron mis extremidades para dirigirse al dobladillo de mi camiseta, explorando curiosos la piel que había debajo. Sonreí contra sus labios y detuvo sus atenciones, separándose para mirarme.

—Yo gano. —Me incliné para volver a besarla, pero se alejó.

—¿Qué?

—¿Distraerme con la promesa de sexo para conseguir la caja? —La diversión llenaba mi voz—. Diría bien jugado, princesa, pero no.

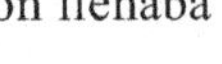

—Ni siquiera tienes más piezas de pollo.

Estrechó sus ojos y transformó su boca en una fina línea que sería más delgada de no ser porque sus labios estaban hinchados. Reí abiertamente ante su expresión y mi mano se movió por sí sola, impulsada por la burbuja de ternura que crecía en mi interior, para acariciar su mejilla con mis nudillos, en un acto que resultó demasiado afectuoso para no ser revelador.

Sus ojos se iluminaron con una emoción que nunca había contemplado y se llenaron de una suavidad y calidez impropia de ellos cuando me miraban. La ola de afecto y apego que nació en mi pecho e inundó todo a su paso me desconcertó. Aquello era peligroso, muy peligroso, pero no tenía la voluntad suficiente para detener el torbellino que éramos.

Preparaba café mientras Leah terminaba de darse un baño. Yo también necesitaba uno con urgencia. Ducharnos juntos había sido una opción sobre la mesa, pero sabía que no resistiría las ganas de tomarla bajo la regadera y mi cuerpo no resistiría otro *round*. Me sentía drenado luego de varios encuentros durante la noche.

Tomé el celular que estaba sobre la barra, dispuesto a reproducir la docena de videos que Ethan había enviado de la fiesta la noche anterior. Ni siquiera había presionado el primero cuando un grito de terror inundó la estancia.

Salí disparado de la cocina esperando encontrar a Leah con la cabeza partida contra el filo de la mesa o algo así, pero no. Vania estaba tiesa de la impresión mirando a mi compañera, que sujetaba la toalla con desesperación para cubrir su cuerpo.

—Buenos días, se-señorita —tartamudeó.

Leah parecía a punto de sufrir un paro cardíaco.

—Buenos días —saludó lo más digna posible y tuve que esforzarme por ahogar una carcajada.

—Señor Colbourn —Vania se giró hacia mí—, comenzaré con mis deberes.

—Adelante —dije con jovialidad.

—Su... ropa. —Se inclinó y le tendió las prendas a Leah que permanecían hechas una bola junto a la pared donde la había tomado la noche anterior, no sin antes hacer una mueca por lo poco que quedaba de la blusa.

Sin decir otra palabra, fue hasta el cuarto de lavado.

—¡Por Dios! —Leah estaba tan pálida que pensé que desfallecería—. ¡Me ha visto!

—¿Y?

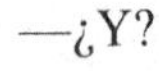

—¿Cómo que "y"? ¿Y si le dice a tu madre que he estado aquí? —inquirió alarmada.

—No lo hará. Esa mujer es como mi nana, la conozco desde siempre. Además, no creo que sepa quién eres.

—¿Y si lo sabe? —insistió, preocupada.

—Guardará el secreto si se lo pido.

Se mordió el labio sin estar convencida, antes de revisar el resto de su ropa y escanear bajo la mesa.

—¿Dónde están mis bragas? —siseó estrechando los ojos.

—En un lugar seguro —respondí de buen humor.

—Regrésamelas.

—No.

—No puedo irme sin bragas —se quejó.

—Sí puedes. ¿Qué prefieres, irte sin bragas o sin camiseta? —inquirí, entretenido con la forma en que sus ojos se abrían como platos.

—¿Qué?

—¿No sabes lo que es un intercambio? Te daré mi camiseta para que no salgas en sostén, es justo que a cambio me quede con tus bragas.

—¿Las usarás de antifaz?

—Por supuesto —contesté serio y ella rio.

—De acuerdo, acepto, pero solo si me mandas una fotografía usándolas.

—Seré el nuevo *Pantyman*.

Su carcajada resonó en la estancia. Se giró para ir hasta la habitación negando divertida y terminar de vestirse. Reparé en que caminaba extraño, como si estuviera tiesa o entumecida, con las piernas temblando levemente, igual que los venadillos recién nacidos cuando intentan caminar.

Cuando terminó, Vania seguía en el cuarto de lavado. Asumí que era para darnos privacidad.

Leah permaneció a un palmo de distancia, con el cabello húmedo pegado a la espalda y mi camiseta de los Giants reemplazando su destrozada blusa de terciopelo.

—¿Te veré pronto? —preguntó con anhelo, llenándome de esa ajena calidez de nuevo.

—Cuando quieras.

Sonrió.

—Perfecto. —Se acercó para darme un breve beso en los labios y andar a duras penas hasta la puerta.

—Cuídate, Bambi —me burlé con los brazos cruzados, recargado en el respaldo de mi sofá.

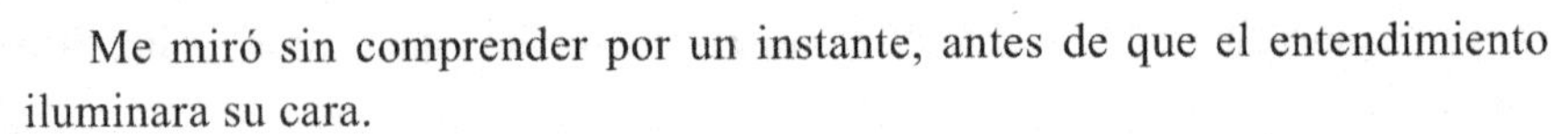

Me miró sin comprender por un instante, antes de que el entendimiento iluminara su cara.

—Jódete, Colbourn —dijo divertida—. Te odio.

—El sentimiento es mutuo.

Rio una última vez antes de salir.

—Es una chica muy bonita —habló Vania a mi lado apareciendo de la nada.

Era la primera vez que mi ama de llaves veía a una chica en mi departamento. No porque fuera la primera ocasión que llevaba a una, pero sí en que conservaba a la chica conmigo el tiempo suficiente para que la atrapara pululando por el lugar.

—Lo es.

—¿Y es algo serio? —preguntó la vieja mujer con curiosidad.

Sellé mis labios y fui hasta mi habitación para darme una ducha, ignorándola.

No porque fuera grosero, sino porque no tenía una respuesta.

Jugué con el anillo entre mis dedos. Era sencillo, con un simple diamante en el centro. Bonito, sí, pero era difícil controlar la necesidad que sentía de lanzarlo por la ventana para que se perdiera por siempre entre las calles de Washington.

Lo había encontrado antes de que Vania lo hiciera y no sabía qué hacer con él. En algún punto Leah volvería a preguntar por la sortija y no podría ocultarla por siempre. ¿O sí?

Lo correcto era entregárselo, pero una parte de mí, una gran parte, no deseaba que mi mujer tuviera algo que la atara de alguna manera con otro hombre. Era posesivo y primitivo, y me sentía idiota por percibir tal cosa cuando lo nuestro ni siquiera era algo real, pero no podía evitarlo.

Con hastío, lo lancé dentro del primer cajón de la cocina y marché hasta el cuarto de revelación de fotos para centrarme en algo más que no fuera mi esposa.

No supe cuánto estuve dentro, abstraído en revelar capturas, hasta que un toque en mi puerta me distrajo de mi faena. Consideré la idea de hacerme el occiso y no abrir, pero debía ser alguien conocido si Adam lo dejó subir sin avisarme primero por el *interfón*.

Suspiré con pesadez y me encaminé a recibir a la persona.

Jordan me sonrió apenas reparó en mí y yo sentí mis entrañas volverse un nudo. ¿Era una puta broma? Mi cara debía reflejar mi impresión porque la sonrisa de mi amigo flaqueó.

—¿Es un mal momento? —preguntó vacilante.

«Por poco y lo es», pensé, pero me recompuse.

—No. ¿Qué demonios haces aquí? —inquirí también. No era muy común que él o Ethan me visitaran.

—Quería hablar contigo.

—¿Sobre qué?

Jordan cambió su peso de una pierna a otra y soltó una risita corta.

—¿Puedo pasar? ¿O me dejarás aquí afuera, amigo?

—Por supuesto. —Me hice a un lado para darle acceso.

La tensión en mis hombros se hizo más fuerte cuando entró. Tal vez era mi paranoia o el hecho de que Leah había estado aquí solo horas atrás, pero podía jurar que su perfume inundaba toda la estancia y que Jordan podía percibirlo. Esperaba que no viniera a romperme la cara por follarme a su novia.

—¿Y bien? —inquirí con los brazos cruzados sobre el pecho y listo para defenderme si se le ocurría golpearme.

—¿Por qué actúas tan raro, viejo? —Sonrió—. ¿Qué pasa?

—Nada, es solo... —No quería evidenciarme más—. Es extraño tenerte aquí.

—Ya, vine a hablar sobre Leah.

Mierda, mierda, ¡mierda! Lo sabía. Estaba seguro de que lo sabía. Pero ¿cómo pudo enterarse tan pronto? Habíamos sido cuidadosos, no nos habíamos dirigido la palabra en la universidad, pero tal vez me había atrapado mirándola en más de una ocasión...

—¿Tienes una cerveza? —preguntó sin perder la templanza—. Solo quiero saber si has averiguado algo.

El alivio que sentí apenas dijo esas palabras fue inmenso. Tuve que parpadear un par de veces para cerciorarme de que la cabeza no me jugaba una mala pasada.

—¿Perdón?

Fui al refrigerador y extraje de él dos cervezas. Le entregué una a Jordan y sonrió.

—Creo que estás muy distraído hoy, Alex. Dije que quiero saber si has averiguado algo sobre el tema que hablamos de Leah. —Agitó un poco la botella frente a mí—. Además, no las abriste. ¿Quieres que la abra con los dientes o qué?

Rodeó la barra de la cocina y abrió el primer cajón.

—¿Dónde tienes los destapadores?

Mi corazón dio un vuelco cuando abrió el segundo y troté para llegar hasta él. Coloqué mi mano sobre el cajón para impedir que lo abriera. Jordan frunció el ceño, extrañado.

—No están aquí. Están en el último —hablé con voz tensa.

—De acuerdo. —Siguió mi indicación y extrajo el destapador para abrir su cerveza.

Me lo tendió sin perder esa expresión extraña.

—¿Estás bien? Estás un poco pálido.

—Estoy bien. —Destapé la mía y le di un trago al licor para recuperarme de la impresión.

Jordan soltó una risita.

—¿Qué escondes en ese cajón, ah? ¿Recuerdos de tus amantes?

«El anillo que le diste a tu novia», contesté para mí, pero sacudí la cabeza en su lugar.

—Algo así —dije sin más.

Mi amigo dio un sorbo a la botella mientras apoyaba el cuerpo en la barra. Esperaba que se distrajera con algo para poder sacar el puto anillo del cajón. Que estuviera ahí era solo una bomba de tiempo.

—¿Y bien? —preguntó de pronto, rompiendo el tenso silencio que se asentaba en el lugar.

—¿Bien qué?

Jordan volvió a mirarme con extrañeza.

—Leah. ¿Has sabido algo?

Me aclaré la garganta para ganar tiempo.

—No he sabido nada. Hace pocos días que me pediste que la vigilara.

—Lo sé. —Hizo una mueca—. En verdad creo que algo está pasando con ella, que está… no sé, interesada en alguien más.

Eso captó mi atención.

—¿Por qué lo dices? ¿Qué te hace pensarlo?

—He visto que algunas veces sonríe al móvil y mensajea todo el tiempo. Además, cuando fuimos a la exposición de los padres de Ethan, en la galería…

Mi corazón aumentó en tempo. ¿Había alguna posibilidad de que nos hubiera visto? ¿Hubo algún vestigio de lo que pasó entre nosotros en mi auto?

—Ella dijo que fue a atender una llamada, pero ¿en verdad era de Claire? Se tardó muchísimo. —Negó con la cabeza y un gesto de preocupación se asentó en su cara—. Ya no se ríe igual conmigo y es como si siempre estuviera buscando a alguien más.

—No he visto nada desde que me contaste —dije con una mezcla extraña de emociones en el estómago. Por una parte, me sentía un traidor, pero por otro lado… la idea de que Leah me prefiriera a mí me llenaba de una satisfacción que no sabía de dónde provenía e inundaba todo a su paso.

—Tal vez solo estoy siendo paranoico y estoy loco. —Rio con pesar.

«Créeme, no lo estás».

—Tal vez. ¿Por qué no te relajas? —Levanté mi cerveza y le di un trago.

—Tienes razón, debería hacerlo. —Soltó el aire que contenía y se rascó la cabeza—. ¿Vendrás hoy al casino? Ethan me invitó otra vez.

—No, tengo cosas que hacer.

—De acuerdo. —Dejó la botella sobre la barra y miró extrañado mi móvil, que se iluminó en ese momento, pero no dijo nada y se encaminó a la puerta—. Lamento interrumpir lo que sea que estuvieras haciendo, es solo que Leah me está enloqueciendo.

«Ya somos dos, amigo», quise decirle, pero fui prudente y me abstuve.

—Me imagino. Es una arpía —solté en el afán de que fuera un insulto, pero su entrecejo solo se frunció más.

—Gracias por escucharme, viejo —dijo en el umbral de mi departamento mientras sostenía la puerta abierta.

—No soy el mejor consejero, pero siempre puedo escucharte. Deja de quemarte tanto la cabeza, ella te quiere. —Las palabras resultaron ácidas en mi boca.

—Claro. —Su sonrisa fue débil—. Te veré en la universidad.

Lo despedí con un gesto de la mano y cerré la puerta con más fuerza de la necesaria cuando se fue. Me pasé las manos por el cabello y conté hasta diez para no perder el control. El corazón me latía como loco y parecía un hombre a punto de ser descubierto en un crimen.

«¡Maldito anillo de mierda!».

Fui hasta la barra y tomé mi móvil para escribirle a Leah. Necesitaba decirle sobre las nuevas sospechas de su novio. Sin embargo, mi alma se fue a los pies cuando leí el último mensaje que recibí.

No te olvides de buscar mi anillo. Sé que está en tu departamento.
16:06 p. m.

Eso explicaba por qué Jordan me había mirado extraño cuando me referí a Leah de esa manera.

Esperaba que no fuera tan intuitivo o todo esto se iría a la mierda. Y yo no estaba dispuesto a terminarlo todavía.

# 22
## REUNION FAMILIAR

*Leah*

Entré a casa cerciorándome de que la sala del recibidor estuviera desierta.

Los alegatos de mi estómago no dejaban de recordarme que la actividad física de las últimas horas quemó todas las calorías que había consumido, en conjunto con mis energías. Llegué a la cocina y abrí el refrigerador con una sonrisa de idiota plasmada en el rostro. No iba a quejarme, por supuesto; se estaba convirtiendo en mi forma de ejercicio favorito. Tomé la caja de zarzamoras que se asomaba en uno de los estantes y engullí la primera con apetito, la segunda y tercera igual.

—Deberías decirle que no sea tan rudo contigo, no se trata de dejarte inválida.

Tardé dos segundos en salir de mi estupor y otro más en enfocar a Erick sentado en la pequeña mesa que había en la cocina, con un montón de papeles sobre la superficie y una taza a un costado.

—¿Qué? —inquirí con una sonrisa y caminando lo más natural posible para sentarme junto a él, feliz por tenerlo en casa.

Negó, divertido, y volví a centrarme en calmar los alegatos del hambre.

—No sabía que Jordan era fan de los Giants. Por las veces que hemos visto partidos juntos, pensé que era más afín a otros equipos. —Señaló la camiseta que vestía bajo la chaqueta de cuero.

—¿Jordan? —la pregunta salió de mi boca incluso antes de que pudiera detenerla. Lo miré con extrañeza y él enarcó las cejas sin comprender—. Oh, sí. —Reí nerviosa, reparando en la metida de pata tan grande que casi cometía—. No lo sé, supongo que lo es.

—Lo invitaré a uno de sus partidos la próxima vez entonces.

—Claro —dije con la zarzamora a mitad de camino de mi boca, rogando para mis adentros que Jordan en efecto fuera fan de los Giants—. ¿Dormiste aquí ayer?

—Sí, a diferencia de ti —se mofó y le hice una mueca.

—¿Por qué? ¿No deberías estar con Claire?

—Está con sus padres afinando los últimos detalles que le corresponden de la fiesta de compromiso, y yo estoy haciendo lo mismo. —Señaló el montón de facturas y papeleo que estaban desperdigados sobre la mesa—. No tiene caso estar en el departamento si ella no está, no me gusta estar solo.

—Son tan cursis, parecen siameses.

—Por favor, poco falta para que Jordan y tú compartan la taza del baño.

—Eres asqueroso. —Le di un golpe en el hombro—. ¿Y qué se supone que haces?

—Estoy verificando que se hayan enviado todas las invitaciones a tiempo a mi lista de invitados. La fiesta es en cuatro días y ya tengo suficiente con mamá diciendo que ajuste todo para recibir a las visitas, y te juro que si papá me dice una vez más que verifique el papeleo de contratación voy a volverme loco.

Reí. Nuestros padres eran así, siempre con una perfección y precaución que rozaba la paranoia. Tomé algunos de los papeles sobre la mesa y analicé la lista de invitados pasando las hojas.

—Más que una fiesta de compromiso parece un concierto. ¿Dónde planean meter a tantas personas?

Mi hermano se rascó la cabeza con pereza. Tenía el cabello oscuro alborotado y vestía una camiseta blanca con pantalones de pijama.

—Escogimos el Four Seasons precisamente por eso. El hotel tiene un salón de eventos enorme y...

Dejé de escucharlo cuando caí en cuenta de que la familia Colbourn también estaba en la lista.

—¿Invitaste a los Colbourn? —lo interrumpí, impresionada.

—No, no fui yo. Fue el padre de Claire.

Me mordí el interior de la mejilla.

—Es muy amigo de esa familia y no quiero tener problemas con mi suegro por eso.

—Tu futuro suegro —lo corregí y sonrió, porque todos sabíamos que ya eran como un matrimonio.

—Como sea, no sé si asistirán. Byron no ha confirmado, y en caso de que decidieran hacerlo, no creo topárnoslos, para tranquilidad de nuestros padres. El salón es enorme.

«Yo sí quiero topármelos. A uno de ellos, al menos», deseé y una anticipación nació en la boca de mi estómago.

Me percaté, de manera repentina y estrepitosa, que comenzaba a sentir más cosas por Alexander Colbourn de las que debería permitir, o de las que deberían nacer de una relación de simples amantes. La mayor parte de mi tiempo y mis pensamientos estaban ocupados por él.

Era peligroso, arriesgado y demencial, pero no había nada que yo pudiera hacer para detener la manera en que me sentía, así que seguía caminando por el mismo sendero, cayendo lentamente. Era ahora un triste hecho en mi vida que me gustaba aquel imbécil, tal vez más de la cuenta. Y solo me quedaba lidiar con ello, impedir que creciera y esperar que desapareciera cuando me hartara de follar con él.

—Eso espero —mentí y apreté su mano—. ¿Estás nervioso?

Mi hermano frunció el ceño y soltó una risita que me lo confirmaba.

—La idea del matrimonio me pone nervioso, pero imagino que no es la gran cosa, es solo una etiqueta. Para cuando tú te cases, hermanita, te habré contado mi experiencia sobre ello.

«¿Y si mejor yo te cuento la mía?».

La idea de contarle sobre la maraña de emociones que tenía dentro me asaltó, desesperada por orientación y apoyo. Abrí la boca para comenzar con el vómito verbal antes de que la lucidez volviera.

—Erick, yo...

—Buenos días. —Mamá apareció en la cocina con su bata sobre el brazo y una cansada sonrisa, salvándome de cometer otra estupidez. Se inclinó para depositar un beso sobre mi coronilla y luego la de Erick.

—¿Tuviste operación ayer? —pregunté al tiempo que mamá engullía una zarzamora. Su aroma a jazmín se combinaba con el antiséptico.

—Sí, dieciséis horas.

Mi hermano hizo una mueca.

Mamá era la directora de uno de los mejores hospitales de la ciudad, tal vez del país, y también la jefa de cirugías pediátricas. Su agenda estaba siempre ocupada, porque nunca, *nunca*, negaba su ayuda a nadie. Hacía al menos dos operaciones a la semana gratuitas para personas de escasos recursos, y nos decía siempre que la solidaridad era lo más importante, porque el que nosotros tuviésemos todo, solo significaba que teníamos más para dar.

—¿Dónde dormiste tú? —Acarició mi cabello y tosí—. Leí apenas un mensaje de tu padre preguntando si sabía dónde estabas.

Mi hermano me lanzó una mirada cómplice.

—Con Edith. —Usé la misma mentira de siempre.

—Leah estaba contándome que tuvieron una pijamada muy *entretenida*. —Erick recalcó la última palabra y entorné los ojos en su dirección—. Estuvo tan bien que no durmieron en toda la noche, por eso está agotada.

—¿En serio?

—Me encantaría tener pijamadas *tan agotadoras* como las de mi hermana. —Deslizó una sonrisa felina por su rostro.

Le lancé una advertencia muda para que se detuviera. Todo el tiempo hacía lo mismo para molestarme.

—Me alegro —dijo mamá y el suspiro de alivio que estaba por emitir se atoró en mi garganta cuando posó sus manos sobre mis hombros—. Espero que estés cuidándote, Leah. No quiero...

—¡Mamá! —la interrumpí, sintiendo mis mejillas arder.

Erick ahogó una carcajada.

—¿Tengo que explicarte lo de los métodos anticonceptivos de nuevo?

—¡No!

Ya había pasado por esa situación tan vergonzosa a los doce, no quería repetirla, aunque mamá se había encargado de prevenirnos y prepararnos en el tema desde un enfoque meramente clínico.

—De acuerdo —dijo con recelo y cubrí mi cara con las manos—. ¿Has hecho ya los preparativos en las habitaciones de huéspedes?

Mi hermano suspiró y me descubrí el rostro a tiempo para captar la frase de «te lo dije» que adornaba sus facciones.

—Ana ya está preparando las últimas habitaciones.

—¿Cuándo llegan? —pregunté.

—A partir de mañana —respondieron al unísono.

Suspiré y me dejé caer en la silla, derrotada, preparándome para olvidarme de la paz que reinaba en casa.

—Cariño. —Jordan besó mi frente para saludarme después de clases y recibí de buena gana el familiar gesto, aunque el contacto tierno resultó insuficiente en comparación al viaje arrebatador por el que siempre me arrastraba Alexander cuando me besaba.

—Se siente culpable. —Rio Ethan junto a Edith bajo el portal.

—¿Por qué? —inquirí entrelazando mis dedos con los suyos.

—El fin de semana bebió hasta que terminó hablando en ruso.

—¿Hablas ruso? —Edith enarcó las cejas, impresionada.

—No.

—Tu hombre tiene habilidades ocultas, Leah. Puede que lo reclute la NASA.

Todos soltamos una risa.

—¿Cómo volvieron a casa? —Miré a Jordan. Se tensó un momento.

—Conduciendo. Sobre Jordan no tengo idea porque desapareció. —Ethan frunció el ceño al mismo tiempo que yo lo hacía y ambos fijamos nuestros ojos en el aludido—. Estaba tan borracho que olvidé llamarte. ¿Cómo llegaste a casa?

—Alguien me llevó.

—¿Quién?

—Alguien que estaba en la fiesta y se apiadó de mí —dijo sin más—. ¿Tú qué hiciste? —Acarició la forma de mi cara con el índice—. Pensé que me acompañarías a la fiesta.

«Follarme a tu amigo hasta quedar devastada». La piedra de la culpa volvió a oprimirme el corazón, aunque ya no pesaba tanto como antes.

—Me quedé en casa ayudando a mi hermano con los preparativos de su fiesta —mentí impregnando mi voz de toda la convicción posible—. Terminé tan agotada que olvidé llamarte.

Evaluó mi rostro como si buscara algo en él. Sonreí incómoda.

—¿Cuándo es la fiesta?

—En tres días. De hecho, tengo tu invitación. —La extraje de mi bolso y se la tendí para que la tomara. Estaba por hacerlo cuando nos interrumpieron.

—Jordan. —Otra voz fuera de nuestro círculo habló y me giré para observar a la chica que lo llamaba a unos metros de nosotros.

Él se alejó de mi lado para ir hasta ella, dejándome con la invitación pendiendo en el aire y quedando apenas en el borde de lo que yo consideraba una distancia cordial para dos colegas —o extraños—. La chica le sonrió cuando lo tuvo por fin cerca y le tendió un cuaderno.

—Gracias, ya necesitaba estar al corriente en clase del señor Robins.

—Cuando quieras. —Él le correspondió el gesto, sus ojos arrugándose con la brillante y amable sonrisa que le dedicó a la mujer de cabello castaño y ojos color avellana, la cara salpicada de pecas—. Es una clase difícil, así que puedo ayudarte en cualquier cosa que necesites.

—En verdad que sí. —Soltó una risita nerviosa, colocándose el cabello tras la oreja—. Creo que te tomaré la palabra y volveré a buscarte. Requiero de toda la ayuda posible en esa clase.

—Será un placer —respondió con un tono amable que rozaba algo más.

Enarqué las cejas cuando ella no perdió la sonrisa de idiota. Jordan pareció recordar por fin que yo *existía* y estaba ahí, que nosotros estábamos ahí. Se aclaró la garganta y se centró en nuestra dirección.

—Lo siento —se disculpó por su descortesía—. Ellos son mis amigos, Ethan, Edith —los señaló a cada uno hasta que volvió a posarse a mi lado, tomándome de la mano—, y ella es Leah, mi novia. Chicos, ella es Grace.

La sonrisa de ella se desvanecía en la misma medida que yo extendía la mía.

—La conocí en la fiesta el fin de semana y resulta que tenemos una clase en común.

—Un gusto. —La dureza asaltaba sus delicadas facciones sin que me quitara la mirada de encima.

—Igualmente —dijimos todos al unísono.

Un denso silencio cayó después de las presentaciones, hasta que la chica volvió a hablar.

—De acuerdo, debo irme —se disculpó y la dureza de su rostro se suavizó cuando posó los ojos en Jordan—. Te veré en clase mañana.

Él volvió a sonreírle de esa forma que mostraba más que amabilidad.

—Por supuesto.

Me dedicó una última ojeada de desagrado mal disimulado antes de dar la vuelta y andar por el pasillo.

También había disimulado mal el hecho de que le gustaba mi novio. No, corrección, ni siquiera se había molestado en disimularlo.

La oleada *natural* de celos me inundó, pero no fue tan grande como habría esperado y se desvaneció casi tan rápido como apareció.

Para cuando los hermanos Bastian y Daphne Turner llegaron, junto a sus respectivas familias, mi casa ya estaba patas arriba con el resto de los familiares que vinieron para la fiesta de compromiso.

Se dispusieron entonces a saludarnos. Bastian me lanzó una mirada cómplice antes de abrazarme. El fuerte y familiar aroma de Malika me llenó en cuanto la tuve cerca y dejé que me envolviera con su cuerpo.

—No puedo creer que te he visto hace apenas unas semanas —dijo ella feliz y mi cuerpo se volvió rígido al momento.

«Mierda, mierda, mierda».

—¿Unas semanas? —Papá enarcó una ceja.

—¿Dónde has visto a Leah? —inquirió mamá, perpleja—. Tienen al menos tres años sin venir.

Bastian se aclaró la garganta y no sabía quién tenía más cara de pánico: si Malika o yo.

—Lo dice porque le mostré una foto de Leah hace unas semanas atrás, ¿no es así, cariño? —Su esposo entrelazó sus manos.

—Claro. Estaba impresionada con lo mucho que había crecido. —Malika soltó una risita nerviosa.

Papá me lanzó una ojeada suspicaz antes de dejar el tema y recibir a Daphne, su amiga, que venía colgada del brazo de su marido marroquí, Jahid, y acompañados de Zarine y Joseph, los mellizos de Bastian. También recibimos a Nina, la hermana de mi padre; y Tamara, la amiga íntima de mi madre, acompañada por Santiago, su esposo, e Isabelle, su hija. No éramos familiares de sangre, pero había crecido junto a Isabelle.

Los días eran toda una odisea. Mi casa era enorme, pero con tantas personas de visita, la totalidad de las habitaciones de huéspedes estaban ocupadas. Los desayunos, comidas y cenas eran un constante bullicio, erupciones de risas y gritos de Nina y Daphne, que eran las más efusivas; peleas por el último pedazo de carne entre Bastian y Santiago, y quejas incesantes de Tamara e Isabelle porque Damen, Zarine y Joseph no dejaban de molestarlas.

Éramos una mezcla muy rara, multicultural y terriblemente ruidosa. Mis padres no tenían muchos parientes, pero sí un sinfín de amigos que eran la mejor familia que podríamos tener.

Reí mientras Isabelle terminaba de contarme sobre un chico que no dejaba de perseguirla en la universidad, mientras cargábamos el montón de platos sucios que habíamos utilizado para la comida y los llevábamos a la cocina para que se encargaran de ellos.

—No suena tan mal —la conforté—. Tal vez, si lo tratas un poco más, puedas conocerlo mejor. ¿Te gusta?

—No lo sé.

—¿Cómo que no sabes?

—Algunas veces siento que sí, otras que no.

Hice una mueca.

—¿Qué eres, un semáforo? Es sí o no, no hay puntos medios.

—Es que... es la primera vez que paso de la primera cita con un chico —confesó apenada.

—¿Y cuál es el problema?

—¡Eso! ¡Que no sé si me gusta! Me refiero a que nunca había llegado tan lejos con alguien. —Acomodó mejor la montaña de platos sobre sus brazos—. ¿Cómo sabes cuando alguien te gusta de verdad? ¿Qué sientes?

Me miró expectante, como si yo fuera la fuente de todas las respuestas del universo.

—Para todos es diferente.

—Lo sé, pero ¿qué sientes tú?

—¿Yo? —Asintió y fruncí el ceño, tratando de evocar emociones y sensaciones—. No lo sé, supongo que si el chico te gusta quieres pasar el mayor tiempo posible con él, te ilusiona la perspectiva de verlo y te ríes como idiota todo el tiempo sin poder evitarlo. Ocupa tus pensamientos de forma constante, aunque quieras sacarlo de ahí con pinzas; el corazón se te dispara antes de que te des cuenta y sientes... sientes...

—¿Mariposas en el estómago? —inquirió, ilusionada.

—Sí, mariposas en el estómago. —Sonreí.

—¿Eso es lo que sientes con Jordan? —La ensoñación adornó sus ojos.

La sonrisa flaqueó ante la pregunta y fijé mi vista al frente. Me convencí de que algunas cosas sí las percibía con él, pero no podía negar que la mayoría las provocaba Alexander solo con estar cerca. Sacudí la cabeza.

«Deja de pensar estupideces, Leah. Ya no eres una colegiala».

—Sí, con Jordan.

Me dio un leve codazo y entramos al mismo paso al rellano que precedía la cocina.

—¿Está todo en orden? ¿Estás durmiendo bien?

La detuve con un brazo cuando me percaté de que ya había alguien en la estancia. Me debatí entre retirarnos o permanecer por un momento, hasta que mi parte curiosa ganó partido. Me llevé el índice a mis labios para indicarle a Isabelle que guardara silencio, al tiempo que nos acercábamos para escuchar.

—Claro, ¿por qué lo dices? —Era la voz de mamá.

—Te conozco como la palma de mi mano —la mamá de Isabelle, Tamara, parecía preocupada—, sé que algo te pasa.

Suspiró.

—Tuve una crisis hace poco.

Fruncí el ceño ante su confesión. ¿Crisis?

—¿Cuándo? ¿Qué pasó?

—Hace una semana. Él estaba... Yo estaba... —Mamá se atragantó con sus propias palabras—. Estaba persiguiéndome, Tamara. Corría por un pasillo y no importaba cuánto corriera, él seguía tras de mí, pisándome los talones, acechándome.

—Alli...

Mamá inspiró aire y algo se comprimió en mi pecho. ¿Quién era *él*? ¿Papá?

—Fue como aquella vez, ¿sabes? No dejaba de temblar, no podía enfocar o distinguir nada y pensé que perdería la razón hasta que... —Soltó una risita amarga—. Hasta que vi a Leo en la penumbra, abrazándome para calmar los espasmos y mi respiración.

Sorbió por la nariz y tuve que resistir el impulso de asomarme para cerciorarme si lloraba. Isabelle estaba igual de quieta que yo en el umbral.

—No supe por cuánto tiempo estuvimos así, hasta que dejé de hiperventilar y pude respirar correctamente. Se sintió tan real, Tamara. Tenía mucho sin presentar un episodio así, meses.

—Tranquila, son esporádicos. —El tono de mi tía era amortiguado—. No se volverá a repetir en un tiempo, estoy segura.

—No lo sé, tengo un mal presentimiento.

—Tal vez lo soñaste por lo que te conté hace un mes, lo de la cárcel y Ósc... —Se cortó a sí misma.

Estaba tan concentrada en captar todos los detalles de la conversación, que no reaccioné hasta que tuve a una Tamara muy molesta frente a nosotras.

—¿Se puede saber qué están haciendo? —Su vista cayó sobre cada una como una piedra—. ¿No saben que es de mala educación escuchar conversaciones ajenas?

—Lo sien...

—¿Quién es él? —interrumpí a Isabelle entrando en la cocina con decisión. Dejé los platos sobre la barra para encarar a mamá.

Tenía la nariz roja y los ojos llorosos. Pareció impresionada de verme ahí.

—¿*Él*? ¿De quién hablas? —Se hizo la desentendida.

—El que decías que te perseguía en el sueño, ¿quién es? —aclaré, clavando mis ojos en los suyos.

Le lanzó una ojeada a Tamara antes de volver a centrarse en mí.

—No es nadie, cariño. Es un monstruo, solo un mal sueño.

Enarqué una ceja, sin creerle una sola palabra.

—¿Monstruo? Más bien parecía que hablabas de una persona.

—No, no. —Rio nerviosa—. Es un monstruo que aparecía en mis sueños cuando era más joven.

La escudriñé con suspicacia, desafiándola a que me siguiera mintiendo a la cara. No quería más secretos.

—¿Y la persona de la cárcel?

Palideció.

—Nadie, algo que Tamara vio en las noticias y la impresionó mucho. Al parecer a mí también.

—Pero...

Mi tía se aclaró la garganta, rompiendo la tensa atmósfera.

—¿Qué les parece si me ayudan a partir el *pay*? —Puso varios platitos en la barra y sacó del refrigerador el postre.

—Se ve delicioso, mamá —acotó Isabelle disponiéndose a ayudarla.

Mi madre me sonrió con esa forma típica suya y me ignoró yendo hasta Tamara para asistirla.

Odiaba que fuese tan reservada con su vida, aunque también me oprimía el pecho al verla tan inquieta, como si algo la lastimara.

# 23
# DESCUBRIMIENTOS

## Leah

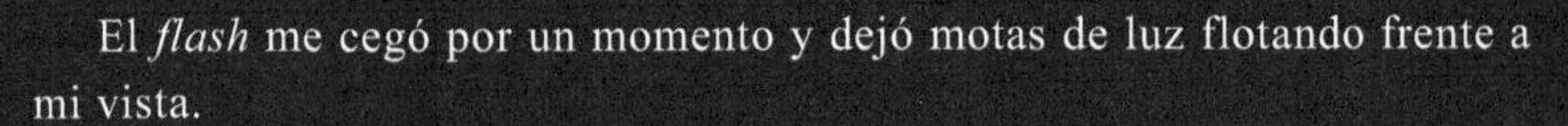

El *flash* me cegó por un momento y dejó motas de luz flotando frente a mi vista.

Erick retiró su mano de mi cintura una vez que los fotógrafos, que habían conseguido su pase al Four Seasons, capturaron su tan codiciada foto familiar.

La mayoría de los fotógrafos se concentraban en sacarles fotos preciosas a Erick y Claire, mientras que otro gran grupo acosaba a mis padres y los de la novia, pidiéndoles fotos y declaraciones.

El evento parecía una alfombra roja con el desfile de personajes de renombre que no dejaban de entrar por las imponentes puertas del salón: comerciantes, empresarios, artistas, médicos... A veces me sorprendía la cantidad de gente que mis padres conocían. Y claro que Arthur Whiteley y su mujer aportaban otros cientos a la multitud, todos ataviados con sus mejores vestimentas y joyas.

Estaba por tomar una copa de *champagne* cuando alguien me tomó del brazo y me rodeó la cintura, estrechándome contra sí.

—Sonríe, cariño —dijo Jordan entre dientes sin perder la sonrisa que adornaba su rostro.

Levanté la mirada lo suficiente para percatarme de los fotógrafos con sus cámaras listas para disparar. Me acomodé mejor junto al cuerpo de mi novio, dibujé mi mejor sonrisa y permití que los *flashes* volvieran a cegarme. A diferencia de mí, a Jordan le encantaban este tipo de cosas y adoraba recibir atención de la prensa. Se sentía en su elemento siendo el punto de enfoque de todos los lentes.

—Querida —Regina, la madre de Jordan, me saludó con un beso en cada mejilla—, te ves divina.

—Usted igual —respondí cortés. Se veía sobria y formal con el recatado vestido azul oscuro que se ajustaba a su menudo cuerpo, con su cabello castaño recogido en un apretado moño.

Por mi parte, agradecí el halago, porque no había pasado cuatro meses eligiendo el vestido perfecto para esta ocasión. La tela era fina, de un bonito color beige; mis hombros y brazos permanecían cubiertos por un diseño de piedras pequeñas y brillantes, salpicando aquí y allá, con una abertura que iba desde mis omóplatos hasta mi cintura y otra más al frente de mis piernas en cascada, dejando al descubierto mis zapatos. Mi cabello recogido en un complicado peinado.

Abraham, el padre de Jordan, me saludó con una educada inclinación de cabeza.

—¿Por qué ya no nos has acompañado a cenar en casa? —preguntó Regina, sonriendo.

Miré a mi novio, que parecía incómodo.

«Porque no he sido invitada», quise responder.

—Con todo esto no he podido, pero haré un espacio para asistir a una de sus comidas.

—¡Por supuesto! —Tomó mi mano entre las suyas—. De hecho, estábamos por invitarte a una, ¿no es así, Abraham?

Su esposo asintió hacia su esposa.

—Sí, queremos hablar sobre algo importante.

—¿Sobre qué?

—Será mejor que te enteres en la cena, no es nada que te quite el sueño. —Regina palmeó mis manos y sonrió—. Jordan te enviará los detalles.

Había tenido siempre una buena relación con ellos y no quería perderla, así que acepté.

—¿Y tu anillo? —La voz de mi novio sonó dura contra mi oído en cuanto sus padres comenzaron a charlar con alguien más.

Sentí la tensión construirse dentro de mi cuerpo.

—Lo olvidé.

—¿Dónde?

—En... En mi joyero.

Estrechó los ojos.

—No te lo di para que lo olvidaras dentro de un joyero. Esta era la ocasión perfecta para presumirlo. —Su tono era reproche puro.

—Es la fiesta de compromiso de mi hermano, no la mía.

Él suspiró.

—Acompáñame. —Me tomó de la mano y antes de que pudiera protestar, ya estaba arrastrándome por todo el salón a su paso.

—¿A dónde vamos? —pregunté tratando de seguir su velocidad y no romperme la nariz por pisar el vestido.

—No los he felicitado.

Llegamos hasta donde se congregaba un cóctel de hombres y mujeres de todos los colores y edades, buscando su turno para felicitar a la próxima pareja que formaría una de las alianzas más fuertes en el ámbito empresarial. Jordan parecía no estar de humor para esperar, así que se abrió paso a base de codazos hasta llegar a Claire y rodearla en un abrazo educado, antes de hacer lo mismo con mi hermano.

—Enhorabuena —le palmeó la espalda a Erick sin perder la sonrisa—, estoy ansioso por su boda.

—Y nosotros por la suya —nos alentó Claire tomando a mi hermano del brazo.

Mi novio me sonrió con devoción antes de besar mi mano.

—Nosotros también, ¿verdad, cariño?

«No sé qué tan ansiosa estoy por eso».

—Claro.

—Por cierto, tengo pendiente su regalo —anunció Jordan.

—Por mí no te preocupes, basta con unas entradas para el fútbol. La temporada está por empezar, podríamos ir a ver algún partido de los Giants —sugirió mi hermano y sentí cómo se me bajó la presión.

Mi novio sonrió amable.

—Claro..., por supuesto. —Se pasó una mano por el cabello—. Aunque preferiría ver un partido de los Cowboys, no apoyo a los Giants.

Erick abrió y cerró la boca, confundido.

—¿No? Creí que sí, porque el otro día Leah llevaba una camiseta de los Giant...

—¿Tienen algún destino para la luna de miel? —intervine, desesperada por cambiar de tema, con el corazón golpeando contra mi pecho como loco.

—He escuchado que Bora Bora es un paraíso —aportó Jordan.

—Habíamos pensado en algo como Filipinas —dijo Claire.

Paseé mi vista por la estancia, alterada. Eso estuvo cerca. Esperaba que no hicieran más preguntas y agradecí que se enfrascaran en una conversación sobre los mejores destinos turísticos de la que yo me desconecté, aburrida.

Algunas personas bailaban al son de un lento vals en el salón, mientras que otras se enzarzaban en charlas interminables con una copa en la mano. Otras se detenían ante las cámaras para que se inmortalizara el momento y...

Mi corazón se disparó con la misma potencia de un cañón en cuanto reparé en el séquito de cabelleras claras que entraba por los grandes portales. Byron y Agnes aparecieron en la estancia, tomados del brazo y seguidos por el heredero de su imperio, Alexander.

Era algo sobrenatural, la manera en que él lograba emanar ese despreocupado atractivo; profundo y estremecedor. Se veía tan apetecible y divino con el traje que no sabía si quería arrancárselo o dejárselo puesto solo para admirarlo un poco más en su arrebatadora belleza. Reparó en mí y solo Dios sabía cómo había logrado mantener mi corazón dentro de mi pecho a pesar de su desbocado latir. Una comisura de su condenada boca se alzó en el esbozo de una media sonrisa y ahí estaba de nuevo, la increíble y despreocupada habilidad que Alexander poseía de transmitir más emociones con sus ojos de las que podría un actor de teatro con el monólogo de su vida.

Me lanzó un guiño juguetón y sonreí por mera inercia. Mis piernas cobraron vida propia y se movieron por sí solas para ir con él, hasta que la mano de Jordan, sólida como unas esposas, me obligó a permanecer en mi lugar, impidiéndome acortar la distancia que nos separaba.

—¿Qué pasa? —preguntó y volví a tomar mi puesto a su lado.

—Nada.

Lo ignoré y me centré en nada en particular. Mis padres llegaron al círculo acompañados por los de Claire, y justo como si el universo y los planetas conspiraran para provocar la tercera guerra mundial, la familia Colbourn se acercó también.

Agnes alzó la barbilla tanto como su alargado cuello se lo permitió, mirándonos por debajo de la nariz. Byron saludó a unos cuantos colegas, cortés, mientras que Alex parecía entretenido. Mis padres, por otro lado, adoptaron una postura casi defensiva, como si estuvieran esperando el ataque de un animal.

—¡Qué gusto verlos! —Arthur se inclinó para besar en la mejilla a Agnes y estrecharles la mano a ambos hombres—. Por un momento pensé que no vendrían.

—No podíamos fallarte. —Sonrió Byron, fijando sus ojos claros en los prometidos—. Felicidades.

—Date cuenta de cuánto te aprecio si estoy aquí, Arthur —dijo Agnes con aire desdeñoso disfrazado de jovialidad—. Le daría mis felicitaciones a tu hija, pero no sé si sea más adecuado darle mis condolencias.

—Agnes —advirtió su esposo, pero su indómita mujer se pasó esa advertencia por el culo y siguió escrutando a mis padres.

—Mis condolencias se las daré yo a la desdichada que te tenga como suegra —se defendió mamá y mis ojos conectaron con los de Alexander por una fracción de segundo, compartiendo un chiste que solo nosotros dos comprendíamos.

—Por favor, señores... —Trató de aligerar el pesado ambiente Arthur, que parecía el árbitro en un *ring*.

—Quiero ver cuánta vulgaridad aguanta la pobre Claire antes de salir corriendo —se mofó la señora Colbourn.

—¿Ella? Pobre de tu hijo, que no podrá conservar a ninguna esposa por la víbora que tiene de madre. Ninguna soportará tanto veneno.

Definitivamente, abriría un club de fans para mamá. A diferencia de Byron, papá parecía tener el tiempo de su vida con la disputa.

Agnes inspiró por la nariz.

—Eres una...

—¡Basta! —se impuso Arthur, colocando una mano al frente de cada familia—. No arruinemos la fiesta con discusiones innecesarias, ¿de acuerdo? Actuemos como personas maduras y tengamos una convivencia civilizada.

—Eso es imposible con esta gentuza.

El papá de Alex le lanzó una mirada de exasperación a su esposa.

—Sin ofensas, Agnes —pidió el padre de la novia—. Claro que es posible limar las asperezas.

La aludida resopló sin despegar la vista de mamá, que tampoco dejaba de taladrarla.

—Es más, Alex, ¿por qué no bailas con Leah la siguiente pieza?

Todo el entretenimiento del asunto se evaporó y me tensé, sorprendida. Mi esposo, por otro lado, tenía un brillo divertido bailando en sus ojos.

—Será como una tregua para que podamos disfrutar todos de la fiesta —siguió Arthur.

Agnes y mis padres se crisparon al instante.

—¿Estás loco? —lo riñó la rubia—. Por supuesto que no.

—Leah ya viene acompañada —acotó papá.

—Agnes —volvió a amenazar entre dientes su marido, antes de forzar una sonrisa—. Arthur tiene razón, olvidemos las asperezas por una noche y disfrutemos, que aquí confluyen los intereses de todos nosotros. Hijo, por favor.

Alexander se acercó al centro del círculo a paso seguro, sin perder el brillo travieso que adornaba sus insondables ojos, hasta quedar frente a mí.

—¿Puedo? —Estuve a punto de aceptar, antes de percatarme de que su atención no estaba puesta en mí, sino en Jordan, que mantenía mi otra mano presa con la suya.

Todos, incluyendo mis padres, parecieron contener la respiración, esperando la respuesta de mi novio.

—Mi novia es hermosa, ¿no? —Percibí su mirada sobre mí y la fuerza de su agarre—. Puede ser tu pareja, pero solo por esta pieza.

Los ojos de Alex me decían todas las cosas que sus labios no podían.

—Si no tienes cuidado, podría robártela por más tiempo.

Mi corazón dio un vuelco, y no supe si estaba a punto de desmayarme o de entrar en combustión por todas las implicaciones de sus palabras y la profundidad de su voz.

—Claro. —Jordan dejó ir mi mano y sonrió.

—¿Me concedes esta pieza? —Mi esposo centró su atención en mí, su tono suave e hipnótico. Extendió la mano y estuve a nada de tomarla por mero reflejo, cuando algo me detuvo.

—No tienes que hacerlo si no quieres, Leah —habló papá con un deje preocupado—, no importa.

«Pero sí quiero, sí quiero, sí quiero».

—Me tienen que estar jodiendo. —Escuché a Agnes maldecir al tiempo que permitía que el firme y cálido tacto de su hijo me guiara al centro de la pista.

Posó sus manos en mi cintura, con mis brazos enredándose en su cuello en reacción, quedando a tan poca distancia que mis sentidos pronto se embriagaron de él. Casi sonreí por lo bien que encajábamos juntos, lo fácil que era adaptarnos al otro, lo *natural* que se sentía con Alex algo tan banal y simple como bailar.

—Sé lo que vas a hacer, así que no lo hagas —me pidió. La emoción en sus ojos en completo contraste con la impasibilidad de su rostro.

—¿Qué es lo que haré, según tú? —Enarqué una ceja.

—Estás a punto de sonreír, no lo hagas.

—¿Cómo lo sabes?

—Eres tan predecible como una niña.

—¿Estás diciendo que soy aburrida?

—Todo lo contrario —las comisuras de su boca se alzaron a mitad de una sonrisa—, pero he aprendido a conocerte.

—¿En serio? —lo desafié sin creerle.

—Estoy familiarizado con tus matices más oscuros.

—¿Cuáles matices oscuros?

—Tu obsesión por el control, tu impulsividad, tu furia y... —sus dedos rozaron la piel expuesta de mi espalda por apenas un segundo, erizándola en el acto— tus inclinaciones.

—¿Mis inclinaciones?

Otra sonrisa jugó en la comisura de su boca.

—Como te gusta que te follen.

Sentí mis mejillas arder. Nunca me acostumbraría a su crudeza para decir las cosas.

—¿Y por qué se supone que no puedo sonreír? —Cambié el tema, buscando salir de ese terreno que ya tenía a mis bragas humedeciéndose.

Dimos una vuelta por la pista a paso lento y sincronizado, hasta que pude ver a mi familia y los demás charlando, Jordan mirándonos de reojo de vez en cuando.

—Jordan sospecha que lo engañas —soltó de pronto y me paralicé al instante, impactada; sentí la presión de su cuerpo obligándome a moverme—. Sigue bailando, no queremos levantar más sospechas.

Obligué a mis pies a seguir su compás, aunque mi mente ya estaba imaginando todas las posibles reacciones de mi novio si llegaba a enterarse de mis *indiscreciones*, aunada a la reacción de mis padres.

—¿Cómo lo sabes?

—Nos lo dijo, a Ethan y a mí. Me pidió que te vigilara.

—¿Qué? ¿Por qué a ti? Se supone que no nos agradamos.

—Precisamente por eso. Cree que no me tocaré el corazón para delatarte.

Resoplé. No podía creer sus alcances y su inocencia, sobre todo su inocencia. ¿Pedirle que me vigilara justo a la persona con quien le clavaba el cuchillo por la espalda? Era lo mismo que pedirle al lobo feroz que vigilara de las ovejas.

Me sentí mal por mi desfachatez. Al mismo tiempo, otro sentimiento se alzó tan alto como mi vergüenza: el miedo. Si Alex me lo estaba diciendo, ¿significaba que quería detenerse? ¿Quería terminar esta cosa rara que teníamos? Mi pecho se comprimió ante la perspectiva.

Dio otra diestra vuelta por la pista, arrastrándome consigo.

—¿Entonces quieres parar? ¿Eso quieres decir? —Me maldije por el leve temblor en mi voz y me llené de determinación, fijando mis ojos en su mentón—. Creo que es lo mejor, creo...

—Estoy diciendo que debemos tener más cuidado —aclaró en un susurro, su aliento cálido chocando contra mi oreja—. Ya te lo he dicho, no quiero parar.

Aplasté mentalmente las mariposas que se elevaban en mi estómago ante la confesión, reprimiendo mis estrepitosas emociones.

—*Okay*, de acuerdo.

—Así que finge tu mejor cara de desagrado, como si no me soportaras.

—¿Quién dice que tengo que fingir? —respondí, mi cuerpo estrechándose más al suyo por la satisfacción de sentirlo contra mí—. Sigo sin soportarte.

Hizo una mueca de incredulidad.

—Lo siento, pasa que entre las constantes sonrisas que te arranco y orgasmos que te provoco, pensé que te agradaba.

Fingí mi mejor cara de asco.

—Pensaste mal —musité con desdén y se giró una vez más, reprimiendo una sonrisa—. No sabía que eras bueno para esto.

—¿Para molestarte?

—Para bailar, idiota. Tienes buenos pies.

—¿Por qué te fijas en mis pies? ¿Ahora tienes un nuevo fetiche además de mis manos?

Puse los ojos en blanco y seguí sus pasos hacia el final de la pieza musical, que estaba a punto de terminar, y mi tiempo teniéndolo solo para mí, también.

—Imbécil.

—Un imbécil con pies que te gustan, al parecer.

Tuve que esforzarme horrores para no soltar una carcajada y mantener mi cara de clara *incomodidad.*

—Leah —habló de nuevo cerca de mi oído, enviando un escalofrío por mi columna—, ¿tienes acceso al camerino de preparación del salón?

—Sí, ahí se preparó Erick, ¿por qué?

Tomé un poco más de distancia para mirarlo por completo, sin comprender.

—Porque quiero ir allí.

—¿Por qué?

—Porque quiero besarte.

No podía respirar lo suficiente. Alexander y sutileza no podían ir en la misma oración de forma positiva.

—¿No acabas de decir que debemos tener más cuidado?

—Lo tendremos —dijo con seguridad y me mordí el labio, indecisa.

Sonaba como la peor decisión del mundo, la más arriesgada y estúpida, pero después de una semana sin siquiera cruzar palabra debido a todas las visitas, planeaciones y detalles, *lo necesitaba.* Y al parecer él también.

—Te veo ahí en diez minutos.

No se molestó en ocultar esa sonrisa que pude apreciar de cerca y me dejó embelesada.

La pieza terminó e hizo una leve inclinación antes de acompañarme hasta el borde de la pista para ir junto a Jordan, que me recibió feliz. Alex no me miró una segunda vez cuando se giró para ir hasta su familia.

—¿Todo bien? —Acarició el dorso de mi muñeca con el pulgar.

Me encogí de hombros al tiempo que caminábamos para llegar junto a nuestros padres, quienes charlaban de forma amistosa. Ellos también tenían una buena convivencia después de tantos años de relación.

—¿Fue muy incómodo? —inquirió preocupado.

Coloqué mi impenetrable faceta de displicencia.

—No te imaginas cuánto. No quiero repetirlo —mentí, porque había encontrado otra cosa que quería volver a hacer con él.

—No importa, cariño. Bailaremos la próxima pieza para que desaparezca la sensación, ¿te parece?

Asentí. Se inclinó dirigiéndose a mis labios, pero pareció pensárselo mejor y besó mi frente en su lugar, en un gesto dulce y considerado.

Bailamos la siguiente pieza. Coordinados y pegados contra el otro, en una atmósfera que debió hacerme sentir en las nubes, pero se sentía más cerca de Alaska que otra cosa. Mis pies se movían a la par de los suyos; mi corazón latía con cada paso, registrando cada minuto que transcurría, cada segundo que hacía falta para agotar el tiempo establecido. Lo busqué con la mirada, escaneando el lugar sin encontrarlo.

—Me haces muy feliz, Leah. —La voz de Jordan me distrajo de mi tarea y algo se retorció en mi estómago al ver la sinceridad en su mirada.

—Tú a mí también —lo exterioricé, para comprobar si de esa forma podía convencerme de ello.

—Te quiero en mi vida siempre —susurró pegando su frente contra la mía, y esperé por el vuelco que debía dar mi corazón ante una confesión tan dulce, pero nada ocurrió.

—Yo también —repetí siguiendo la misma mecánica, justo cuando la canción llegaba a su fin.

Nos separamos y me tomó de la mano para conducirme de vuelta con los demás, antes de que me soltara de su agarre.

—Ahora vuelvo —dije y me miró extrañado—, tengo que ir al baño.

—De acuerdo. —Sus facciones se suavizaron y emprendí mi camino.

Salí del salón mirando sobre mi hombro para cerciorarme de que nadie me seguía. Recorrí el pasillo de madera pulida custodiado por inmaculadas paredes decoradas con abstractas pinturas, para después girar a la izquierda y llegar al pequeño cuarto que fungía como camerino de preparación para conferencistas.

Cuando abrí la puerta, Alex estaba recargado sobre el escritorio; su postura relajada, las manos dentro de sus bolsillos y todo *él* tan atrayente y ardiente como el mismo infierno. Y si era él quien me recibiría en cada uno de los nueve círculos del infierno, entonces ardería felizmente.

—Llegas tarde.

—Tú llegaste demasiado pronto —me defendí y me dedicó una media sonrisa. El silencio de la estancia ahogaba el bullicio de la fiesta.

—Ven aquí, Leah.

Lo miré dubitativa. Pensaba negarme solo para que fuera él quien llegara a mí, hasta que, después de varios tortuosos segundos, logré que mis pies respondieran a mi cerebro, temblando como gelatina. Mi corazón latía duro con cada paso hasta quedar a un palmo de distancia. Me tomó de la cintura y, con gracilidad, se giró para que fuera mi cuerpo el que chocara con la madera.

No me besó de inmediato, sino que admiró mi rostro en silencio. Era otra cosa que me gustaba de él y ahora podía admitirlo. Cuando Alex me miraba, parecía como si se tomara su tiempo, como si me absorbiera. No era la manera practicada y desinteresada de un viejo amigo o un novio. Era la mirada de un artista, de un alumno aprendiendo algo: me estudiaba, me memorizaba. Y yo quería hacer lo mismo.

El tacto repentino de su pulgar con mi mentón me hizo estremecer. Siguió la forma de mi cara, subiendo por mi mejilla, trazando una línea por mi sien, bajando a mi barbilla con una delicadeza impropia de él y que solo había apreciado cuando nos besamos en el porche de la casa de Bastian, semanas atrás.

Nunca terminaría de comprender a Alexander, tal vez porque nunca encontraría un punto de inicio. Era alguien compuesto por muchas puertas: cuando unas se abrían, otras se cerraban, impidiendo el contemplar todas sus facetas a la vez. Nunca podría saber con certeza qué me encontraría al abrir una puerta, ni tampoco cuál de todos los Alex me recibiría tras ella. Era siempre una apuesta.

Su pulgar trazó la forma de mis labios, cálido por el camino que había recorrido, al tiempo que sus ojos se oscurecían. Posó sus nudillos bajo mi mentón, levantando mi rostro. ¿Por qué se tomaba tanto tiempo? Sentía que mis labios se incendiarían en cualquier momento. Sus ojos permeaban con vacilación, como si algo lo mantuviera en vilo.

—Leah —acarició cada letra de mi nombre con sus labios—, ¿has besado a Jordan hoy?

Fruncí el ceño, sin comprender, pero la dureza de sus facciones no desapareció.

—No.

Eso fue todo lo que tomó. Inclinó mi cara y me besó; un roce al principio, casi contacto puro, sin movimiento ni presión, pero aun así se las arregló para arrancarme un suspiro. Parecía que también quisiera aprenderse mis labios de memoria a base de roces, porque su ritmo era suave, lento, dulce y exploratorio. Tomaba los míos entre los suyos, pero no había arrebatos ni ímpetu, solo él consiguiendo que me derritiera por el gesto.

Era Alex, desarmándome de la manera en que solo él sabía hacerlo. Estaba probándome más que devorándome y adoré esa faceta suya también. Ahí estaban esas estúpidas mariposas de nuevo, recordándome que seguía cayendo cada vez más y más, bajando por el sendero sin retorno.

El ritmo aumentó. Ejerció presión con su cuerpo, obligándome a sentarme sobre la madera. Coló las manos bajo mi vestido para acariciar mis muslos con dedos diestros. Enredé mis brazos en su cuello, pegándolo más a mí, eliminando cualquier rastro de distancia entre nosotros, la excitación naciendo de mis entrañas, el correr de mi sangre por mis oídos, el latir de mi corazón aumentando en sus latidos y...

El crujir de la puerta puso a mis orejas alerta y afinó todos mis sentidos de golpe.

Jamás estuve tan cerca de sufrir un infarto como esa vez, o de que mi corazón se detuviera, porque se había convertido en un peso muerto dentro de mi pecho. Nos detuvimos en seco, aún pegados al otro.

Él nos miraba pálido, como si hubiese visto al mismo Satanás en la habitación.

# 24
# LO FRÁGILES QUE SOMOS

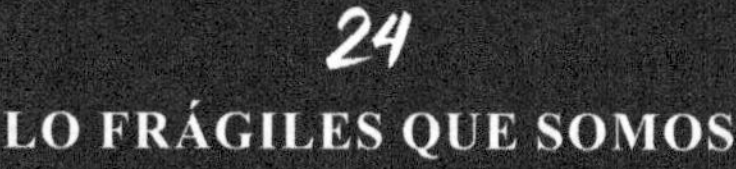

*Leah*

Erick permanecía en el umbral, pálido como papel y tieso como una vara, contemplándonos; sus ojos tan abiertos que por un momento pensé que se saldrían de sus cuencas. Seguramente yo tenía la misma expresión en el rostro que él.

Alex, por otro lado, permaneció con las manos en mis muslos, aunque no podía entender *por qué*; como si el hecho de que Erick nos hubiese pillado en esa situación —posición— fuera algo que aconteciera todos los días. Como si fuera algo natural, como si no le importara.

El mundo perdió enfoque y pese a que un montón de cosas se amontonaron en mi mente como posibles excusas, lo único que atiné a hacer fue retirar los brazos de su cuello. Mi hermano cerró la puerta que daba acceso al salón, aún estupefacto.

—¿Qué...? —articuló despacio—. ¿Qué mierda están haciendo?

Era demasiado tarde para formular una justificación creíble.

—¿Estás ciego? —habló de pronto Alex, demasiado calmado, provocando que Erick parpadeara varias veces, como si quisiera asegurarse de que su mente no le jugaba una mala pasada—. ¿Nunca te enseñaron que era de mala educación interrumpir?

—¡Alex! —No era el momento adecuado para comentarios sarcásticos.

La estupefacción de mi hermano dio lugar al reconocimiento y después a la ira.

«Oh, no, no, no, no».

—¿Qué mierda haces con mi hermana? —Su voz salió como un gruñido, bajo y gutural.

Seguía sin poder bajar del escritorio, porque las manos de mi esposo seguían apresando mis muslos con su cuerpo aún entre mis piernas.

—¿Tendré que explicarte el cuento de la flor y la abejita para ilustrarte? —replicó mordaz.

Mierda. Esa no era, en definitiva, la manera en que habría querido manejar las cosas.

—No sé a qué carajo estés jugando, Colbourn, pero tienes tres segundos para quitarle las manos de encima a mi hermana —siseó, adoptando esa postura ofensiva que yo conocía muy bien. Debía actuar rápido.

—Erick, escucha...

—¿Y si no quiero? —lo retó Alex—. No necesito de tu permiso para tocar a mi...

El poco autocontrol que contenía las emociones de mi hermano se derrumbó. Llegó en dos zancadas hasta mi compañero, interrumpiéndolo. Lo empujó con violencia para alejarlo de mí y procedió a tomarlo de la camisa, arrugándola entre sus puños.

—¡Que la dejes, joder!

Fue como si todo ocurriera en cámara rápida. El puño de Erick viajó con la velocidad de un rayo al costado de Alex, asestándole un golpe que contorsionó su cara en una mueca de dolor.

—¡No, Erick!

Ni siquiera terminé de gritar cuando mi hermano retrocedió bruscamente por la fuerza con la que fue empujado; el rostro de Alex compungido en una mueca de molestia mientras sus nudillos conectaban con hueso y pómulo.

—¡Alex! ¡No en la cara! ¡Por Dios, es su fiesta de compromiso!

Me acerqué para separarlos, sin éxito, porque yo no era nada comparada con la contundencia de su fuerza y la solidez de sus músculos. Ambos me ignoraron, estaban demasiado ocupados en la estúpida pelea en la que se habían enzarzado.

Mi hermano arremetió otra vez contra mi esposo, dirigiéndose a su cara ahora, mientras Alex trataba de llegar a su costado o, en su defecto, su rostro.

—¡Paren ya! ¡Basta! —exigí con voz tensa haciendo uso de toda mi fuerza.

Mientras intentaba separarlos y acabar la riña, registré un dolor lacerante extendiéndose por mi mejilla antes de ser lanzada hacia atrás por la contundencia de un golpe. Mis manos buscaron desesperadas sujetarse a algo, pero lo único que logré tomar antes de chocar contra el piso fue una lámpara que terminó tirada junto a mí.

—¡Leah! —gritaron ambos al unísono, deteniéndose por fin al verme espatarrada en el suelo con la misma gracia de un hipopótamo.

«Adiós a todo el *glamour*».

Alex fue más rápido y me ayudó a incorporarme. Me sentí mareada por el movimiento brusco y me toqué la cabeza para aminorar la sensación de vértigo.

—Par de idiotas —escupí hastiada por todo el alboroto y el golpe que me había ganado.

—¿Ves lo que hiciste? —lo recriminó Erick, ofuscado.

—¿Yo? ¡Tú fuiste el que le dio el codazo! —se defendió, con el traje igual de arrugado que el de mi hermano.

—¡A ti voy a darte más que un codazo si no te alejas de ella en este momento! —vociferó acortando la distancia, con Alex colocándome detrás, listos para seguir partiéndose la cara.

—¿Qué mierda harás si no me alejo, ah?

—Te juro, Colbourn, que voy a...

—¡No! —Me situé enfrente mirándolo con determinación—. Para ya, Erick.

—Quítate de en medio, Leah. Este hijo de puta se estaba propasando contigo, necesita una lecc...

—¡No se estaba propasando! —grité ansiosa por detenerlos, pero parecía no escucharme, abstraído en su enojo y estupefacción.

—¡No sabe respetar!

—¿Quién eres tú para decirme eso? —replicó Alex.

—¡Paren en este momento!

—¡Necesita que le partan la cara! —siguió mi hermano.

—¡Tú eres el que lo necesita!

—¡Déjalo tranquilo! —me interpuse.

—¡No tiene límites! —dijo Erick.

—¡Harás un escándalo! —le advertí.

—¡Es un aprovechado! Cuando Jordan se entere...

—¡ES MI ESPOSO! —bramé histérica y desesperada porque cerraran la boca los dos—. ¡Joder, es mi esposo!

Erick tenía la misma cara de alguien que había recibido un baldazo de agua fría o una bofetada. O ambas. Abrió la boca, incrédulo, y palideció.

—*¿Qué*?

—Lo que escuchas, es mi esposo —repetí, sintiendo un peso menos en mi pecho ahora que lo había exteriorizado.

—¿Pero cómo...? —Dio un paso hacia atrás y trastabilló hasta caer pesadamente sobre una de las sillas que no fueron volcadas durante la pelea.

—¿No sabes lo que es un puto Registro Civil? —dijo mordaz *mi esposo*—. Me sorprende que estés a punto de casarte.

—Basta ya, Alex.

Erick estaba muy ocupado absorbiendo la nueva información porque no se inmutó ante el comentario.

—¿Estás bien? —El heredero de los Colbourn se centró entonces en mí, tocándome el hombro. Su rostro estaba enrojecido por la disputa y sus orbes llenos de algo similar a la preocupación.

—Sí, estoy bien —respondí molesta, alejándome de su toque cuando rozó el golpe en mi pómulo.

—Déjame ver. —Tomó mi mentón entre sus dedos con decisión y lo levantó para evaluarlo—. Se te hará un moretón.

—No es nada que el maquillaje no pueda cubrir. —Me dejé envolver por la delicadeza de su tacto.

Cuando bajé la vista, mi hermano nos miraba como si fuéramos un *show* de fenómenos.

—¿En serio es tu esposo? —inquirió, esperanzado en que todo esto fuera una broma.

—Sí.

—¿Cómo así? ¿Y Jordan?

No supe qué decir.

—Él...

Sacudió la cabeza.

—No creo que apruebe todo esto. ¿Qué mierda hacían aquí?

—Tampoco creo que apruebes lo que estábamos haciendo —acotó Alex, burlón.

Erick le dedicó una mirada de muerte.

—Leah, ¿podrías decirle a tu marido que cierre la boca, por favor?

—Paren ya, los dos. —Tomé aire y me centré en mi hermano—. No es lo que parece.

—¿No? Entonces ilumíname, porque debo estar perdiendo la razón. Acabo de escuchar que eres la señora Colbourn.

Hice una mueca de exasperación.

—Lo es —anunció Alex con un atisbo de orgullo.

—Lo soy —confirmé y enarcó las cejas en reacción—, pero fue un error.

—¿*Error*?

—Sí, nosotros...

—No quiero interrumpir el tiempo de calidad familiar del que están disfrutando, pero creo que este no es el momento para revelaciones de telenovela —intervino mi compañero, con las manos en sus bolsillos—. Tú tienes una fiesta de compromiso que atender y tú tienes que volver con Jordan —sentenció con acidez.

La risa de Erick rozó la histeria.

—¿*Volver con Jordan*? ¿Qué carajo está pasando, Leah?

—Alex tiene razón. Te lo explicaré todo, pero no ahora. Vuelve antes de que empiecen a notar que no estás.

—Yo solo venía para cambiar mi moño por una corbata, no para encontrarme esto. —Nos señaló a ambos, aún impresionado.

Alex suspiró con cansancio.

—Te veré después, ¿de acuerdo? —habló luego de unos momentos y asentí.

Por una fracción de segundo, esperé que me besara a modo de despedida, antes de percatarme de que estaba *idiota* si pensaba que haría ese tipo de demostraciones frente a mi hermano. Este de seguro no lo soportaría y terminaría colapsando. Levantó la lámpara que había arrastrado conmigo en mi vergonzoso viaje hacia el piso y las sillas volcadas antes de partir.

—Sí, yo también estoy bien. Gracias por preguntar, *cuñado* —masculló Erick levantando la mano para despedirlo.

Alex negó al tiempo que salía por la puerta, pero pude captar el esbozo de la sonrisa que luchaba por reprimir. Erick dejó escapar el aire y su cara se contorsionó en una expresión de dolor mientras se doblaba y tocaba su costado.

—¿Qué pasa? ¿Estás bien? —Me puse en cuclillas frente a él, preocupada.

—El chico pega duro.

Quise sonreír.

—Es bastante fuerte.

—¿Vas a decirme qué significa todo esto?

—Luego —dije tocándole la rodilla—. Lo siento, no quería que te enteraras así.

—¿Y tú crees que yo quería verte comiéndotelo y abrazada a él como un jodido *kraken*? —espetó con agriedad y sentí mi cara caliente—. Creo que tendré pesadillas toda mi vida gracias a eso.

—Lo siento —repetí.

—¿En qué te has metido?

Me mordí el labio, dudosa y apenada.

—No lo sé.

—Usted y yo tenemos mucho de qué hablar —sus ojos filosos antes de suavizarse por el brillo travieso, una sonrisa burlona jugando en la comisura de sus labios—, *señora Colbourn.*

Le asesté un fuerte golpe en el hombro y soltó un quejido de dolor.

—Cállate.

Lo ayudé a arreglarse en silencio. Le cambié el moño por la corbata, percibiendo el pesar de su mirada en todo momento, y acomodé su cabello para que luciera impecable.

—¿Qué hacen aquí? —Papá entró por el acceso que había desde el salón, frunciendo el ceño—. Tus invitados te esperan, Erick.

—Le pedí a Leah que me ayudara a anudar la corbata. —Sonrió jovial.

—Sí, eso —concordé también, nerviosa. Papá puso los ojos en blanco.

—Apresúrense.

Cerró la puerta tras de sí y solté el aire. Salimos del camerino y nos concentramos en nuestros respectivos acompañantes.

—¿Dónde estabas? —inquirió Jordan en cuanto llegué a su lado.

—¡Leah! —Edith me echó los brazos al cuello al reparar en mí—. Jordan me dijo que estabas en el baño, pero cuando llegué estaba desierto.

El recelo tildó los orbes de mi novio y lo ignoré.

—Me... encontré a mi hermano de camino aquí y me pidió que lo ayudara a anudarse la corbata —expliqué.

—¿Qué te pasó? —Jordan rozó el golpe que tenía en el pómulo y me alejé por inercia.

—Me golpeé con la puerta del baño por accidente —mentí, esperando que no lo notara.

—Qué novedad —se burló mi amiga.

—Ten más cuidado la próxima vez —pidió preocupado y besó mi mano.

—Al menos tomaron la foto antes de la tragedia. —Edith sonrió.

—No pensé que hablaras en serio con eso de venir de negro. —Señalé el sobrio vestido que abrazaba su cuerpo y se encogió de hombros.

—Sigo llorando la pérdida. Un McCartney más que se me escapa de las manos, pero no pierdo la fe. De que me quedo en la familia, me quedo.

Rodé los ojos.

—Estás loca.

Pasé el resto de la noche charlando con ambos, permitiendo que los irreverentes comentarios de la rubia me arrancaran sonrisas involuntarias y la familiar presencia de Jordan me confortara. Atrapé a Erick taladrando a Alex con una mirada letal en más de una ocasión, para después girarse en mi dirección y negar con la cabeza reprobando mi actuar, pero decidí ignorarlo. Ya me enfrentaría a él mañana, o en otra ocasión si tenía suerte.

También ubiqué a Alex en el ala este del salón, pegado a sus padres e inmerso en un círculo enorme que se moría por conseguir la atención —y el dinero— de esa maldita familia. No me miró una sola vez el resto de la noche, aunque deseé que lo hiciera para que me transmitiera fuerzas y así poder enfrentar de pie la tempestad que sabía se avecinaba.

—Entonces —pregunté recuperando la respiración—, ¿no vas a decir nada?

Faltaba una hora para el mediodía y estaba nublado. Un día perfecto para recibir malas noticias en nuestro jardín.

La suerte no estuvo de mi lado —ni tampoco Claire— y mi hermano apareció en casa a primera hora de la mañana, con el moretón hecho por Alex adornando su rostro y demandando respuestas antes de que terminara de desayunar. Así que henos ahí, los únicos dos idiotas congelándose el culo en el frío para evitar que alguien nos escuchara con tantas personas en casa.

—Aún estoy tratando de asimilar la parte en la que bailaste con él, pero luego me lanzas el hecho de que no solo huyeron de la discoteca, sino que también se tatuaron y *casaron* en Las Vegas.

Me arrebujé en mi enorme suéter para calentarme.

—¿Y ahora que ya lo asimilaste?

Me fulminó y posó los dedos sobre el puente de su nariz, cerrando los ojos. Lo mismo hacía papá.

—Estaban borrachos hasta el culo, Leah. ¿Cómo es posible que se hayan casado así?

—No lo sé. —Me mordí el interior de la mejilla—. Creo que Alexander le pagó al hombre del Registro Civil.

Elevó tanto las cejas que pensé que iban a despegársele.

—Entonces era algo que él ya tenía planeado.

—También lo pensé, pero no. Créeme, ambos lo hemos tenido difícil para aceptar que estamos... —la palabra casados se atascó en mi garganta— en esta situación.

Continuó observándome con incredulidad pura.

—¿Desde cuándo están casados?

Arrugué los labios, preparándome para el sermón que me daría.

—Desde hace casi cuatro meses.

—¿Qué? —espetó, inclinándose tanto en la silla que estuvo a punto de caerse—. ¿Has estado tanto tiempo casada con él? —Asentí—. ¿Por qué?

La respuesta a esa interrogante era la que me ponía nerviosa. Mi parte racional trataba de convencer al resto de mi cerebro de que solo permanecía casada con él porque me lo había pedido, porque me necesitaba para cobrar su herencia y porque el sexo era jodidamente *místico*, pero no podía negar que había otras razones que me abstenían de separarme. Una en particular.

—Es algo complicado.

Cruzó los brazos, con la expectación surcando su rostro.

—El caso es que ya estamos trabajando para resolver el problema.

—No creo que besarte con el problema ayude a solucionarlo.

Puse los ojos en blanco.

—Todo este tiempo pensé que lo odiabas —continuó.

—No lo odio, nunca lo odié.

—¿No? Porque la bofetada que le diste a los nueve años me hizo creer lo contrario. —Sonrió divertido y me sentí avergonzada por el recuerdo—. Además, siempre lo mirabas como si fuera una cagada de perro andando.

—Las cosas eran diferentes entonces.

—¿Lo son? Porque también quería abofetearlo cada vez que abría la boca en el camerino —soltó una risita—. Nunca ha sabido guardarse las cosas.

Sonreí al recordar todos los comentarios irreverentes que le había escuchado decir desde que nos despertamos atados al otro.

—No, no tiene filtro.

Me escudriñó con curiosidad.

—¿Por qué te casaste con él, Leah?

Acomodé mi suéter buscando una excusa para formular mejor mi respuesta.

—Creo que ya quedó establecido el hecho de que *fue un error*.

—Embriagarte y follar con él por accidente es una cosa, pero tatuarte y casarte parece algo excesivo —musitó escéptico—. ¿Has estado con él en más ocasiones?

Erick y yo nos decíamos todo, pero eso estaba fuera de nuestros límites.

—No creo...

—No quiero saber las costumbres en la cama de tu marido —aclaró crispado—, solo quiero saber si han tenido relaciones de manera repetitiva.

—Sí —respondí apenada.

—¿Más de una vez? —inquirió alarmado y asentí. Sentía mi cara ardiendo—. ¿Cuántas?

—¡No lo sé, Erick! ¡No llevo la maldita cuenta! —exploté y él palideció.

—Eso ya no parece un error ni tampoco un accidente. Da la impresión de que es algo más.

«Ya lo sé, no necesito que me lo digas».

Sus ojos se abrieron como si acabara de tener una epifanía.

—¿Quieres decir que cuando llegué de Rusia y él tenía el cabello mojado ustedes estaban... Estaban en tu baño? —La impresión abarcó todas sus facciones.

—Pues...

—Y también estuviste con él hace unos días, cuando usabas la camiseta de los Giants, ¿cierto? —Se pasó una mano por el cabello, asimilando su revelación—. Joder, Leah, casi la cago cuando le propuse a Jordan ver un partido juntos. ¡¿Por qué no me lo dijiste antes, idiota?!

—¡No sabía que se lo propondrías!

—Olvídalo, ¿sabes qué? No me respondas. No me gusta a dónde está yendo esta conversación. —Hizo un gesto con la mano para zanjar el tema—. ¿Y qué hay de Jordan?

Todo mi buen humor se evaporó para ser reemplazado por un pesar en mi pecho.

—¿Qué hay con él?

—¿Por qué no lo terminas? —preguntó seco.

—Porque lo amo. —Las palabras salieron arrebatadas, pero se sentían extrañas y fuera de lugar en mi boca y mi mente.

—Vaya, pues tienes una forma muy extraña de amarlo. No me gustaría que Claire me amara así, poniéndome los cuernos cada dos por tres. ¿Por qué no lo terminas si te gusta alguien más?

Hice un mohín y permanecí inmóvil, asimilando sus palabras.

¿Por qué no terminaba con Jordan? Sabía la respuesta, pero temía afrontarla.

Porque Alexander y yo éramos demasiado frágiles. Porque era más fácil que la gente no lo supiera. Esa cosa entre nosotros ya era demasiado complicada sabiéndolo solo él y yo; tener a más personas llenando nuestras cabezas con opiniones sería inaguantable. No quería enfrentar la decepción de mis padres, ni sus sermones.

Si tuviéramos algo sólido a lo que sostenerme y pelear por ello, entonces lo haría, porque no podía ignorar por más tiempo el hecho de que estaba enamorándome de él. Sin embargo, no tenía la más remota idea de qué sentía Alex por mí y, aunque pelearía por lo nuestro y por la persona en que se había convertido, no sabía si tenía el espacio para *nosotros* como algo lo suficientemente fuerte que resistiera lo que nuestros padres y los demás pensaran sobre ello.

Cuando Erick nos descubrió, contemplé una mirada en el rostro de Alex que, de no estar tan impactada por la situación, le habría echado los brazos al cuello y confesado lo que comenzaba a sentir por él. Carajo, incluso les habría dicho a todos solo para no ver una mirada así de dolida aquejar sus bonitos ojos.

Tenía miedo de muchas cosas. Temía que Alex terminara todo porque parecía que yo estaba yendo demasiado en serio con nuestra... *relación*. Temía la manera en que me sentiría cuando se cansara de mí, me botara y todos supieran: la lástima, las bromas, la pesadilla de tener que contemplarlo besando a alguien más o tratándola igual que a mí. No lo soportaría.

Así que podía parecer cruel, mezquino y frívolo, pero Jordan era mi colchón; mi carta de salvación en toda esa apuesta que era Alexander. Había estado con él por años y no me parecía correcto terminarlo después de haber invertido tanto tiempo de nuestras vidas en fortalecer nuestra relación y hacerla algo perfecto. Cuando todo esto con el heredero de los Colbourn pasara, Jordan seguiría ahí, como había hecho siempre: paciente e inquebrantable como la columna que me sostenía y me llenaba de certidumbre y seguridad.

—Esto con Alex es algo temporal. Una vez que se resuelva lo de nuestro... nuestra unión, terminará todo.

Mi hermano me dedicó su característica mirada sagaz, esa que parecía descubrir todos los secretos que habitaban en mi interior.

—¿Segura de que es algo temporal, hermanita? —Asentí lo más convencida que pude, pero no me creyó—. Te conozco como la palma de mi mano. Te conozco mejor de lo que te conoces tú y sé que te estás mintiendo.

—¡No lo hago!

—Leah, yo no sé por qué nuestros padres y los suyos se odian tanto, no tengo idea, pero te digo que no dejes ir al chico si es lo que quieres, y sé que te gusta porque esas miradas durante la fiesta eran muy obvias. Iba a preguntarte sobre eso hasta que... bueno, hasta que tuve una respuesta bastante *ilustrativa*. —Reí por su cara de perturbación—. Persigue lo que te haga feliz.

Enarqué las cejas.

—Solo quiero eso. —Estiró el brazo y tomó mi mano entre las suyas—. Tu felicidad.

—Con Jordan soy feliz.

Arrugó los labios y soltó mis manos.

—¿Alguien más sabe de esto? —preguntó, dándose por vencido con mi terquedad.

—Bastian, él nos está ayudando con el divorcio.

—Déjame adivinar, ¿bienes mancomunados?

—Sí.

—¡Carajo! —Se pasó una mano por el cabello—. ¿Y qué te ha dicho sobre eso?

—No hemos tenido oportunidad de hablar, pero lo haré ahora que está aquí.

—De acuerdo, ¿y nuestros padres saben algo?

—Claro que no, se morirían. Además, no creo que mamá esté en condiciones para recibir una noticia de ese tipo.

Elevó una ceja.

—¿Por qué?

—La escuché hablar con Tamara. Tuvo otra crisis hace poco.

La preocupación no tardó en asaltar a mi hermano.

—Habló sobre alguien persiguiéndola, y mencionó que era algo por lo que ya había pasado, no entendí mucho. ¿No te suena de algo?

—No, salvo los episodios que tenía cuando éramos más pequeños. ¿Te dijo quién era?

—No —contesté displicente—. También habló de alguien que salió hace poco de la cárcel, pero no alcancé a escuchar su nombre. ¿Sabes algo?

Volvió a negar.

—Pero si es un asunto legal, papá debe tener algo en su oficina —asumió.

Lo miré sorprendida.

—Tienes razón.

Debía hacer una visita a su estudio pronto, tal vez ahí encontraría respuestas para apaciguar la curiosidad que me carcomía. Hablar con Erick tenía siempre un efecto sanador en mí, conciliador. Extrañaba mucho tener estas conversaciones con él. Sonrió luego de un rato en el que permanecimos en silencio.

—No puedo creer que te hayas casado primero.

—Ay, cállate.

—Siempre quisiste correr antes de aprender a caminar. —Sonrió con nostalgia y afecto infinito, con el moretón en su mentón moviéndose con el gesto. Yo también sonreí, porque tenía razón, pero también porque tenerlo como hermano era un regalo maravilloso de la vida, y el hecho de saber mi secreto y no juzgarme, era una confirmación más de ello.

ERICK

# 25
## COMPROMISO

*Leah*

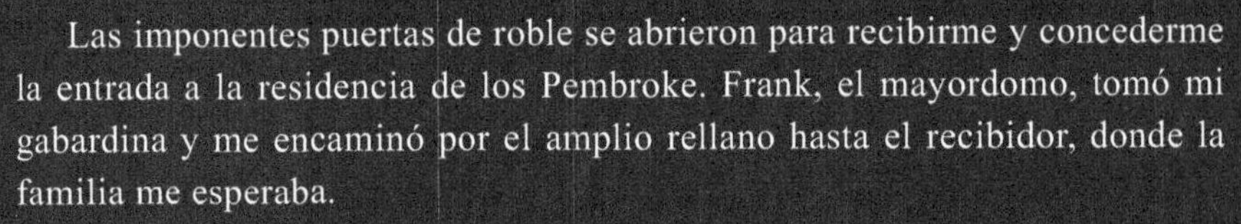

Las imponentes puertas de roble se abrieron para recibirme y concederme la entrada a la residencia de los Pembroke. Frank, el mayordomo, tomó mi gabardina y me encaminó por el amplio rellano hasta el recibidor, donde la familia me esperaba.

Mi novio se apresuró a llegar hasta mí, besar mi mano y sonreírme con esa calidez que lo caracterizaba.

—Te ves preciosa —susurró en voz baja para que solo yo lo escuchara.

—Gracias.

Permanecí a su lado al tiempo que su madre me recibía con brazos abiertos, envolviéndome con su menudo cuerpo.

—Extrañábamos tenerte en casa, querida.

—Leah —me saludó Abraham, haciendo una educada reverencia con la cabeza.

Jordan tenía las mismas facciones férreas de su padre: todo líneas duras y ángulos marcados, lo que era un verdadero contraste con la amabilidad de sus ojos y su persona, esos eran los rasgos de su madre.

—¿Cómo están todos en casa después de la fiesta? —preguntó el padre de mi novio para hacer conversación.

—Recuperándonos. —Sonreí—. Fue bastante intensa.

—Fue divina —intervino Regina, y estiró el brazo para acomodar el tirante de mi vestido—. Lo tenías desaliñado.

—Mamá —la reprendió Jordan.

—Gracias —respondí sin más.

Sabía que Regina sufría de un fuerte T.O.C. y después de tantos años de relación con su hijo, ya estaba acostumbrada a sus comportamientos compulsivos e invasivos. Abraham se aclaró la garganta.

—¿Les parece si pasamos al comedor?

Jordan me guio con una expresión solemne en el rostro y una mano sobre mi espalda para ir al mismo paso.

Me senté junto a él, con Abraham a la cabeza y su mujer a su derecha, alrededor de la larga mesa que resultaba excesivamente decorada para una cena casual de solo cuatro personas. Pero ellos eran así. Les gustaba la opulencia y disfrutaban de los privilegios que les concedía su *status* social para dejarlo en claro.

Eran una familia orgullosa en la misma medida que tradicionalista, impregnada de tintes conservadores. Por lo que sabía, el apellido Pembroke había logrado entrar en ese estrecho círculo de suntuosidad y poderío a través de la monopolización de la maquinaria que había hecho Abraxhas, su abuelo, unos años atrás. Eran nuevos ricos.

Mi novio era el más pequeño de tres hermanos y el que más presión recibía por parte de sus padres para sobresalir, pues los otros dos hijos habían tomado ya el liderazgo en alguna de las plantas dispuestas en países extranjeros y se habían casado con hijas de empresarios.

Yo había sido siempre bien recibida en su casa, aunque no sabía si eso era por mi persona o por mi apellido. Cualquiera que fuera la razón, nunca me importó mientras pudiera tener un cómodo noviazgo con Jordan.

—¿Cómo van las cosas en la universidad? —preguntó Regina y dio un sorbo a su vino blanco, que iba perfecto con el robalo a las hierbas que nos habían servido.

Me limpié los labios con la servilleta antes de responder.

—Muy bien, nada fuera de lo normal.

—Me alegro. Ya están cerca de graduarse —sentí la tensión en Jordan, a mi lado—, el tiempo se va muy rápido, ¿no les parece?

—Bastante.

—Por eso siempre digo que lo mejor es aprovecharlo. —Sonrió de la misma forma amable—. ¿Qué planes tienes para después de graduarte?

Me erguí en la silla, emocionada porque mis planes después de la universidad me hacían mucha ilusión.

—Planeo trabajar al menos unos años como auxiliar en alguna secretaría de comercio, tal vez en España porque tienen buenos métodos de exportación, o quizá Inglaterra, aún no estoy segura —sonreí—. Y mientras estoy allá, haré una certificación en logística comercial porque el trabajo me servirá como campo de práctica.

La sonrisa de Regina flaqueó y atrapé por accidente a Abraham dedicándole una mirada de desaprobación a su hijo.

—¿Hablas de irte de Washington? —inquirió con voz tensa, con la sonrisa como una calcomanía pegada a su rostro, sin emoción.

—¿Por qué no? —Me encogí de hombros y tomé la mano de mi novio bajo la mesa—. Jordan podría venir conmigo y buscar algún empleo allá, empezar desde cero en otro lugar. Sería emocionante, ¿no crees, cariño?

—Pues...

—Él no irá a ningún lado. —La voz tajante de su padre reverberó en la estancia y todos los ojos se posaron en él—. Tiene que administrar la matriz aquí, en su país.

Jordan se removió incómodo y soltó mi mano. Un pesado silencio lo absorbió todo.

—¿No crees que todos esos planes son un poco... inadecuados? —intervino Regina.

—No, ¿por qué lo dice?

—Porque haciendo tantos viajes tendrán una vida inestable y no podrán formar una familia. No puedes desaprovechar tus años más fértiles por trabajar.

La miré sin pestañear. Como dije, una familia demasiado conservadora que solo veía a la mujer como una maldita incubadora.

—Preferiría concentrarme en mí antes de pensar en hijos. Creo que es más importante que nos desarrollemos como profesionistas los dos. Además, en caso de procrear, soy perfectamente capaz de hacer las dos cosas a la vez —rebatí lo más educada que pude, porque no quería ser grosera, pero sí quería dejar en claro mi postura.

Abraham lanzó un sonido que evidenciaba su desacuerdo, su boca una fina línea y su expresión de piedra.

—Lo sé, querida, sé que tienes tus aspiraciones, pero tampoco puedes dejar a tu esposo y familia de lado —argumentó Regina—. El principal objetivo de una mujer es darle hijos a su marido.

Quería enarcar las cejas ante la ridiculez del comentario.

—Mi madre hizo una carrera, se forjó un camino, es una buena médica —repliqué con orgullo, para hacerle ver que no todo tenía que reducirse al falocentrismo.

—Fue bastante considerado por parte de Leo permitírselo —dijo Abraham y no pude evitar lanzarle una mirada ofendida—. Y para ello seguro que tuvo que renunciar a criarlos a ustedes —añadió.

—Nos crio a los tres bastante bien mientras hacía su trabajo. Ha estado siempre para nosotros.

Miré a Jordan, esperando un poco de apoyo de su parte, pero mantuvo la vista clavada en la mesa.

—No necesitas estar tan a la defensiva, cariño. Solo estamos diciendo lo que creemos es mejor para ustedes —habló Regina con tranquilidad—. Yo me he dedicado enteramente a mi familia y he sido muy feliz con ello.

«Yo no soy como usted», pensé con agriedad.

—Entiendo, pero...

—No más discusiones —sentenció el padre de Jordan poniendo una mano al frente y todos callamos al instante—. Tenemos algo más importante que hacer. Jordan, ¿le has dicho ya?

—No he tenido oportunidad —habló por fin y lo escruté confundida.

Su padre puso los ojos en blanco.

—Después de la cena iremos a mi estudio, Leah.

—¿A qué?

—Ya lo verás.

Jordan apretó mi mano y me lanzó una de sus confortantes sonrisas, pero no alcanzó sus ojos. Lo conocía muy bien y sabía que algo lo molestaba, pero no tenía idea de lo que era. No me quedaba más que esperar y ver.

Abraham puso el montón de hojas frente a mí y me tendió una pluma fuente.

—¿Qué es esto?

Miré primero a Jordan, quien permanecía de pie junto a la acolchada silla donde yo me sentaba, y después a su padre, postrado como todo un rey tras el escritorio.

—Es un contrato prenupcial.

Volví a escudriñar a mi novio para que me dijera qué carajo estaba pasando, pero su expresión era impasible.

—¿No creen que esto es un poco... excesivo y apresurado? —balbuceé, desesperada por encontrar una excusa y salir de ahí—. Es decir, aún faltan un par de años para que...

—Es solo preventivo —explicó Abraham—. Es verdad que faltan algunos años para que contraigan matrimonio, pero de todas formas van a casarse; el papeleo y los contratos son algo inevitable, así que, ¿por qué no empezar con el tedioso proceso de una vez?

Seguía sin poder parpadear de la impresión.

—¿No debería estar presente mi abogado para esto?

Abraham se encogió de hombros, indiferente.

—Puedes leerlo tú misma, no es nada lesivo, solo lo necesario para una indemnización en caso de perjuicios, así como sentar las bases y lineamientos del matrimonio.

—Pero...

—Me imagino que eres consciente de que no son cualquier par, de que hay mucho dinero y acciones sobre la mesa. No tomar precauciones sería un mal movimiento.

—¿Tengo que firmarlo ahora? —Asintió con decisión—. ¿No puedo consultarlo con un abogado primero?

—¿No confías en nosotros, querida? —Se inclinó sobre el escritorio y me sentí incómoda al instante—. Seremos familia tarde o temprano.

Pasé saliva, sentía la boca seca.

Necesitaba tiempo para pensar y analizar las repercusiones.

—Jordan, ¿podemos hablar un momento? —casi le supliqué y él le dedicó una mirada a su padre antes de asentir.

Llegamos hasta el balcón que estaba junto al estudio y ofrecía una bonita vista de su jardín frontal, oscurecido por la penumbra. El aire frío se clavó en mi piel como un centenar de agujas, pero lo agradecí, porque me permitió espabilar.

—¿Qué está pasando? —exigí saber.

Él se balanceó sobre sus talones con las manos en los bolsillos.

—Dime algo, por Dios. No sé qué demonios pasa —insistí al borde de un colapso por la situación—. ¿Por qué tu padre quiere de pronto que firme un contrato prenupcial?

—Ya te lo dijo —habló por fin—. Por precaución.

—*¿Precaución?* ¿Cree que voy a robarte tu fortuna o algo así? No soy ninguna oportunista —espeté, ofendida porque me tuvieran en ese concepto.

—No es eso, me han estado presionando para que formalicemos. Les he dicho que aún es demasiado pronto, pero quieren comenzar con el proceso legal de una vez.

—Es demasiado pronto, aún no sé...

—¿No sabes qué? —Alzó la cabeza de golpe—. ¿No sabes si quieres estar más conmigo?

«De hecho», respondió mi conciencia, pero disipé el pensamiento.

—No, no es eso.

—¿Entonces por qué no solo firmas y ya está? Si al final nos casaremos, ¿por qué es tanto problema para ti?

—Es muy pronto —repetí, asustada.

Frunció el ceño y sus claros ojos se oscurecieron con la duda.

—¿Le tienes miedo al compromiso, Leah? ¿Es eso?

Paseé mi vista por el jardín que teníamos debajo, una excusa para ganar tiempo y ordenar mis pensamientos. Volví en sí cuando sentí su tacto en mi mentón, tierno y delicado, como si tuviera miedo de romperme, y lo contemplé. Conocía su rostro de memoria: cada línea, cada curva y cada gesto. El color de sus orbes encajaba a la perfección con su personalidad, con todo lo que él era: dulce y agradable en todo lugar, en todo momento.

Y no tenía idea de por qué, pero pensé a su vez que el color de los ojos de Alexander también lo representaba, fluctuante como él: a veces claros como el mar en calma o azul oscuro, eléctrico, reflejando todo el voltaje que escondían detrás.

—¿Estás teniendo dudas sobre nosotros? —preguntó con cautela.

—No —mentí.

Acarició mi pómulo con el pulgar y pensé que iba a besarme, pero no lo hizo.

—Entonces firma, Leah. No es nada malo, puedes confiar en mí —me aseguró—. Y créeme, me ayudarías a quitarme a mis padres de encima.

Arrugué los labios sin estar convencida.

—Confía en mí —repitió, y entonces me besó. Fue un contacto deliberado y lleno de tanto afecto que no supe qué hacer con él, porque sentía que no le correspondía con la suficiente emoción.

Era gracioso como la mayoría de la gente creía que por poseer dinero tenías el poder para hacer lo que te viniera en gana. Lo cierto era que, para conseguir el *poder*, debías renunciar a la *voluntad* y rendirte ante el *deber*. Dejar en segundo plano tus deseos y cumplir los de los demás porque así se definía tu valía.

La mano me punzó cuando estampé la firma en la última hoja del contrato prenupcial.

—Buena elección aceptar el compromiso, querida. —Sonrió Abraham, un gesto que resultaba perturbador en él—. Y bienvenida a la familia Pembroke.

Miré a Jordan, me sonrió también tratando de transmitirme seguridad y quise corresponderle, aunque el vacío en mi pecho y las alarmas en mi mente por la falta de certidumbre me impidieron hacerlo.

Apreté su mano, sin tener idea de en qué me había metido.

# 26
# EL FRUTO DE LA DISCORDIA

## *Alexander*

—Ahora, ¡a las duchas! Apestan a mierda. ¡Ahora, ahora, ahora!

Nos apresuramos a ponernos de pie luego del sermón. El juego de fin de temporada estaba cerca y el entrenador se volvía más neurótico que de costumbre.

Resignado, me enfoqué en Ethan y en su insistente parloteo sobre una salida a un nuevo bar.

—¿Qué dices, Jordan? ¿Vienes o es que te han apretado la correa? —preguntó nuestro amigo.

—¿Perdón? —Sacudió la cabeza, sin comprender. Lucía exhausto y demacrado.

—Que si vas con nosotros al nuevo bar —repetí y negó en automático.

—No puedo —dijo con una cara de funeral.

—¿Por qué? —inquirió Ethan.

—He quedado con Grace para ayudarle con la clase del señor Robins.

Su expresión de entierro cambió a una más normal ante la mención de su nombre.

Elevé las cejas con curiosidad. Jordan era una buena persona por naturaleza, pero que se tomara tantas molestias en ayudar a alguien más era extraño. Incluso parecía más pegado a Grace de lo que debería un simple amigo. Se sentaban juntos en clase y los había atrapado lanzándose miradas furtivas de vez en cuando.

—Bueno, pero ¡hombre, anímate! ¿Qué pasa ahora? ¿Por qué esa cara? ¿Tenemos problemas con la abeja reina otra vez?

—No, no —volvió a adoptar esa faceta impasible—, nada de eso. Estamos bien, más que bien de hecho.

—¡Al fin! —Ethan alzó las manos al cielo mientras recorríamos el campo hasta las duchas—. Eso de manifestarlo al universo funcionó.

Puse los ojos en blanco al tiempo que una sensación de malestar se asentaba en mi estómago. No estaba de humor para que me restregara su *perfecta* relación con Leah en la cara.

—Incluso hemos firmado ya un contrato prenupcial.

Tuve que obligar a mis pies a seguir moviéndose cuando escuché lo que salió de su boca, aunque me costó horrores conseguirlo porque los sentía como plomo. No sabía quién de los dos tenía peor cara: si él o yo.

—¿Qué? —ladré sin poder detenerme—. ¿Por qué no me lo dijiste antes?

Ambos alzaron la cabeza para mirarme perplejos.

—¿Qué tiene de impresionante? —preguntó sin comprender mi estupefacción.

—Nada, es... —Mi mente estaba en blanco—. Nada.

¿Un contrato prenupcial? Me tenía que estar jodiendo. La incómoda sensación que se asentaba sobre mi estómago se convirtió en segundos en un ardor insoportable. Apreté la mandíbula y resistí las repentinas ganas que nacían desde mis entrañas por romperle la nariz. ¿Por qué me sentía tan furioso? Y lo que resultaba más extraño, ¿por qué Jordan tenía cara de velorio?

—¡Enhorabuena! —Le palmeó la espalda Ethan—. Ya sabía que serías el primero en casarte de los tres. ¿Seremos padrinos?

«Por favor, no», rogué para mis adentros.

Se rascó la cabeza y soltó una risita incómoda.

—Es... un poco pronto para decidirlo.

—Es una excelente noticia, ¿a que sí, Alex?

Ambos me miraron expectantes y tuve que forzar a mis cuerdas vocales a emitir palabra, porque la ira me cerraba la garganta.

—Claro.

De no ser porque había firmado un contrato prenupcial con Leah, juraría que estaba engañándola, pero esa suposición ya se había ido al infierno, junto con mis posibilidades de conservarla para mí.

El que ella aceptara solo quería decir una cosa: que en verdad quería casarse con Jordan y separarse de mí lo más pronto posible.

¡Carajo! No podía deshacerme de esa sensación que empezaba en mis tobillos y se concentraba en mi pecho. Ni siquiera quería nombrarla, me negaba a reconocer que estaba celoso.

Como Leah había dicho alguna vez: tenía un fuerte complejo de hijo único y no sabía cómo compartir las cosas que quería solo para mí. Pero ¿qué esperaba con exactitud? ¿Que ella terminara su relación de ensueño con Jordan para empezar una conmigo en secreto? No éramos ni siquiera una posibilidad.

Leah y Jordan tenían historia. Nosotros solo follábamos de vez en cuando. Lo nuestro había terminado en el momento en que Erick lo descubrió y ella solo lo reafirmaba aceptando el compromiso.

Y mientras llegábamos a los vestidores, caí en cuenta de que, pese a todo el problema que representaba nuestra unión, a pesar de que éramos un desastre juntos y teníamos que trabajar mucho en nuestros temperamentos explosivos, no quería que terminara. Quería que fuéramos una posibilidad.

Era un momento terrible para ese lapso de lucidez, porque el contrato ya se había firmado, pero con un carajo si yo no tenía sentimientos hacia Leah. Y los tenía. La deseaba y la quería solo para mí. No estaba seguro hasta qué grado o de qué manera, pero el deseo estaba ahí, tan sólido y lacerante como un cuchillo que me retorcía las entrañas.

Había cierta amargura en saber que querías algo que no podías tener.

Acomodé mi chaqueta cuando bajé del auto y emprendí mi camino por el sendero de gravilla que precedía la entrada de la casa de apuestas.

En la última semana dos cosas habían ocurrido: uno, había fallado en aclarar mi situación con Leah; y dos, había triunfado en ganarme una sarta de amenazas de Rick si no me presentaba en el bar.

—Thomas —saludé al chico que hacía de *crupier* en la mesa cerca de la entrada.

—Qué gusto —Sonrió—. ¿Juegas hoy?

—No. ¿Está Rick?

—Sí, ya sabes dónde.

Crucé el mar de mesas de juego que se disponían a lo largo del lugar hasta llegar al privado, donde localicé al dueño sentado en una mesa con Michael y tres hombres más.

—¡Alex! —saludó mi amigo al verme.

Dos de los hombres que compartían la mesa con él eran completos desconocidos, mientras que los ojos avellana que me miraban con un toque de atención los conocía de memoria. Louis esbozó el amago de una sonrisa que arrugó la cicatriz sobre el rostro e hizo una cordial inclinación de cabeza a modo de saludo.

—Llegas justo a tiempo, príncipe —habló Rick con parsimonia—. Toma asiento.

Pensé en mandarlo al carajo y exigirle que me dijera de una vez para qué me necesitaba ahí y a qué se debía tanto misterio, pero los otros dos matones sentados en torno a la mesa me hicieron replanteármelo. Me senté junto a Michael y estudié a los dos extraños: uno tenía barba hirsuta y oscura, con el

cuerpo de un barril. El otro era enjuto, con unos enormes círculos oscuros bajo los ojos; tenía cara de maniaco.

—Alex, te presento a Kozlov —señaló Rick al hombre de la barba de candado—, y este es Mendoza. A Louis ya lo conoces. —Los dos primeros hicieron un gesto corto con la cabeza.

—¿Para qué me necesitas aquí? —pregunté impaciente por largarme. El que Louis estuviera presente con dos matones de su lado luego de haberlo vaciado no pintaba nada bien.

—Quita esa cara de susto, niño. —El hombre de la cicatriz soltó una risita burlona y se cruzó de brazos, relajado—. No es nada malo en realidad.

—Te escucho, Rick —dije ignorándolo, porque no podía dejar de pensar que él era malas noticias.

—Siempre tan impaciente. —El aludido negó y se inclinó hacia la mesa—. Te presento a estos hombres porque serán los nuevos socios de la casa de apuestas.

Lo miré impresionado. ¿Desde cuándo Rick compartía sus ganancias? Era tan codicioso en la misma medida que egoísta, mucho más si se trataba de compartir sus ganancias con un tipo que no era de fiar como Louis.

—Pero...

—La casa de apuestas se extenderá a otros negocios —explicó con cautela—, y por lo tanto es necesario que cuente con más inversión y expertos en el campo.

Esperaba no verme tan confundido como me sentía.

—De acuerdo... ¿y dónde figuro en todo eso? Solo soy un jugador.

Rick se rascó la barba, evaluándome con atención.

—Por eso mismo he decidido ascenderte. Entiendo que tienes dotes con los negocios.

—¿Y qué? —espeté cada vez más preocupado por el rumbo que tomaba la conversación.

—Pretendo utilizar tus habilidades a mi favor, príncipe. ¿Qué no es obvio? Serás nuestro representante.

Quería reírme por lo ridículo de la situación. ¿Qué mierda creían que eran? ¿La Asociación Civil de Ludópatas Unidos por un Mundo Mejor?

—¿Representante de qué? ¿Vas a usarme para cobrar deudas en el bar a domicilio?

—El chico tiene ingenio, no estaría mal —secundó Louis dando un sorbo a su licor.

—Algo por el estilo. —Rick mostró todos sus dientes en la siniestra sonrisa que me dedicó—. Michael y tú son mis peones más jóvenes, y los más hábiles y carismáticos. No tendrán problemas para cerrar tratos en grandes cantidades.

—¿Tratos de qué?

—De eso que todo mundo quiere. —Louis se pasó la lengua por los labios y sus ojos avellana se iluminaron—. El oro blanco.

Lo miré sin comprender, hasta que poco a poco, mi cerebro fue conectando la información.

*Drogas*. Sentí cómo se me bajaba la presión.

—Piénsalo, *príncipe* —continuó Louis—. Michael ya ha tomado la oportunidad.

Miré al aludido, perplejo, con una presión en el pecho.

*No, no, no.* Esto era un límite.

—No tengo nada que pensar, no aceptaré. No es ni siquiera una posibilidad.

—Creo que no comprendes del todo tu posición, príncipe —acotó Rick con severidad.

—Es una oportunidad única, muchacho —insistió Louis—. Haríamos un gran equipo y las ganancias serían inimaginables.

Rick le susurró algo al oído al hombre de la cicatriz y este asintió en respuesta.

—De acuerdo. Caballeros, ¿les apetece una línea? —habló a los otros dos y se incorporó un momento después, seguido por ellos. Michael me palmeó el hombro antes de retirarse junto a los demás.

—Pensé que lo querías lejos del bar —apunté en cuanto los perdí de vista.

—Es persuasivo. Me di cuenta de que era más conveniente tener a alguien como él de mi lado. Puede aportar bastante.

Negué con la cabeza, incrédulo.

—¿Y bien? —Rick me miró expectante—. ¿Qué dices? ¿Aceptas o no?

—No —contesté sin dudar—. No pienso permitir que me uses para algo así, eso ya es demasiado, es muy arriesgado.

—Reconsidéralo, príncipe. Podrías ganar buen dinero a cambio de hacer ese trabajo para mí. Además, ¿no te serviría de práctica para manejar la empresa de tu padre?

Apreté la mandíbula con la tensión pesando sobre mis hombros.

—Estás muy drogado si crees que pienso aceptar.

—¿Seguro?

—Vete a la mierda, Rick.

Soltó una carcajada y se puso en pie, rodeando la mesa hasta quedar detrás de mí.

—Solo estoy siendo cortés. —Colocó una mano sobre mi hombro; su tacto poniéndome a la defensiva—. En realidad, no tienes alternativa, niño.

—Claro que la...

—No. —Apretó su agarre en mi hombro, en una clara amenaza—. Me perteneces, Alex. Al menos hasta que liquides tu deuda; sigues trabajando para mí, sigues estando bajo mis órdenes, y si yo te digo que vayas y asesines, lo haces. Si te digo que vayas y cagues, lo haces. Si te digo que vayas y vendas, lo haces. ¿Comprendes? No es algo que puedas elegir.

Apreté los dientes sintiendo la impotencia llenarme.

—¿O es que acaso quieres morir? Porque cualquiera de mis hombres puede concedértelo —dijo gélido—. Aunque sería una lástima que los Colbourn perdieran a su único heredero por idiota.

Me deshice de su tacto con un movimiento brusco del hombro y me puse en pie, encarándolo.

—¿Eres sordo? Porque parece que no me has escuchado. Vete. A. La. Mierda. No seré tu maldita perra —escupí furioso—. Pienso darte el dinero antes de que se te ocurra volver a amenazarme con eso y créeme, nada me alegrará más que no volver a verte.

—¿Vas a pagarme? —Reprimió una risa—. ¿Piensas hacerlo antes del final de esta semana?

Toda la sangre pareció drenarse de mi cuerpo.

—¿Qué?

—Seré claro y breve, príncipe, harás lo que te diga cuando te lo diga, o de lo contrario voy a matarte, ¿comprendes? —Me señaló con un dedo, sin despegar sus ojos de mí.

Exhalé por la nariz para no soltarle un golpe por toda la furia que me corroía por dentro. La impotencia me rebasó, me sentía de manos atadas en esta situación. Por donde sea que lo mirara, mi cabeza estaba en juego y no había nada que pudiera hacer para remediarlo o evitarlo.

Me di la vuelta sin mediar palabra y comencé a andar para salir del privado.

Choqué por accidente con Louis, que salía del cuarto junto a la puerta limpiándose la nariz y con la cara de alguien que acababa de inhalar hasta el polvo que había sobre el piso.

—Lo lamento, ¿quieres una línea? Olvidé ofrecerte.

Lo ignoré y abandoné la sala.

¿En qué mierda me había metido?

El resto de la semana podía definirla con dos palabras: Una. Mierda.

No había dormido desde mi reunión con Rick, y entre el constante estrés que representaba estar a la espera de alguna llamada suya, aunado con el

cansancio acumulado de los entrenamientos, no sabía qué me mataría primero. Por si fuera poco, papá no dejaba de insistir con que me mudara a Inglaterra para inscribirme a un posgrado en alguno de los recintos de su elección. Y no olvidemos a mi madre, que desde el jueves había insistido como loca en que la visitara el fin de semana.

Así que me toqué el puente de la nariz y cerré los ojos esperando que la migraña que comenzaba a percibir no terminara por matarme mientras subía las escaleras de piedra.

—Joven Colbourn —me recibió el mayordomo e hizo una seña con la mano para permitirme la entrada—. Su madre lo espera en la sala de estar.

—Gracias.

Caminé por el amplio rellano que antecedía a las pulidas puertas de madera. Mamá me sonrió desde el sillón de cuero blanco.

—Cariño. —Se incorporó para besarme en la mejilla—. Me alegra que hayas venido.

—¿Por qué tanta insistencia?

—Verás —se alejó un par de pasos sin perder una sonrisa pícara—, tengo una sorpresa para ti.

Suspiré agobiado.

—¿Qué sorpresa? Mamá, no estoy de humor para estas cosas, no...

Un torbellino de rojo y gris arremetió contra mí, impactando contra mi cuerpo antes de que pudiera terminar la frase y privando a mis pulmones de todo oxígeno. Chilló y me tomó con más fuerza del cuello. Estaba tan mareado y confundido por el movimiento brusco, que no fui capaz de reaccionar o enfocar hasta que se separó de mí.

Entonces la contemplé frente a mí. Sabine. Me sonrió con esa calidez suya tan característica, con sus orbes verdes brillando de la emoción. *Sabine.*

—¿Qué? ¿No vas a decir nada? ¿Te he dejado más idiota con el golpe? —se quejó—. Por favor, pensé que estarías más feliz de ver a tu mejor amiga.

Fue todo lo que necesité para rodearla con mis brazos, levantarla del suelo y estrecharla contra mí hasta estar seguro de que le había roto al menos un hueso, hasta estar seguro de que me había impregnado con su aroma a lavanda que tanto extrañaba.

—No puedo creer que estés aquí —dije eufórico sin atreverme a soltarla, incluso cuando sus carcajadas se convirtieron en protestas por lo fuerte que la tomaba.

Coloqué mis manos sobre sus hombros, aún estupefacto porque la tuviera enfrente. Reparé en la cara que resultaba tan familiar, en el rojizo cabello y su delicada figura.

—Así que no estás de humor para sorpresas, ¿eh? ¿Ni siquiera si se trata de mí?

—Menos si se trata de ti —bromeé y abrió la boca con fingida indignación.

—¡Idiota!

—¿Qué haces aquí? ¿Cuándo llegaste? ¿Cómo...?

—Conmigo —habló Meredith, su madre, al lado de la mía—. Pero parece que te has olvidado del resto del mundo apenas la viste.

Le dio un codazo a mamá a modo de broma y ambas rieron.

—Meredith. —Le planté un beso en la mejilla y permití que me abrazara.

—Cada vez que te veo estás más alto, ya deja de crecer, cariño.

—¿Cuándo llegaron?

Sabine se posó junto a mí, sin dejar de sonreír, y se acomodó el suéter. Estaba tal cual la recordaba desde la última vez que visité Inglaterra.

—Hoy mismo —respondió Meredith—, aunque Sabine insistió en que mantuviéramos en secreto lo de nuestra visita.

—Quería alegrarte un poco la vida. —Se estrechó contra mi brazo y sonreí.

—Ya lo hiciste. —Besé su coronilla y me giré a tiempo para ver a nuestras madres intercambiar una mirada.

—¿Te parece si vamos a mi estudio a tomar el té? —le propuso mi madre a la pelirroja.

—Claro, dejemos que estos dos tórtolos se pongan al día —la apoyó yendo tras ella.

—Entonces, ¿dijiste que me habías extrañado? —Fingió demencia y le pasé un brazo por los hombros para volver a abrazarla con cariño.

—¿Cuándo dije eso? Estás alucinando.

—¡Alex!

Reí. Toda la tensión acumulada por esa semana de mierda se evaporó por arte de magia al tenerla cerca.

—Te extrañé como no te imaginas. Aquí no hay nadie tan loca como tú que me acompañe en mis estupideces.

Sus ojos verdes se iluminaron al verme.

—Claro que no hay otra como yo, Alexander, por Dios. —Sacudió el largo cabello rojo tras sus hombros y me tomó de la mano para obligarme a caminar—. ¡Ahora ven! Tengo mucho que contarte.

No pude evitar sonreír. Había extrañado a Sabine, y pese a mis días de mierda, tenerla conmigo era un aliciente para mi tortuosa vida.

Entré con Sabine a la universidad el lunes siguiente, luego de pasar el fin de semana junto a ella. Había insistido en conocer el campus, así que después de rechazarla un millón de veces solo para obtener el mismo resultado, decidí llevarla conmigo.

Localicé a los chicos sentados en una de las mesas del centro en la cafetería y me acerqué con ella siguiéndome el paso.

—¡Tendrían que haberle visto la cara! —gritó Ethan, entusiasmado, contando una de sus miles de anécdotas—. Pensé que me vomitaría encima y...

Pareció notar que toda la atención se había desviado de él cuando todos se centraron en nosotros. En Sabine, más específicamente.

—Pero si… Hola. —Matt se apresuró a ponerse en pie para acercarse, con la misma expresión de un perro al ver un jugoso filete—. ¿No vas a presentarnos a tu acompañante?

—Ellos son mis amigos. —Hice un gesto con la mano, refiriéndome a todos en torno a la mesa—. Sara, Edith, Ethan… —Los señalé a cada uno y saludaron con una sonrisa, aunque estaban impresionados de que viniera acompañado, a juzgar por sus expresiones—. Jordan, Leah...

Los ojos de la princesa McCartney me atravesaban igual que un par de dagas, duros y filosos. Por la forma tan intensa en la que me escrutaba con esa cara de piedra, podía jurar que quería prenderme en fuego. O ahorcarme, lo que sucediera primero.

No estaba nada feliz de ver ahí a Sabine, era más que obvio. Y una parte de mí se alegraba sádicamente en comprobar que estaba celosa, porque eso significaba que le importaba.

—Él es Matt. —Este le sonrió con sus ojos brillando.

—¿De qué acuario te han sacado, Sirenita?

—De uno muy exótico, diría yo —respondió Ethan desde la mesa y le guiñó un ojo con coquetería.

—¿Cómo te llamas? —inquirió Matt, ansioso.

—Ella es Sabine, mi...

—Soy su prometida —dijo sin más.

La cara de todos se desencajó, pero Leah… La cara de Leah no tenía precio.

# 27
## CELOS

*Leah*

No estaba segura de haber escuchado bien. Tampoco estaba segura de seguir respirando.

Mi corazón pesó tanto que no pudo mantenerse en su lugar y cayó hasta el suelo.

—Vaya... Eso es... Vaya —balbuceó Ethan, buscando recuperarse de la impresión y aligerar la tensión que reinaba sobre la mesa.

—¿Es en serio? —inquirió Sara, confundida—. ¿Cuándo se han comprometido? Porque la última vez vi a Alex muy juntito con...

Percibí el pie de Edith moverse para darle un pisotón bajo la mesa y callarla. La cara de Sara se compungió en una mueca de dolor, pero al menos evitamos que saliera con alguna de sus imprudencias. La chica soltó una risita e hizo un gesto de la mano, como si le restara importancia.

—Es solo un título —se encogió de hombros sin perder la sonrisa—, pero me encanta la reacción de todos cuando lo digo, vale oro, tendrían que haberse visto. —Abrió mucho los ojos y la boca, imitando la expresión de susto de más de alguno. Todos soltaron una carcajada ante su ridícula perorata, Alex incluido.

—Eso habla muy mal de ti. —Le dio un golpecito a *mi esposo* en el hombro a modo de juego.

—No sé de qué hablas —respondió el cínico y procedieron a sentarse con nosotros.

—Qué guardada te la tenías —acotó Matt, babeando—. Una belleza como esa es para presumirla.

—Deja de mirarla así, vas a asustarla —se burló Jordan a mi lado.

—Ush, que no te estoy mirando a ti, envidioso. —El aludido aleteó las manos para alejarlo y mi novio sonrió en respuesta—. ¿De qué planeta viene una diosa como tú? Porque no eres de este mundo, ¿verdad?

—De este mundo sí, de este continente no. —Esbozó una sonrisa genuina—. Soy inglesa.

Reparé entonces en el acento que compartía con Alexander, aunque el de ella era mil veces más marcado. Claro que él conseguiría una muñequita inglesa.

Percibía la mirada de Alex sobre mí, pesada y avasalladora, evaluando todas mis reacciones.

—De hecho, nos conocimos allá —siguió ella recargando su cabeza en el hombro de él y mi estómago ardió.

—Nos conocemos desde los nueve años —apuntó Alex sin quitarla. ¡Sin quitarla!

—Eso es muy romántico. —Sara suspiró y le lancé una mirada asesina.

—¿Y qué haces aquí? ¿Has venido a robarte al novio? —preguntó Jordan con diversión.

—Ganas no me faltan, pero no. En realidad, he venido de vacaciones. Me encanta este país, pero estando tan lejos no tengo muchas oportunidades de visitarlo.

—Sí, imagino que entre las responsabilidades y los períodos de la universidad es imposible —dijo Edith.

La incomodidad ensombreció sus facciones, pero se deshizo de ella con rapidez.

—Por eso le he pedido a Alex que me regale un *tour* por su universidad, puede que me quede a estudiar aquí.

—¡Te encantaría! —canturreó mi amiga y la chica la apoyó aplaudiendo con felicidad.

«No, no, no. Sobre mi cadáver».

—¿De qué hablaban antes de que llegáramos? —preguntó mi esposo con desinterés.

Edith juntó las manos en un aplauso, entusiasmada.

—De los lugares a los que podríamos viajar la próxima semana. —Sus ojos claros se iluminaron—. Ayer, mientras veía *Gossip Girl*, pensé: ¿por qué no hacemos un viaje a Nueva York? Como el que hicimos con Ethan a Las Vegas en su...

—¡No! —gritamos Alex y yo al mismo tiempo, rotundos. Nos dedicamos una mirada llena de complicidad, pero los demás nos observaron extrañados.

Ya habíamos tenido una experiencia horrible en esos viajes. Si volvíamos a hacer uno igual, de seguro terminaríamos casándonos por algún rito budista o algo peor.

—*Okay, okay*, ya entendí. —La rubia dejó caer los hombros, derrotada—. Solo era una idea, no tienen que arrancarme la cabeza, por Dios.

—Solo a ti se te ocurre que es buena idea ir hasta el otro lado del país por un fin de semana. —Negó Ethan.

—¿El otro lado del país? Solo son cuatro horas en auto, genio.

—¿Y quién dice que quiero pasar cuatro horas en un auto contigo? —atacó nuestro amigo.

—¿Tienes alguna idea mejor, Einstein? Por favor, ilumíname —lo instó la rubia.

—¿Por qué no vamos a un lugar que esté cerca? La temporada de invierno ya casi empieza y tengo un espacio de un fin de semana que puedo usar cuando quiera en las cabañas de Rockport.

—¿La reserva que está al norte? —intervino Alex, pensativo.

Ethan asintió.

—Para ese entonces, estará nevado y hay muchas cosas que hacer.

—Voy a morirme de frío —chilló Edith.

—Yo te caliento —contestó con tono sugerente.

—Ni en tus mejores sueños.

—Con calefacción, idiota. Que tu mente sucia piense en otras cosas no es mi problema —se defendió Ethan.

—No suena mal —concedió Matt y varias voces lo apoyaron—, pero tengo entendido que suele ser difícil encontrar cabaña antes de que empiece el invierno. ¿Cómo lo conseguiste?

—¿Dudas de mis capacidades? —Se señaló con el pulgar, indignado—. Tengo métodos infalibles.

Puse los ojos en blanco. Sus métodos infalibles eran ligar con alguna pobre ingenua que era usada para un solo revolcón.

—Tú también puedes venir, preciosa. Nos embellecerías el viaje. —Le sonrió Ethan a la pelirroja con coquetería.

—Sería estupendo —lo apoyó Matt, emocionado.

—Sí, ven con nosotros. —Casi abofeteé a Jordan cuando la invitó.

—¡Ay, sí! —Se entusiasmó Edith—. Seríamos cuatro chicas y cuatro chicos.

No, no quería por nada del mundo que ella estuviera ahí. No quería que arruinara algo tan importante.

—¿Qué opinas? ¿Crees que sea buena idea ir? —preguntó a Alex—. Porque me encantaría.

—Es tu decisión, pero sería genial que estuvieras ahí.

Mi corazón se comprimió ante la sinceridad de su respuesta y tuve que apretar los dientes para evitar que la cólera me explotara la cabeza.

—Entonces me apunto —dijo al final y todos la animaron. Casi todos.

—Leah, ¿tú qué opinas? Has estado muy callada —preguntó Sara y tardé unos momentos en registrar que me hablaba a mí.

«Opino que la quiero a metros de él. Kilómetros, joder».

—No lo sé, tal vez deberíamos pensar en algo más —en algo que no la incluyera a ella—, no estoy segura de que me agrade la idea.

—Es un buen plan, el lugar es grande y ya tenemos hospedaje gracias a la polla mágica de Ethan —apuntó Matt y el aludido sonrió con orgullo.

—No lo sé —dije poco convencida, evitando a toda costa mirar a Alex.

—Si no te gusta, no vayas —espetó la pelirroja.

—¿Perdón? —Era la primera vez que le dirigía la palabra y mi voz salió más tensa de lo que planeé—. Claro que tengo que ir.

—No están obligando a nadie, ¿o sí?

—Vamos por mi cumpleaños —solté con la sangre hirviéndome.

—Y el mío —añadió Edith, alzando la mano.

Edith cumplía el veintiséis de noviembre; yo al día siguiente. Por eso optábamos siempre por celebrar nuestros cumpleaños juntas.

—Ay, lo siento. —Se tapó la boca con la mano, apenada—. No lo sabía.

—Claramente —ladré de forma despectiva, ganándome una mirada divertida de mi esposo.

—¿Tu cumpleaños será ese fin de semana? —me habló el idiota por primera vez. Tardé en responderle, porque no sabía qué saldría de mi boca si no pensaba bien las cosas.

—Sí.

Pareció sorprendido, pero no dijo nada más.

—Entonces, ¿Rockport? —Sonrió Ethan, y todos dieron el *sí* apresurándose a armar los planes.

Sería un cumpleaños de mierda con la señorita *inglesa* rondando tan jodidamente cerca de *mi marido*.

Llené el formulario depositando toda mi ira en los trazos marcados y toscos que dejaba sobre el papel. Se había abierto una plaza para una certificación en logística comercial en Alemania y no perdería la oportunidad de ocuparla por nada del mundo, ni siquiera por las insistentes protestas de Jordan.

No podía sacarme la imagen de Sabine de la cabeza. No, corrección: no podía sacarme la imagen de Sabine con Alex de la mente. Sentía como si alguien me enterrara un cuchillo en las costillas y lo retorciera constantemente. Estaba furiosa, pero me concentré en depositar todo ese ánimo en llenar el formulario. Agradecí que la biblioteca estuviera desierta y nadie me molestara. No estaba de humor para hablar con nadie.

—¿Sabes lo estimulante que es verte tan enfocada en algo? —Su voz acarició mi oído como la seda y di un respingo—. Tanto que me entran unas ganas de follarte aquí mismo, solo para poner a prueba tu nivel de concentración.

Levanté la cabeza para encontrarlo inclinado sobre mí, tan cerca que su exquisito aroma me golpeó la cara, aturdiéndome, y la proximidad de su cuerpo hizo que me olvidara de todo a mi alrededor, por unos segundos al menos.

—Ve y pon a prueba la concentración de tu prometida, que para eso está, ¿no? —Me maldije tan pronto hablé, porque mi tono de reproche no podía pasarlo por alto ni un sordo.

Alex sonrió satisfecho, irguiéndose.

—¿Por qué tan malhumorada? ¿Has tenido un mal día?

—¿Te importa?

—Me duele saber que no soy la razón de tu malhumor.

Quise arrancar la expresión petulante de su divina cara, porque *sabía*, él sabía que sí era la razón de mi malhumor, y de mi mal día, y de todas mis desgracias en general.

—¿Podrías largarte? Me estás distrayendo y no creo que a tu prometida le guste que quieras probar *la concentración* de otras mujeres.

Posó un brazo en el respaldo de la alta silla de la biblioteca, recargando en él su peso, y se acercó tanto a mi cara que me sentí alarmada de que alguien pudiera vernos, pero solo estaba la señora Pince, quien trabajaba detrás de la recepción.

—¿Y a tu prometido no le molesta que te folles a otros hombres? ¿O que sientas celos por otros?

Mis ojos se ensancharon, estupefacta por su crudeza.

—Qué de...

—Felicidades por tu compromiso, por cierto —dijo con tono agrio—. Espero que sean felices, aunque dudo que eso sea posible si sigues engañándote a ti y a él como lo haces.

—¡No lo engaño! —Callé cuando la bibliotecaria alzó la cabeza—. No lo engaño, ni a mí tampoco —repetí en tono bajo—, no sé de qué mierda hablas.

—¿Cómo puedes decir eso cuando te mueres de celos por mí?

Apreté la mandíbula y le sostuve la mirada.

—¿Estás drogado? Porque estás delirando.

—Ah, ¿no lo estás? —Se acercó tanto que podía contar sus pestañas y percibí el corazón subiéndome hasta la garganta.

«Me pudro de celos», pensé, pero mi orgullo y dignidad eran prioridades.

—No.

Soltó una risita al tiempo que tomaba distancia.

—Siempre te lo guardas todo, y no entiendo por qué, solo haces las cosas más complicadas.

—¿Sobre qué estás balbuceando ahora?

—Que todo sería más fácil si dijeras las cosas en lugar de guardártelas para hacer felices a los demás.

Abrí la boca ligeramente, sintiendo el impacto de sus palabras, mientras él continuaba clavándome con la mirada, indiferente al hecho de que había descubierto otro aspecto sobre mi vida y mi persona que nadie más conocía.

—A diferencia de ti, yo odio perder mi tiempo en rodeos, así que diré las cosas por ti y te pondré las cartas sobre la mesa, como la primera vez.

—¿De qué hablas? —inquirí cuando por fin recuperé la capacidad de emitir palabra.

Sus ojos eran pura intensidad, llenos de ese azul que me había hecho viajar hasta el inframundo y volver.

—Estoy celoso, Leah. No me gusta compartirte y tampoco pienso aguantarme las ganas de tenerte. —Ahí iba otra vez mi capacidad de hablar, que había muerto ante su declaración—. Y sé que tú te sientes igual, así que lo mejor es hacer algo al respecto.

—¿Y qué esperas que haga? —dije cuando espabilé—. ¿Que termine con Jordan para que puedas follarme cuando quieras, mientras tú te casas con Sabine?

—Lo mío no es ningún compromiso, yo no he firmado nada.

Su comentario se sintió como una bofetada.

—Voy a casarme con Jordan, y tú tienes a tu... A esa... esa muñequita inglesa —terminé con acidez.

Enarcó las cejas sin creerme un carajo.

—¿Y cómo pretendes hacerlo si ya estás casada? Que yo sepa, en este país está prohibida la bigamia.

—Nos divorciaremos.

—¿Eso quieres?

—Sí.

—Mentirosa. —Me tomó de la nuca en un ágil movimiento, enredando los dedos en mi cabello para inclinar mi cabeza y obligarme a mirarlo—. Te mueres por tener lo que está frente a ti, me deseas, pero te sigues resistiendo para no fallarles a los demás, ¿no es así?

Su firme agarre transmitió un placentero escalofrío desde mi cuello hasta la parte baja de mi columna. Lo deseaba, sí. Quería que me arrastrara hasta las profundidades de ese abismo a las que solo él podía llevarme, pero eso era solo la punta del *iceberg*, de todo el cúmulo de cosas que sentía por Alex. Quería su tiempo, su atención y su afecto, y no tenerlo estaba matándome.

—Tu arrogancia no conoce límites.

—Tu terquedad tampoco —rebatió sin soltarme—, y por eso estamos así.

Posé la mano sobre el brazo que me mantenía presa, pero no se inmutó.

Suspiré con frustración.

—Esto es ridículo. Tu prometida ya está aquí, no entiendo por qué sigues buscándome, ni la razón de que me digas todo esto.

El agarre detrás de mi nuca aminoró y arrastró su mano hasta posarla con delicadeza en mi pómulo, su pulgar acariciando mi labio inferior mientras sus ojos se mantenían fijos en mi boca.

—Porque me enferma verte con Jordan.

Algo revoloteó dentro de mi estómago y estuve a nada de perder el piso, ceder y rendirme ante él. Sin embargo, la sensatez fue más fuerte en esa ocasión.

—Pues no lo veas —sugerí dándole un manotazo—. Voy a casarme con Jordan una vez nos divorciemos.

—No puedes —insistió frustrado, dejando caer la mano a su costado.

—¿Por qué no?

—Porque uno, sigues siendo mi esposa, y dos, no podemos divorciarnos hasta que cobre mi herencia.

Resoplé.

—Tu hermosa prometida ya está aquí. Entre más rápido nos divorciemos tú y yo, más rápido podrás casarte con ella y cumplir la condición —dije con desdén ante la perspectiva.

—¿Y se supone que tengo que creer que no estás celosa cuando haces esa cara de asco cada vez que te refieres a ella? —Sonrió divertido.

—Solo me quieres porque no puedes tenerme como deseas —objeté—, ese es el motivo de todos tus celos, ¿no? Porque no puedes cogerme cuando te venga en gana mientras Jordan siga ahí.

Su boca era una fina línea mientras me contemplaba. Mi corazón latía como un tambor dentro de mi pecho, expectante.

Abrió la boca para replicar, pero su celular vibró encendiéndose dentro de su pantalón.

—¿Qué? —habló cuando se pegó el auricular a la oreja—. ¿Dónde estás? —Calló mientras esperaba—. De acuerdo, ahora voy —dijo sin más y sentí la decepción invadirme, porque, aunque fuera discutiendo, quería seguir hablando con él, quería seguir en su presencia.

—¿Sabine?

Asintió.

—Corre con tu prometida —gruñí y la vacilación tiñó sus ojos claros.

Quería que se quedara conmigo, pero sabía que eso no iba a suceder. Se dio la vuelta y salió de la biblioteca sin pensarlo dos veces. Clavé mi vista al frente, tratando de asimilar todo lo que nos habíamos dicho en los últimos minutos.

Celos, frustración, tristeza, desesperación, placer, felicidad, *plenitud, libertad...* eran emociones que nunca había experimentado de manera tan intensa como lo hacía con Alexander. Y ahora que no podía tenerlo, no sabía qué hacer con ellas.

# 28
## IRA

*Leah*

Lo giré en el momento en que abrió la puerta, capturando sus labios en un beso demandante y furioso, buscando desahogarme en él. Cerró con dificultad mientras entrábamos en su departamento a trompicones sin dejar de atacar su boca con la mía.

Acunó mi rostro entre sus manos. Mordí su labio con fuerza y lanzó un quejido a modo de protesta, al tiempo que peleaba con su camiseta para retirarla a punta de jalones. Quería convertir todo ese calor, producido por la ira y los celos, en uno de excitación y lujuria. Quería que me hiciera olvidar.

Jordan alzó los brazos para que terminara de despojarlo de su prenda y aproveché ese momento para empujarlo en su sofá, sin perder el tiempo en sentarme a horcajadas sobre él. No podía decirle a mi novio todo lo que sentía, porque lo sentía por otro hombre, así que tendría que buscar otro método de liberación.

Volví a besarlo, duro y violento, mi lengua invadiendo su boca sin piedad antes de bajar por su cuello, repartiendo besos húmedos e iracundos que seguramente dejarían marcas. Quería desaparecer la imagen de Alex con Sabine.

Deshizo los primeros botones con una paciencia exasperante, una que yo no tenía en ese momento, así que le di un manotazo para desvestirme yo misma mientras volvía a atacar su cuello, chupando, succionando y lamiendo.

Moví mis caderas contra su miembro para sentir su erección.

—Háblame sucio —pedí mordiendo su lóbulo, terminando de retirar la blusa sin dejar de atacarlo en su punto de pulso con mis labios; mis dedos halando de su cabello, enterrándose en sus mechones.

Percibí la tensión en su cuerpo por un momento, antes de que sus manos subieran por mi espalda, y volví a moverme cuando no tuve respuesta para incentivarlo.

—Qué... qué atrevida —susurró con vacilación, peleando con mi sostén—. Qué... hambrienta. Qué traviesa. Qué...

Detuve mis atenciones y puse los ojos en blanco ante su pobre intento de complacerme.

—Dime todas las cosas que te mueres por hacerme —sugerí, tocando su abdomen con deseo, sin estar dispuesta a que la llamarada de excitación que tanto me había costado prender se apagara.

«Me entran unas ganas de follarte aquí mismo, solo para poner a prueba tu nivel de concentración». El recuerdo de Alexander diciendo aquello encendió un infierno en mi interior y percibí una presión en mi bajo vientre. Me maldije por ello, disipando el pensamiento. Tomé la cara de mi novio entre mis manos y lo besé sin piedad ni tregua, jalando de sus labios y adueñándome de su boca.

—Me muero por hacerte el amor, por llenarte de besos, acariciarte y...

Lancé un quejido inconforme y arremetí con más fuerza contra sus caderas. Aquello no estaba funcionando.

—Dime todo lo que quieres hacerme —pedí entre besos—, dime que quieres follarme —aruñé su espalda—, quiero que me des duro —continué, encajando mis uñas en su pecho—; quiero que me duela, quiero...

Besé la longitud de su cuello hasta morder su hombro.

—¡Auch! —Me alejó aventándome con brusquedad en el sofá y lo miré desconcertada—. ¿Qué mierda fue eso? Me lastimaste.

—Lo... lo siento. —Parpadeé un par de veces para recuperarme de la impresión, pero él continuó con el ceño fruncido.

—¿Qué te pasa? ¿Desde cuándo eres tan salvaje?

Lo miré sin saber qué decir.

—¿Y qué es eso de *que te hable sucio*? ¿Desde cuándo te gusta así? —Se masajeó el cuello que ya comenzaba a mostrar las marcas.

—Pues...

—¿Qué esperas que te diga? ¿Quieres que te llame puta o qué?

—¡No! —Me senté en el sillón, recuperando la compostura—. No exageres, yo solo...

—¿Entonces qué es? ¿Quieres que me comporte como Christian Grey y te ate a la cama o qué te pasa?

—No, Jordan, cálmate.

—¿Que me calme? Cálmate tú. —Se puso en pie, recuperando su camiseta.

—Es solo sexo, yo...

—¿Has visto cómo me dejaste? Parecía que quisieras matarme.

Señaló los arañazos que tenía en el abdomen y me sentí avergonzada. Se pasó la camiseta por la cabeza. Aquello era ridículo, yo me sentía ridícula, así que tomé mi blusa para ponérmela también. Había sido todo un fracaso.

—¿Desde cuándo te gusta que te traten como a una zorra en la cama?

Alcé la vista hacia él, ofendida.

—No me gusta que me traten de esa manera, solo quería experimentar, pensé que teníamos la confianza para...

—No se trata de confianza, se trata de respeto —alegó, enojado—. ¿Por qué me pides tratos tan denigrantes?

Terminé de abotonarme la blusa de forma torpe.

—Eres mi pareja, se supone que debemos tenernos la confianza para decirnos lo que nos gusta y...

—¿Sí? Pues te diré lo que *no* me gusta. —Clavó sus ojos como dagas en mí—. No me gusta que me pidas cosas que no quiero hacer, ni que te hable de una forma que es denigrante, ni que me maltrates, ¡Dios!

—¡No te estaba maltratando!

—¡Claro que sí! Además, quieres que te trate como a una cualquiera.

—¡No!

—Eres una dama, Leah, no deberías pedir que te traten de esa manera.

Abrí la boca con una mezcla de perplejidad y vergüenza asaltándome el pecho. ¿En verdad estaba tan mal que me gustara el sexo de esa forma?

—Nuestra intimidad no tiene nada que ver con...

—Sí tiene —objetó severo—. ¿Crees que quiero tener una esposa a la que le gusta que la traten como prostituta? ¿Crees que quiero una mujer que me ruegue que le hable sucio, la denigre y me maltrate?

Clavé mis ojos en él, ofendida. Esa era una de las tantas diferencias entre esos dos. A Alexander le gustaba el sexo duro.

La primera vez que estuvo conmigo en Long Island fue considerado y gentil, lo sabía porque en el motel en Las Vegas y las veces siguientes que follamos fue mucho más despiadado y deliciosamente cruel. Adoraba el juego previo casi tanto como hablar durante ese proceso. Dejaba cocinar a fuego lento todo mi deseo con sus manos, sus palabras y su lengua; era siempre así, empujándome hacia mi punto de quiebre, privándome de toda lógica y todo control, sumergiéndome en una deliciosa agonía hasta quedar casi desecha antes de tomar todo de mí, de forma inesperada y a la vez. Le gustaba el juego previo, sí, pero prefería el sexo duro y rápido. Con Alex todo era *tocar, besar, lamer, jalar, chupar, morder,* hasta que te consumía a tal punto que no podías recordar ni qué día era ni cómo te llamabas. Había descubierto gracias a Alexander que también me gustaba el sexo duro, sucio y maravilloso que tenía con él.

El hombre que tenía frente a mí, sin embargo, detestaba todo aquello y no sabía cómo sentirme al respecto.

—Estás exagerando —repetí.

—No, no estoy exagerando. —Me apuntó con un dedo—. Has cambiado.

—¿De qué hablas? Soy la misma chica de siempre.

—No, no lo eres. Cambiaste y ni siquiera sé por qué.

Alcé una ceja y me puse de pie.

—Sigo sin entender por qué dices que he cambiado.

—Porque te has vuelto una altanera, una grosera y una insolente.

—¿Yo? —Me señalé, dolida.

—Sí, tú. ¿Cómo se te ocurre contradecir a mis padres? En la cena...

—Solo estaba comentándoles acerca de mis planes.

—¿Estás loca? Fue una grosería lo que hiciste cuando le respondiste a mi madre diciéndole que todos esos planecitos tuyos no eran una tontería. Me humillaste.

Abrí la boca, indignada.

—Estás haciendo un escándalo por una estupidez.

—No, no es una estupidez. Te has vuelto más rebelde y con delirios de una cualquiera, cuando antes eras más recatada y centrada. Ni siquiera usas el anillo que te regalé. —Apuntó a mi dedo y lo escondí en reacción—. No me gusta en lo que te estás convirtiendo, Leah.

Me crucé de brazos, negándome a ceder ante su imperiosa faceta.

—Pues si no te gust...

—Vamos a casarnos —me interrumpió—, y hay algunas cosas que debemos dejar claras y que deben cambiar.

—¿Qué cosas?

—Deja de llevarme la contraria con mis padres, me restas autoridad —ordenó—. Otra condición es que debes desistir ya de esos sueños de niña idiota sobre irte del país. Cuando nos casemos, te quedarás aquí, conmigo.

—Estás...

—También tienes que empezar a comportarte como una dama y no como una mujerzuela —siguió y resistí las ganas de abofetearlo—, y no ser tan imprudente. Debes ser digna de llevar el apellido Pembroke.

—Tal vez no quiero llevar tu estúpido apellido —exploté furiosa—. ¿Quién te crees que eres para condicionarme?

—Tu futuro esposo, deberías respetarme.

—El respeto se gana. Ni siquiera mis padres me condicionan tanto, estás enfermo si crees que voy a renunciar a mis sueños por ti.

—Y esa misma falta de condiciones es lo que te convirtió en una malcriada.

—¡No soy una malcriada! ¡No voy a casarme con alguien que me pida cambiar quien soy!

Jordan alzó los ojos al techo, exasperado.

—Ahí vas de nuevo con tu rebeldía sin causa.

—No es rebeldía, solo defiendo mis ideales.

—Leah, escúchame —habló más tranquilo—. Hemos invertido mucho tiempo en esta relación, somos el uno para el otro, por eso vamos a casarnos, así que te pido, *por favor*, que no eches a perder esto.

Apreté la mandíbula, colérica.

—Tal vez *no* somos el uno para el otro después de todo.

—¿Estás loca? —Palideció.

—Ni tampoco debamos casarnos.

—¡Claro que vamos a casarnos!

—No sé si aún quiero eso.

Su color cambió de blanco a rojo en un milisegundo.

—No te estoy preguntando, ¡lo harás y punto! —vociferó y abrí los ojos como platos.

—¡No puedes obligarme!

—¡Ya hemos firmado! ¡No arruines esto!

Su comentario fue como una patada al estómago.

—Vete a la mierda, Jordan.

Tomé mi bolso y salí del lugar dando largas zancadas y cerrando de un portazo.

Entré en casa haciendo el menor ruido posible. No tenía la fuerza para enfrentarme a nadie más. Habían sido demasiadas emociones para un solo día. Cerré la puerta tras de mí, yendo directo a las escaleras de caracol.

Llegué hasta el pie y estaba por subir el primer escalón cuando mis oídos captaron el sonido amortiguado de voces. Parecían provenir de la sala de estar, y a juzgar por la rapidez de las réplicas, era una conversación acalorada. Permanecí de pie al inicio de las escaleras, mi sensatez peleándose con mi curiosidad, debatiéndome entre escuchar más de cerca o retirarme.

«Otra emoción más ya no puede hacerme daño», pensé andando a hurtadillas.

—...Ya te lo dije, Bastian, tenemos que hacer algo. —Distinguí la contenida voz de papá—. Allison no ha estado bien desde que se enteró de que él anda suelto por ahí.

—Lo sé, Leo, lo sé —replicó con cansancio el aludido—. Ya contacté con un amigo en la policía que ha puesto una cuadrilla a rastrearlo.

Evadí el paragüero con gracilidad y me pegué a la pared esperando que desde mi posición en el umbral no pudieran verme.

—No es suficiente —se quejó papá—. Necesito que sea encontrado y aprehendido de nuevo. ¿Cómo mierda logró salir? Me aseguré de que recibiera cadena perpetua por...

—Con favores —lo cortó—. Es lo más probable. Seguro conocía a alguien que logró sacarlo concediéndole algún beneficio.

—Esa mierda no debería ni siquiera estar viva —escupió con tanto veneno que me heló la sangre —. Prefiero matarlo antes de permitirle estar a un kilómetro de ella.

«¿Quién? ¿De quién hablan?». Fruncí el ceño sin comprender la razón que creaba un enojo de tal magnitud en alguien tan templado y contenido como mi padre.

—Óscar es bastante escurridizo, pero lo encontraremos, no puede desaparecer por siempre. Sabemos el tipo de negocios que maneja —argumentó Bastian—, aunque hay algo más que me preocupa.

¿Quién mierda era Óscar y por qué todo el mundo parecía tan alterado por su existencia?

—¿Qué cosa?

—Me enteré por otro amigo que Louis Balfour está fuera también.

¿Louis Balfour? ¿Qui...?

—¡¿Qué?! —se exaltó mi padre y di un respingo—. No me jodas con eso, Bastian.

Podía escuchar los pasos de mi padre yendo y viniendo por la estancia, algo que hacía siempre que estaba pensando. Me incliné un poco más cuando se me dificultó captar la conversación.

—¿Cómo mierda salió?

—Una reducción de la condena por buena conducta, tengo entendido.

—No puede ser —se quejó afligido—. ¿Y sabes dónde está?

—No, eso es lo que me preocupa.

—¡Carajo! —Suspiró con cansancio y se sentó—. Contrataré detectives privados para rastrearlo, a todo el puto ejército si es necesario.

—Te ayudaré —se ofreció Bastian sin pensarlo.

Di otro paso más para poder escuchar. Estaba al borde del umbral.

—¿Hace cuánto salió?

—Algunos meses, tengo entendido.

—¿Y por qué no me lo habías dicho? —reprochó mi padre, ofuscado.

—No lo sabía, apenas me he enterado.

—A ese hijo de puta lo mato si lo encuentro —sentenció con un tono oscuro y cargado de resentimiento—. Le hizo demasiado daño a Allison, no se merece menos. La oportunidad de vivir ya se la concedí una vez.

—Lo sé —lo apoyó su amigo.

—Esto no puede saberlo ella, ¿entendido? No lo soportaría, y no quiero arriesgar su estabilidad con otro detonante como ese.

—De acuerdo.

—Júramelo, Bastian —pidió papá, con la voz llena de preocupación.

—Sabes que sí.

Suspiró y los escuché levantarse del sillón. Era momento de la retirada.

Retrocedí y en mi desesperación por alejarme, choqué contra el paragüero que había evitado la primera vez, haciendo un estruendo.

Me apresuré a tomar uno y me agaché para simular que lo depositaba al tiempo que ambos salían de la estancia.

—¿Qué haces aquí? —inquirió papá, algo alarmado.

—Estaba dejando el paraguas.

Alzó una ceja y se cruzó de brazos, escéptico.

—No está lloviendo —apuntó Bastian.

—Ah, es que... Internet decía que llovería hoy —ordené mejor mis ideas y sonreí—, y como, en efecto, no está lloviendo, pues he venido a dejarlo.

—¿Hace cuánto llegaste? —interrogó con tono duro mi padre.

—Acabo de llegar —mentí.

—De acuerdo. Bastian, ¿me acompañas a mi estudio?

—Claro, me muero por probar el nuevo *whiskey* que compraste.

—Te veré luego, cariño.

Papá se despidió depositando un beso en mi coronilla y su amigo me guiñó un ojo al tiempo que apretaba mi hombro de forma afectuosa.

Teníamos una conversación pendiente sobre el estado de mi divorcio, ahora más que nunca, pero no podía concentrarme en eso por el momento. Mi cabeza hervía con preguntas que me moría por hacer a mi madre, pero tal vez no era una buena idea considerando la insistencia con la que mi padre le pidió a Bastian guardar silencio.

¿Quién era Óscar? ¿Quién era Louis Balfour y por qué papá lo odiaba tanto? Y lo que me generaba más curiosidad, ¿qué papel había tenido en la vida de mi madre para que el saber de él la pusiera tan mal?

Tenía que contárselo a Erick e investigar juntos a esos sujetos. Solo así tendríamos respuestas.

# 29
## RESIGNACIÓN

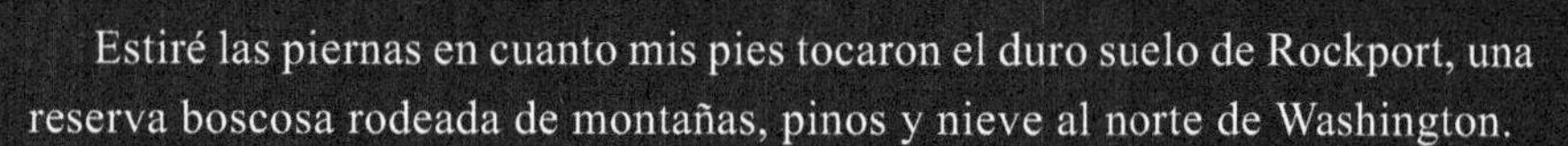

*Leah*

Estiré las piernas en cuanto mis pies tocaron el duro suelo de Rockport, una reserva boscosa rodeada de montañas, pinos y nieve al norte de Washington.

Edith bajó junto a mí luego de haber acudido a mi rescate y evitar que me montaran junto con Jordan en el Jeep de Alexander, donde también estaría Sabine. Así que en mi lugar había ido Sara, mientras que los restantes viajamos en la Pathfinder de Ethan.

El olor a pino inundó mis fosas al tiempo que el frío se colaba por mi abrigo, calándome hasta los huesos. La nieve lo cubría todo, unos cuantos retazos de color aquí y allá de las gruesas hojas de pinos y las rocas salpicando el paisaje, fracturando el inmaculado panorama.

La chica encargada de las cabañas nos esperaba con una sonrisa que se ensanchó al reconocer a Ethan. Le dio un sonoro beso en la mejilla y le dijo algo al oído que la hizo enrojecer como una torreta.

—Te apuesto lo que quieras a que se escabulle esta noche para follársela a modo de agradecimiento —susurró Edith junto a mí y no pude evitar reír.

Entramos a la enorme cabaña que nos había reservado la chica de trenzas caoba y enorme gorro de lana. Olía a más pino, madera e incluso jengibre. Me sentía como en el cuento de Hansel y Gretel, con todo y la maldita bruja pelirroja.

—La cabaña tiene cuatro habitaciones con camas dobles cada una, una sala de juegos en la parte de arriba que incluye billar, mesa de *ping pong* y un bar. Aquí abajo están las habitaciones, la chimenea, la sala de estar y la cocina. —Caminó mostrándonos el piso de abajo antes de entregarle a Ethan las llaves—. Son los únicos, la temporada para turistas no se abrirá hasta la próxima semana, así que tienen todo el lugar para ustedes.

—Gracias, preciosa —dijo con un tono pícaro que no pasó desapercibido para nadie—. Prometemos no darte problemas.

—Eso espero. —Se retorció una de sus trenzas mientras sonreía como tonta—. Los dejaré para que puedan acomodarse y descansar. Llámenme cuando ya se hayan instalado para enviarles un guía, el plan de actividades incluye una visita guiada por las montañas. Es algo que no querrán perderse.

—¡Pido la habitación de abajo! —se apresuró a decir Sara cuando la chica se fue.

—Todas las habitaciones están abajo, tonta —la regañó Edith, quitándose los guantes y arrancándole una carcajada a Sabine, que parecía tener el tiempo de su vida con nuestras estupideces—. Aunque sí debemos organizar la forma en que vamos a dormir.

—La ley de la selva, amor —intervino Matt—. Que gane el más rápido.

—Estás mal de la cabeza si crees que dormiré contigo, Matthew, eres una ametralladora de pedos por las noches —se quejó Jordan.

—Que las parejitas duerman juntas, y Matt y yo en una habitación. Edith puede dormir con Sara —sugirió Ethan.

—Me encanta el plan. —Sonrió Sabine, recargando su cabeza en el brazo de *mi esposo*, que permanecía impasible.

Miré a Jordan por un momento. Tenía los brazos cruzados sobre el pecho y debía notar mi incomodidad ante la perspectiva de dormir con él porque su semblante se oscureció.

No habíamos hablado desde nuestra discusión, porque no había nada de qué hablar. El alivio que sentía al ya no tener una relación fue lo que necesitaba para encontrar la respuesta: lo nuestro ya no estaba funcionando y no había forma de repararlo, así que lo mejor era dejarlo por el bien de ambos.

—No quiero escuchar el golpeteo de cabeceras por las noches o algo peor —se quejó Edith—. Así que seremos buenos todos y dormiremos los chicos con los chicos y las chicas con las chicas.

—¿Puedo colarme a su pijamada? —inquirió Matt con picardía.

—Ni en tus mejores sueños —replicó la rubia—. Jordan, tú dormirás con Alex, Ethan con Matt, Sara con Sabine y, Leah, tú dormirás conmigo.

Quería abrazarla por salvarme otra vez. La pelirroja suspiró decepcionada por no poder compartir la cama con Alexander. Yo, por otro lado, sentía que al menos había ganado una batalla.

Partimos el pastel de cumpleaños de Edith mientras Ethan abría una botella de *champagne* que roció encima de todos. Cantamos cumpleaños feliz para ella y Alex se dedicó a tomar las fotos del grupo. Jugamos *beer pong*. Sara y yo resultamos ser buen equipo, porque vencimos a casi todos.

Así que cinco juegos de *beer pong* después, tres copas de champagne y asaltar medio bar del piso de arriba, me sentía mareada pero consciente, cosa que no podía decir de Matt o Sara.

—En vista de que estamos atascados aquí por la tormenta de nieve y no podemos asar malvaviscos como los buenos *scouts* que somos, ¿por qué no jugamos una partida de billar? —sugirió Ethan.

—¡Buuu! —lo abucheó Edith dándole un empujón en el hombro—. Qué aburrido eres. ¿Qué sigue? ¿Nos pondremos a leer la Biblia?

Solté una carcajada, más ebria que consciente a ese punto.

—¿Tienes una mejor idea? —inquirió él y bebió de un solo trago el resto de la cerveza que tenía en la mano.

—Es mi cumpleaños, yo mando —proclamó radiante.

—Por unas horas al menos —la recordó Sabine, acurrucada junto a mi esposo en el sillón frente a mí—, luego tendrás que cederle el trono a Leah.

—Ya lo sé, por eso pienso aprovechar el tiempo que me queda. —Sonrió con suficiencia, acomodándose la larga cabellera rubia sobre el hombro—. Quiero jugar verdad o reto.

—No creo que sea buena idea —dije nerviosa. No sabía con qué locura podrían salir todos ellos.

—¡Me encanta! —Aplaudió Sara medio consciente, saltando al suelo para sentarse.

—Yo me apunto. —Matt se sentó a su lado, seguido por Ethan, que de ninguna manera se perdería un juego tan incómodo como aquél.

—¿Y ustedes? —Nos señaló a los cuatro restantes con la botella.

—¿Qué es lo peor que puede pasar? —Sabine se encogió de hombros y descendió también.

Los ojos de Alex conectaron con los míos por un momento, iluminados por un deje burlón, como si me desafiara a sentarme.

—¡No sean cobardes! —nos instigó Ethan—. ¿Qué es lo que no quieren que descubran?

—Todo lo que se dice aquí, se queda aquí —habló Matt con voz pastosa, sin soltar su licor.

Alex se sentó en el círculo, seguido por un Jordan poco convencido.

—¿Leah? —Edith me tendió la mano, invitándome, y la miré vacilante. No quería someterme a alguna situación incómoda con Jordan, o peor, con mi indeseable esposo, pero al final terminé cediendo y la cumpleañera se apresuró a girar la botella. La punta dirigida a Matt.

—¿Verdad o reto?

Se rascó el cabello cobrizo, pensativo.

—Reto.

—Haznos un buen *striptease* —ordenó con entusiasmo—. Te quiero en bóxer.

—¡Edith! —la reprendí.

—Está tan ebrio que no creo que pueda siquiera quitarse la camiseta —me susurró.

Inició su *show* con movimientos erráticos y sin coordinación, peleando para poder quitarse la camiseta, como había predicho mi amiga. Explotamos en carcajadas cuando quitarse el pantalón fue cosa perdida.

—Siéntate ya, amigo, estás matándoles todas sus hormonas. —Lo ayudó Ethan hasta que cayó al suelo y giró la botella. La punta me señaló.

—¿Verdad o reto?

—Verdad.

—Yo te preguntaré por Matt, no creo que pueda decir ni *pío* —dijo Ethan entusiasmado, rascándose la barba—. Vamos a ver... ¿Alguna vez has fantaseado con alguien más además de Jordan? Sexualmente hablando, claro.

Se me secó la garganta y la incomodidad se plantó en mi pecho. Eso era justo lo que quería evitar.

Un tenso silencio se adueñó de la estancia, con seis pares de ojos observándome fijamente, expectantes. Podía sentir el pesar de la mirada de Jordan y la intensidad de Alexander escrutándome.

Me removí en el piso al tiempo que se agolpaban en mi mente el sinfín de veces que había tenido sueños húmedos con Alex, o las veces que me había masturbado pensando que era él quien lo hacía o se movía dentro de mí.

—No —mentí.

El dueño de todas mis fantasías elevó una ceja, sin creerme un carajo. Jordan, por otro lado, pareció aliviado.

—¿Qué diablos eres? ¿Una monja? —bufó Ethan—. Continuemos con alguien más divertido, por favor.

Giré la botella y se detuvo frente a Edith. Sonreí con malicia.

—¿Verdad o reto?

—Reto, yo no soy una miedosa —me correspondió con suficiencia.

—¿Ah sí? —la desafié y ella asintió—. Besa a Ethan.

—¡Eh! ¿Yo por qué tengo que salir afectado por sus peleas? —se lamentó el aludido, pero no se quejó cuando la rubia se puso a horcajadas sobre él, tomando la cara entre sus manos.

—Más te vale que lo disfrutes.

—Haré un esfuerzo —fue lo último que dijo antes de dejarse besar por mi enérgica amiga, rodeándole la cintura con los brazos para estrecharla contra sí a medida que profundizaban el beso.

—¡Ya! ¡Oigan! ¡Es suficiente! ¡Les dije un beso, no que se comieran aquí mismo! —les grité para separarlos, pero siguieron besándose hasta que les tiré mi gorro y sonrieron.

—No coman pan frente a los pobres —gimoteó Sabine y quise tirarle la botella a la cabeza, porque no tenía derecho a decir eso cuando seguramente se comía a Alexander estando a solas.

Edith se separó de Ethan y giró de la botella, hasta que se detuvo frente a Alex.

—¿Verdad o reto, guapo?

Lo consideró un instante.

—Reto —dijo al final.

—Besa a tu prometida —se apresuró a decir Jordan y quise ahorcarlo.

—¡Ay, sí! —lo apoyó Sara—. Nos encantaría verlos dándose cariño.

Mis entrañas se retorcieron y la bilis subió por mi garganta. No podía excusarme e irme sin evidenciarme ante él, así que tendría que aguantar el espectáculo, aunque quisiera arrancarme el cabello de la rabia en el proceso.

Sabine rio nerviosa. Se pasó la lengua por los labios para humectarlos y él se acercó para besarla. Mi corazón se comprimía un poco más cada vez que otro centímetro se agotaba entre ellos. Ella cerró los ojos y Alex se inclinó, pasando sus labios de largo para depositar un sonoro beso en su mejilla. Se separó y sonrió.

—Listo.

Solté el aire que ni siquiera sabía que estaba conteniendo. Sabine lucía desconcertada y decepcionada.

—¿Qué? ¡¿Qué mierda fue eso?! —se quejó Ethan—. ¿Cuántos años tienes?, ¿diez? Si quisiera ver cosas tan ridículas, jugaría con niños de primaria. Edith casi me come vivo y tú apenas le rozaste la mejilla. ¿Dónde está la justicia en eso?

—No contó —dijo Sara apoyada por Jordan.

—Nunca especificaron dónde —se defendió sorbiendo de su cerveza.

—Per...

—*Okay*, sigamos —interrumpió Edith y Alex giró la botella, que apuntó a Jordan.

—¿Verdad o reto?

—Verdad.

—¿Alguna vez has querido estar con alguien más además de tu novia? —preguntó sin miramientos ni contemplaciones, perforándolo con sus ojos.

Los hombros de Jordan se tensaron. Lo miré fijamente, pero él no me miró en ningún momento.

—No —respondió como si le hubiesen arrancado la respuesta a tirones de la garganta.

Otra atmósfera extraña se cernió en la estancia, hasta que carraspeó y se apresuró a girar la botella, que apuntó a Alex ahora.

—¿Verdad o reto?

—Verdad —dijo más seguro.

—¿Alguna vez te has follado a alguien de este círculo? —preguntó Jordan, expectante.

Sus ojos conectaron con los míos por un milisegundo. Esperaba que ese tiempo fuese suficiente para transmitirle mi terror ante una respuesta afirmativa.

—Sí.

Mi corazón dio un vuelco.

—¿A quién? —inquirió mi novio, impresionado, y sentí que me moría.

—Esa tendrá que ser una pregunta para otra ocasión —dijo sin más.

Giró la botella de nuevo y apuntó a Sabine.

—¿Verdad o reto? —le preguntó él, con malicia.

—Reto —sonrió batiendo sus pestañas.

Alex abrió la boca para decirle algo, pero lo interrumpieron.

—Siete minutos en el paraíso con Jordan —se apresuró a decir Edith, emocionada.

La pelirroja se removió incómoda.

—Pero...

—¡Pero nada! —dijo mi amiga poniéndose en pie de un salto—. ¡Retos son retos!

La tomó de las manos para levantarla del suelo al tiempo que Jordan se incorporaba; la rubia los guio a ambos tomados de las muñecas hacia el final de la planta alta, más allá de la mesa de billar y el *ping pong*, hasta enclaustrarlos en la pequeña bodega donde se guardaban las paletas, los tacos de billar y otras cosas para el bar.

Volvió y procedió a sentarse emocionada. Pensé que Alexander se sentiría incómodo con su prometida encerrada con otro tipo, pero no. Parecía divertirse como nunca.

—Yo la giraré por Sabine —canturreó la cumpleañera y lo hizo hasta que la punta quedó frente a Sara—. ¿Verdad o reto?

—Verdad.

—¿Alg...?

—¿Cuándo fue la última vez que te follaron? —la interrumpió Ethan y todos explotamos en carcajadas ante su forma tan *sutil* para decir las cosas.

—¡No hace tanto! —se defendió indignada.

—Perdón, es que a veces eres tan rara que...

—¡Silencio! —Rio Edith—. Desperdiciaste este turno, imbécil.

—Lástima. —Se encogió de hombros, pero abrazó de forma amistosa a Sara—. No importa lo rara que seas, eres nuestra rara favorita.

—Te amamos —dije alzando mi vaso de licor, sonriendo.

Puso los ojos en blanco y giró la botella, hasta que el cuello del recipiente me apuntó a mí.

—¿Verdad o reto? —preguntó Sara.

—Verd...

—Ya no puedes elegir verdad —sentenció Edith—. Tiene que ser reto.

—¿Qué? Per...

—Te reto a...

—Besa a Alex —la interrumpió Ethan con una sonrisa maliciosa y sentí como toda la sangre abandonaba mi cara—. En la boca, más de quince segundos. Cómetelo, te doy permiso —dijo con suficiencia.

Yo lo miré horrorizada, con mi corazón acelerado.

—No pienso hacerlo —me negué rotunda, al tiempo que mi esposo alzaba las cejas, entretenido.

—¿Nunca has escuchado el dicho de que ames a tus amigos, pero más a tus enemigos? —argumentó Ethan, pasando la mano por sus rizos—. ¿Qué mejor forma de superar el odio que besándote con esa persona?

—Pero...

—Nada, sé que es difícil o de lo contrario no sería un reto, ¿verdad? —Adoptó una faceta de seriedad que no le iba de nada—. Alex, ¿tú estás dispuesto?

Había permanecido sin inmutarse ante el desafío, pero su expresión reflejaba la sádica satisfacción que sentía.

—Podría sacrificarme.

«Uy sí, qué sacrificio de su parte».

—¡Vamos, Leah! No seas infantil, es solo un juego —insistió Sara—. No es como si te fueras a enamorar de él después de besarlo. Además, todo lo que pasa aquí, se queda aquí.

Bufé mordaz.

—No tengas miedo. No muerdo, lo prometo. —La travesura estaba plasmada en el cincelado rostro de Alex y la broma tildaba su voz para ocultar la mentira, porque sí mordía, y lo hacía de una manera que te dejaba siempre deseando más.

Sabía que no poseía la voluntad suficiente para dejar de besarlo una vez empezara a hacerlo, por eso era tan arriesgado.

—A ver si lo haces para hoy —presionó Ethan y puse los ojos en blanco, al tiempo que me levantaba e iba al centro del círculo, con Alex incorporándose también.

Mis piernas temblaban, mis manos sudaban y mi corazón latía desbocado. Siempre era una explosión de emociones cuando la distancia entre nosotros se acortaba.

Sus ojos se oscurecieron y reflejaron ese voltaje con el que solía electrizarme cada vez que estaba por besarme. Una de sus manos entró en contacto con mi pómulo para inclinarme y tener mejor acceso a mis labios. Los miró con avaricia, como si quisiera poseerlos, antes de dedicarme una última ojeada y acercarme hasta que mis sentidos se doparon en el momento en que sus labios entraron en contacto con los míos.

Me besó entonces. Lento, sensual y sin premura, como si se tomara su tiempo con algo que lo deleitara. Sus manos viajaron hasta mi cintura y se cerraron en torno a ella, al tiempo que las mías se anclaban por instinto en su cuello, estrechándome contra él. Tomó mi labio inferior entre los suyos, succionándolo con suavidad antes de entrar en mi boca por la ventana que había creado, acariciando mi lengua con la suya solo por un segundo, arrancándome un quejido que se perdió en su garganta.

Ya podía percibir el calor construyéndose en mi interior, la excitación inundándome entre las piernas. Se separó despacio, dejando a mi cuerpo vibrando por el impacto de caer desde lo más alto, con un revoltijo de sensaciones y emociones. Había extrañado tanto besarlo.

Poco a poco todo pareció regresar a mí: vistas, sonidos, sentidos; todo más allá de Alexander.

Había sido prácticamente nada. Pero era un hermoso *nada*.

Solo una pequeñísima llovizna en comparación con toda la tormenta de deseo que me invadía y amenazaba con ahogarme. Solo un pequeñísimo choque de labios y lenguas que había durado *nada* antes de que la realidad nos alcanzara de nuevo. Mis huesos ardían y mi cabeza palpitaba.

Alejé mis brazos de su cuello y tomé un paso de distancia. Cuando alcé la vista hacia su cara, parecía tan afectado como yo.

—Wow, eso fue... extraño. —Registré la voz de Ethan, anonadado.

—Yo más bien diría que fue intenso —aclaró Edith con la misma emoción.

—Pues se tomaron muy en serio eso de comerse, eso ni hablar —añadió Sara.

No podía culparlos por describirlo de esa manera. Incluso ellos se daban cuenta de que besar a Alexander era igual que una avalancha de sensaciones que te enterraba sin que pudieras correr.

Volví a tomar mi lugar con el sabor de sus besos aún impresos en mi lengua. Jordan y Sabine regresaron un minuto después, pero nadie dijo nada sobre el espectáculo que dimos. Me sentía expuesta, como si ahora todos pudieran ver lo que sentía por él.

—Gira la botella, Alex —lo instó Edith y obedeció.

Para mi mala suerte —porque tenía muy mala suerte—, la botella volvió a apuntarme. Me regaló una sonrisa traviesa, provocando que mi corazón diera un vuelco.

—¿Verdad o...?

—Ya me aburrí —se quejó Jordan—. Mucho de esto por hoy, ¿por qué no jugamos una partida de *ping pong*?

Solté el aire aliviada cuando Ethan lo apoyó, seguido del resto de las chicas.

Miré el *whiskey* en mi vaso tentada a darle un trago, pero descarté el pensamiento porque no quería que los últimos resquicios de los besos de Alexander se perdieran.

Tendría que conformarme solo con eso, ¿cierto?

# 30
## PERFECTAMENTE ERRÓNEO

*Leah*

No podía dormir.

Él no iba a dejar de atormentarme. Ni él ni lo excitante que había sido besarlo frente a todos.

El reloj de mi celular marcaba las cuatro y cinco de la madrugada. Hacía dos horas que todos nos habíamos retirado a la cama, devastados.

Cerré los párpados sin poder deshacerme de su masculina belleza, o del calor que irradiaba su cuerpo cuando se presionó contra el mío o de su envolvente esencia que me hacía querer fundirme contra él, o...

«Definitivamente has perdido el juicio, linda», se mofó mi conciencia y me tapé la cara con las manos antes de hacer las sábanas a un lado, incorporarme y salir descalza hacia la cocina. Tal vez un vaso de agua me ayudaría a dormir, porque mi problema era mi sequedad de garganta y no el idiota de preciosos ojos azules que tenía por esposo, claro que no.

Extraje una botella del refrigerador, abrí la gaveta que estaba empotrada en la parte superior, tomé un vaso y me serví para beber. El líquido se sintió como ambrosía corriendo por mi reseca garganta y me regodeé en la sensación. Abrí la nevera por segunda ocasión para dejar la botella en su lugar, cuando el sonido amortiguado de unos pasos me puso alerta.

Me giré, preparada para lanzar mi letal botella de agua a cualquier intruso, pero me detuve de inmediato al percatarme de que era solo Alexander. Aunque no descarté por completo la posibilidad de arrojársela directamente a la cara.

—¿Quieres matarme de un susto? —susurré alterada—. Deja de acechar así a la gente, por Dios.

Soltó una risita dando unos cuantos pasos al frente. Iba vestido con una camiseta blanca que se ceñía a su ancho pecho y pantalones sueltos de pijama. ¿Cómo podía verse tan bien en fachas? Yo parecía una vagabunda adicta al *crack* de culo plano con mi pijama de abuelita.

—¿Qué haces despierto a esta hora?

—Lo mismo que tú al parecer. —Estiró el brazo para quitarme la botella de la mano y beber de ella, vaciándola en dos tragos.

—¿No deberías estar durmiendo?

—Debería hacer lo que me venga en gana, cosa que estoy haciendo.

Crucé los brazos sobre el pecho, expuesta ante su penetrante mirada.

—De acuerdo, suerte con eso. Hasta mañana. —Estaba por girarme cuando acortó otro paso.

—¿Huirás de nuevo?

—Quiero dormir.

—Me debes algo.

—¿Yo? No te debo nada.

Acortó un poco más la distancia hasta cernirse prácticamente sobre mí, encerrándome entre el refrigerador y su cuerpo, tan cerca que pude percibir el calor que irradiaba.

—Claro que sí, me debes un juego y yo odio cuando no termino uno.

—¿De qué hablas?

—¿Verdad o reto?

—No voy a jugar a esa idiotez contigo.

—Entre más rápido respondas, más rápido te irás a dormir.

Arrugué los labios, con sus ojos siguiendo cada uno de mis gestos, hasta que suspiré, derrotada.

—Bien, como sea, verdad.

—¿Quién te folla mejor, Leah? —inquirió sin más.

No supe si estaba pálida, sonrojada o muerta por la crudeza e indiscreción de la pregunta.

—Estás mal de la cabeza si crees que voy a contestarte tal cosa.

Me crucé de brazos y encuadré los hombros, negándome a parecer afectada.

—¿No me vas a responder?

—No.

—Bien, aunque no necesito que lo hagas, ya sé la respuesta —dijo con suficiencia—. Entonces reto. —Sonrió de forma siniestra, privándome de mi capacidad para respirar y anudando algo en mi bajo vientre—. Bésame, Leah.

Abrí la boca para replicar y volví a cerrarla como un pez, estupefacta y enojada ante su petición.

—Basta ya de tus juegos, Alex —espeté con hastío—. No quiero tener nada más contigo.

—¿Ah no?

—No. —Me inflé de valor y construí una fortaleza entre mis deseos y mis prioridades, entre la sensatez y él—. No me interesa tener nada contigo, solo un acta de divorcio que nos separe de una vez por todas.

—¿Segura? Porque a juzgar por tu forma de besarme, yo diría que un divorcio es lo último que te interesa tener conmigo. —Su aroma me golpeó la cara cuando dio otro paso, tan cerca que mi espalda pegó por completo contra el refrigerador.

—Eso era solo un juego. Uno al que nunca debimos jugar, por cierto.

—Ya, porque te duele ponerle los cuernos a tu amado, ¿no? —dijo mordaz.

—Lo que hacemos no está bien.

Me miró con incredulidad por un segundo, antes de soltar una risita grave que me dejó vibrando los oídos.

—Puedes seguir fingiendo que eres la novia perfecta todo lo que quieras, pretendiendo que todo con Jordan es perfecto. —Sus ojos se clavaron en mí como dagas, al tiempo que mi piel se erizaba bajo el tacto de sus dedos sobre mi brazo—. ¿Pero sabes? Eso nunca cambiará el hecho de que me deseas.

—¿Quién te hizo tanto daño para que pienses que eres el centro del universo?

—¿Me equivoco? —me retó y di un respingo al sentir su mano en la piel de mi garganta, ahí donde mi corazón amenazaba con saltar al vacío por su presencia.

—Sí, te equivocas. —Le di un manotazo para alejarlo cuando se acercó a mi pómulo, porque sabía que, si le permitía seguir un centímetro más, estaría perdida.

—No lo creo. —Sus labios dibujaron una sonrisa perversa—. ¿Sabes cómo lo sé?

No emití palabra.

—Porque no importa cuánto alegues que amas a Jordan, seré yo en quien pienses cada vez que te folle, cada vez que lo tengas dentro. Cada vez que te contengas y te sientas insatisfecha... —Lo único que podía percibir era lo cerca que estaba y lo mucho que mi cuerpo gritaba por más, *por él*—. Me desearás siempre, porque soy el único que te hace perder el control.

No pude replicar ni decir nada más. Todo lo que registré fue su mano moviéndose hasta mi nuca para tomarme de ella y reclamar mi boca en un beso urgente, ferviente y desesperado que tenía a mis labios y cuerpo entero ardiendo. Me estrelló contra el refrigerador y me encontré lidiando con un rubio demandante y avasallador que bebía todo de mí. Ahí iba de nuevo, derrumbando el castillo de arena de mi voluntad.

Lo dejé ser y le correspondí con la misma desesperación y avaricia, deseosa por tomar todo de él.

Rodeé su cuello con mis brazos. Arrugó la blusa de mi pijama entre sus dedos mientras su otra mano tocaba mi espalda provocándome un escalofrío. Cuando finalmente abrió su boca para mí, pude probarlo. Enredé mi lengua en torno a la suya en una danza lenta y sensual. La dulce presión de anticipación en mi vientre se fundió con la humedad sobre mis bragas al estrecharme más contra sí, cerrando sus brazos en torno a mi cintura.

Había errores que no podían evitarse, y otros que, aunque eran evitables, valía la pena repetirlos.

Alex era para mí ese error que siempre querría repetir, la misma piedra con la que caería una y otra vez, y me encantaba, porque solo él podía consumirme el cuerpo e incendiarme el alma.

Mis pies se movieron junto a los suyos y un quejido, que no tardó en perderse en su garganta, salió de mi boca al sentir el borde de la barra de la cocina encajándose en mi espalda baja. Abandonó mis labios para crear una húmeda línea con los suyos, descendiendo hasta posarlos en mi punto de pulso, sellándolos ahí como cera, derritiéndome bajo el tacto. Gemí suavemente cuando una de sus manos frotó mi sexo sobre la tela del pijama; sus dedos trazando lentos círculos sobre mi clítoris vestido que hizo a mis piernas fallar.

Fundió un sendero con su boca: lamiendo, succionando y besando hasta llegar a mi clavícula. Desperté de mi estupor cuando sus manos levantaron mi blusa y su boca se acercó peligrosamente a mis pechos. Cerré los dedos en torno a sus hombros para detenerlo.

—Alex, no creo que sea el lugar ni el momen... —Junté mis labios para evitar gemir cuando su lengua viajó desde el inicio de uno de mis pechos hasta cerrar su boca en torno a un pezón, circulándolo con la punta antes de morderlo con gentileza y prenderse de él.

—Tienes unas tetas divinas. —Me dedicó una ojeada desde su posición antes de cerrar los ojos para seguir succionándolo y lamiéndolo, prendado de él como un poseso—. No sabes cuánto las extrañé.

La estancia era fría, pero el calor que envolvía a mi cuerpo por lo excitante de la situación, aunado a la propia calidez de él, me hizo olvidar ese detalle.

El gemido se escapó de todas formas al cambiar su atención en mi otro pecho, repitiendo el mismo exquisito proceso. Junté mis piernas cuando presionó mi clítoris, obsequiándome un placentero escalofrío.

Abandonó mis senos para volver a besarme, hambriento y posesivo. Puso sus manos en mi culo para sentarme sobre la barra, mis pies colgando sobre el piso. Quizás ya rozaba el punto de la incoherencia porque comenzó a bajar los pantalones de mi pijama al tiempo que se alejaba para ponerse de rodillas entre mis piernas.

—¿Qué... qué haces? —balbuceé con voz ronca. Traté de cerrar mis piernas para detenerlo, pero sus firmes palmas contra mis muslos lo impidieron.

—Dejaré que adivines. —Me miró desde su posición, entre mis piernas terminando de retirar los pantalones en conjunto con mis bragas, y depositando un corto beso en la cara interna de uno de mis muslos.

*Dios mío*. No era el lugar ni el momento. No cuando todos nuestros amigos dormían a menos de dos metros de donde estábamos. No cuando *su prometida y Jordan* estaban aquí.

—No, no, no. No vamos a... —Acarició con sus dedos mis húmedos pliegues, deleitándome con el simple contacto e interrumpiéndome con mi propio gemido.

—Relájate. Te encantará esto, te lo prometo. —Clavó sus orbes en mí, con la oscuridad que los abarcaba reflejando la promesa de placer que habían hecho sus labios.

Lo miré anonadada, con el corazón en la garganta por lo expuesta que me sentía, por la vergüenza de que él tuviera un plano *tan cercano* de mi sexo. No sabía si estaba a punto de desmayarme o de entrar en combustión.

Su cálida respiración chocaba contra esa parte tan sensible y hacía a mis piernas estremecerse. Separó mis mojados pliegues, acariciándolos con una lentitud embriagante.

—Estás empapada para mí, ¿no es así, Leah?

Sus palabras se perdieron cuando su boca se hundió en mí; percibí el aire que tomó antes de succionar con firmeza. Mis caderas se alzaron ante el primer contacto de su lengua, arrancándome un jadeo ahogado, con mis ojos abiertos de par en par. Afianzó sus manos en torno a mi cintura para sostenerse mientras continuaba devorándome, su boca volviéndose menos cuidadosa con cada lamida y más como yo la conocía: intensa, tomando todo lo que quería de mí, sin contemplaciones ni piedad.

Llevé una mano hasta mi boca para callarme, para ahogar todos los sonidos de placer que Alex me arrancaba a su antojo. No le importaba dónde estábamos ni con quién, y hacía un trabajo jodidamente estupendo para hacerme olvidarlo a mí también. Circulaba mi clítoris con su lengua antes de succionarlo entre sus labios, su boca húmeda, caliente e implacable mientras me comía sin prisa, como si fuese un platillo que quisiera degustar.

Fueron segundos o minutos completamente a su merced, perdida en sus diestras atenciones. Una de mis manos se enredó en su cabello para presionarlo más contra ese punto que estaba enloqueciéndome y hacía a mis pies curvarse por lo bien que se sentía su boca sobre mi sexo, su lengua recorriendo abiertamente mi entrada y la punta entrando apenas, en una dulce tortura que coaccionaba a mi cuerpo a darle más; más de mis fluidos y de mí. Mis caderas ondulaban contra su cara cuando encontraba un punto en específico que las hacía estremecer, y tenía que morderme el labio para no gritar por lo desesperada que me sentía, buscando alcanzar el orgasmo que ya podía percibir en la base de mi estómago.

Me tomé de la puerta de la gaveta para aferrarme a algo más cuando el clímax constriñó mi estómago, presionándolo como una ola inclemente que se avecinaba feroz. Presioné mis piernas sobre sus hombros tan fuerte que seguro dejarían una marca mañana, pero no podía encontrar espacio en mi mente para que me importara otra maldita cosa además del lugar por donde Alexander me tomaba.

—Yo... cre... *ah* —Callé, recargando mi cabeza sobre la madera de la gaveta; sus atenciones volviéndose incompasivas e inexorables.

Me mordí el labio cuando lamió una parte demasiado sensible y lo miré: sus ojos clavados en mi cara, comiéndome con vehemencia.

—Alex —me las arreglé para decir—. Para, me voy... me voy a correr.

Se detuvo y me miró con diversión, su boca húmeda y brillosa por mis fluidos.

—Creo que ese es el punto de todo esto —se burló antes de lamer mi clítoris, su lengua descendiendo hasta mi entrada y repitiendo el mismo recorrido antes de hundirla en mí otra vez.

La visión casi me hizo terminar. Estaba tan cerca… *tan tan cerca* de alcanzar mi liberación. Hundí mis dedos en su cabello, mis uñas aruñaron su cráneo mientras hacía puño sus mechones. Succionó mi parte más sensible en su boca, lamiéndolo con rudeza al tiempo que presionaba una mano contra mi estómago, desencadenándolo todo. Me corrí con un gemido tan agudo y ahogado que más bien pareció un chillido, mis huesos estremeciéndose y mis pies doblándose contra él; mi mente se apagó y el poder explotó desde lo más hondo. Nunca me había corrido tan duro en toda mi vida teniendo sexo oral, y estaba sorprendida por lo poderoso que era. Me sentía tan drenada que tuve miedo de desmayarme o caer encima de él, pero me importaba un carajo si sucedía.

Bajé de esa ola en la que me había montado lentamente, ganando un poco de conciencia sobre el lugar que ocupaba en el mundo. Mi cuerpo aún se sacudía con los espasmos del clímax y el oxígeno ardía en mis pulmones. Se incorporó en toda su estatura al tiempo que se limpiaba la boca con el dorso de la mano. Me observó por un par de mis latidos que comenzaban a ralentizarse.

—Feliz cumpleaños, Leah —sonrió.

La visión hizo a mi corazón volver a acelerarse.

—La próxima vez, nada de esto —susurró, y retiró la mano inerte que cubría mi boca—. Quiero escucharte.

Inclinó su cabeza acariciando mi cuello, su beso tan lento como mi mente, permitiéndome probar mi sabor en su boca. Era extraño, pero no desagradable. Fui entonces consciente de la dureza que presionaba contra uno de mis muslos y cuando tomó distancia, me percaté de lo excitado que estaba. Me mordí el labio, sin pensarlo mucho para dirigir mis manos al elástico de su pantalón buscando liberar su erección. Si ya habíamos llegado tan lejos, ¿por qué no terminarlo como se debía?

Me detuvo cerrando sus manos en mis muñecas.

—No —dijo rotundo.

—¿Por qué?

—Si te follo de la manera en que quiero hacerlo, vas a gritar, Leah —advirtió.

Enarqué una ceja, escéptica.

—Es mi cumpleaños, hoy yo mando —dije soltándome de su agarre para acercar sus caderas a las mías.

Noté la manera en que su respirar cambió cuando mis dedos se engancharon en el elástico de su pantalón.

—Y quiero mi regalo completo.

Me miró con intensidad y ojos oscuros, predatorios. De la misma forma en que un león observaría a una gacela antes de devorarla.

—Alex —hablé, tomando su erección entre mis dedos y deleitándome con la forma en que su mandíbula se tensó.

—¿Qué? —inquirió con aspereza.

—Fóllame —demandé y sentí la forma en que su miembro palpitó en mi mano.

Torció una sonrisa perversa.

—Tus deseos son órdenes, *princesa.* —Volvió a acercarse para besarme mientras sus manos acariciaban mis muslos y yo me encargaba de estimularlo, lubricándolo con su líquido preseminal. Abandoné sus labios para concentrarme en su cuello, mimándolo.

Se separó para quitarse la camiseta, permitiéndome beber cada línea de su marcado abdomen y la anchura de sus brazos. Comenzó a acariciarse a sí mismo, moviendo su mano sobre su miembro sin quitarme los ojos de encima y secándome la garganta con el excitante espectáculo. Posó una mano sobre mi rostro y arrastró su pulgar hasta introducirlo en mi boca. Sabía a mí y a él; lo acaricié con mi lengua, permitiendo que sintiera la rugosa textura, humedeciéndolo con mi saliva y succionándolo con apetito, haciéndole una buena demostración de una mamada sin dejar de mirarlo en ningún momento. Su respiración se volvió pesada y retiró su dedo de mi boca.

—Gírate —ordenó autoritario y lo obedecí bajando con piernas entumecidas y temblorosas, el pálpito de la excitación asentándose en mi bajo vientre de nuevo.

Me incliné en la barra apoyándome en mis palmas, pero él no estaba satisfecho. Subió una de mis piernas hasta colocarla sobre el material de granito, dándose libre acceso para penetrarme. Retiró mi blusa y dejó una cadena de besos castos y cortos sobre mi espalda, provocando un placentero estremecimiento por la sensación. Frotó su erección contra mi entrada un par de veces, abriendo mis pliegues y humedeciéndome aún más, si es que era posible.

Sus manos se afianzaron en mis caderas y coloqué una mano sobre la suya mientras entraba en mí poco a poco, expandiéndome para que pudiera sentirlo introducirse, hasta que se enterró por completo en mi interior, arrancándome un jadeo.

—Shhh —susurró contra mi oído, mordiendo el lóbulo y dando el primer embate. Mordí mi labio, extasiada por la maravillosa sensación de él invadiéndome, llenándome sin dejar ningún espacio libre.

Comenzó a moverse, firme y seguro, introduciendo todo su miembro en mi interior antes de sacarlo y arremeter contra mí de nuevo, en un ritmo deliberado pero letal que me hacía querer gemir cada vez que tocaba ese punto donde todo mi placer se concentraba.

Posó una mano sobre mi espalda, obligándome a apoyarme sobre mis antebrazos e inclinarme mientras él aumentaba sus estocadas, dando embestidas cortas para evitar que el sonido de piel contra piel inundara la estancia. Continuó moviendo sus caderas en un vaivén inclemente que hacía casi imposible mantenerme callada. El granito se enterraba en mi piel y me rozaba mientras seguía trabajándome con su pelvis, empujándome a mis límites y tomándome de manera incompasiva y despiadada, pero *me encantaba.* Me gustaba tanto que hubiese podido perder el juicio en ese instante, tener un ataque al corazón o quemarme viva, y ni siquiera me habría importado. Jadeé cuando dio un embate más fuerte, y colocó su mano sobre mi boca para callarme.

—Shhh —repitió—. No querrás despertar a los demás, ¿o sí?

Negué y lo dejé continuar, ahogando mis desesperados jadeos sobre su palma, en un pobre intento por conseguir guardar silencio. Me tomó del cabello incorporándome y giró mi rostro enterrando sus dedos en la piel de mi mandíbula en un agarre de hierro para que lo mirara, para que me quemara con sus ojos, que eran pura intensidad; para observar su expresión de concentración y placer mientras se saciaba en mí.

Hizo una coleta con mi cabello de la que halaba de vez en vez mientras la mano en mi cintura se clavaba en ella, aumentando la tensión conforme la cresta del orgasmo se alzaba, hasta que sus caderas, que me tomaban duro y rudo por detrás, rozaron el salvajismo.

Fue demasiado. La sensación de su pelvis encajándose contra mi culo, el calor de su cuerpo, sus jadeos graves, guturales y ahogados combinados con el peligro de la situación y el olor a sexo. Fue demasiado.

Me corrí por segunda ocasión haciendo un esfuerzo titánico por no gritar. Por un momento creí que me desmayaría mientras mi mente me abandonaba y viajaba hasta un mundo al que solo Alexander podía llevarme.

Regresé a la tierra al percibir algo cálido correr por mi espalda y el inicio de mis nalgas; su líquido cubriéndome en partes desiguales.

—Mierda —susurró luego de unos segundos y se acomodó los pantalones para tomar unas cuantas toallitas del servilletero que estaba cerca.

—¿Tenías que correrte fuera justo hoy? —dije, al tiempo que él comenzaba a limpiar el desastre que había hecho.

—Me moría por correrme sobre ese bonito culo tuyo. —Sonrió—. No me arrepiento de nada.

Cuando terminó, recogió mis bragas y mi pantalón. Las primeras se las guardó en el bolsillo y se inclinó para ayudarme a colocarme el segundo. Lo miré fastidiada esperando que me las regresara, pero, como imaginé, no funcionó y me coloqué la prenda resignada, terminando de vestirme.

—Uno de mil —dijo al erguirse y fruncí el ceño, sin comprender.

—¿Qué?

—Los polvos que me debes. —Me miró con malicia—. Y créeme, pienso cobrármelos todos.

La garganta se me secó ante la perspectiva, pero sonreí también, sin saber qué hacer con el sentimiento de satisfacción que me invadía en ese momento.

—Ve a dormir, no querrás estar muerta mañana.

—Ni siquiera creo que pueda caminar mañana —dije con falso reproche.

—Yo tampoco lo creo —se burló y le di un empujón en el pecho.

—Gracias por el regalo de cumpleaños. —Agoté la distancia que nos separaba y me apoyé sobre la punta de mis pies para besarlo.

—Buenas noches —susurró sobre mis labios y depositó un casto beso sobre ellos.

Volví a sonreír antes de ir hasta mi habitación. Sin duda podría conciliar el sueño ahora.

Desperté porque alguien me movía con suavidad y lo primero que vi al abrir los párpados fue un profundo azul enmarcado por largas pestañas sobre un rostro que me encantaba. ¿Podía tener esa vista todas las mañanas de mi vida, por favor?

—Leah.

—¿Mmm? —me las arreglé para gimotear en mi agotamiento.

Alex sonrió. Estaba de cuclillas frente a mí.

—Vístete, te veo afuera en cinco minutos, ¿de acuerdo?

Los dedos del sueño se negaban a dejarme ir y me dificultaban asimilar sus palabras, pero logré asentir.

Se incorporó, le dedicó una ojeada a Edith que dormía como una muerta sobre su estómago y salió de la habitación sin hacer ruido. Permanecí en mi cama no supe por cuánto tiempo, esperando que mi cerebro decidiera funcionar. No sentía mis piernas y parecía que una aplanadora me había pasado por encima.

Con pereza tomé mi celular y caí en cuenta de que eran apenas las seis y cinco de la mañana. Joder, ¿por qué quería que me congelara el culo tan temprano?

Ignorando las protestas de mi cuerpo me puse en pie, procurando no hacer ruido para no despertar a mi amiga. Fui hasta mi maleta y extraje bragas nuevas en conjunto con una muda de ropa. Me encerré en el baño, cepillé mis dientes y me cambié lo más rápido que pude.

Cuando salí, el gélido viento de la madrugada me hizo espabilar. Alex me esperaba arrebujado en una chaqueta marrón, con una bufanda, guantes y la cámara colgando de un hombro.

—¿Lista? —preguntó encendiendo una linterna para sesgar la oscuridad.

—¿A dónde vamos?

—Ya lo verás.

—¿Cómo? No ha salido el sol, ni siquiera veo por dónde voy.

—¿Confías en mí?

Alcé mi vista hacia él y mi respuesta salió sin pensar.

—Sí.

Hizo un gesto con la cabeza y comenzamos a andar en dirección a los árboles, por la misma ruta que llevaba a las montañas. Caminamos por un sinuoso sendero que parecía no tener fin, entre bajos árboles donde la nieve era alta y se colaba por mis botas, congelándome los pies y volviéndome más lenta de lo que ya era gracias al agotamiento al que Alexander me había sometido horas atrás.

Caminó un par de metros más conmigo detrás y disfruté de la bonita vista que me regalaba de su bien formado trasero. Los entrenamientos hacían maravillas. Se detuvo cuando encontró una pendiente angosta e inclinada.

—Dame la mano —ordenó, tendiendo la suya frente a mí.

—¿Para qué? —Enarqué una ceja, pero lo obedecí igual, comenzando a descender.

—Conociéndote, terminarás matándote.

Sus masculinos dedos se entrelazaron con los míos, y su mano, que era más grande, abrazaba la mía con firmeza, como si quisiera estar seguro de poder sostenerme en caso de llegar a caer. Algo cálido se extendió desde mi pecho hacia todas mis extremidades.

—¿Estamos cerca? Ya casi amanece.

Observé la oscuridad de la noche cambiando a otros colores entre los árboles.

—Lo sé —dijo sin más, arrastrándome con él por el empinado sendero, hasta que llegamos a una especie de claro rodeado por árboles más altos y frondosos que capturaban casi toda la nieve, permitiendo que algunos retazos de verde y otros colores se asomaran a través de la ligera capa que recubría el suelo.

Continuamos hasta llegar a la orilla de un lago; el cielo comenzando a despojarse de su oscuro velo para cederle el lugar al tenue rosado del amanecer.

—¿Qué es esto?

—Un lago. —Sacó su cámara del estuche.

—Lo sé, lo veo. ¿Pero por qué estamos aquí?

Esbozó una pequeña sonrisa con la vista fija en la cámara.

—Dijiste que querías ver el atardecer en una bahía —giró su rostro hacia mí entonces, los primeros rayos de sol alumbrando el claro poco a poco —, y esto no es una, ni tampoco es un atardecer, pero es parecido. Esto es un amanecer en un lago.

¿Cómo era posible que recordara detalles tan pequeños? Mi corazón dio un salto dentro de mi pecho, latiendo de una forma que estaba reservada solo para él.

—Mira hacia el frente, Leah. No querrás perderte tu regalo —pidió esbozando una pequeña sonrisa que me derritió el cuerpo, el alma, y fundió todo de mí.

Y mientras observaba cómo el sol tornaba el agua negra del lago en ondulantes sombras de naranja, amarillo y oro, acepté por fin algo de lo que había estado huyendo.

Me había enamorado como una idiota de Alexander Colbourn.

No quería aceptar que pensaba en él constantemente, o que disfrutaba pasar tiempo en su compañía, aunque fuese discutiendo, o que me importaba si se lastimaba, vivía o moría. No quería admitirlo porque sentía que no tenía cabida para un sentimiento más, pero no podía evitar enamorarme un poco más con cada cosa nueva que descubría de Alex.

No importaba cuánto tratara de convencerme de que no debía mirarlo de manera positiva, porque entonces me encontraba pensando de nuevo en cómo era gracioso en una forma seca y sarcástica, cómo me retaba de una manera brillante y ponía a prueba mis límites, o lo mucho que me encantaba su boca y la expresión en su rostro cuando se movía dentro de mí, haciéndome perder el control. Me gustaba que fuera directo y cáustico, que nunca tuviera idea de qué iba a obtener cuando estaba cerca.

Me gustaba esa perversa travesura que se escondía tras sus orbes, su facilidad para los números, las probabilidades y el póker, y para captar las pequeñas cosas de la vida; su complejo de hijo único, su dificultad para compartir, y su determinación para no lidiar con toda mi mierda sin tirarme con la suya primero.

No tenía idea de nuestras posibilidades, pero quería ponerlas a prueba; a él, a mí, a nosotros, *a esto*.

Ambos estábamos expuestos a la incertidumbre de la situación, a su complejidad, pero yo no podía huir más de ello: estaba enamorada de Alex, de sus cosas buenas y malas.

Lo evalué conmovida. Su nariz estaba roja, al igual que sus mejillas y orejas. La cámara en sus fuertes manos mientras capturaba el paisaje y se arrebujaba contra su chaqueta oscura. Giró la cabeza hacia mí, mirándome directo a la cara; sus ojos reflejaban un azul cristal en contraste con los grisáceos cielos que se cernían sobre nosotros, y en un mundo lleno de blanco, formaba un contraste tan fuerte que resultaba extraño contemplarlo.

Porque en un mundo lleno de blanco, él era discordante, cautivador y arrebatador igual que este amanecer.

No sabía qué sentía él por mí, pero estaba segura de que no le era indiferente y a eso sí podía aferrarme.

Salí de mis cavilaciones cuando el *flash* de la cámara me cegó por un momento.

—¿Te quedaste dormida de pie o qué?

—No, estaba pensando. ¿Cómo encontraste este lugar?

—Explorando —dijo sin más, y estaba tan conmovida por toda la situación que las lágrimas me escocieron los ojos.

—Me encantó. Me encantó el regalo. —Sonreí sintiendo la felicidad inundándome el pecho—. Gracias.

—Parece que recibo mucho eso de ti últimamente. —Se quitó la bufanda del cuello.

—Te los has ganado —musité, alzando mi vista hacia él.

—¿Ah, sí?

—Sí. Déjame agradecerte como se debe.

—¿Y cómo es eso? —inquirió y sonreí, acercándome para besarlo; un leve roce con poca presión, pero lleno de emociones que quería transmitirle.

Sonrió contra mis labios y llevó sus manos a ambos lados de mi cara para profundizar el beso, dejándome probar el sabor a café, frío y a él. Se separó de mí solo un poco, depositando un beso sobre mi coronilla; un gesto tan dulce como impropio de él. Entonces, cuando estaba por replicar, reparé en la marca que había dejado en su cuello: roja, definida y *notoria*, contrastando con su blanca piel.

Alex tenía la costumbre de dejarme marcas en lugares que pudieran ser cubiertos; yo, por otro lado, procuraba no hacerlo, hasta ese momento. Tal vez todo era culpa del frenesí, de la lujuria y… *bien, okay*, de la ola de posesividad que me invadió en el momento. La marca resaltaba contra su piel y me sentí satisfecha por ello; mi boca se había asegurado de hacerla permanecer.

—¿Estás viendo el regalito que tú me dejaste? —preguntó, tocándose el lugar con los dedos.

—¡Oops! —Batí mis pestañas esperando que creyera en mi inocencia.

Enarcó una ceja, confirmando que no me creía.

Deslizó su mano por mi cabello, enredó sus dedos en él y pensé que me besaría, hasta que pasó de largo mi boca para plantarse en mi cuello. Gemí contra su hombro cuando succionó la piel de mi garganta entre sus labios. Mordió, chupó y volvió a succionar, con mis manos arrugando la tela de su chaqueta. Recorrió mi cuello con su lengua dejando un húmedo sendero hasta llegar a mi oreja.

—Qué posesiva eres, Leah.

Me estremecí por la profundidad de su voz antes que me dejara libre, con mi cuerpo entero hormigueando por todas las emociones y sensaciones.

Enredó su bufanda en torno a mi cuello, un gesto que agradecí por el viento frío que corría junto al lago.

—Quiero ver cómo te las arreglas para cubrirlo —me molestó.

—Lo mismo va para ti, idiota.

—A mí no me importa. —Me miró como si fuera algo obvio.

Me pasó un brazo por los hombros, estrechándome contra sí, mientras observábamos el amanecer; con el sol elevándose más allá del lago, sobre las montañas.

—Es hermoso. —Me arrebujé contra él, embriagándome de su aroma.

—¿Sabes qué es más hermoso que eso?

—¿Qué? —Mi corazón aumentó en ritmo, expectante.

—Tú, cuando te miro de entre tus piernas —susurró en mi oído con lascivia y lo golpeé en el pecho.

—Eres asqueroso.

—Gracias, me esfuerzo todos los días en ello.

Reí al tiempo que Alex se unía a mí.

Las probabilidades eran inciertas y teníamos un desastre esperándonos en casa, pero no quería pensar en eso. Quería disfrutar del paisaje, del nuevo sentimiento que había aceptado y me envolvía, y de su compañía. No podría haber pedido un mejor cumpleaños que aquel.

# 31
## SALTO AL VACÍO

*Leah*

—¿Para qué son las fotos?

—Para subastarte por Internet —respondió serio y lo miré ofuscada. Soltó una risa un momento después, caminando junto a mí por el sinuoso sendero para llegar a la cabaña.

—Ja, ja. Yo no me haría muchas ilusiones de recibir buen dinero si fuera tú.

Se encogió de hombros.

—Algo me tendrán que dar por ti —contestó y lo empujé con mi hombro.

—En serio, ¿qué haces con las fotos que tomas? ¿Las coleccionas?

—Algunas, las que lo valen. —Alcé la vista a tiempo para atraparlo contemplándome, antes de volver a centrarse al frente—. Pero la mayoría las aparto.

—¿Para qué?

—Para enviarlas como muestra de mi trabajo a una escuela de fotografía en Suiza.

La declaración me golpeó con la misma fuerza de un tren. Tuve que obligar a mis pies a funcionar para continuar a su paso.

—¿Te irás? —pregunté, tratando de no parecer afectada por la nueva información, y temerosa de escuchar una respuesta que ya sabía.

—Es el plan. —Había vacilación en su voz cuando habló y la presión en mi pecho aumentó.

La perspectiva de Alex yéndose a la otra punta del mundo dejó una desagradable sensación en mi cuerpo.

—¿Y tus padres están de acuerdo? No parecen las personas más accesibles del mundo.

—No lo son —admitió girando conmigo para comenzar a descender por el camino escarpado—, pero me da igual. Terminaré la universidad y me iré el próximo año. Es probable que papá tenga un colapso por la rabieta, pero lo superará.

—¡Oh! —Acomodé su bufanda en torno a mi cuello, impresionada; asimilando la nueva información—. ¿No te preocupa lo que ellos opinen? ¿O lo que piensen de tus decisiones?

—¿Por qué debería?

—¿No es eso lo que todos hacemos? Quiero decir..., tratar de cumplir las expectativas, de no decepcionar a nuestros padres. ¿No es así como juzgamos nuestro valor como personas?

—Me habría matado hace mucho tiempo de ser así —contestó irónico.

No pude contener la risa que brotó de mi garganta.

—Deberías dejar de juzgar tu valor por lo que otras personas quieren o esperan de ti, Leah.

Lo risible del asunto se desvaneció cuando lo escruté, atónita porque descubriera otra cosa de mí que nadie más había podido leer. Sí sentía una necesidad por agradar a mis padres, ser la hija perfecta y cumplir con las expectativas que todos tenían puestas sobre mí. Era mi manera de encajar en el mundo; dependía de la aceptación de los demás por mis capacidades y mis decisiones. Juzgaba toda mi productividad y valía con base en ello.

—¿Te sonó de algo? —me desafió—. Eso es mierda, ¿sabes? Al final, buscarás adaptarte tanto a los demás que perderás de vista lo que en realidad quieres o lo que eres —dijo con aprehensión, como si quisiera que sus palabras causaran algún efecto en mí.

—Sé que juzgo mi valía conforme a eso, lo admito, y no sé si cambie con el tiempo —me encogí de hombros—, pero no es como si no supiera quién soy. Quiero decir, soy autoritaria, demandante y temperamental, a pesar de que no a todos les gusta eso de mí.

—Cierto, no tienes problema siendo ninguna de las tres —se burló, al tiempo que divisábamos el inicio de la chimenea de la cabaña entre los árboles.

—El punto es que seguiré siendo yo mientras también aporte mi parte al mundo.

—Déjame adivinar, ¿haciendo voluntariado en África, adoptando niños enfermos, inventando la cura para el cáncer y cambiando el mundo?

Sonreí con afecto.

—Me conoces tan bien.

—Lo sé, tienes un jodido complejo de heroína combinado con uno de princesa, y no sé cuál de los dos es peor.

Reí a carcajadas, disfrutando de los últimos momentos que nos quedaban juntos a solas. Una parte de mí quería aferrarse a sus palabras y mandar todo al carajo para entrar con él de la mano, decirles la verdad a los demás y sostenerme en mi decisión. Sin embargo, no podía hacerlo mientras aún no hubiésemos aclarado el lugar donde nos encontrábamos y con su prometida respirándome en la nuca.

Le regresé su bufanda, con su perfume aún embriagándome.

—Gracias por el espectáculo, fue un buen regalo —dije, seguía conmovida porque se las hubiese ingeniado para encontrar ese lugar.

—Creo que ya sé cómo puedes pagarme por eso —musitó.

—¿Cómo?

—Con otro espectáculo. —Dio un paso más cerca hasta que sus manos se cerraron en mi cintura—. Como el que contemplé entre tus piernas, por ejemplo.

—De acuerdo, pero nada de hacerlo en la cabaña.

—¿Por qué no? Es la parte divertida.

—Eres idiota —me burlé—. Además, no voy a… No... no, no... Alex, no pod... —intenté advertirle al tiempo que sus labios rozaban los míos, pero me ignoró olímpicamente, reclamando mi boca por completo, posesivo.

Le correspondí sin pensarlo dos veces, entrando de inmediato en ese vórtice de sensaciones que me invadía de la cabeza a los pies, llenándome el pecho de calidez y olvidándome de que estábamos frente a la cabaña.

—Es gracioso cuando te avergüenzas, ¿sabías? —susurró separándose solo por un momento.

—Podrían vernos y...

—No lo harán —me interrumpió besándome de nuevo. Suspiré con su mano sobre mi cuello y mi corazón desarmándose, disfrutando de la ola de sentimientos que me inundaba. Y allí, justo en ese momento, fui más consciente que nunca de que, por más que lo intentase, no podía alejarme, no podía renunciar a Alexander Colbourn y todo lo que despertaba en mí.

Vacié el caballito de tequila percibiendo la quemazón que el licor dejaba en mi garganta, y sonreí mientras Ethan me palmeaba la espalda como una campeona, riendo a carcajadas por las muecas que hacía. Era mi quinto trago y me sentía invencible.

—¿Tienes un momento? —Jordan me tomó del brazo para girarme, interrumpiendo mi importante tarea de embriagarme para disfrutar como se debía de mi cumpleaños.

—S-sí, claro —arrastré las palabras.

Bajé junto a él las escaleras y lo seguí fuera de la cabaña hasta detenernos bajo la lámpara exterior que emitía un enorme halo de luz, resaltando en la oscuridad que velaba el bosque. El gélido aire me hizo marear cuando chocó contra mi rostro, y tuve que parpadear un par de veces para disipar la sensación. Encaré a Jordan, que lucía analítico, como si me evaluara. Entonces extrajo algo del bolsillo trasero de su pantalón y me tendió una pequeña cajita cuadrada del tamaño de la palma de mi mano.

—Es para ti, por tu cumpleaños —aclaró y me mordí el interior de la mejilla, sin tomarla—. No había encontrado ningún momento para estar a solas y dártelo.

—No tienes por qué hacerlo.

—Sí tengo, eres mi novia —dijo con seguridad y desvié la vista hasta perderla más allá de la oscuridad que custodiaba los árboles.

—No soy tu novia, Jordan. Ya hablamos sobre esto.

—¿Sigues con lo mismo? Qué terca eres, Dios. —Cerró los ojos y negó—. Ya te dije que lo siento, cariño, dejemos ya este teatro y volvamos a ser como antes, ¿sí?

Llevó su mano hasta posarla sobre mi pómulo, acariciándolo con ternura, antes de deshacerme de su toque moviendo la cabeza.

—Las cosas no pueden ser como antes, Jordan.

—Sí pueden. Ya te he dado el tiempo que necesitabas, ya podemos olvidarnos de la estúpida discusión...

—No es por la discusión —dije frustrada, cruzándome de brazos. —Es... —Amarré mi lengua, debatiéndome entre decirle la verdad y desatar el infierno, o mantener por un poco más de tiempo la efímera paz.

—Son solo miedos tuyos. Verás que el matrimonio no es tan malo como parece, seremos felices.

Lo dijo en un tono tan neutral que parecía casi ensayado, como si fuera un discurso que ya hubiese preparado, pero no estuviera convencido del todo.

—¿Realmente quieres eso? —pregunté envalentonada por el licor que corría por mi sistema—. ¿Quieres casarte conmigo?

Su boca se transformó en una fina línea, sus facciones endurecidas y la vacilación adornando su voz cuando habló luego de un segundo.

—Sí.

Inhalé más frustrada que antes, posando una mano sobre el gorro de lana que me cubría la cabeza. Me dolía reconocerlo, pero algo entre Jordan y yo se había roto de forma irreparable en el momento en que Alexander se convirtió en un nuevo factor en la ecuación. Tenía un profundo cariño por él, creado a lo largo del tiempo, pero no era nada parecido a los demoledores sentimientos que tenía por mi esposo.

—¿Tú no quieres eso?

Abrí la boca para responder, hinchando mi pecho de una valentía que no poseía, lista para terminar de una vez por todas con algo que ya había llegado a su final de todas formas. Entonces di un respingo cuando Alex salió por la puerta, se colocó un par de metros más allá de nosotros y encendió un cigarrillo. Lo miré confundida, sin entender qué demonios hacía ahí.

—¿Qué haces aquí afuera? —formuló Jordan la pregunta que yo me moría por hacer.

Se giró y nos observó como si lo hiciera por primera vez, para después elevar el cigarrillo que sostenía entre sus dedos.

—¿Qué parece que estoy haciendo? —preguntó a su vez con sarcasmo y enarqué las cejas, escéptica ante su casual aparición.

—¿Te importa? —dijo Jordan con tono ácido señalándonos a ambos.

—La verdad no. Continúen.

—Estamos en medio de algo importante aquí, Alex.

—Yo también —dijo con jovialidad y quise sonreír—. Solo ignórenme. No haré ruido.

Jordan lanzó un quejido de exasperación.

—¿Podrías fumar del otro lado al menos, por favor?

—Del otro lado no hay luz y tengo miedo de lo que pueda salir del bosque —contestó con un tono de temor que no le creía ni su abuelita.

—Entonces fuma en otro momento.

—Entonces hablen en otro momento —le respondió sin perder la oportunidad.

Jordan se pasó la mano por el cabello castaño en un claro gesto de molestia.

—Carajo, a veces eres insoportable —se quejó refiriéndose a su amigo, que sonrió divertido—. No hemos terminado con esto, ¿de acuerdo? Hablaremos cuando regresemos.

No supe si hablaba de la conversación o de nuestra relación. Dejó la caja sobre mis manos con poca delicadeza y le dedicó una mirada de muerte a Alex antes de entrar a la cabaña dando grandes zancadas. El rubio dejó escapar el humo por su nariz, con el triunfo escrito en toda su cara mientras lo observaba entrar.

—Sé lo que estás haciendo —espeté acercándome un par de pasos.

—¿Fumando?

—Lo hiciste a propósito.

—Siempre que fumo lo hago con intención —dijo mirando al frente, continuando con su montaje.

—Niégamelo.

—Claro que no. —Sonrió, satisfecho.

—Lo hiciste enojar.

—Wow, qué tragedia. Me rompe el corazón saberlo.

—Y nos interrumpiste.

—Lo sé y lo volvería a hacer, hasta que Jordan comprenda el punto.

—¿Y cuál es el punto?

—Que no te pienso compartir.

El aliento se me atascó en la garganta y de nuevo se las arregló para hacer a mi corazón saltar de esa forma que solo él podía lograr.

—Te quiero para mí, Leah —continuó y sentí mis piernas flaquear.

—¿Para ti?

—Sí, solo para mí. Y si tengo que interrumpir mil veces a Jordan para que lo entienda él y lo entiendas tú, entonces lo haré.

No supe cómo tomar sus palabras, pero estaban tildadas de tanta intensidad que, cualquiera que fuera su significado, eran sinceras. Tal vez Alex no era el tipo de hombre que te decía las cosas de forma convencional y este era su intento de una confesión, de dotar de un poco de claridad a nuestra escabrosa situación.

Sentí como si mi corazón saltara por un peñasco hacia el vacío. Y quizás estar con Alex era algo parecido a saltar por un acantilado esperando que las probabilidades estuvieran a tu favor y hubiera un colchón esperándote debajo, o como la paradoja de Schrödinger, esperando que el gato estuviera vivo.

Observé a Edith dormir por lo que pareció una eternidad, debatiéndome entre aventurarme en la cocina para probar mi suerte o mirar el techo por horas hasta quedar dormida.

Era algo arriesgado encontrarme con Alex, pero gran parte de mí se preguntaba si de verdad importaba un carajo que los demás supieran.

«Al demonio» pensé. Luego de asegurarme de que Edith seguía dormida, salí por la puerta de la habitación de puntillas para no hacer ruido.

Con eso en mente, caminé por el pasillo de las habitaciones hasta llegar al rellano que precedía la sala de estar, suplicando que la suerte estuviera de mi lado y pudiera encontrarlo de nuev...

Di un respingo y solté un chillido cuando vi un bulto en la sala, hasta que adapté la vista a la penumbra y caí en cuenta de que era Alex. Estaba sentado en el sillón con el celular en la mano.

—¿Tienes que asustar a la gente siempre así? —mascullé llevándome una mano al pecho para ralentizar mi latir.

Bloqueó el aparato y lo depositó sobre la mesita de al lado antes de mirarme fijamente.

—Podías verme desde la puerta de tu habitación, no es mi culpa que seas miope. Seguro te dañaste los ojos por tanto alcohol. —Parecía cansado y preocupado por algo, pero su tono estaba lleno de burla.

—O por mirarte tanto a la cara.

—Es difícil no querer apreciar cada detalle de mi rostro. —Un lado de su boca se alzó con suficiencia.

—Detalle de fealdad —espeté, solo para llevarle la contraria, y me acerqué hasta estar de pie junto al reposabrazos del sillón.

—Leah, con lo mucho que me miras, podrías pintar mi retrato con los ojos cerrados.

—Podría decir lo mismo de ti.

Sonrió cerrando sus dedos en mi cintura y tiró de mí hasta quedar sentada a horcajadas sobre él, con mis rodillas clavadas en el mullido sillón a ambos lados de sus caderas.

—Eso espero. Sería un problema no saber cómo luzco después de tantos años. —Sus dedos acariciaron mi espalda.

—No me refería a eso.

—¿No? —preguntó haciéndose el desentendido, tocando con suavidad la piel cerca del elástico de mi pantalón.

—No. ¿Qué haces despierto a esta hora?

Algo oscuro abarcó sus facciones por un segundo, pero recuperó su porte seguro de siempre.

—Insomnio —respondió estrechándome más contra sí.

—Yo tampoco podía dormir —confesé posando mis manos en su pecho y arrastrándolas hasta acariciar la dura línea de su mentón.

—¿Y qué viniste a buscar?

Sonreí con travesura.

—Algo bueno.

—Entonces creo que te encontraste al equivocado.

Clavé mis ojos en los suyos, percibiendo el acompasado subir y bajar de su pecho, que se había sincronizado con el mío. Y caí en cuenta de que no me había equivocado en absoluto al buscarlo.

—No, creo que he encontrado al indicado.

Agoté la distancia que nos separaba y lo besé apenas, al tiempo que sonreía contra mis labios. Me sentí tan feliz por ese simple gesto, que no supe qué hacer con el sentimiento y sonreí también.

Me besó con lentitud y consideración, sin una pizca del frenesí y la necesidad con la que solía devorarme la mayor parte del tiempo. Sus manos abandonaron mi cintura para deshacer el apresurado moño sobre mi cabeza, retirando la liga para dejar caer mi cabello sobre mi espalda, con el aroma de mi *shampoo* flotando en la estancia y arrancándole un suspiro que se perdió dentro de mi boca cuando profundizó el beso.

Enredé mis dedos en su cabello, sintiendo la suavidad de sus mechones. Aquello era algo de lo que jamás me hartaría. Era sobrecogedor. La posición, la lentitud, la deliberación y la dulzura con la que me besaba y exploraba mis labios me cautivaba, y a su vez encendían una llama dentro de mí que nada tenía que ver con deseo sexual.

Quizás no se sentía de humor para algo rudo, o quizás quería hacerlo así. Cualquiera que fuera la razón, lo necesitaba, lo quería. Lo quería a él, lo necesitaba a él.

Quería...

Me separé de Alex justo cuando Edith entraba en la estancia bostezando como un león. Abrí la boca como una idiota, en total estado de pánico. Mis aterrados ojos conectaron con los suyos, adormilados y llenos de indiferencia.

Edith desvió la mirada y continuó caminando en línea recta hasta llegar al baño que estaba a unos metros del sillón, mientras yo permanecía tan tiesa como una estatua sobre el regazo de Alex, quien parecía tan relajado como si nadie estuviera ahí. *Como si Edith no estuviera ahí.*

La rubia encendió la luz, buscó en la gaveta debajo del lavabo y extrajo un rollo de papel. Apagó el interruptor, cerró la puerta y emprendió su camino de vuelta a la habitación sin hacernos el menor caso, como si verme montada sobre las piernas de Alexander fuera algo que contemplara todos los días.

—No se preocupen por mí —dijo mi amiga con voz ronca por el sueño, deteniéndose en el rellano de las habitaciones—, lamento interrumpirlos, me voy ya. Y por favor, traten de no hacer mucho ruido esta vez, ayer no pude dormir.

—Buenas noches —la despidió él con jovialidad, como si no estuviéramos jodidos porque nos hubiesen atrapado. Estábamos jo-di-dos.

Mis manos temblaron en sus hombros, a punto de tener una crisis nerviosa por toda esa maldita situación. Me removí para ir hasta Edith y venderle mi alma a cambio de que no dijera una palabra, pero los brazos de Alex me lo impidieron, cerrándose en torno a mi cintura como grilletes.

—Suéltame —exigí, tratando de mantener la cordura, tarea que resultaba casi imposible.

—Leah, tranquila, no es...

—Por favor, cállate. Esto ya es suficientemente malo como para lidiar contigo también, déjame ir —le exigí y pareció dolido por mis palabras; algo se oprimió en mi pecho, pero debía ir tras Edith.

Dejó caer sus brazos a los costados y me puse en pie de un salto, sin mirar atrás. Edith estaba sobre la cama cubriéndose con la cobija, preparándose para volver a dormir.

—No es lo que crees —dije desesperada por salvar la situación, aunque no tenía ninguna excusa creíble.

—¿De qué hablas?

—Lo que viste, no es lo que crees. Alex y yo...

—Por favor, Leah, ¿por qué te alteras tanto? ¿Cuál es la diferencia entre que lo sepa y lo vea?

—¿Qué? —Me sentí desconcertada—. ¿Ya lo sabías?

Edith me miró como si fuera idiota.

—Es imposible no saberlo. Ustedes dos han tenido esa tensión sexual desde siempre. Además, se miran todo el tiempo y Alex te folla con los ojos en cuanto te ve. En serio, tiene una incapacidad para dejar de mirarte el culo.

Abrí la boca sin poder emitir palabra.

—Y por favor, no insultes mi inteligencia diciendo que estoy equivocada y son alucinaciones mías, porque ni siquiera son discretos.

—¿Desde cuándo lo sabes?

—No lo sé, Leah, meses.

—¡¿Lo sabes desde hace meses?! —alcé la voz y ella puso un dedo sobre sus labios incitándome a callarme—. ¿Cómo lo supiste? —insistí en tono bajo.

—Ya te lo dije, no es el mayor misterio del mundo. Al principio sí pensé que estaba teniendo alucinaciones porque me parecía imposible que tuvieran algo, pero cuanto más los observaba más me daba cuenta de que tú estabas coladita por él. —Sonrió con picardía y desvié la mirada—. Además, pensé que ibas a tener un infarto o algo cuando presentó a su prometida. Ya hasta tenía el número de la ambulancia en marcado rápido, por si acaso.

—¿En verdad soy tan obvia?

—La verdad sí, no voy a mentirte. —Sonrió mordaz—. Además, entre las marcas que se dejan y *sus sigilosos encuentros nocturnos*, me sorprende que los otros chicos no los hayan descubierto aún

Me toqué el cuello en reacción para cubrir la marca, aunque a este punto ya no servía de nada.

—¿Nos escuchaste ayer?

—Ayer tuve mi confirmación, de hecho. —Se acomodó mejor y me senté junto a ella en la cama, sin poder asimilar la información—. Escuché ruidos y pues...

—¡¿Nos viste?! —Sentía que la cara se me caería al piso de vergüenza.

—Tranquila, vaca loca, solo los vi besarse. Alex me atrapó antes de que pudiera esconderme tras la pared y pensé que haría o diría algo, pero no le importó en lo más mínimo.

—¿Qué? ¿Él ya sabía que tú sabías?

—No le importa que lo sepa al parecer.

El impacto me dejó sin palabras y comencé a divagar entre todas las posibilidades, pero la risa de mi amiga me regresó a la tierra.

—Aunque debo admitir que nunca pensé que te escucharía tener sexo.

—¡Edith! —Le lancé una almohada al tiempo que ella soltaba una carcajada.

—Tampoco esperé que tuvieras algo con él, de todos los hombres posibles. —Alcé la cabeza para mirarla con culpabilidad—. ¡Anda ya! No me mires así, ¡no es algo malo!

—¿Cómo puedes decir eso? ¿No me odias por ponerle los cuernos a Jordan? ¿No crees que soy la persona más cruel por follarme al prometido de otra?

—No seas idiota, claro que no. —Tomó mi mano entre la suya—. Estoy contenta de que lo hagas, de hecho.

Fruncí el ceño, sin comprender.

—Era obvio que tu felicidad no estaba con Jordan, pero te seguías aferrando a él como si ya fuera tu marido. Ahora al menos tienes oportunidad de experimentar algo nuevo y decidir si te gusta o no. Y créeme, sé que te encanta, he visto como ha mejorado tu humor.

Sonrió con calidez, como si quisiera transmitirme su apoyo, y la tensión sobre mis hombros se evaporó.

—¿No crees que está mal?

—Creo que está mal que no termines con Jordan para estar con quien realmente quieres.

—No es tan sencillo.

—¿Qué puede ser tan complicado como para no dejar las cosas claras y seguir cada quien por su camino?

—Sabes la relación que mantienen nuestros padres y lo difícil que es, y el hecho de que Sabine esté aquí y...

—Esas cosas pueden arreglarse, no es nada del otro mundo, no suena como algo complicado.

La estudié y entonces decidí contarle toda la verdad de una vez por todas. Merecía saber.

—Alex es mi esposo, Edith.

Su rostro fue despojado de toda emoción; palideció.

—¿Me estás jodiendo? No me gustan esas bromas, Leah.

—No es ninguna broma —dije seria.

La sorpresa adornó su rostro por un instante, pero bastó solo unos segundos para que llevara su mano libre a la boca y empezara a chillar conteniendo el ruido con su palma.

—¡No lo puedo creer! ¡No lo puedo creer! —canturreó con los ojos brillando de emoción, antes de que me soltara y sus facciones se ensombrecieran—. ¡Maldita zorra desconsiderada! ¡Tuviste el descaro de casarte y no decirme ni una puta palabra al respecto!

Me lanzó una almohada dándome con demasiada fuerza, pero la dejé ser.

—¡¿Cómo te atreves?! ¡Creí que éramos amigas!

—¡Lo somos!

—¡Eso no lo hacen las amigas!

—¡Fue un error! —vociferé, esperando no haber despertado a la mitad del bosque con mi grito.

La perplejidad inundó su rostro.

—¿Cómo? ¿Te arrepientes?

Solté el aire por la nariz, considerando la respuesta.

—No, en absoluto.

—¿Entonces? ¿Por qué lo dices?

—Porque eso fue. Nos casamos por error en Las Vegas.

—Me estás jodiendo.

—¡No!

—¿Han estado casados tanto tiempo? —Asentí—. ¿Quieres decir que cuando desapareciste allá estabas... estabas con él? —preguntó y volví a asentir—. Santa mierda.

—Por eso digo que es complicado...

—No tiene que serlo —objetó y después clavó su mirada en mí, llena de curiosidad—. ¿Lo quieres?

Ahí estaba la pregunta del millón. El factor resolutivo en esta desastrosa ecuación. Inhalé para hincharme de valor y hacerle frente a todos mis temores y demonios.

—Sí. —La respuesta se deslizó por mis labios con facilidad, casi por instinto, y Edith hizo esa cara que denotaba emoción pura.

—Esto es demasiado para mí, carajo. —Se pasó las manos por el cabello—. Tendré un ataque, una sobrecarga de emoción. Agárrame que me desmayo —dijo con dramatismo y puse los ojos en blanco—. No entiendo cómo puedes decir que es complicado cuando lo tienen todo. ¿Cuál es el problema?

—Que iniciamos un divorcio, Alex está comprometido con Sabine y yo...

—¡Suspende el maldito divorcio! Que Alex deje a Sabine y ya está.

Hice una mueca.

—No es tan sencillo.

—Todas las razones que me das son mierda, Leah. No lo dejes ir si lo quieres.

Y quizás tenía razón.

Caí en cuenta de que no había razón para mantenerlo en secreto, que yo solo lo hacía para escapar del juicio de mis padres y los demás, los ataques a mi persona y la devaluación de mi valía. ¿Era eso lo que Alex trataba de decirme todo el tiempo?

En la cúspide de ese cúmulo de emociones y dudas se alzaba la *culpa*, oscura y latente. Alexander probablemente pensaba que estaba avergonzada de él. ¿Por qué no lo pensaría? Ocultaba el hecho de que él, de todas las personas posibles, era mi esposo. Y lo hacía por los problemas que traería que me asociaran con su persona, porque estar con él *declinaba mi valía*. Dios, incluso pensarlo me hacía sentir la persona más mierda del mundo.

Y sí, al principio me había sentido avergonzada. De hecho, fui yo quien dibujó una línea de separación, y fue Alex quien se atrevió a cruzarla. Era siempre yo quien temía que nos descubrieran, y él quien lo aceptaba sin problema.

Entonces, en medio de los alegatos y chillidos de mi amiga, tomé una decisión. Si sabían, que lo supieran. Que se enteraran de que me había casado y follado al heredero de los Colbourn. Que supieran que me había enamorado de él.

Había llegado a un punto en el que ya no podía escapar de Alexander, mis sentimientos eran demasiado profundos para dejarlo ir. No había vuelta atrás, solo aferrarme a él con ambas manos y esperar que fuéramos lo suficientemente fuertes para superar lo que se nos viniera encima.

Esperar que fuésemos titánicos.

# 32
# NEGOCIOS Y CONFESIONES

## *Alexander*

Escuché la puerta cerrarse tras de mí y lo supe.

Algunas veces pensabas que la situación no podía ponerse peor, *justo antes de que se pusiera peor*. No sería uno de esos días en los que me golpearía el dedo chiquito del pie o se me quemaría la comida. No, era de esos días que terminaban en un accidente de auto o tu casa incendiándose.

El olor a cigarro, marihuana y la combinación de químicos me golpeó la cara en cuanto entré al privado de la casa de apuestas. Desde que Louis había comenzado a aparecerse con más frecuencia por el lugar, el bar olía más a farmacia. La redonda y fofa cabeza de Rick se giró apenas entré, con sus labios estirándose en una grotesca sonrisa de suficiencia cuando me acerqué a la mesa de apuestas en la que siempre estaban reunidos.

Había vuelto de Rockport una semana atrás, y había hecho hasta lo imposible por no enfrentar a Rick, pero el tiempo y las excusas se me habían agotado.

Louis me recibió con una cortés inclinación de cabeza que pareció costarle mucho esfuerzo, a juzgar por las ojeras y las venas rojizas que se extendían por sus ojos, debió inhalar una o dos líneas antes de la reunión.

—Siempre es un placer tenerte de vuelta, príncipe —dijo Rick con tono mordaz—, ¿no decías que no volvería a saber de ti?

Tensé la mandíbula e ignoré su comentario, esperando que me dejara en paz, me asignara mi próximo trabajo y pudiera largarme de una puta vez de ese nido de ratas.

—¿No conseguiste el dinero? —insistió sin perder ese tono engreído.

—¿Siempre remarcas las cosas que son obvias o eres tan idiota que no las notas? —espeté con agriedad y la presuntuosa sonrisa de Rick se desvaneció para dar lugar a una mueca de enojo.

—Hijo de puta.

—Oh, mis disculpas. ¿Cómo te llamas a ti mismo? ¿Imbécil?

Sus fosas nasales se inflaron con la cólera y se puso en pie tan abruptamente que la silla cayó hacia atrás. Llevó su mano a la parte trasera del pantalón y por un momento mi corazón se comprimió al pensar en lo que significaría esa acción.

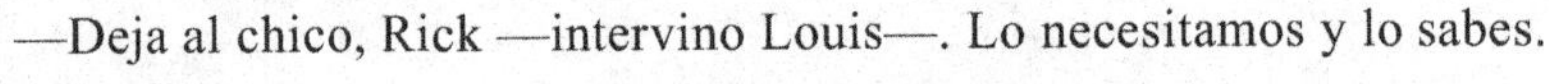

—Deja al chico, Rick —intervino Louis—. Lo necesitamos y lo sabes.

El aludido gruñó y colocó el arma que había extraído sobre la mesa en una clara amenaza.

—Si no te necesitáramos, te habría matado hace mucho tiempo, niño, ¿sabías eso? —Sus ojos llamearon con ira, pero levantó la silla y volvió a sentarse, conteniéndose—. Tu vida está en mis manos, un solo chasquido de mis dedos y tus estirados padres de mierda se quedan sin...

—Sí, sí —lo interrumpí, por el sádico placer de enfurecerlo más—. El mismo rollo de siempre.

Apretó los puños tan fuerte sobre la mesa que sus nudillos se volvieron blancos. Rick era un hombre de cuidado; impulsivo, cruel y visceral. Mi parte racional decía que debía temerle, pero la otra, la que estaba llena de orgullo y valentía desmedida, estaba harta de ser su jodida perra y no pensaba tolerarlo.

—¿Estás listo, Alexander? —reverberó la voz de Louis y lo miré sin comprender.

—¿Para qué?

—Nos acompañarás a cerrar un trato.

Me removí incómodo en mi lugar, con el mal presentimiento apretando la boca de mi estómago.

—¿Dónde?

—¿Qué crees que somos? ¿Tus jodidos empleados? —ladró Rick—. Por si ya lo olvidaste, tú me obedeces a mí. Irás a cerrar ese trato sin preguntas, y por tu bien —agitó un dedo al frente—, espero que no la cagues.

—Andando. —Michael se puso de pie seguido de Louis, quien se tocó la nariz por enésima vez.

Rick me lanzó una última mirada de advertencia y salí del lugar junto a los otros dos hombres, sintiéndome más inquieto que antes.

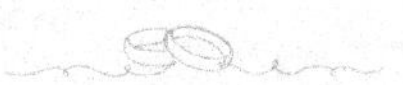

La puerta se abrió con un susurro, y el relucir de una recepción y una sala de espera con sillones de cuero llenó mi vista. Las películas sobre mafiosos habían dañado mucho mi percepción de las cosas, porque esto parecía más el consultorio de un dentista que la guarida de un capo de la mafia.

Uno de sus guaruras nos hizo una seña con la cabeza para que lo siguiéramos por la salita de espera, hasta abrir la puerta de enfrente y permitirnos entrar primero. Michael comenzó a andar por un estrecho pasillo custodiado por antiguas y pequeñas lámparas de luz amarilla que dotaban el lugar de un aspecto lúgubre. Louis entró después y yo al final.

Llegamos a otra puerta y Michael giró la perilla, dando paso a otra habitación mucho más oscura y más como las películas me habían enseñado que eran estas cosas: sin ventanas, la luz tenue, repleta de cuadros, pieles, y detrás del majestuoso escritorio de ébano, el mafioso.

Se puso en pie en cuanto sus gorilas entraron a la estancia, atrapándonos como ratas en una jaula al cerrar la puerta tras de sí. Traté de ignorar el constante sonido de alarma que mi mente no paraba de desplegar, nítido e insistente. Nuestro anfitrión iba vestido como todo, menos como un mafioso. Tenía una severa calva en el centro de la cabeza y una barriga algo prominente. Quise reírme —no sabía si por histeria o por diversión—, porque parecía más un papá inepto en su traje de domingo que un mafioso.

—Balfour. —El hombre le extendió la mano a Louis y este no dudó en darle un apretón.

—Fejzo —lo saludó como si lo conociera de toda la vida.

Procedió a saludar a Michael y después a mí, mirándome con curiosidad.

—Yo te conozco —mencionó con un acento que no pude ubicar, estrechando los ojos—. Te he visto antes, no sé dónde.

—Es el hijo de Byron Colbourn —le hizo saber Louis, y le dediqué una mirada asesina mientras se sentaba en una de las sillas de cuero.

Los guardaespaldas del hombre se colocaron a mi lado, intimidantes, y los fríos dedos del miedo flotaron alrededor de mi cuello. El hombre de la calva puso una mano al frente para detenerlos, hablándoles en un dialecto que jamás había escuchado.

—¿Qué hace el heredero de los Colbourn aquí? No sabía que Byron invertía en este campo.

—No lo hace —dije entre dientes.

—¿Entonces qué haces aquí?

«Pagando mis errores y salvándome el culo, ¿quieres una reseña completa?», pensé con ironía.

—Negocios propios.

—Es nuestro mediador —habló Michael a mi izquierda.

—Interesante —dijo acariciándose el mentón, y procedió a servirse un trago del licor que tenía dispuesto detrás—. Adelante.

Michael y yo tomamos nuestro lugar junto a Louis.

—¿Un trago? —ofreció. Los otros dos aceptaron y yo negué con la misma cortesía. Me sentía tan nervioso que no creía ser capaz de retener el alcohol—. Los escucho.

Se sentó escrutándonos con atención, al tiempo que golpeteaba los dedos sobre su vaso una vez que sirvió el de los demás.

—Tenemos una propuesta —comenzó Louis, inclinándose hacia adelante—, una que podría interesarte.

El hombre enarcó una ceja, instándolo a continuar.

—Un cargamento grande, de al menos quince toneladas.

Querían entrar a este mundo a lo grande al parecer. Haciendo su gran debut.

—¿Cuáles son los beneficios?

Louis se rascó la barbilla color arena que le crecía circundando la grotesca cicatriz en el rostro, nervioso, y decidí que era mi momento de entrar en escena.

—Sesenta y cinco, treinta y cinco —dije señalándonos primero a nosotros y luego a él.

Se recargó en la silla, pensativo. Debía persuadirlo, manipularlo para que aceptara un trato que no era del todo ventajoso para él. Por lo que sabía, para nuevos incursores, el porcentaje se dividía en cincuenta y cincuenta, no menos.

—Parece poco para todo el problema que representan las aduanas. —Volvió a tamborilear sobre el cristal—. Mucho trabajo por poco beneficio.

—Es un producto que también se infla y cambia con las variaciones monetarias —argumenté—. Si sube, el porcentaje también lo hace. Estarías recibiendo una comisión por cada fluctuación mayor al once por ciento.

No conocía los detalles de este tipo de negocios, no sabía cómo se conducían en este submundo, y debía tener cuidado si no quería resbalarme y caer con una bala en la cabeza

—¿Y si baja? Esto es una inversión a corto plazo y no me gustan las deudas, mucho menos los deudores morosos. —Toda la jovialidad de un papá haciendo barbacoa en domingo se desvaneció, para ser reemplazada por la férrea expresión de un mafioso en su elemento.

—Te pagaremos por adelantado —intervino Michael y pareció mirarlo por primera vez.

—¿Y si no se vende bien el producto? ¿Dónde quedará el fruto de mi inversión?

—Lo hará —dije tratando de parecer convencido—. En caso contrario, la penalización tendrá un interés del quince por ciento pagable a más tardar en un mes.

No llegaríamos nunca a tal extremo por la rapidez de la venta del producto en la zona; no por nada la gente decía que Washington era la capital de la drogadicción. El hombre dejó escapar el suspiro de una risa.

—Pareces muy seguro de tu proyección, chico.

—Lo estoy. Son datos precisos.

—Ya, pero no estamos hablando de acciones.

—Siguen siendo datos, estoy seguro porque son concretos.

—¿Tanto como para apostar por ella con tu vida?

Uno de sus hombres caminó hasta posarse detrás de mí, la inconfundible dureza y frialdad del cañón presionándose contra mi nuca y haciendo a mis pulmones cerrarse.

Genial. No eran ni las doce del día y ya me habían amenazado con un arma dos veces.

Michael dio un salto al ver el arma tan cerca de sí y se alejó, mientras Louis maldijo por lo bajo. ¿La desventaja de acudir a negociar a terreno inexplorado? Que podían volarte los sesos con solo jalar del gatillo.

—Sí —logré articular, esperando que no notara el miedo que impregnaba mis palabras.

Me miró largamente sin que su gorila dejara de apuntarme con firmeza.

—De acuerdo. —Hizo una seña y el hijo de puta que permanecía detrás de mí se alejó, permitiéndome volver a respirar—. Conozco a Rick desde hace tiempo y sé que valora demasiado su cabeza para ponerla en riesgo. Así que acepto el trato con esas condiciones, *por el momento*.

—Exc...

—Pero tú serás la garantía. —Me señaló con un dedo—. Tú responderás por cualquier incumplimiento o falla en tu proyección, ¿entendido?

Quise bufar. No importaba cuánto tratara, siempre terminaba embarrado hasta las rodillas en la mierda de Rick.

—Entendido.

—Con tu vida, niño. Yo no juego.

¿Hasta las rodillas? Corrección, estaba embarrado hasta el cuello.

Leah emitió un sonido de sorpresa cuando casi choqué contra ella al salir de mi complejo de apartamentos.

Era extraño verla luego de nuestro último encuentro desastroso en las cabañas de Rockport una semana atrás. La había evitado incluso en la universidad, demasiado enfrascado en mis problemas con Rick.

—Lo siento —dijo apenada y me miró de arriba abajo—. ¿Saldrás?

Agité mis llaves a la altura de sus ojos, tintineando metal contra metal. Mentiría si dijera que me desagradaba verla ahí, pero luego de su forma tan brusca de rechazarme, no sabía si quería someterme a otro juego de *adivina si te quiero o no te quiero.*

—¿A dónde vas?

—¿Qué haces aquí?

—¿Puedo ir contigo? —su tono estaba tildado de súplica igual que sus bonitos ojos.

La miré escéptico. Mi orgullo aún escocía por nuestro último encuentro y se mostraba renuente a someterse a otro de sus desplantes.

—¿A qué has venido, Leah?

—Quiero hablar contigo —respondió con esa determinación inquebrantable que ya reconocía en ella.

—¿Sobre qué?

—No voy a decírtelo en una maldita acera —espetó cruzando los brazos sobre el pecho.

—No soy sordo, te escucho a la perfección, incluso con el ruido de la calle.

—Alex. —Ahí estaba de nuevo ese atisbo de súplica bajo su determinación y parecía tan agitada que solo con verla a los ojos supe que había perdido la contienda.

Leah tenía una cierta forma de mirarme que la hacía obtener todo lo que quisiera de mí, simple y sin vacilación, incluso antes de ser consciente de que mi resistencia se había ido al carajo. Si la pequeña arpía lo sabía, no tenía idea, pero le funcionaba muy bien. Contuve una risa maliciosa cuando una idea se plantó en mi mente. La escucharía, pero antes la haría sufrir un poco como venganza por lo de la cabaña.

—De acuerdo, sube.

No tardó en montarse en mi auto con una sonrisa.

Conduje en silencio, pero podía percibir la tensión bullir entre nosotros, como una bomba a punto de explotar. Giré para llegar a mi destino y no tardé en alcanzarlo.

—¿Qué hacemos en el aparcamiento de un Walmart? —preguntó cuando me detuve en el lugar casi desierto—. ¿Venías a hacer las compras? —Deslizó una sonrisita burlona que me moría por besar.

—Tú estás a punto de ganarte el privilegio de que te escuche —apagué el auto—, y yo estoy a punto de vivir el *momento* de mi vida.

—¿Qué?

Le lancé las llaves de mi Challenger y las atrapó entre sus manos.

—Voy a enseñarte a conducir mi auto propiamente. —Me miró confundida, con el ceño fruncido.

—No pien...

—Lo harás si quieres que te escuche —la corté—. No puedes vivir sin saber conducir un estándar, así que te estoy haciendo un favor. Si logras encenderlo y dar la vuelta por el estacionamiento, voy a escucharte.

Endureció sus facciones, colocando esa expresión de determinación que me encantaba.

—No lo haré, no seré tu bufón personal.

—Como quieras. Entonces bájate. —Estiré el brazo para alcanzar mis llaves.

—¿Qué? —Palideció, retirándolas de mi alcance.

—Si no lo harás y no tienes nada que decirme, bájate —la insté solo para irritarla, porque la faceta molesta de Leah era mi mejor estimulante.

—¿Vas a dejarme aquí?

—Sí, y si no te bajas, te cargaré sobre el hombro como la última vez.

—No te atreverías —me retó entornando los ojos.

—¿Ah no? —Elevé las cejas, desafiante.

—¡De acuerdo, bien! —Hizo puño las llaves y bajó del auto al tiempo que yo lo hacía también.

Se montó sobre el asiento del piloto y lo ajustó hasta estar cómoda.

—Un poco más adelante y te estrellas contra el vidrio —me burlé.

—No tienes tanta suerte.

—Al parecer no. —Me miró ofendida antes de insertar la llave y coloqué una mano sobre la suya, provocando que alzara la vista hasta mí—. Tranquila, yo soy quien no quiere salir volando por el parabrisas, así que tómalo con calma, no queremos caer en una zanja otra vez, ¿o sí?

—Aprendo bastante rápido. Voy a sorprenderte.

—Nunca has dejado de hacerlo.

Algo brilló en sus orbes y recé porque nada le ocurriera a mi bebé en manos de aquella neurótica.

Apreté su mano en el arranque para detenerla y evitar que estrellara el auto contra un poste. Volvió a mirarme confundida.

—¿Qué pasa?

—Escucha el motor —le indiqué—. Es diferente a una transmisión automática. Necesitas escuchar el ruido que hace.

La cara de confusión y nerviosismo de Leah no tenía precio. Adoraba saber el impacto tan profundo que tenía en ella mi cercanía, no importaba lo mucho que se esforzara por ocultarlo. Así que tomé ventaja de ello y acaricié el dorso de su muñeca con mi pulgar, percibiendo el latir de su corazón acelerado bajo la piel.

—Este es un buen lugar para hacerlo —dije y alzó la vista hacia mí, alarmada. Contuve las ganas de reírme—. Enseñarte. El piso es plano y nivelado.

—*Okay*.

—Enciéndelo.

Se puso el cabello tras la oreja y noté el color que teñía sus mejillas. Estaba tan nerviosa que quise sonreír.

—Ahora solo pon atención —susurré, llevando mi mano hasta posarla sobre su rodilla. Volvió a escrutarme escandalizada, pero evité sus ojos—. Pon un pie en el freno. Este en el embrague. —Golpeé ligeramente su muslo con mi palma, pero no retiré la mano. Noté el calor que irradiaba su piel a través de la tela, y la forma en que su pierna se tensaba y flexionaba bajo mi tacto. Las memorias de sus largas y torneadas piernas enredadas en mi cintura mientras la tomaba hicieron a mi polla despertarse. Eran una maravilla.

Me incliné más hacia ella. Su cuerpo se paralizó y mi sonrisa se ensanchó.

—Estás presionando demasiado. —Apreté su muslo en un gesto sugerente, disfrutando de la forma en que dejó de respirar. De repente, mi semana de mierda no parecía ser tan mala con esta nueva fuente de poder que explotaría sin pensarlo dos veces—. Toma la palanca.

—¿Cuál palanca?

—Esta. —Moría por llevarla hasta mis pantalones y que tomara la que rogaba por ella, pero me abstuve—. Ponlo en primera.

—¿Cuál... cuál era esa? —preguntó con voz ahogada.

—Quita tu pie del embrague. Luego usa el freno... —arrastré mi mano con deliberada lentitud desde su muslo hasta su rodilla, apretándola—, hasta que sientas algo vibrar. Ese es el punto que estamos buscando.

—Siento algo vibrar —murmuró y requirió todo de mí no reírme—. ¿Cuál era la primera?

—Esta. —Tomé su mano y la guie hasta acercarla peligrosamente a mis pantalones, notando su agitación y deleitándome con la sorpresa en su cara antes de desviarme, colocar su palma sobre la palanca y mostrarle el movimiento.

Leah estaba tan alterada que soltó el freno y mi auto avanzó un par de centímetros de donde lo había aparcado.

—Necesitas tomarte tu tiempo —dije con parsimonia, determinado en comprobar cuánto podía empujarla con mis comentarios sugerentes antes de que llegara a su punto de quiebre—. Ir demasiado rápido no te ayudará a avanzar. Hazlo con calma, deja que tome potencia y la cosa se caliente...

Apretó con tanta fuerza el volante que pensé que lo arrancaría, pero continuó andando en primera un par de metros más.

—Cambia a segunda —ordené acariciando su pierna al tiempo que ella obedecía y el auto tomaba velocidad. Arrastré mi mano sobre su muslo con fingido desinterés, sin despegar mi vista del frente y notando la manera en que su pierna se tensaba más con cada centímetro que subía.

—¿Qué estás...?

—Pon atención al frente —la reprendí cuando se giró para mirarme y obedeció a regañadientes, girando por el parqueadero. Continué tocando esa parte sobre la ropa, hasta que mis dedos rozaron el interior de sus muslos, acercándose peligrosamente a su sexo.

Emitió un sonido bajo que no supe si era de placer o de exasperación.

—Deja de molestar. No puedo concentrarme así.

—¿Quién está molestando? —Presioné mis dedos sobre el interior de su muslo, a unos centímetros de su sexo, y ella dio un respingo—. Estoy enseñándote —contesté ronco—. No pares, sigue conduciendo.

Su cuerpo vibró cuando ajusté mi mano para acariciar su centro sobre la ropa y sentir el calor que desprendía. No era el lugar ni el momento para hacer estas cosas, y lo último en lo que debería pensar mientras Leah conducía era en lo bien que se sentiría enterrarme dentro de ella, lo mucho que quería sentirla explotar alrededor de mi polla. Arrastré mi anular por esa parte cálida y palpitante, arrancándole un gemido para después frenar en seco. Estuvo a nada de sacarme volando por el parabrisas.

—Para, sé lo que estás haciendo. —Se giró encarándome.

—¿Enseñarte? —musité con inocencia retirando mi mano.

—Estás distrayéndome.

—¿Soy una distracción para ti, Leah? —Enarqué las cejas, sugerente, y ella enrojeció.

—Se supone que estás enseñándome a conducir y *tu ayuda* no está funcionando.

—Estoy muy comprometido en ayudarte —dije con coquetería y desvió la mirada, alterada.

—Eres el peor maestro del mundo entonces.

—Eso dolió. —Me toqué el pecho y reí cuando ella también lo hizo—. De acuerdo, creo que ya te torturé bastante. ¿Qué querías decirme?

Toda la diversión se desvaneció de su rostro para ser reemplazada por preocupación, o arrepentimiento, o una combinación de ambas.

—Quería pedirte perdón.

La miré sin comprender.

—¿Por qué?

—Por... por lo de la cabaña. —Sus ojos brillaban con un gris claro, vivos, sinceros; sus mejillas teñidas de rojo y vulnerable bajo el peso de sus palabras—. No debí reaccionar así, ni decir esas cosas.

—No tienes por qué reprimir lo que sientes. Sé que te aterra que los demás se enteren, así que está bien si no quieres arriesgarte más, está bien si quieres dejarlo. —Sentí un pinchazo en el pecho, pero sabía que debía dar un paso atrás y repetirme todas las razones por las que esto no funcionaría de todas formas.

—No quiero dejarlo, es el punto.

—¿Qué? —pregunté impactado.

—Me gusta esto que tenemos, no quiero perderlo. No me avergüenzo de ti o de... esto. —Nos señaló con un dedo—. Quiero probarlo, ver hasta dónde podemos llegar.

La contemplé impresionado.

—¿Y Jordan?

—Hemos terminado —confesó—. O al menos por mi parte.

—¿Por qué terminaron?

—Por muchas razones. —Se encogió de hombros.

Asentí absorbiendo la nueva información y regodeándome en saber que yo tenía razón, que como había predicho, la relación estaba destinada a fracasar. Jordan era uno de esos *hombres buenos y ejemplares*. El tipo de hombre que regresaba a casa con su mujer, un hogar lleno de hijos y un plato de cena caliente esperándolo en la mesa. No había conversación profunda, ni riesgo ni espontaneidad, solo la rutina y la tradición. Debía haber algo cómodo y seguro en ello, pero eso jamás sería suficiente para Leah. No para alguien que tenía el espíritu de una conquistadora, para alguien que amaba un buen reto, superarlo, hacerlo suyo e ir tras uno nuevo.

No para alguien tan cambiante, apasionada e indómita como Leah McCartney.

—¿Soy una de esas razones?

Me escrutó en silencio.

—Sí —dijo al final y la tensión en mi estómago volvió.

—¿Qué quieres decir?

Tomó aire inflando el pecho, con los rayos del sol descendente iluminando un lado de su cara y transformando sus pigmentados orbes en fragmentos de colores: gris, negro, verde, azul.

—Que estoy enamorada de ti, Alex.

La declaración me pilló por sorpresa, haciendo a mi corazón aumentar sus latidos. La fuerza de Leah engullida por la vulnerabilidad y reflejada en la mirada que me dedicaba y que no podía descifrar. Sentí la urgencia de rodearla con mis brazos y, al mismo tiempo, la necesidad de llevarla hasta el asiento trasero para colocar sus piernas sobre mis hombros y follarla hasta hacerla gritar. Siempre estaba atrapado entre fuerzas opuestas cuando se trataba de ella. El pasado y el futuro, enemigos y amigos, arrepentimiento y satisfacción, fracaso y triunfo, odio y...

—¿Cómo sé que no cambiarás de opinión al segundo siguiente y me alejarás?

Soltó el aire que había estado conteniendo y sonrió.

—No lo haré.

—¿Cómo sé que no me empujarás en el momento en que ponga una mano aquí? —Me incliné, estirando la mano para posarla sobre la suya, antes de que mis dedos viajaran por su brazo hasta posarse sobre su pómulo y atraerla hacia mí.

—No lo haré —repitió mirándome con determinación y algo más, algo que hizo a mi pecho vibrar.

—¿Cómo sé que no sentirás repulsión cuando haga esto? —Fijé mi vista en su maldita boca y llevé mis labios hasta los suyos, deleitándome con el suspiro que emitió, derritiéndose bajo mi tacto y permitiéndome besarla. Lento, deliberado y lleno de afecto.

—¿Cómo sé que no dirás que no deberíamos estar haciendo esto? —susurré sobre sus labios, pegando mi frente contra la suya.

—No lo haré —musitó sonriendo y volví a besarla, vaciando en esos besos todas las emociones que se habían mantenido reprimidas dentro de mí, tomando su labio entre los míos y succionándolo.

—¿Cómo sé que no me dirás que pare? —dije separándome apenas, tratando de recuperar la respiración.

—No pares —me cortó con ímpetu, colocando sus manos a los lados de mi cara para volver a besarme, deseosa y demandante; el contacto tornándose más apasionado y menos cauteloso.

Se movió con agilidad hasta pasar sus piernas por la consola de los cambios y terminar sentada a horcajadas sobre mí, sus rodillas ancladas a ambos lados de mis caderas mientras sus manos vagaban por mi cuello, erizando los vellos en mi nuca, y sus dedos alcanzaban mi cabello hasta enredarse en mis mechones. Sus pechos se presionaban contra mi tórax, fundiéndose contra mí a medida que su lengua acariciaba la mía con avidez, enredándose en un sensual encuentro.

La presioné más contra mi cuerpo arrancándole un gemido cuando se movió sobre mi erección, generando una placentera sensación en la boca de mi estómago al tiempo que arrastraba una mano por la cálida piel de su espalda, con la otra rozando la cintura de su pantalón y el inicio de sus nalgas. Sus curiosos dedos viajaron a mi abdomen, pero su sabor en mi lengua era todo lo que necesitaba.

Aquello era inesperado, pero no del todo. La primera vez que tuve una erección por ella, me masturbé pensando en ella y casarme con ella fue algo *inesperado*. Pero ahora, habíamos luchado para estar ahí, o para *no* estarlo, para no llegar hasta este punto, sin poder evitarlo. Cualquiera que fuera el caso, era la primera ocasión en mucho tiempo que sentía que estaba en el lugar indicado.

Tracé un sendero con mis labios por su mentón, su cuello, percibiendo el vibrar de su gemido a través de la piel de su garganta. Abrí su chaqueta y la deslicé por sus hombros, ansioso por...

El ruido seco de tres golpes contra el vidrio nos hizo saltar a ambos. Leah soltó una maldición cuando su cabeza se estrelló en el techo por la impresión. Me tomó un par de segundos mirar a través de los cristales empañados y maldije también. Bajé la ventana para regalarle mi sonrisa más condescendiente al agente de seguridad de Walmart, quien nos lanzó una mirada acusadora.

—Lamento interrumpirlos —dijo mordaz—, pero este no es lugar para ese tipo de conductas indecorosas.

Leah se apresuró a acomodarse la chaqueta sobre los hombros, pero no se movió de mi regazo.

—Estaba ayudándola a resolver un problema, señor —expliqué lo más cordial que pude.

—Oficial para ti, hijo. —Mostró su placa de cobre como si fuera de oro, pero no perdió su severa faceta—. Me temo que tendré que dar vista a las autoridades para...

—¡No! —saltamos ambos, alterados.

—Deben multarlos por perpetrar exhibiciones prohibidas por la ley.

—No nos estábamos exhibiendo —argumenté, antes de que Leah me diera un golpecito en el hombro.

—No estábamos *perpetrando exhibiciones prohibidas por la ley,* oficial, solo estaba ayudándome con el cierre de la chaqueta, eso es todo. —Le dedicó al hombre fofo su sonrisa más inocente y brillante.

—Me di cuenta de ello.

—¿Cuánto tiempo nos estuvo viendo? —inquirí recriminándolo—. ¿No es eso ilegal también?

Se removió incómodo, con la punta de sus orejas enrojeciéndose. Carraspeó.

—Bien, pueden irse. No veo necesario levantar la multa, pero no lo vuelvan a hacer —advirtió señalándonos con un dedo—. Ahora largo.

—A la orden, capitán —me burlé.

—*Oficial* —recalcó señalando una vez más su placa, antes de dar la vuelta y retomar su posición junto a la puerta del supermercado.

Observamos la escena pasmados por un par de momentos más, antes de mirarnos y echarnos a reír; los hombros de Leah sacudiéndose con cada carcajada. Había algo que me gustaba más que la faceta molesta de ella y era justo lo que tenía enfrente. Sorbió por la nariz y soltó el aire, calmando su agitación.

—Quizás sí debí detenerte esta vez. —Se limpió las lágrimas de risa con la mano.

—Sí, tal vez debiste hacerlo —coloqué mis manos en su cintura y empecé a acariciar sus costados con mi pulgar—, pero estás olvidando la parte más importante.

Enarcó las cejas en una interrogante muda.

—Que me importa un carajo dónde estemos.

Volvió a reírse antes de inclinar su cabeza para besarme, para hacer que el mundo y sus problemas desaparecieran solo con un puto beso que agitó mi corazón y extinguió todo lo que no fuera ella… mi esposa.

# 33
# JUEGOS SUCIOS

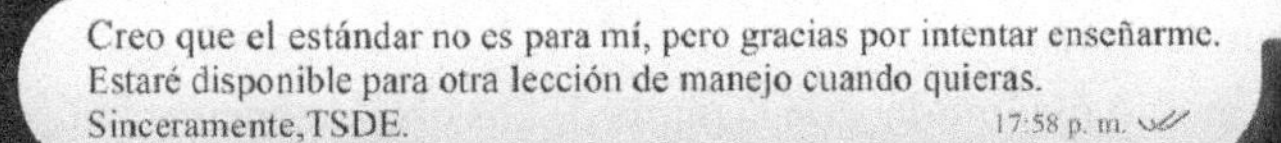

Creo que el estándar no es para mí, pero gracias por intentar enseñarme.
Estaré disponible para otra lección de manejo cuando quieras.
Sinceramente,TSDE.
17:58 p. m.


Envié el mensaje y dejé el móvil a un lado para concentrarme en el montón de proyectos que se me venían encima ahora que estábamos a nada de entrar a los finales. Apenas comenzaba a trabajar en un reporte sobre los incoterms y sus modalidades de uso cuando el artefacto vibró sobre mi cama.

**MSOE**

¿TSDE? ¿Te sientes bien? ¿Tuviste algún espasmo mientras escribías el mensaje? 18:06 p. m.

No, lo escribí muy consciente. 18:07 p. m.

¿Qué significa? 18:07 p. m.

Tu Siempre Dispuesta Esposa. 18:07 p. m.

Mi corazón se aceleró y los nervios florecieron. Respondió luego de dos minutos en los que pensé que moría.

Podría dedicar mi vida a enseñarte y, aun así, seguirías estrangulando el embrague con tus torpes pies. 18:10 p. m.

¿Toda la vida? Suena como una buena propuesta. 18:10 p. m.

Fruncí el ceño observando el mensaje, con la anticipación plantándose en la boca de mi estómago. Decidí que quería verlo una vez más y no deseaba esperar hasta el lunes, así que lancé el anzuelo.

¿Irás a la cena de los Graham?
18:15 p. m.

No, ¿por qué? 18:16 p. m.

El pinchazo de la decepción no tardó en hacerse presente, pero lo disipé para adherirme al plan B.

Mis padres me han invitado y los escuché decir que los tuyos también estarán ahí.
18:16 p. m.

¿Y qué? 18:16 p. m.

Curiosidad. Quería estar segura de que tu fea cara no me arruinaría la noche.
18:17 p. m.

¿Verme ahí te arruinaría la noche?
18:17 p. m.

Sí, como no tienes idea.
18:17 p. m.

Esperé que leyera entre líneas.

Entonces iré. No quiero perder la oportunidad de ponerte de mal humor, arpía.
18:18 p. m.

Sonreí, la victoria escrita en el gesto que no tardó en desvanecerse cuando Erick entró a mi habitación con el semblante serio.

—¿Interrumpo? —inquirió desde el umbral.

—No, pasa. —Bloqueé el móvil y lo dejé sobre la cama.

—¿Alexander? —Señaló mi celular con un movimiento de la cabeza.

—¿Se nota tanto?

Mi hermano soltó una risita.

—Bastante. —Se sentó al borde de la cama y me miró con curiosidad—. ¿Cómo van las cosas entre ustedes? ¿Sigues en negación?

—No. De hecho... —lo contemplé un momento, sopesando mis palabras—, creo que suspenderemos el divorcio.

La sorpresa asaltó sus facciones.

—¿En serio?

—Sí, es lo que quiero.

Calibré con atención su rostro, en busca de cualquier muestra de emoción además de la sorpresa, pero continuó pasmado hasta que, de a poco, deslizó una sonrisa maliciosa.

—Entonces, ¿oficialmente serás la señora Colbourn?

—¿Puedes dejar de llamarme así?

—Es tu nombre ahora, *señora Colbourn*. ¿Tu linda suegra y tú tomarán el té en un restaurante con vista al Támesis mientras comparten chismes?

—¡Cállate!

Le lancé el cojín esperando detenerlo, pero solo sirvió para que se riera con mayor ahínco.

—Eso si no me tira al río antes —me quejé y mi hermano se tocó el estómago, partiéndose de risa.

—Me alegra que hayas decidido eso. —Tomó mi mano cuando se tranquilizó, sus ojos brillando con sinceridad—. Que luches por lo que te haga feliz.

—Gracias. Fue difícil, pero eso es lo que quiero. Es a *quien* quiero.

—No importa lo que elijas, Leah, o si las cosas se complican con nuestros padres, yo siempre estaré contigo para apoyarte, no lo olvides.

Mi corazón aceleró sus latidos ante el profundo amor que reflejaba su mirada, el mismo que sentía por él. ¿Podía tener un mejor hermano? Estaba segura de que no.

—Te adoro, con todo y tu cursi palabrería barata. —Me acerqué y le eché los brazos al cuello al tiempo que reía, reconfortándome con su cálida presencia.

—Pero antes, una cosa. —Posó las manos sobre mis hombros, alejándome—. Apoyo su relación, sin embargo, sigues siendo mi hermana, así que dile a ese tipo que le romperé hueso por hueso a la primera ocasión que te haga llorar, ¿entendido? —Me miró de esa forma que helaba la sangre y que era una perfecta copia de la mirada letal de papá en los ojos de mamá.

—Sí, sí. Entendido. Tranquilo, *Severus*.

—No estoy jugando, Leah. Le arrancaré los huevos al primer indicio de que te está lastimando —advirtió.

—Créeme, yo se los arrancaré primero si eso sucede.

—No esperaba menos de ti.

Continué sonriendo hasta que su expresión menguó, con la preocupación vislumbrándose en sus facciones.

—No has venido solo a preguntar por mi relación, ¿verdad?

—No. —Se pasó una mano por el cabello azabache, vacilante.

—¿Qué pasa?

—¿Recuerdas lo que me contaste la última vez? Sobre este tipo... Louis Balfour. —Asentí mientras me erguía, la curiosidad agudizando mis sentidos—. Bueno, contraté a alguien para que lo investigara y ha conseguido información.

—¿Qué cosa? ¿Quién es?

—Estuvo en la cárcel hasta hace unos meses. Recibió condena de veintiocho años por posesión y venta de drogas.

—¿Eso cómo se relaciona con mamá?

Erick tomó aire.

—Muchas cosas sobre su expediente criminal son clasificadas y han sido censuradas.

—Pero eso sucede con todos los datos sensibles de los sentenciados y las víctimas, ¿no?

—Sí, lo sé. Lo que trato de decir es que su expediente está incompleto, como si hubiesen clasificado más información de la que normalmente se censura.

—¿Eso es posible?

—Si pagas la cantidad correcta, sí.

—¿Entonces este tipo es alguien influyente? ¿Eso tratas de decirme?

—No sé si él lo es, pero su padre seguro que sí.

—¿Quién es su padre?

—Demian Balfour.

Ese nombre no provocaba ninguna sinapsis en mi cerebro.

—Era el director de la universidad donde estudió mamá. Supongo que un escándalo como el arresto de su hijo no era algo benéfico para su imagen, así que debió encargarse de manejar todo con discreción para mantener un perfil bajo.

—Pero ¿por qué dejar a la vista el delito de tráfico de drogas si lo que quería era evitar un escándalo? ¿Por qué no censurar eso en primer lugar?

—Tal vez porque hay un delito peor —argumentó mi hermano, mirándome con un deje de inquietud que no tardó en transmitirme—. Quiero decir, es posible. La condena que recibió no coincide con la que le impondrían a cualquier otro solo por tráfico, es demasiado alta.

—Además, eso no se relaciona de ningún modo con mamá, ni tampoco explica por qué papá se alteró tanto cuando Bastian le confesó que había salido. —Retorcí un mechón de cabello entre mis dedos, cada vez más exasperada por la falta de claridad en todo ese meollo.

—Puede que exista una relación —soltó de pronto—. La persona que contraté encontró dentro de sus antecedentes que había dejado inconclusa la carrera de medicina, aparentemente en la misma época en la que mamá estudiaba, en la universidad que regía su padre.

—¿Crees que hayan coincidido? —Mi hermano asintió con cautela—. Tienes razón, es lo más probable, de otro modo no entiendo cómo pudieron conocerse. Lo que aún no comprendo es, ¿qué pasó entre ellos para que mamá no pueda siquiera escuchar su nombre?

—¿Un exnovio tal vez? —sugirió poco convencido—. Quizás la metió en problemas relacionados con el tráfico y por eso hay tanto resentimiento. Puede incluso que ella lo hubiese denunciado.

—¿No conseguiste esa información?

—No —dijo con pesadez—, pero la persona seguirá investigando.

Me mordí el labio, pensativa.

—No creo que sea un exnovio. Mamá dijo que no había tenido más novios además de papá.

—Tal vez le rompió el corazón y está resentida aún, por eso no lo menciona.

—No digas estupideces. —Le di un leve empujón—. ¿Qué hay del otro tipo? El tal Óscar.

—¿Sabes cuántos Óscar hay con antecedentes penales en esta ciudad? Necesito más información que solo su nombre de pila.

—Perdón. Trataré de escuchar el chisme completo la próxima vez —dije mordaz.

—Por favor.

Volví a golpearlo con el cojín al tiempo que reía, aligerando un poco la cargada atmósfera.

—Te mantendré informada de cualquier cosa nueva que encuentre, ¿de acuerdo?

Asentí, con la preocupación extendiendo sus raíces y creciendo en mi interior como maleza. Había algo sobre todo esto que me resultaba turbio y tenebroso. Algo sobre nuestros padres no se sentía bien y necesitábamos averiguar qué era lo que les inquietaba tanto, antes de que fuera demasiado tarde para remediarlo.

El aire estaba más frío de lo que había previsto y maldije cuando me erizó la piel al descender del auto. Alguien más sensato habría optado por utilizar un vestido largo en una gélida noche de diciembre, en lugar de una prenda corta a mitad del muslo, pero era mi mejor arma para arrasar en la cena de los Graham.

—¿Segura que no quieres ir a cambiarte? —preguntó mi hermano por enésima vez cuando bajó del auto y le abrió la puerta a Claire.

—No, estoy bien —mentí sintiendo mis piernas entumecidas y me aferré a la gabardina buscando transmitirles calor, sin éxito.

Erick me miró poco convencido.

—No creo que haya sido la mejor elección con este clima.

—Se ve divina con el vestido, deja de molestarla —acudió al rescate su prometida, caminando tomada de su brazo—. Además, dentro del restaurante estará cálido.

—¿Ves? —apunté yendo a su paso—. Es elegante, bonito y adecuado para la ocasión. Es solo una cena en la que no me quedaré más de dos horas.

—¿Por qué? —preguntó Claire.

—Tengo una corazonada. —Me encogí de hombros haciendo mi mejor esfuerzo por no sonreír.

Cuando cruzamos las enormes puertas de cristal que precedían al vestíbulo, agradecí el asalto de aire cálido que me golpeó. Dentro había unos cuantos hombres y mujeres aglomerados en pequeños grupos que charlaban entre sí.

—Qué gusto verte aquí, linda —me saludó una mujer cuyo perfume me provocó un dolor de cabeza.

—Preciosa como siempre —halagó otro hombre estrechándome la mano.

—¿Tus padres han llegado ya? —inquirió alguien cuya cara no identifiqué, y justo cuando estaba lista para darme por vencida y planear mi retirada, localicé a mi objetivo.

Entró en la estancia vistiendo ese saco de seguridad e indiferencia que usaba tan bien; el porte aristocrático con el que caminaba lo hacía resaltar entre el tumulto, como si fuera demasiado bueno para estar ahí, como si se llevara el mundo por delante. Había algo abrasador, magnético y fascinante en Alexander que siempre se las arreglaba para dejarme fuera de combate.

Me preguntaba si aquella condición que había adquirido mejoraría o solo se agravaría con el tiempo. Me asustaba el alcance de mis sentimientos hacia él.

Saludó con una inclinación de cabeza a un par de personas, pero no se detuvo a charlar con ninguna, abriéndose paso hasta el ascensor. Escaneé la estancia buscando a sus padres, sin encontrarlos por ningún lado, así que decidí escabullirme también. Entró al elevador acompañado de una serie de personas y logré colarme a tiempo para posarme frente a él. Le dediqué una mirada sobre el hombro y enarcó una ceja, pero no emitió palabra.

Apreté el pequeño bolso que tenía en las manos, la vista fija en una cabeza con cabello ralo y blanco. Moví mis pies dentro de mis tacones y decidí que era hora de empezar el juego.

Me presioné contra él usando de excusa el pequeño espacio que teníamos por el montón de personas que se aglomeraban junto a nosotros. Sentí la calidez y dureza de su cuerpo, del cuerpo que comenzaba a conocer tan bien. Me removí sin despegarme, frotando mi culo en su entrepierna de manera sutil para que pareciera la acción más inocente del mundo, y noté la forma en que su pecho dejó de subir y bajar con naturalidad.

El ascensor seguía subiendo y las personas seguían charlando, ajenas a mis maquiavélicas intenciones. Podía apostar que me perforaba la nuca con los ojos desde su altura, pero no iba a girarme para comprobarlo, así que, con el corazón acelerado, aflojé el agarre en mi pequeño bolso, cada vez más y más, un poquito más, hasta que...

*Uy, qué distraída.* Se había caído al piso. Me eché el cabello hacia atrás y, sin dejar de presionarme contra él, descendí con parsimonia y lentitud, mucha, mucha lentitud para no dejar a la vista algo inapropiado. Sentí la tensión en su cuerpo a medida que me deslizaba para recoger el bolso.

La recuperé y me preparé para restregarme contra él una vez más, pero posó una mano sobre mi cintura con firmeza y sentí su respiración en mi oreja erizándome los vellos de la nuca. Entonces, *gracias al cielo*, el ascensor abrió sus puertas. Salí disparada del lugar dejándolo con las palabras en la boca. Alex era un excelente jugador en esto del *mira-quién-resiste-más*, pero después de lo de su auto en Walmart, estaba determinada a llevarlo hasta su límite a modo de vindicación. Moría por saber cuánto podía resistir antes de arrastrarlo al filo de su estúpido autocontrol.

El aire en el restaurante era mucho más frío y lo agradecí, porque la atmósfera en el ascensor estaba sofocándome. Me retiré el abrigo y se lo entregué a uno de los camareros, quien lo recibió con una sonrisa y me ofreció una copa de *champagne*. Encontré a mis padres charlando con el señor Colbourn y alguien que no reconocí. El primero inclinó la cabeza en un gesto cortés a modo de saludo. Papá y Byron no eran *amigos* propiamente, pero se toleraban más de lo que mamá y Agnes lo hacían.

La siguiente hora transcurrió sin más percances. Tomé asiento en uno de los sillones dispuestos en el vestíbulo, precediendo la larga mesa montada para la cena, de cara a una tarima donde el señor Graham daría su discurso.

La señora sentada a mi lado era esposa de Valcarce: estirada, delgada y demasiado parlanchina. Alex, por otro lado, estaba muy ocupado charlando con alguien a unos dos metros de distancia frente a mí. Se suponía que debía conducirlo al quiebre de su autocontrol, pero no podría hacerlo si ni siquiera registraba mi existencia.

Estaba por rendirme y salir de ahí para salvaguardar mi salud mental cuando mi celular vibró dentro de mi bolso.

—Disculpa —detuve a la mujer colocando una mano al frente para callarla por fin.

**MSOE**

¿No sabes cómo sentarte? Cierra las jodidas piernas, estás distrayéndome.
20:50 p. m.

Alcé la cabeza para encontrarlo mirándome desde su lugar y contuve la sonrisa de triunfo que me moría por esbozar. Revitalizada con la adrenalina que me proporcionó su atención, las abrí un poco más, solo lo suficiente para molestarlo sin que pareciera vulgar. Lo observé por un instante antes de volver a centrarme en el perico que tenía al lado.

—Entonces le dije a mi marido que no era posible cancelar nuestro viaje a Rumania, ni siquiera por su operación de riñón, pero él insistió, ¿lo puedes creer? Qué desconsiderado de su parte.

—Cre...

—¡Íbamos a perderlo!

Se calló otra vez cuando leí el nuevo mensaje de Alex.

Hablo en serio, cruza esas piernas si no quieres que arruine ese bonito vestido.
20:53 p. m.

¿Perdona? No quiero montar una escena.
20:53 p. m.

Si sigues así, lo único que montarás es a mí, Leah.
20:54 p. m.

Algo cosquilleó en mi bajo vientre ante la incitante promesa. Alcé la cabeza para encontrarlo charlando como si nada, como si no estuviese prometiendo cosas tan indecentes a solo unos metros de distancia.

No pude responder porque una mujer de gesto severo y apretado moño ataviada en un sencillo vestido me tocó el hombro.

—Pasen a la mesa, por favor —pidió con voz amable—. La cena se servirá ya.

Le agradecí internamente por alejarme de aquel perico andante y me senté junto a mis padres, con mamá a la derecha y Erick a la izquierda. Los planetas parecieron alinearse y el universo me sonrió cuando Alex y sus padres se sentaron justo frente a nosotros. Tal vez el señor Graham lo había hecho a propósito, o tal vez era mi día de suerte. Cualquiera que fuera la razón, no iba a desaprovecharla. Mi esposo me evaluó desde su lugar con ojos insondables, sentado a la izquierda de su madre.

El señor Graham subió a la tarima que habían dispuesto para el discurso. Dio un par de golpecitos al micrófono antes de hablar.

—Es un honor tenerlos a todos aquí —comenzó con diplomacia, su enjuto cuerpo recto—. Nada de esto habría sido posible de no ser por los hombres y mujeres sentados aquí hoy. Gracias a la coalición creada, hemos conseguido que el gobierno federal apoye el proyecto y...

Todos los ojos estaban centrados en él, incluyendo a Alex que se había girado en su silla para prestarle atención. Me mordí el interior de la mejilla y estiré mi pie bajo la mesa hasta encontrar el suyo. No mostró indicio de notoriedad, así que continué. Acaricié el costado de su zapato con mi tacón, presionándolo apenas, y ascendí por el borde de su pierna. No tardó en girar la cabeza para mirarme con intensidad. Sonreí con malicia antes de que volviera a concentrarse en el anfitrión sin ninguna otra emoción. Seguí molestándolo mientras Graham recitaba su discurso, manteniendo al resto de las personas ocupadas.

Envalentonada por lo excitante de la situación, decidí aprovechar nuestra cercanía y la delgadez de la mesa para llevarlo a otro nivel. Retiré mi pie y me apresuré a quitarme el zapato, deslizarme un poco más sobre la silla y volver a colocarlo donde antes, acariciando la piel de su tobillo con mis dedos. La tensión en su pierna se hacía más notoria a medida que mi curioso pie subía por la tela de su pantalón, hasta su rodilla y cerca de su muslo, donde dibujé lentos círculos, protegida por el largo mantel que *gracias a Dios* cubría la mesa.

—El proyecto cuenta con el apoyo de la constructora Marston —refirió el señor Graham señalando al aludido, quien se puso en pie con el resto de su familia para ser vitoreado por todos los presentes.

Aplaudí sin dejar de tocar la pierna de mi esposo, colocando mi mejor máscara de impasibilidad mientras la humedad aumentaba en mi centro. Atrapé a Alex tecleando algo en su celular antes de volver a ignorarme.

Para ya. 21:10 p. m.

¿Por qué? ¿Estoy distrayéndote? 21:10 p. m.

Dejé el celular sobre la mesa para aplaudir cuando el anfitrión agradeció a alguien más.

Para, a menos que quieras que te folle aquí mismo para demostrarles a tus padres lo feliz que te hago. 21:12 p. m.

Me dedicó una mirada de advertencia que prometía mucho más.

Mi corazón latió fuerte y férreo contra mi pecho presa de la excitación. Lo más sensato era parar, pero no quería hacerlo, estaba disfrutando de esto, de notar la tensión en su cuerpo y percibir el calor que se construía entre nosotros.

—Gracias también a las industrias Colbourn por sus concesiones. —Byron y Agnes se pusieron en pie al instante, mientras Alex palidecía tanto como un papel.

Ahogué una risa retirando mi pie mientras su madre le hacía una sutil seña con la cabeza para que se levantara también. No tenía que ser un genio para saber que su pantalón parecía una carpa de circo por lo excitado que estaba. Se acomodó con disimulo su *notoria incapacidad* para incorporarse y se puso en pie para ser vitoreado junto a sus padres. Cuando volvió a sentarse, me miró severo antes de teclear algo.

Pagarás muy caro por eso. 21:15 p. m.

Dejó el aparato sobre la mesa y se cruzó de brazos sin quitarme los ojos de encima.

No será tan fácil. Lucharé y me resistiré.
21:15 p. m.

Me mordí el labio, sosteniéndole la mirada.

—Gracias a las industrias McCartney por proveer la metalurgia necesaria. —Registré la voz del anfitrión y me incorporé junto a mi familia, escondiendo bajo la mesa mi pie descalzo. Cuando volví a sentarme, leí el nuevo mensaje.

Gritarás y suplicarás también.
21:16 p. m.

Aquello envió una descarga eléctrica por todo mi cuerpo, dejando un delicioso hormigueo a su paso.

—De nuevo, gracias a todos. Reitero que esto no habría sido posible sin ustedes. Disfruten de la velada, por favor. —El hombre bajó de la tarima entre aplausos y tomó su lugar junto a su familia, a la cabeza.

Los meseros comenzaron a servir la cena enseguida. Me coloqué el zapato y antes de comenzar a comer, decidí lanzar mi última bomba de guerra.

¿Eso es un castigo? Porque suena como un premio.
21:20 p. m.

Te has comportado terrible, tocándome y provocándome frente a todos. ¿Qué crees que te merezcas más?
21:20 p. m.

Me mordí el labio levantando mis ojos hacia él, solo para percatarme de que ya tenía los suyos clavados en mí.

Me merezco un premio, eso quiero.
21:21 p. m.

Y yo quiero inclinarte sobre mis piernas en esta mesa y azotarte el culo por insolente, pero no todos nuestros deseos se nos cumplen, ¿cierto?
21:22 p. m.

Puede que a ti se te cumpla uno, Colbourn.
21:23 p. m.

¿Ah sí? ¿Cuál? 21:23 p. m.

Bingo.

No llevo ropa interior.
21:24 p. m.

Sirvieron mi plato, pero su reacción, que fue inmediata, no pasó desapercibida.

—¿Podrías ya dejar de mensajear? —escuché a Agnes reprenderlo—. Quienquiera que sea puede esperar.

Nunca comprendí cuál era la obsesión de Alex con que yo no llevara bragas o ropa interior en general, si de todas formas terminaba despojándome de ella. De cualquier manera, no podía quejarme ahora que había descubierto cómo usarlo a mi favor. Un hambre distinta tiñó sus bonitos ojos, predatoria y voraz cuando los fijó en mí.

Pensé que había llegado al punto de quiebre de su control y estaba por regodearme en ello cuando se centró en su comida, ignorándome. La decepción me pinchó el pecho.

Comimos en distintos tiempos y entre charlas banales con Claire y Erick. Asumí que había perdido todo el interés porque no volvió a mirarme el resto de la cena, y estaba lista para irme a casa sintiéndome derrotada en mi propia estrategia cuando el celular vibró sobre la mesa mientras servían el postre.

Nos vamos. Ahora. Te veo afuera en diez.
21:55 p. m.

Susurró algo al oído de Agnes, quien asintió. Alex se puso en pie y abandonó la sala.

Fijé mi vista al frente tratando de tranquilizarme, a mí y a todas las hormonas que se agolparon en mi vientre, saltando por todas las posibilidades.

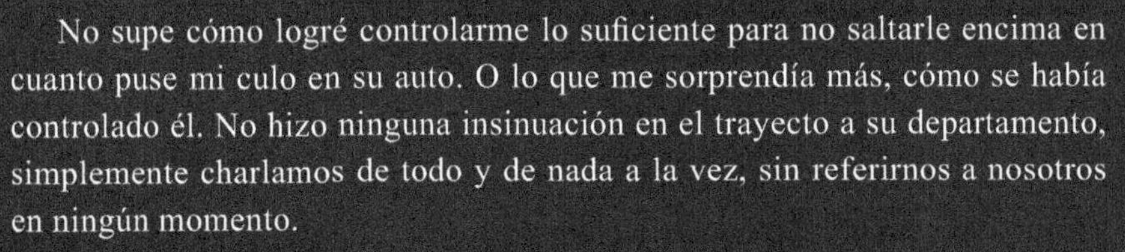

# 34
## DULCE VENGANZA

*Leah*

No supe cómo logré controlarme lo suficiente para no saltarle encima en cuanto puse mi culo en su auto. O lo que me sorprendía más, cómo se había controlado él. No hizo ninguna insinuación en el trayecto a su departamento, simplemente charlamos de todo y de nada a la vez, sin referirnos a nosotros en ningún momento.

Ahora, mientras se servía un vaso de agua y bebía de él en su cocina, me pregunté de nuevo si había perdido el interés. El miedo se sintió frío sobre mi vientre en contraste con la expectación de antes.

—Me sorprendiste —dijo de pronto dejando el vaso sobre la barra, con una sonrisa jugando en la comisura de sus labios.

—¿Por qué?

—Por lo que hiciste toda la noche. —Se quitó el saco y lo colocó con pulcritud sobre el respaldo de una de las sillas de su mesa. Aflojó el nudo de su corbata y comenzó a desabotonar las mangas de su camisa al tiempo que se acercaba con jovialidad.

—¿Qué hice? —fingí demencia.

—¿Asistir a una cena con un centenar de personas sin ropa interior? Muy descarado de su parte, señorita McCartney.

—Soy la señora Colbourn ahora —aclaré y sonrió.

—Me gusta verte haciendo cosas malas, Leah. —Se detuvo a un palmo de distancia, sus manos rodeando mi cintura—. Eres una chica tan buena siempre.

Sonreí tocando su pecho, impregnando mis palmas de su firmeza y calidez. Se inclinó y cerré los ojos por inercia para besarlo, antes de ser recibida por la nada. Sus labios rozaron mi mejilla, la línea de mi barbilla y luego bajaron por mi punto de pulso.

—Los hombres somos muy visuales —susurró en mi oído antes de separarse y girarme en un rápido movimiento, dejando mi espalda contra su torso—. Pero yo tengo una gran imaginación, ¿sabías? Confieso que pensaba en ti incluso antes de que folláramos. Pensaba en lo estrecha que serías —sus manos se arrastraron desde mi cintura hasta mis pechos, apretándolos—, en la forma de tus tetas, el color de tus pezones. —Enganchó sus índices en los tirantes de mi vestido, dejándolos caer por mis hombros un momento, para luego halar de ellos hasta dejar al descubierto la parte superior de mi cuerpo—. Pensaba en cómo te verías cuando te corrieras.

Un sonido forzó su camino desde mi garganta cuando presionó sus labios sobre mi cuello, suaves y expertos. Sentí la estancia caliente, mi respirar tornándose elaborado y la necesidad de él volviéndose más intolerable a medida que continuaba tocándome.

—Pensaba en cómo sabrías y cómo se sentiría tu cuerpo deslizándose contra el mío —gemí cuando me pegó más contra él, su respiración en mi cuello—. Te imaginaba tendida debajo de mí, montándome, o inclinada sobre una silla o una mesa mientras te jodía por detrás. —Posó una mano sobre mi espalda y, sin aviso, dobló mi cuerpo hasta que mi cara terminó sobre la superficie de madera de su comedor.

Jadeé con sorpresa y anticipación, con el material frío endureciendo mis pezones.

—Y después, cuando *supe*... —Calló y mis pies se retorcieron dentro de mis tacones, la tensión en mi cuerpo matándome.

—¿Esta es otra de tus perversas fantasías? —lo molesté con la mejilla contra la madera a modo de broma.

Soltó una risita baja que me hizo estremecer. Me preparé para lo que vendría a continuación.

—Estás ansiosa, Leah.

Sí, claro que estaba ansiosa. Había jugado ese maldito juego cocinando a fuego lento mi deseo toda la noche, ahora lo único que quería era llegar a su culminación.

—Pero necesitas modales.

Tomó mis manos entre las suyas y noté tela sobre mis muñecas, apresándolas e inmovilizándolas.

—¿Qué dem...?

—¿Tu madre nunca te enseñó que era de mala educación provocar? —Su voz ronca mientras terminaba de hacer el nudo, ciñéndolo con fuerza.

La sensación era extraña y un atisbo de pánico me invadió por un momento ante mi vulnerable situación, con una pizca de expectación entremezclándose con todas esas nuevas emociones.

—No, no me lo enseñó —respondí, y vibré con el sonido gutural que emitió.

Me giró, mis muñecas presas tras mi espalda y mis piernas colgando sobre la mesa. El deseo impreso en sus orbes, observándome con atención, maravillado.

—Excelente, porque pienso enseñarte.

Iba a tomarse su tiempo. Lo sabía, lo conocía bastante. Alex era una de mis materias favoritas y lo había estudiado *tan duro*; él me había enseñado *tan* bien. Era su venganza por provocarlo durante toda la noche y ahora estaba determinado a escucharme suplicar, a conducirme hasta el punto en que me estremecía en ansia y balbuceaba cosas como «Alex, por favor, por favor» una y otra vez. Era así de cruel.

Se inclinó sobre la mesa apoyándose en sus palmas, su cuerpo entre mis piernas y su rostro tan cerca del mío que su respiración chocaba contra mi cara. Pareció a punto de agotar la distancia entre nosotros para besarme, pero volvió a engañarme dejando a mis labios fríos al descender por mi clavícula con su aliento formando un sendero que me erizaba la piel. Dejé caer la cabeza sobre la madera cuando su boca se cerró en torno a uno de mis pezones, mi espalda arqueándose por instinto buscando las exquisitas sensaciones que desencadenaba su lengua cuando la rozaba contra la sensible superficie, para después morderla.

Gemí alto cuando creó un camino de deseo húmedo hasta mi otro pecho, succionando del pequeño pezón al tiempo que sus curiosas manos acariciaban mis muslos subiendo la tela de mi vestido. Moví la cabeza para intentar besarlo cuando se incorporó, pero fallé. Lucía excitado, pero tan jodidamente compuesto que me sentí ridícula en comparación, porque yo debía ser un desastre tembloroso y ansioso.

—Primero, obediencia. —Su voz tan ronca que apenas pude distinguir las palabras.

Estiró su brazo para tomar algo de la mesa y di un respingo cuando el frío metal de una pluma fuente tocó mi piel, sus ojos fijos en los míos y no en el sendero que trazaba desde mi brazo derecho, pasando por uno de mis pechos hasta situarla en medio de ellos. Cuando rodó, volvió a equilibrarla. Lo miré perpleja.

—No la dejes caer —ordenó respondiendo parte de mi confusión, y sus manos acariciaron mis brazos a medida que descendía, hasta arrodillarse. Ancló sus palmas tras mis rodillas para levantar mis piernas, dejando el camino libre hasta mi vagina, palpitante y húmeda por él.

El aire se atascó en mi garganta e intenté levantar la cabeza para mirarlo, antes de parar cuando la maldita pluma rodó peligrosamente y desistí. Percibí sus labios en la cara interior de uno de mis muslos, su respiración cálida dejando un rastro por donde pasaba, acercándose a mi sexo.

—Fuiste muy mala conmigo en la cena, Leah. —Sus labios moviéndose contra la delicada piel de mi muslo mientras recitaba las palabras—. Me provocas toda la noche y después te haces la desentendida.

Dejé de notar su aliento por varios segundos y cerré los ojos preparándome para lo que vendría, pero besó el otro muslo.

—¿Crees que te mereces el premio? —preguntó y mi saliva se atoró en mi garganta cuando sus dedos rozaron mi entrada, cautelosos y suaves recorriendo mis labios sin premura, ahogándome en ansia.

—Sí —gemí.

—¿Sí? —repitió el maldito acariciando mi clítoris con su yema y haciéndome retorcer al contacto fugaz de su labio con esa parte, la pluma fuente a nada de caer—. ¿Dónde quieres mi boca, Leah?

Hijo de puta. Una y mil veces hijo de puta.

—Tú sabes dónde. —Sacudí las caderas buscándolo, pero él soltó el suspiro de una risa y volvió a besar mi muslo.

—¿Dónde, princesa? —me molestó acariciando mi vagina en largas caricias, desde el clítoris hasta mi entrada, esparciendo mi humedad con sus dedos.

—En mi...

—¿Quieres que te folle con la boca, Leah?

Emití un sonido de protesta y sentí la curva de su sonrisa antes de succionar una parte de piel. Volví a tensarme cuando su respiración chocó contra ese lugar tan sensible, mi cuerpo listo para recibir el choque de sensaciones solo para ser recompensado por un beso en mi bajo vientre. El bastardo tuvo el descaro de reírse cuando gruñí con frustración.

—Eres un hijo de... —Fui interrumpida por mi propio jadeo y tuve que forzar a mis caderas a no moverse con el compás de su lengua.

Logré mantenerme quieta por otro minuto, antes de que volviera a hundirse en mí, acariciando mi entrada con tortuosa paciencia. Di un tirón sin ser consciente de ello, mi gemido cortándose cuando el puto bolígrafo rodó otro poco. Me paralicé y volví a colocarme férrea en el lugar, negándome a perder cualquier juego que él estuviera jugando, *y jugando jodidamente bien*, por cierto.

Mis piernas temblaban, el corazón me latía como un tambor y la sangre corría como un río por mis oídos, pero el resto de mi cuerpo estaba congelado; el maldito bolígrafo amenazaba con escaparse de los confines de mis pechos al más mínimo suspiro. Estaba tomando todo de mí no rendirme y dejarme llevar por lo que la talentosa boca de Alex hacía.

Podía percibir el orgasmo acercándose, arrastrándome por el borde a medida que una serie de gemidos y otros sonidos salían de mi boca, combinados con los que él hacía comiendo de la humedad de mi sexo. Cerré mis ojos en concentración y rogué porque Alex en verdad no esperara que mantuviera el lapicero en su lugar cuando explotara, porque podía sentir la presión como un volcán, cada vez más y más alto, a punto de entrar en erupción.

Entonces arruinó por completo la victoria que ya tenía a la vista. Estaba recuperando el control apenas cuando lamió con rudeza y, en el momento en que comenzó a succionar, mi mente se rindió. Mis manos hormiguearon tras mi espalda cuando la arqueé y mis uñas se encajaron en mis palmas; mis caderas buscando erráticas su liberación, buscándolo a *él,* antes de que se retirara por completo.

Colapsé sobre la mesa respirando agitada, mis ojos estrechos en acusación al hijo de puta que tenía delante.

Chasqueó la lengua.

—La dejaste caer, Leah.

—¿Qué? —me las arreglé para decir, mi mente gimoteando por el orgasmo que había estado así de cerca de obtener antes de que se detuviera.

—La dejaste caer —repitió sonando entretenido el muy idiota. Acarició mi muslo apenas—. Mmm... Estabas tan cerca, ¿no es así?

Parpadeé estupefacta para después mirarlo indignada. Aquello era venganza, pura y cruda. Me había estimulado hasta el filo solo para... ¡para detenerse! De acuerdo, había aprendido la lección. Él era mucho mejor en estos juegos que yo, lo admitía. Ahora tenía que hacerse cargo de mí, no podía dejarme así. No. Podía.

—Qué imbécil, ¿cómo te atreves a...?

En un veloz movimiento me giró colocándome sobre mi estómago, las palabras atorándose en mi garganta y mis piernas temblorosas sosteniendo mi cuerpo.

—¿Tampoco sabes respetar?

Parpadeé un par de veces, mi mejilla presionada contra la madera y mis dedos moviéndose ansiosos para liberarse del nudo.

—No tengo por qué...

Estrelló una mano contra una de mis nalgas, la inesperada sacudida de placer resonando dentro de mi cuerpo igual que en la estancia.

—Estás siendo muy mala, Leah —sentenció con voz áspera y por un momento no alcancé el aire.

Oh Dios, ¿cómo era posible que me sintiera más excitada de lo que ya estaba y *por algo así?*

—Abre más las piernas —ordenó autoritario y me atragante con mi saliva.

Ahogué una risa. Se estaba tomando *muy en serio* su papel del señor dominante.

—Estás muy mal de la cabeza si crees que puedes ordenarme cos...

Volvió a azotar mi culo con firmeza y esta vez, fue recompensado con un gemido de mi parte. Sentí mi cara arder mientras trataba de mantener la boca cerrada, una nueva presión constriñendo mi bajo vientre.

—¿Te gusta esto, Leah? —Su voz salió oscura, casi peligrosa, y mi cuerpo vibró por el placentero escalofrío que envió por toda mi columna.

No respondí, impactada porque sí me gustaba aquello. Jamás pensé que toleraría algo así, mucho menos que me excitase tanto. Volvió a azotar una de mis sensibles nalgas, el sonido reverberando en el silencio, y para el momento en que lo hizo por segunda ocasión, gemí sin poder evitarlo y obtuvo su respuesta.

El sonido metálico de su cinturón desabrochándose fue el mejor estimulante. Estaba demasiado excitada, no necesitaba más juego previo, no quería que me torturara más.

Justo ahora, estaba que hervía porque me tomara de una maldita vez, así que me rendí y le di lo que había trabajado por conseguir desde que puse un pie en su departamento.

—Alex, por favor —supliqué, negándome a tolerar un momento más esa insoportable necesidad comprimiéndome el vientre—. Quiero...

—¿Qué es lo que quieres? —Su tono grave, profundo.

—Solo hazlo. Por favor...

—Suplicar no te ayudará esta vez, princesa. —Posó una de sus manos en mi cintura—. Necesitas aprender a ser paciente.

Cerré los ojos, derrotada.

—¿Sabes lo que les sucede a las chicas malas? —inquirió con el mismo tono demandante y ¡*Oh, Dios*!, iba a entrar en combustión espontánea en cualquier momento desde ahora, porque percibía su miembro rozando el interior de uno de mis muslos.

Me sentía como un conejillo ante él: vulnerable, expuesto y tembloroso, esperando por ser devorado. Sus dedos rozaron la piel de una de mis nalgas, suaves y tiernos, antes de caer sobre ella con firmeza, provocando que mi culo se removiera en reacción y que un jadeo se arrastrara desde mi garganta.

—¿Y sabes lo que pasa cuando eres una buena chica, Leah?

Ambos esperamos en silencio, el calor creado entre nosotros abrasador y pesado a la vez, haciéndome sentir más consumida por él. Su palma acarició la piel que me escocía, con la anticipación invadiéndome de pies a cabeza. Esto era nuevo y muy diferente a lo que estaba acostumbrada, no sabía qué hacer con ello, pero sí sabía que me gustaba, que quería experimentar y que confiaba en él, porque Alexander jamás me hizo sentir avergonzada sobre *nada* de mi persona, fuera bueno, malo o nuevo, mucho menos ahí, envuelta por el calor de él.

—¿Qué?

Entonces, lento, muy lento, se deslizó dentro de mí. Ambos gemimos y me sentí en un lugar entre el cielo y el infierno. Olvidaba siempre lo fantástico que era esto con él. Me llenaba por completo.

—Tal vez deje que te corras —susurró y un segundo después comenzó a moverse, sus dedos se enterraron en mi cintura mientras se saciaba en mi piel, invadiendo mi vagina sin tregua y abriéndose paso por ella con una facilidad desorbitante para conquistarla, para llenarla de él.

Creí haber dicho algo, pero estaba tan perdida en su vaivén que no podía asegurarlo. Alex no lo notó o no le importó lo suficiente, pero logré escuchar el *hermosa* que escapó de sus labios entre gruñidos, siseos y maldiciones.

—Así es como quiero verte siempre —masculló estrellándose contra mí con salvajismo, pasión y abandono—. Llena de mí.

Sonreí, con mi estómago vibrando como si estuviera sobre una montaña rusa y sintiéndome estúpida por ello. Estúpida y plena. Sí, hermosa. Esa maravillosa, hermosa y sucia cosa que teníamos juntos.

Percibí algo cómodo y firme, subiendo y bajando apacible. Abrí los ojos cuando los rayos del sol chocaron con mis párpados y me encontré de cara con una habitación que me resultó familiar. Había dormido con Alex, otra vez. No era nada nuevo, pero a juzgar por la luz que se colaba por las cortinas, era bastante tarde. Él no me había dejado ir; dos veces traté de incorporarme y dos veces haló de mí hasta hacerme desistir.

Su pecho se sentía cálido y suave contra mi mejilla, y podía percibir el latir de su corazón, fuerte y estable. Asumí que seguía durmiendo a juzgar por su lento pulso y la mano que permanecía enredada en torno a mi cintura con posesividad, como si tuviera miedo de que huyera en su estado de inconsciencia.

Alcé la cabeza para comprobar mi teoría, no obstante, esta se desvaneció cuando lo encontré despierto, sus ojos mirando el techo, como si sus pensamientos estuvieran en un lugar muy lejos de ahí.

—¿Qué soñabas? —Su voz salió clara, sin rastros del letargo, y supe que llevaba mucho tiempo alerta.

—No lo sé. ¿Estaba soñando?

Encogió un hombro.

—Trataba de adivinar si tenías una discusión en un sueño o si eres malhumorada incluso cuando duermes.

Sonreí arrastrando el brazo que mantenía estirado sobre su torso y apoyé mi barbilla sobre él para tener un mejor ángulo de su cara.

—¿Malhumorada?

—Tu ceño —susurró fijando su vista en esa parte—. Lo arrugabas constantemente.

—No lo sé, no es como si supiera qué hábitos tengo mientras estoy inconsciente.

—También te sonrojas cuando te digo cosas sucias al oído mientras duermes —confesó esbozando una sonrisa perversa.

—¡Claro que no! —dije alarmada, pero ya podía sentir el ardor en mis mejillas.

No iba a aceptarlo, aunque era probable que fuera verdad porque sus ojos se iluminaron y soltó una risotada que, en efecto, hizo sentir a mi cara más caliente. Volví a apoyar mi rostro sobre su pecho, justo sobre la pieza de rompecabezas que nos habíamos tatuado en Las Vegas. Permanecer abrazada a él después del sexo era mil veces mejor que quemarme la cabeza planeando un escape. Enterré mi nariz en su piel, esperando que mis pulmones me alcanzaran para aspirar todo su aroma e impregnarme de su esencia.

Era extraño, irónico incluso, la manera en que parecía que todo aquello estaba *mal*, que yo lo quisiera en todas las formas equivocadas, pero que se sintiera jodidamente correcto el hacerlo, como si no hubiera otro lugar para mí, solo ahí, con él.

—Me encontré a tu madre ayer. —Su voz me trajo de vuelta a la Tierra.

—¿Qué? —Me incorporé sobre mi codo.

—Ayer. En la cena. En el rellano del baño —explicó puntual.

Parpadeé un par de veces para disipar mi sorpresa, pero mi sangre viajó hasta mis talones en un milisegundo al imaginar el montón de cosas que mamá pudo haberle dicho a modo de venganza contra Agnes.

—¿Y qué te dijo?

—Nada. Me miró extraño.

—¿Extraño cómo?

—Extraño.

Traté de encontrarle sentido o una explicación a las acciones de mamá, pero como sucedía la mayor parte del tiempo cuando se refería a ella, no encontré ninguna.

—Te pareces mucho a ella, ¿sabías? —Movió su brazo para trazar la forma de mi cara con su índice, en una caricia que, si fuera un poco más ingenua, pensaría que estaba llena de devoción.

—Lo sé, todos me dicen que así me veré en el futuro.

—No está nada mal para alguien mayor.

Enarqué una ceja, resistiendo la risa.

—¿Estás diciéndome que encuentras a mi madre atractiva?

—Lo es —musitó como si hablara de un hecho y no una opinión—. Es el tipo de mujer por la que giras el cuello en la calle para mirarla dos veces.

—¿Debería preocuparme por lo que me estás diciendo? —lo molesté y emitió un sonido a mitad de un bufido y la risa.

—Deberías estar feliz de que te pareces a ella —aclaró y enarqué ambas cejas en esa ocasión.

—¿Quieres decir que también me encuentras atractiva?

—Tú eres preciosa, Leah. —La declaración me pilló por sorpresa mientras su tacto dibujaba mi barbilla—. La gente no se gira para mirarte dos veces, se detiene para apreciarte. Sueles tener ese efecto en las personas.

—¿Incluso en ti?

—La verdad no, te encuentro horrenda.

Abrí la boca indignada y me removí entre las sábanas para tener mi dramática salida, antes de que todos mis planes de telenovela se fueran al infierno cuando me tomó del brazo para atraerme hacia sí, con una de sus manos encontrando su camino sobre mi nuca para mantenerme en el lugar.

—Tienes ese efecto en mí, sobre todo en mí. —Sus labios formaron un camino por la línea de mi mentón, subiendo por el costado de mi cara hasta besar el arco de mi oreja—. Pero eso ya lo sabes, así que no sé por qué haces preguntas tan estúpidas.

«Porque me encanta escucharte decirlo», pensé feliz, sus labios anclados en la curvatura de mi hombro.

—¡Mierda! —maldijo de pronto y busqué sus ojos, que brillaban divertidos—. Creo que tal vez me excedí un poco.

—¿Tal vez?

Me dedicó esa engreída sonrisa que mostraba cuando estaba satisfecho consigo mismo, o por algo en particular. Podía apostar que se debía a ambas cosas; sus ojos clavados en mi cuerpo a medida que bajaba la sábana que me cubría y su sonrisa de suficiencia se ensanchaba aun más.

—¿Te has visto?

Seguí su mirada por mi hombro derecho, adornado con las marcas de sus dedos, pasando por mi pecho y mis senos; las marcas de su boca salpicando por todos lados. Tenía la impresión de que habría más en mis muslos, cerca de mi sexo y quién sabe dónde más. Solo Dios sabía cómo luciría mi cuello en ese momento.

—Y pensar que me sentí mal por eso. —Señalé una marca que resaltaba en su hombro. La miró un instante antes de girarse y sonreírme.

Él era la única persona en el mundo que me había visto tan fuera de control. Y no solo en el sexo. Era el hecho de que conocía partes de mí que nadie más advertía, y que algunas veces parecía comprenderlas incluso mejor que yo. Me pregunté si estaba consciente de lo mucho que confiaba en él para permitirle verlas, mucho más conocerlas. Me pregunté a su vez si yo también conocía partes de Alexander que nadie más notaba, que permanecían tan profundas e intrínsecas a su persona que pasaban inadvertidas y salían a la luz solo en los momentos más íntimos y personales.

Entonces, como todo buen sueño, se fue al carajo cuando una nueva duda ahondó en mi mente, creando un nudo en mi estómago muy distinto al que mi esposo solía tramar dentro de mí.

—Alex —susurré con vacilación, mirándolo atenta.

Emitió un sonido para demostrar que me prestaba atención.

—¿Sabine sabe que hacemos esto?

Frunció el ceño sin comprender.

—No. Se supone que esto es un secreto, tú misma lo dijiste.

Mi corazón se compungió.

—Deberías decirle.

—¿Quieres que le diga?

—Sí, merece saberlo. Es tu prometida, ¿no?

—Sabine no... —Calló, como si buscara las palabras correctas—. Es mi mejor amiga.

—Y tu prometida.

—No en realidad —aclaró.

—¿Entonces por qué se presentó así?

—Porque ese es su título.

Lo miré exasperada por contradecirse y suspiró, como si le costara todo el esfuerzo del mundo explicarme.

—Nuestros padres son muy amigos, nos conocemos desde siempre, sería una unión muy benéfica para ambas familias. Supongo que es lo que todos han esperado siempre.

—¿Y lo harías?

—¿Qué cosa?

—Casarte con ella.

—¿Por qué lo haría si ya estoy felizmente casado? —respondió como si fuera tonta. Y tal vez sí era.

—¿Felizmente? —Elevé una ceja sin contener la sonrisa al tiempo que acariciaba mi pómulo con cariño.

—Sí. ¿Quién no sería feliz atado a una arpía neurótica, mandona y fastidiosa que además adora hacer preguntas estúpidas con respuestas obvias?

Lo miré ofendida, pero duró poco y sonreí. Tiró de mí para plantarme un beso en los labios.

—¿Esta es tu forma de convencerme para meterte entre mis piernas otra vez?

Se separó solo un poco.

—Depende. ¿Está funcionando?

—No —mentí.

—Entonces no lo es. —Agotó la distancia entre nosotros y me besó lento pero con determinación.

Empujó hasta que terminé sobre mi espalda, cerniéndose sobre mí mientras sus manos se aventuraban por la piel de mis muslos.

—¿Qué haces? —Mi voz salió ahogada por la falta de oxígeno.

—Mi trabajo. Quieta, creo que hay una parte de ti que no he marcado aún.

Rodeé su cuello, sonreí como idiota y lo dejé ser. Debía referirse a alguna parte de mi cuerpo, porque mi corazón ya lo había marcado a fuego.

—Explícame otra vez qué hacemos aquí —me quejé mientras caminábamos entre las atestadas gradas que rodeaban el campo de fútbol.

—¿Cómo que qué hacemos? ¡Ver el partido! —Un par de palomitas cayeron de su bolsita cuando agitó los brazos para mayor efecto.

Logramos escurrirnos hasta nuestros lugares entre pisotones y protestas de los otros ocupantes. Me senté junto a Edith y la miré con resentimiento.

—¿Qué? —dijo inocente.

—No me gusta el fútbol y está haciendo frío. —Me acurruqué en mi pesada chaqueta, que se había convertido en mi prenda favorita para cubrir de mi familia las marcas que había hecho Alex en mi cuello cinco días atrás.

Mi amiga puso los ojos en blanco.

—Es el partido de final de temporada, ¡son geniales! Normalmente se ponen muy intensos.

Hice una mueca de displicencia para mostrar mi desacuerdo.

—Solo estamos aquí porque quieres presumir tu nuevo suéter.

—Claro que no —objetó, pero encuadró los hombros para que observara su nuevo Chanel—. Estamos aquí para que apoyes a tu marido como la buena esposa que *deberías* ser.

Bufé. Nunca me sentí interesada por un deporte tan salvaje, violento y peligroso como el fútbol.

—¡Anda ya! Quita esa cara de estreñida.

—No soy estreñida. Ya en serio, ¿qué hacemos aquí? Odias el fútbol tanto como yo.

Dejó de meterse palomitas a la boca y se irguió.

—Ethan me invitó.

Enarqué tanto las cejas que pensé me llegarían hasta la raíz del cabello.

—¿Están saliendo?

—No propiamente. —Volvió a encogerse de hombros—. Estamos experimentando. Tal vez no podamos llegar más lejos que amigos, pero está bien. Estamos hechos de prueba y error, ¿no?

—No lo puedo creer.

—¿Ves? Yo no soy una mala amiga como tú. Yo no te digo que lo odio un día, para después tirarte con la noticia de que me *casé con él* la semana siguiente.

—¡Así no fueron las cosas!

—¡Así lo sentí! —se defendió, tocándose el pecho dramáticamente.

—Como sea, no me cambies el tema. No lo puedo creer.

—¿Por qué? No es tan difícil de creer, soy di-vi-na. —Se echó el cabello tras la espalda con parsimonia—. Tendría que estar ciego o tonto para no fijarse en mí. Bueno, tonto está, pero ya me entiendes. Nadie puede resistirse a mis encantos.

Negué y fijé mi vista en el campo. El partido no tardaría en comenzar, a juzgar por la concurrencia de gente y lo atestadas que estaban las gradas.

Mi celular vibró de pronto dentro de mi bolso y lo extraje para encontrar un mensaje de Alex brillando en la pantalla.

**MSOE**

Qué haces aquí? Me darás mala suerte.

19:03 p. m.

Levanté la cabeza por instinto, buscándolo sin éxito en el solitario campo.

He venido justo a eso.
19:13 p. m.

Espero que no te funcione.
19:14 p. m.

Ya veremos si ganan o no.
19:14 p. m.

Claro que ganaremos, me tienen a mí, ¿tienes ya mi premio?
19:16 p. m.

Solté una risita.

Puede ser que lo tenga bajo mi ropa. Asegúrate de ganar.
19:17 p. m.

Qué buen incentivo, señora Colbourn.
19:17 p. m.

Salimos ya. Te veré al terminar el juego.
19:17 p. m.

La promesa impregnó mi pecho de una calidez que casi me derritió.

Te veré al salir, suerte.
19:18 p. m.

El cursor pulsaba como un tictac mientras trataba de decidirme entre enviarle un te quiero o abstenerme de hacerlo, pero, al final, me decanté por la segunda opción. No sabía cómo lo tomaría y no quería asustarlo con emociones tan intensas en un lapso tan corto de tiempo.

Los chicos salieron al campo, ataviados con sus uniformes, protecciones y cascos. A simple vista todos parecían ser el mismo, hasta que lo localicé vistiendo el número veintitrés y mis ojos empezaron a moverse casi por instinto, siguiéndolo.

El juego comenzó y, diez minutos después, la lluvia de invierno también. Se precipitaba en grandes y gélidas gotas que me calaron hasta que Edith extrajo de su grandísima bolsa un desvencijado paraguas.

Para ser una total *ignoramus stupidus* en esto del fútbol americano, logré entender lo suficiente para que mi corazón diera un salto cada vez que alguno de los guardias defensivos golpeaba a alguien de nuestro equipo, o que mis dedos se cerraran con fuerza en torno al brazo de Edith cada vez que corrían disparados por el campo intentando hacer una anotación. Incluso lanzaba un grito de emoción cada vez que lograban anotar.

Edith me había informado, más o menos a mitad del juego —cuando iban a la cabeza por más de treinta puntos—, que Alex era el *quarterback*, básicamente el cerebro del equipo. Conociendo la facilidad que tenía para crear estrategias e imaginar posibles escenarios, no me sorprendía en lo absoluto.

Lucía totalmente en su elemento mientras corría con la rapidez de un guepardo por el campo, los músculos de sus piernas marcándose mientras lo surcaba para lanzarle el balón a Ethan, que era un *wide receiver* —y su función, según comprendí, era atrapar la pelota para llevarla lo más lejos posible antes de lanzarla—. Jordan, como era de esperarse, ocupaba el lugar de un guardia ofensivo, lo que le iba muy bien tomando en cuenta su enorme cuerpo. Se mantenía cerca de Alex la mayor parte del tiempo, empujando con violencia a los adversarios o impidiéndoles el paso para protegerlo.

La lluvia arreció, precipitándose con mayor ahínco a medida que el marcador de tiempo se quedaba sin minutos. Estábamos a poco para terminar. Mantuve mi vista fija en el juego y la mano cerrada con fuerza en torno al brazo de Edith, inmersa en mi emoción. Tal vez no era tan malo como yo había creído, y resultaba bastante entretenido si dejábamos de lado los salvajes ataques, las torceduras, fracturas y sangre que salpicaba de vez en cuando.

Y ahí, en medio del griterío de la gente, el rugir de la lluvia y el alocado palpitar de mi corazón que amenazaba con saltarme del pecho mientras Alex corría como una exhalación abrazando la pelota, ocurrió la tragedia.

Encajé mis uñas en el maltratado brazo de mi amiga a medida que él avanzaba, llegando lejos en el campo, buscando anotar las yardas suficientes que les dieran la victoria. Jordan dejó de correr tras él para adelantarse y limpiar su camino, empujando con rudeza a un tipo del equipo contrario, antes de que otro contrincante se enzarzara con él en una pelea de músculo, resistencia y fuerza.

Alexander continuó avanzando, llegando cada vez más lejos, hasta que aumentó el ritmo cuando localizó a su objetivo: uno de los nuestros dispuesto en la punta más alejada. Había avanzado tanto que el pase no sería largo. Se detuvo solo un instante plantando los pies en el césped y flexionando su brazo para hacer el pase que les otorgaría la victoria.

Sucedió en una fracción de segundo. Ni siquiera había terminado de exhalar cuando observé a alguien del equipo contrario llegar hasta él y chocar contra su cuerpo con la misma fuerza de un *tsunami*; la pelota cayó de sus manos. El impacto fue tan potente que lo lanzó por los aires, disparándolo hacia la derecha antes de que cayera sobre el césped, rodando un par de metros por la zona.

Hubo un quejido colectivo de impresión por parte del público ante el aparatoso golpe. Mi corazón latió una vez. Dos. Tres. Diez. Me puse en pie de un salto cuando observé su cuerpo inerte sobre la tierra, los latidos desbocados cerrándome la garganta a medida que el terror me calaba impregnándose hasta los huesos. Noté a lo lejos el sonido de un silbato y la lluvia torrencial impidiéndome ver con claridad, atascándose entre mis pestañas y empapándome la ropa.

El tiempo pareció detenerse mientras esperaba a que Alexander se moviera, pero no obtuve respuesta. Algunos de los chicos se congregaron a su alrededor. Ethan lanzó su casco a un lado para arrodillarse y se perdió entre el tumulto de cabezas. El entrenador se abrió paso para llegar al centro y el amargo sabor a hiel del terror me inundó la boca conforme transcurrían los incompasivos segundos. Registré a Edith rodeándome con sus brazos y estrechándome contra sí, no sabía si para mantenerme de pie o para confortarme.

Un torbellino rojizo llenó mi visión y, cuando enfoqué, miré a Sabine corriendo por el campo como una ráfaga, abriéndose paso con su pequeño cuerpo entre empujones y codazos, luchando para llegar hasta él. Esa debía ser yo, no ella. Un peso insoportable se instaló en mi pecho.

Continuaron congregados unos momentos que me parecieron siglos, hasta que el entrenador hizo una seña desesperada a los paramédicos dispuestos en el otro lado de la zona. Alexander no estaba respondiendo.

Los brazos de Edith se cerraron en torno a mí como grilletes para sostenerme, la calidez que bajaba por mis mejillas combinándose con la frialdad de la furiosa lluvia.

El mundo perdió enfoque y la tierra pareció salirse de su eje.

# LIMBO

Caminé con falsa determinación por el pasillo del hospital, que conocía de memoria por las veces que acompañé a mamá. Lo recorrí hasta encontrar a Ethan junto a Sabine en la sala de espera, sentados sobre los sillones. La pelirroja me miró con curiosidad desde su lugar. Tenía la cara enrojecida de tanto llorar.

Una oleada de lástima me inundó y me pregunté si mi angustia era tan notoria como la de ella.

Ethan se puso en pie y fue hasta nosotras.

—¿Estás bien? —Edith posó las manos en su pecho, como si quisiera cerciorarse de que, en efecto, estaba vivo.

—En una pieza.

—¿Les han dicho algo? —pregunté cruzándome de brazos, el miedo constriñéndome el estómago.

—Nada nuevo desde que las llamé.

—No está respondiendo, es todo lo que sabemos —gimoteó Sabine, las lágrimas rodando por sus mejillas otra vez y la visión estrujándome el corazón.

Edith se apresuró a sentarse junto a ella y le acarició la espalda para sosegarla.

—Pensé que vendrías con Jordan. —Tardé un par de segundos en percatarme de que Ethan me hablaba a mí y negué—. Supongo que vendrá con el resto del equipo cuando terminen de cambiarse.

—Tú también deberías ir a cambiarte —intervino Edith—. Estás escurriendo a chorros.

—No me moveré de aquí hasta saber que está fuera de peligro —respondió con determinación.

Escaneé el lugar buscando un médico que pudiera ofrecernos un poco de luz en esa escabrosa situación, pero me rendí luego de unos minutos y me senté junto a los otros chicos justo cuando mamá cruzó a paso rápido la sala de espera. Salté como un resorte y corrí tras ella.

—¿Cómo está?

Me lanzó una ojeada de menos de un segundo y siguió caminando.

—¿Qué haces aquí? Vete a casa, amor.

—¿Sabes cómo está? —insistí, con la desesperación anidándose en mis entrañas.

—¿Quién?

—Alexander.

—No ahora, Leah. No es el momento.

—Mamá...

—Vete a casa.

La tomé del brazo para detenerla en seco y girarla.

—¡He dicho que quiero saber cómo está! —exigí alzando la voz.

La sorpresa tiñó sus orbes esmeraldas.

—No lo sé, cariño. Es precisamente por lo que entraré a cuidados intensivos. —Frunció el ceño, preocupada—. ¿Estás bien?

No, no estaba nada bien. De hecho, me sentía desfallecer.

—Sí, solo... —Inspiré para reprimir las lágrimas—. Los chicos quieren saber si estará bien.

Sus ojos destellaron con recelo y algo más.

—No lo sé, Leah. Vete a casa, tú no deberías estar aquí. —Se soltó de mi agarre.

—¿Por qué?

—Agnes llegará en cualquier momento y no quiero más riñas.

—No me importa, me quedo.

Me miró con una mezcla de sorpresa y reconocimiento para rascarse la ceja después.

—Como quieras. Debo irme, te veré luego. —Dio la vuelta, dejándome con una sensación de desamparo más fuerte que antes.

Agnes entró a toda prisa cinco minutos después, su cara compungida en una mueca de consternación mientras una pelirroja con rostro familiar caminaba tras ella.

—¿Cómo está? —preguntó desesperada tomando los brazos de Sabine, que se incorporó en cuanto la vio.

—No sabemos. No hemos tenido noticias.

—¡¿Cómo que no han tenido noticias?! —Pareció a punto de quebrarse.

Era la primera vez que lucía tan vulnerable. Su típica careta de altivez desvanecida para dejar el lugar a una de preocupación pura.

—Agnes, tranquila. —Su acompañante le tocó el hombro, pero ella se deshizo del toque para ir hasta la recepción.

—Mi hijo, quiero saber cómo está mi hijo —exigió con dureza a la mujer que se sentaba tras el mostrador.

—¿Quién es su hijo, señora? —inquirió con voz monótona.

—Alexander Colbourn, quiero información. *Ahora.* —Su índice golpeó la madera del mostrador con cada palabra.

—No tenemos información, está en cuidados intensivos.

—Quiero verlo.

—No es posible. Nadie puede entrar hasta...

—¡He dicho que quiero verlo! —Sus palabras reverberaron por toda la estancia y un par de personas, que también estaban en la sala, levantaron la cabeza.

—Le repito que no es posible hasta que...

—¡No te estoy preguntando! Me permitirás ver a mi hijo a menos que quieras perder tu trabajo.

La expresión de la mujer era de indiferencia pura, y Agnes soltó un gañido de exasperación.

—Necesitas calmarte, así no...

—¿Acaso no sabes quién soy, vaca estúpida? —la atacó airada, interrumpiendo a su compañera pelirroja—. Si no me dejas verlo en este instante, te juro que...

—¿Familiares de Henry Alexander Colbourn? —Un médico emergió del pasillo y se plantó en el centro de la sala. Todos nos pusimos en pie de un salto y Agnes dejó de atacar a la pobre mujer.

—¿Cómo está? —El miedo atenazaba el tono de su madre, como si tuviera terror de lo que pudiera salir de la boca del hombre.

Mi corazón aumentó en tempo y retorcí los dedos.

—Su hijo presenta una contusión cerebral importante —explicó con deje clínico—. Estamos trabajando para contener la hemorragia que ha provocado.

Escuché a Agnes gimotear.

—¿Estará bien?

—Eso no...

—¡Quiero saber si mi hijo está bien, joder! —gritó y el médico dio un respingo.

—Es muy pronto para afirmarlo —respondió sereno—. Por el momento su estado es crítico y debe permanecer en cuidados intensivos.

—Pero...

—Es todo por ahora, la mantendremos informada.

Dio la vuelta para irse, pero Agnes lo tomó del brazo con decisión.

—Por su bien y el de su carrera, espero que salve a mi hijo, de lo contrario despídase de su licencia para ejercer, ¿entendió? —siseó amenazante y contemplé todo su poder.

—Estamos haciendo todo lo posible para...

—Eso no es suficiente. Haga más de lo que esté en sus manos o será el único responsable de terminar con su carrera.

El hombre la contempló por un momento, luego tragó y asintió solemne antes de retirarse.

Agnes se giró y su faceta de determinación se quebró para echarse a llorar como una niña en los brazos de la pelirroja, quien asumí era la madre de Sabine. Su armadura de hierro se había fundido para dejar al descubierto a una madre desconsolada.

Los minutos se convirtieron en años y las horas en siglos.

Contemplé la nada por un periodo que me pareció interminable, hasta que los ojos me escocieron. Mis labios estaban resecos y mis músculos rígidos por estar en la misma posición mucho tiempo. Dios sabía que trataba de mantener la desesperación a raya, pero mi mente se negaba a cooperar.

Agnes ni siquiera había reparado en mí, o no le había importado en lo más mínimo mi presencia, afligida como estaba por la salud de su hijo. Había parado de llorar hacía poco.

Salí de mis cavilaciones cuando una serie de jadeos inundaron la estancia y levanté la cabeza para encontrar a Vania, el ama de llaves de Alex, llegando a la sala de espera. Tenía la cara desencajada por la angustia y lucía veinte años más vieja. Reparó en mí y se acercó al tiempo que me ponía en pie para sostenerla en caso de que llegara a desfallecer por lo lívida que estaba.

—¿Cómo está? ¿Está bien? —inquirió al borde del llanto.

—No tenemos noticias aún, no...

—¿Qué pasó? Vine tan rápido como me enteré —me cortó tratando de recuperar la respiración—. ¿No has sabido nada?

—No.

—¿Tú estás...?

—Vania —la llamó Agnes y ambas nos giramos para encontrarla de pie—. ¿Por qué diablos le preguntas a esa?

Maldije al recordar que la madre de Alexander no tenía idea de que conocía a Vania por las veces que dormí en el departamento de su hijo.

—Porque es...

La mujer nos miró primero a ella y después a mí.

—¿La conoces? —insistió Agnes.

Vania debió notar mi cara de susto porque el reconocimiento inundó sus ojos antes de negar.

—No, no la conozco. Le pregunté porque fue la primera persona que vi.

Dejé escapar el aire que había estado conteniendo; la mujer me dedicó una mirada cómplice y fue hasta Agnes.

—Ella no sabe nada y tampoco tienes que preguntarle un carajo sobre la salud de mi hijo. —Me fulminó adoptando esa altiva actitud—. Ni siquiera deberías estar aquí. Largo.

Alcé la barbilla y me planté en mi lugar.

—Yo puedo estar donde me venga en gana, y si me quiero quedar, me quedo.

—¡No tienes nada que hacer aquí! —alzó la voz, sus ojos flameando de ira.

—¡Sí tengo! Estoy aquí por él, no por ti.

Dio un paso más cerca, con su coraza cubriéndola de nuevo.

—No me digas, ni siquiera te dirige la palabra, mucho menos...

Calló cuando reparó en su esposo, que entró en la sala acompañado de una esbelta castaña con gafas y cabello hasta los hombros. Su rostro se contorsionó en una mueca de displicencia.

—¿Has sabido algo? —Byron lucía en apariencia tranquilo, pero la agitación que turbaba sus ojos no podía disimularla.

—¿Te atreves a venir apenas y acompañado de tu puta? —escupió con voz tensa mi *suegra*, señalando con la barbilla a la castaña, quien la miró indiferente.

—No es el momento para una de tus escenas —la cortó su marido—. Quiero saber cómo está mi hijo.

—¿Ahora quieres saber? ¡Sácala de aquí si no quieres que yo la arrastre fuera! —dijo colérica, señalándola.

—¡Agnes!

—¡No! —gritó, con la ira en su punto más álgido—. ¡No lo verás mientras tu puta siga aquí!

—¡También es mi hijo! —vociferó por primera vez el señor Colbourn, su cuidadosa máscara de impasibilidad resquebrajándose para dejar al descubierto la angustia que había detrás—. Lo veré te guste o no.

—¡No! ¡No tienes ningún derecho!

—No necesito de tu permiso. —La pasó de largo golpeándola con el hombro al pasar y se aventuró pasillo abajo, posiblemente para buscar información.

Agnes clavó una mirada letal en la acompañante de Byron.

—Si tienes una pizca de decencia, lárgate.

—Me quedo —habló por primera vez, con un acento inglés marcado—. Igual ya no tengo decencia según tú.

—¡Largo! —gritó con la cara roja y abrí la boca impresionada por la forma en que Agnes cedía por fin a sus estrepitosas emociones.

—Agnes, no te hace bien todo esto —intentó calmarla su amiga, pero ella se deshizo de su agarre con brusquedad.

—Lárgate, última oportunidad si no quieres que te saquen arrastrando los de seguridad.

—Deja ya tu escena, porque a la única que sacarán arrastrando será a ti, por loca.

—¡No me provoques! Vete, no tienes nada que hacer aquí. Y tú tampoco. —Se giró hacia mí, furiosa—. Lárguense las dos.

—He dicho que me quedo —insistí.

—¡No las quiero cerca de mi hijo! —gritó al borde de la crisis.

—Lo que tú quieras a mí me importa una mierda —acoté, sin estar dispuesta a aguantar sus desplantes en esa situación.

—¡No necesita estar rodeado de mujerzuelas! ¡Fuera, fuera, fuera! ¡Las quiero fuera!

—¡No me iré! No me alejaré de mi...

Edith se incorporó de pronto y me tomó del brazo sin perder tiempo.

—Basta, vámonos. —Apretó su agarre.

—No. —Intenté zafarme, sin éxito.

—Saldrás con una estupidez y no es el momento —susurró cerca—. Todos están muy alterados, volvamos después.

—¡No quiero irme!

—Leah, por favor. —Jordan, a quien había logrado evitar hasta el momento, se acercó a nosotras y me rodeó con un brazo—. Nos iremos ya.

Agnes se cruzó de brazos, severa, esperando que nos largáramos.

—Desaparezcan de mi vista las dos —fue lo último que dijo antes de darse la vuelta y caminar por el pasillo por el que entró su esposo.

Edith y Jordan halaron de mí hasta que lograron moverme, pero mis pies estaban reacios a funcionar y se plantaron como hierro en el piso, negándose a abandonar el lugar sin tener noticias, sin embargo, ellos fueron más fuertes que yo y terminé cediendo.

El insomnio no era nunca un secreto. Penetraba en tu apariencia cincelando como en piedra.

Habían pasado tres días sin que supiera nada sobre Alexander. El mundo a mi alrededor se había enmudecido y yo había entrado en un limbo, como si mi cabeza estuviera bajo el agua.

No podía concentrarme en nada, ni comer ni dormir por la incertidumbre que amenazaba con ahogarme.

Así que, en un lapso de inconciencia y desesperación, conduje hasta su edificio y antes de que pudiera reaccionar, ya estaba frente a su puerta, en parte esperando encontrarlo dentro, en parte temiendo no ser capaz de afrontar su ausencia. Me puse de puntillas y estiré el brazo para alcanzar la llave que, según me dijo alguna vez, permanecía sobre el umbral para emergencias o, como me había sugerido, para que lo recibiera usando un *baby doll* siempre que quisiera. Quise sonreír ante el recuerdo. Era un idiota.

El lugar permanecía oscuro y se sentía vacío sin él. Cerré la puerta tras mi espalda y encendí las luces de la sala desierta. Todo parecía en el mismo lugar de siempre.

Casi esperé a que saliera de su estudio de fotografía para recibirme. Mi corazón se compungió por la ilusión. Esa era yo aferrándome a los resquicios de la presencia de Alexander.

Caminé hasta su habitación e inhalé profundo, impregnándome de su aroma, que era más fuerte ahí. La patética verdad era que lo extrañaba; extrañaba su persona y resentía su ausencia. Extrañaba su voz, sus acciones, su fuego.

Abrí el primero de sus cajones en busca de una camiseta para dormir, pero lo que encontré me arrancó una sonrisa. Dentro, a la vista y puestas sin preocupación alguna, estaban las bragas que me había quitado todas las veces que habíamos estado juntos, reclamándolas como un trofeo.

Me pregunté qué pensaría Vania al ver aquello. Al menos sabía que no me faltaría ropa interior estando ahí.

El segundo cajón era de calcetines y el tercero de sus camisetas, dobladas con esmero. Tomé la primera que vi, que era negra, grande, con la leyenda de los *Atlanta Falcons* e impregnada de su masculino aroma. Debía ser patético, pero era lo más cercano a él que podía conseguir.

Me desvestí, me puse la camiseta y arrastré el cuerpo sobre la cama para hacerme un ovillo en el lado derecho. Clavé mi vista en el espacio vacío junto a mí y cerré los ojos para entregarme a otra noche de sueño turbulenta. Alexander siempre había dormido en el lado izquierdo de la cama.

Mis pestañas estaban pegadas por lágrimas secas y parpadeé un par de veces para enfocar. No sabía cuánto había dormido, pero la cruel realidad me golpeó al ver las sábanas intactas a mi lado.

Alexander no estaba ahí y esa era una verdad que no podía eludir.

El sonido del *interfón* me sacó de mis cavilaciones y me obligó a ponerme en pie para responder.

—Diga.

—¿Señorita McCartney? —habló Adam, el recepcionista del edificio.

—¿Qué ocurre? —Me froté los ojos con el dorso de la mano para desaparecer los restos del sueño.

—¿Se encuentra el señor Colbourn?

¿Acaso nadie le había dicho al despistado hombre que Alex estaba en el hospital desde hacía días?

—No.

—Oh, ya veo. —Escuché estática, pero no colgó. Estaba por hacerlo yo cuando volvió a hablar—. Hay alguien que quiere verla. ¿Gusta recibirlo?

Fruncí el ceño. ¿Quién podría querer verme a mí?

—¿Quién es?

—El señor Louis, dice que usted sabe quién es.

Los engranes en mi mente comenzaron a funcionar para asociarlo. Era el tipo de la casa de apuestas, si mi memoria no me fallaba. Cambié mi peso de un pie al otro sopesando el dejarlo entrar o no, porque yo no tenía ninguna relación con él y tampoco tenía idea de qué podría obtener hablando conmigo.

—¿Es urgente?

—Menciona que lo es.

Me mordí el interior de la mejilla. ¿Qué era lo peor que podía pasar? Además, si era tan urgente como decía, lo mejor sería que le pasara el mensaje a Alexander cuando recuperara la conciencia.

—De acuerdo, dile que suba. —Corté la comunicación y me apresuré a ponerme mis pantalones.

Estaba abrochando el botón cuando tocaron la puerta, respiré hondo y abrí.

Louis me sonrió ampliamente, la cicatriz en su cara contorsionándose con el gesto.

—¿Interrumpo algo?

Caí en cuenta de que seguía usando la camiseta de Alex y negué con la cabeza.

—No, Alex no está.

—Me lo ha dicho el recepcionista. —Sus ojos centellaron con algo que no pude identificar—. ¿Puedo pasar?

Continué junto al umbral impidiéndole el paso unos segundos más, hasta que me retiré y entró. Escaneó todo a su alrededor.

—¿Dónde está Alexander?

—En... —Consideré mentirle; su presencia me ponía nerviosa, pero opté por decir la verdad—. En el hospital, tuvo un accidente.

—¿Accidente? —Sus ojos se abrieron con impresión—. ¿Qué clase de accidente? ¿Está bien?

—Una contusión. Está en el hospital desde hace tres días.

—Ya veo. —Se llevó una mano temblorosa a la nariz y sorbió—. Eso explica algunas cosas.

—¿Qué cosas? —Me crucé de brazos en un gesto protector. La intranquilidad que había mostrado no era normal, ni tampoco lo era que el tipo a quien había vaciado en un juego viniera a buscarlo hasta su departamento.

Louis giró el rostro y me mostró una pequeña sonrisa. La expresión me resultó extrañamente familiar.

—¿Quieres decir que estás sola?

Me sentí incómoda al momento y carraspeé.

—Sí, y me iré dentro de poco, así que dígame a qué ha venido. —Llené mi voz de toda la convicción que pude reunir.

—Quería arreglar los últimos detalles de un negocio con Alexander, pero en vista de que no está...

—¿Qué negocio?

—Ah, ¿no te lo ha dicho? —Caminó hasta tomar asiento en el comedor como si fuera su casa—. Bueno, los problemas de pareja no me corresponden. Si él no quiere decírtelo, sus razones tendrá.

Me senté frente a él en la mesa para estar a su altura y lo miré con dureza.

—No me lo ha dicho, pero usted sí puede decírmelo. ¿Está en problemas?

—Qué va. —Soltó una risotada—. Jamás le irá mejor que en este momento, pero son cosas que él tiene que decirte.

Me removí incómoda en la silla por el peso de sus ojos sobre mí y abrí la boca para hablar, pero me interrumpió.

—¿Qué dijiste que le había sucedido? ¿Una contusión?

—Sí.

—¿Cerebral?

Asentí despacio, sin comprender a dónde iba con esas preguntas. Se tocó la barbilla, pensativo.

—¿Cuánto dijiste que tiene en el hospital?

—Hoy se cumplen cuatro días.

—Vaya, debió ser algo grave entonces. Ese tipo de traumatismos varían mucho dependiendo de la contundencia del golpe, pero suelen provocar microhemorragias y es necesario aligerar la presión intracraneal para que el paciente mejore —se encogió de hombros—, aunque es probable que, dependiendo el lugar afectado, se presente pérdida de memoria o motricidad, o...

Lo miré impresionada.

—¿Cómo sabes todo eso?

Pareció que lo había pillado diciendo algo malo y se aclaró la garganta.

—Lo vi en un programa de televisión hace tiempo —explicó, pero pude notar la vacilación en su voz y la mentira escrita en toda su cara.

Estreché los ojos con recelo.

—Para haberlo visto en televisión, son datos muy precisos.

—Tengo buena memoria.

—Ya veo.

De pronto, una nueva posibilidad se plantó en mi mente.

—Siento que te he visto antes —acoté con cautela y él me observó con ojos brillantes, codiciosos.

—¿En la casa de apuestas?

—No, pero tu rostro me resulta muy familiar.

—No imagino de dónde además de ese lugar. —Se pasó una mano por el cuello.

—¿A qué te dedicas? —pregunté de la forma más jovial que pude.

—Negocios.

—¿Qué tipo de negocios?

Se encogió de hombros.

—Diversas ramas.

—Tal vez de ahí me resultas tan familiar. ¿Alguna vez has acudido a una de las fiestas de negocios de mi padre? Tal vez ahí hayamos coincidido sin saberlo.

—Puede ser. ¿Quién es tu padre, linda?

—Leo McCartney.

Su mano sobre la mesa tembló y no supe si fue por la mención del nombre o por su tic.

—¿Leo McCartney es tu padre? —escupió su nombre como si la lengua le escociera y volví a asentir, calibrando su rostro, que luchaba por mantener inexpresivo—. Alguien muy famoso, pero nunca he sido invitado a ninguna de sus fiestas.

—Oh, lástima. Entonces, ¿tal vez a alguno de los eventos filántropos de mamá? Debe haberla visto junto a papá.

—Allison Lowe —acarició el nombre de mamá con su boca, que se alzó en una sonrisa extraña—. Imposible no conocerla.

De la nada, un escalofrío me recorrió la columna y se me erizó la piel como si una ventisca entrara por las ventanas.

—Pero no —continuó—, tampoco he estado en ninguno de sus eventos.

—Qué extraño. Juraría que te he visto antes.

Me miró suspicaz, pero no dijo nada más.

—¿Cuál es su apellido, señor...?

Me miró directo a la cara.

—Davis. Louis Davis.

La decepción no tardó en abrirse paso y me sentí tonta por haber pensado que él podría ser Louis Balfour.

«Estás viendo enemigos donde no los hay, Leah».

—¿Por qué la pregunta?

—Nada, pensé que así podría ubicarlo mejor.

—¿Y sirvió de algo?

—No —admití.

—Te dejo entonces, debes estar ansiosa por ir a ver a tu novio.

Se puso en pie e imité su acción.

—No te quitaré más tiempo, solo quería saber por qué Alex no se había presentado a la casa de apuestas.

—¿Es una falta muy grave?

Louis sopesó la respuesta.

—No, pero daré el aviso. —Caminamos hasta la puerta sin que el incesante pulsar del miedo aminorara—. Aunque sería conveniente que me dieras tu número de teléfono para estar al tanto si las cosas se complican.

Extrajo su móvil desde su saco, lo desbloqueó y me lo tendió.

El aparato pendió entre nosotros mientras lo escrutaba con recelo, dudosa. Algo me decía que no era buena idea, pero decidí ignorar mi paranoia y sonreí.

—Claro. —Tomé el celular, tecleé mi número y se lo regresé.

Esbozó una sonrisa casi grotesca y me llamó; mi celular vibró sobre la mesa del comedor.

—Estaremos en contacto. Gracias por recibirme, Leah McCartney —musitó mi nombre con deje alegre.

Permaneció frente a mí y su cercanía me inquietó más de lo que debería, entonces rompió la distancia entre los dos y me plantó un beso en la mejilla que me puso los vellos de punta.

Me alejé y forcé una sonrisa cordial, y sin decir nada más, salió por el umbral. Cerré la puerta y me recargué contra ella tratando de ralentizar mi desbocado latir y mis sentidos, que se habían agudizado por la insistente impresión de peligro. Definitivamente estaba volviéndome loca.

# 36
# LA ELECCIÓN DE LEAH

*Leah*

«Solo una vez», me repetí para armarme de valor mientras caminaba por el pasillo del hospital, esperando no encontrarme con la bruja mayor apostada en la puerta de entrada.

La sala de espera estaba repleta de personas, pero ninguna de rostro familiar, así que me encaminé a la recepción y me planté frente al mostrador, donde me recibió otra cara desconocida de una joven.

—¿Puedo ayudarte? —preguntó amable.

—Quiero ver a Alexander Colbourn.

Frunció los labios, dudosa.

—No creo que eso sea posible.

—He dicho que quiero verlo —repetí con severidad.

—Repito que no será posible, sus visitas han sido limitadas solo para familiares directos.

—Por eso mismo, quiero verlo.

Arrugó el ceño y me escaneó de arriba abajo.

—¿Qué parentesco comparten?

—Es mi esposo —solté como si me arrancaran las palabras de la garganta.

Me dedicó una ojeada incrédula y quiso reír.

—Ya, pues...

—¡He dicho que quiero ver a mi esposo! —vociferé ganándome un respingo de su parte y levantando una oleada de murmullos.

—Señorita, tran...

—¿Qué esperas para darme su número de habitación? ¿Quieres que te muestre el acta de matrimonio para que hagas tu trabajo? —mascullé alterada y negó con la cabeza.

—Hab... Habitación trescientos seis —balbuceó—. Solo una persona a la vez.

Asentí y me dirigí al pasillo que sabía que conducía a su habitación.

Caminé con el estómago constreñido y el mentón en alto. Me preparé mentalmente para una riña con Agnes o Sabine, o cualquier persona que estuviera allí dentro.

Mi corazón latió fuerte contra mi pecho y mantuve la mano en torno a la perilla un poco más de tiempo para dotarme de fortaleza y afrontar cualquier cosa que estuviera tras esa puerta.

Porque él valía la pena y también valía las alegrías. Lo valía todo.

Cuando empujé y abrí, el espacio estaba vacío, a excepción de Alex, que permanecía sobre una camilla. No fui capaz de despegar los ojos de él, pero fui lo suficientemente consciente para cerrar la puerta.

Con un nudo en la garganta, recorrí el inmaculado lugar para acercarme. Tomó todo de mí no correr hasta él, sujetarlo como si mi vida dependiera de ello y nunca más dejarlo ir. Me situé junto a su cama y lo observé con fascinación mórbida, absorbiendo los perfectos ángulos de su cara. Estaba pálido, como si hubiera sido congelado para permanecer en el tiempo; el aparato al que estaba conectado registraba su acompasado latir.

Al menos estaba vivo, y bien, *y vivo, vivo, tan hermosamente vivo.*

Me había acostumbrado tanto a mirarlo frente a mí o en mi cabeza, que a veces olvidaba lo bello que era.

Tracé las líneas con mis pupilas de todos los recovecos y curvas de su cuerpo, creando una memoria visual con mis retinas para imprimirla a fuego en mi cerebro, hasta que no pude hacerlo más porque mi visión se nubló. Entonces caí en cuenta de que estaba llorando, las lágrimas precipitándose rebeldes por mis mejillas sin control, y mi corazón latiendo como loco dentro de mi cavidad, derrumbando en un segundo lo que había luchado por construir en *semanas*. Estiré el brazo para tocar su cara, para cerciorarme de que era de carne y hueso y no una burlesca pesadilla. Gran error, porque rompí a llorar como una niña, dejando mi corazón en mis lágrimas. Tomé su mano en la mía y enredé mis dedos con los suyos.

—No entiendo cómo pudiste dejarte vencer así —gimoteé—. Tan arrogante que eres con tu habilidad para ganar siempre.

Inspiré un par de veces para tranquilizar los espasmos de mi pecho.

—Fui a tu departamento ayer, y encontré... —perdí la voz y jadeé—, encontré mis bragas en tu primer cajón. No puedo creer tu descaro, Vania pensará que eres un fetichista o algo así cuando las vea, pensará que necesitas ayuda y... yo... yo te necesito. Te necesito.

Volví a llorar con ahínco, aferrándome a su mano, como si pudiera regresarle la conciencia con ese gesto.

—Solo vuelve, no sabes lo mucho que te extraño —confesé, rindiéndome con la patética charla banal—. No sabes cuánto te echo de menos.

Intenté parar las lágrimas que caían sin control, pero fallé.

—No puedes dejarme viuda a los veintitrés, joder —me quejé mirándolo acusadora, como si pudiera notarlo, pero permaneció inerte.

—Por favor, Alex. —Me incliné hasta tocar levemente su frente con la mía—. Por favor vuelve a mí. Vuelve a mí.

Apreté su mano hasta que mis nudillos estuvieron blancos.

—No soy tan fuerte, no puedo hacer esto sin ti. Te quie...

—¿Tú? —La voz proveniente del umbral me hizo saltar, reincorporándome y soltar la mano de mi esposo como si quemara.

Sabine me miraba con los ojos muy abiertos desde su lugar.

—Vine a vigilarlo, pero me habría ahorrado el esfuerzo de saber que ya estaba en tan buenas manos. Quién mejor que su esposa para cuidarlo, ¿no? —espetó con agriedad.

Me limpié la cara con el dorso de la mano y recuperé un poco de semblanza.

—Puedo explicarlo.

En realidad, no necesitaba una explicación, porque no iba a insultar su inteligencia inventando una pobre excusa de mi presencia en la habitación si era más que obvio.

—De hecho, no. La enfermera ya me informó que su esposa estaba en la habitación. —Sonrió con frialdad—. Sabía que él tenía un nuevo juguete, pero jamás pensé que llegaría tan lejos, mucho menos que fueras tú.

*¿Juguete*? El calificativo dolió.

—Pero no te preocupes, no le diré a nadie. Es algo que no me corresponde. No quiero poner sobre la línea su reputación.

—¿Qué quieres decir con eso? —la desafié, cruzándome de brazos.

—Hablaremos después; por ahora, tienes cinco minutos antes de que Agnes regrese. Apresúrate.

—¿Qué? Per...

—Cinco minutos —sentenció tajante antes de cerrar la puerta tras de sí.

Tomé mi cabeza con las manos, cerrando los ojos para tranquilizarme. Mierda. No conocía a Sabine, pero sus sentimientos por Alex no eran ningún secreto y no sabía cómo usaría esto a su favor, o si se lo diría a Agnes para jodernos todo.

Volví a tomar mi lugar junto a él, contemplándolo por lo que me pareció un segundo, hasta que escuché un par de voces acercándose por el pasillo.

—He dicho que no quiero. —Reconocí la voz de su madre tornándose más nítida y me apresuré a ponerme en pie.

Una oleada de pánico me invadió y busqué frenética un lugar donde ocultarme, o en su defecto, armarme de valor para enfrentarla cara a cara. Giré la manija de la puerta que tenía enfrente y cedió sin esfuerzo, dejando a la vista un pequeño baño. Cerré justo cuando las voces se volvieron claras.

—Tienes que comer algo, por Dios —se quejó Sabine—. Seguir así no te hará bien.

—No me importa. Mi lugar está con mi hijo. Ya he ido a la cafetería por un *latte*, es todo lo que conseguirás de mí.

—Necesitas ducharte y descansar —objetó la pelirroja.

—No es verdad, lo único que necesito es saber que mi hijo estará bien.

Escuché sus pasos cerca de la puerta y me pegué a ella para impedirle abrirla en caso de que quisiera entrar al baño.

Mis oídos zumbaban y la sangre corría como un torrente por mis venas a causa de la adrenalina.

—Ag...

—No insistas, Sabine. Si me quieres ayudar, ¿por qué no vas y me buscas un sobre de stevia?

—Por...

—Tenemos que hablar. —Reconocí la voz de mamá en la habitación y mis sentidos se pusieron alerta al instante.

—Habla —espetó gélida mi suegra.

—Vamos a la sala de espera, necesito decirte algo importante.

—Hazlo aquí, ya he dicho que no pienso moverme de este lugar. —Guardaron silencio por menos de un segundo, pero entonces la rubia volvió a hablar—: Sabine, ve por el sobre, por favor.

Debió acceder porque escuché pasos arrastrándose fuera.

—¿Y bien?

—La recuperación de Alexander está siendo lenta —comenzó mi madre y mi corazón se comprimió dentro de mi pecho—. Hemos hecho todo lo posible, pero debes estar preparada para cualquier complicación o secuela.

—¿Qué quieres decir con eso?

Mamá calló unos momentos.

—Las repercusiones por la contusión pueden variar dependiendo de cada paciente y su forma de reaccionar ante el tratamiento. Por el lugar donde Alexander presentó la contusión es probable que tenga complicaciones motrices o con el lóbulo temporal, donde se aloja la memoria.

Me tapé la boca con la mano para evitar que el jadeo provocado por el llanto fuera audible.

*¿Iba a olvidarme*? No, no, no.

—¿Es decir que lo olvidará todo? —gimoteó ella.

—No lo sé, es una probabilidad. También es posible que presente pérdida de memoria temporal o a corto plazo, nada grave. Todo depende de...

—¡Ya lo sé! ¡Me lo has dicho mil putas veces! —gritó Agnes y di un respingo—. ¿Cómo sé que en verdad lo estás ayudando? ¿Cómo sé que no lo estás jodiendo solo para vengarte de mí, ah? Te juro… Te juro maldita perra de mierda que si le haces algo a mi hijo te...

—Yo no soy como tú, Agnes. Jamás haría algo contra tu hijo como tú lo intentaste contra el mío, porque también soy madre y te entiendo, sé cuánto duele cuando su vida está en peligro.

¿Intentar algo contra su hijo? ¿De qué estaba hablando mamá?

—Él es lo único valioso que tengo. —La voz de la señora Colbourn se quebró—. Tiene que recuperarse.

—Lo hará, pondré todo de mi parte para que así sea.

—Bien, pero no te equivoques —siseó Agnes—. Esto que haces no te quita tu lugar, ni borra lo que eres.

—Como quieras, quien se desgasta eres tú. Ahora acompáñame a...

—He dicho que no me moveré de aquí.

—Necesitas firmar papeleo de tu hijo, así que acompáñame a la recepción.

Hubo otro lapso de silencio antes de que los pasos se perdieran tras la puerta y giré la perilla para sacar la cabeza y cerciorarme de que la habitación estuviera desierta.

Miré a Alexander una última vez con el pecho comprimido y el corazón a punto de convertirse en añicos.

—Por favor, no me olvides —susurré y deposité un beso sobre su mejilla antes de salir hecha un manojo de nervios.

Sabine me esperaba en el pasillo con una mirada de muerte y los brazos cruzados.

—Estoy esperando —espetó con acidez mirándome desde el otro lado de la mesa.

Estábamos en una cafetería a dos calles del hospital.

—¿Qué cosa? —La escruté con ojos cansados.

—Que me expliques cómo es que eres su esposa.

Suspiré y le relaté la historia, pero sin reparar mucho en los detalles.

—¿No se suponía que se caían mal? Eso me dijo él la última vez, al menos.

—Las cosas cambian. —Me encogí de hombros—. Tampoco fue algo que esperara o planeara, pero henos aquí.

—Vaya. —Me observó por unos segundos—. Lo que no entiendo es: ¿por qué mantenerlo en secreto? ¿Por qué no se lo han dicho a los demás si ya casi cumplen seis meses de matrimonio?

Me mordí el interior de la mejilla y la contemplé largo y tendido.

*Por miedo al rechazo y los problemas.*

—Es complicado.

—De acuerdo.

La miré perpleja.

—¿Eso es todo?

—Ya escuché lo que tenía que escuchar.

—¿Les dirás a los demás? —pregunté con vacilación.

—¿Qué amas a Alexander? No.

—Nunca dije que lo amara —repliqué—. Nunca usé esa pal...

—¿Entonces no lo amas? —Me escrutó con dureza, sus esmeraldas calando hasta lo más hondo de mí.

—Yo... —Me atraganté con las palabras sin poder recitarlas, porque no tenía idea de cuál era el alcance de mis sentimientos por él—. Ni siquiera voy a responder eso, es algo que no te importa. ¿Qué dirías si yo te lo preguntara?

—Te diría que lo hago —respondió sin pensarlo—. Alex no necesita tu cobardía ni tu vacilación, mucho menos un amor mediocre que es endeble.

Abrí la boca, impresionada y ofendida a la par.

—No sabes la suerte que tienes de que él te quiera. —Extrajo la cartera de su bolso, sacó un par de billetes y los estrelló contra la mesa—. Si no vas a corresponderle con la misma intensidad, entonces no te lo mereces.

Estaba por hablar cuando me cortó.

—No voy a decirle nada a los demás.

—No necesito que me hagas ningún favor —siseé ofuscada.

—Entonces tú hazme un favor a mí —habló sin romper el contacto visual—. Si no vas a luchar por él, no estorbes. Alex parece estar dispuesto a aceptar cualquier mierda que tengas para ofrecer, pero se merece a alguien mejor que tú. Cuídate, Leah.

Se puso en pie y abandonó la estancia sin mirar atrás, dejándome con un amargo sabor a hiel en la boca y más perturbada que antes.

Se habían cumplido dos semanas sin saber nada de mi esposo.

Mi vida había vuelto poco a poco a la normalidad durante ese tiempo, o al menos a una patética sátira de ella.

El período escolar había terminado para cederle el lugar a las vacaciones de invierno, y la falta de actividad hacía que el tiempo transcurriera mucho más lento.

Sabía que tenía un montón de cosas más en las que debía concentrarme antes de hacerlo en Alex, pero si me olvidaba —a mí y a todo lo que habíamos vivido durante estos meses—, entonces aquello podía ser el final.

Mi estómago se revolvió ante la perspectiva.

Mi mente estaba en su natural estado de ansiedad cuando Ana, nuestra ama de llaves, tocó a mi puerta, que permanecía abierta.

—¿Qué pasa?

—Jordan te espera abajo, mi niña —me informó.

—¿A qué ha venido?

—Es tu novio, no el mío, linda. —Esbozó una sonrisa y rodé los ojos. Hacía falta que alguien actualizara a Ana de mi estado civil con urgencia.

—De acuerdo, ya bajo —accedí sin convicción, al tiempo que ella asentía para luego dirigirse escaleras abajo a dar el aviso.

Me apreté la coleta alta y me mentalicé para cualquier cosa que pudiera salir de su boca.

Hacía más de un mes que las cosas habían terminado entre nosotros y me había encargado de dejárselo en claro manteniendo una sana distancia. Que se presentara ahora no debía ser buena señal. No tenía fuerzas para lidiar con él.

Cuando bajé lo encontré en medio de la sala con las manos dentro de los bolsillos de su chaqueta.

Carraspeé y esbozó una sonrisa al verme.

—Hola.

—Hola —correspondí.

Era extraño tenerlo en casa otra vez.

—Quer...

—¿Te parece si vamos al jardín? —me adelanté y la curiosidad asaltó sus facciones—. Siento que será más cómodo afuera.

—Claro —concedió y salimos juntos al enorme jardín trasero, con el aire frío de la noche golpeándome la cara—. Diciembre está a nada de terminar, qué rápido pasa el tiempo, ¿no?

—Más de lo que parece. —Me arrebujé en mi suéter cuando el silencio se alargó demasiado—. ¿A qué has venido, Jordan? —pregunté con más dureza de la planeada—. Perdón, lo planteé mal, yo...

—No, está bien. —Pasó una mano por su cabello y cambió su peso de una pierna a otra—. Solo vine a ver cómo estabas, pareces muy distraída últimamente.

—Estoy bien.

—No parece.

—He tenido muchas cosas en la cabeza —me justifiqué vagamente y él sonrió con pesadez.

—Si me dieran un dólar por cada vez que me has dicho esa excusa, sería rico.

—El doble de rico. —Reí y me correspondió, un brillo familiar inundando sus ojos—. Debería invertir tiempo en inventar nuevas excusas entonces.

—Deberías. —Encuadró los hombros y me miró a los ojos—. ¿Tienes un momento?

Me mordí el interior de la mejilla, incómoda.

—Estoy algo ocupada, ya sabes, con todo eso de los posgrados, las plazas, las solicitudes y...

No era del todo mentira. Se había convertido en mi refugio para sobrevivir a la cotidianidad sin Alexander.

—¿Sigues planeando irte?

—Sí —respondí con decisión y asintió bajando la mirada.

Era gracioso cómo algunas cosas no cambiaban, y era sorprendente cómo podía leerlo con la facilidad que otorgaban los años de relación. Muchos decían que Jordan era un libro abierto y era verdad; era una persona sencilla. Estar con él era sencillo. Sabía cuando estaba nervioso, enojado, asustado o cuando quería hablar de algo importante. Y no tardé en darme cuenta de que estaba aquí precisamente por eso.

—¿Jordan?

—¿Qué?

—¿A qué has venido? En verdad. —Me crucé de brazos.

—Ya te lo dije.

—Cuando mientes no puedes mirarme a los ojos y tus hombros se tensan. —Señalé esa parte con mi barbilla—. Sé que no has venido para hacer tu acto de buen samaritano preocupándote por mí, así que dime.

Sus labios se abrieron en sorpresa antes de recuperar la compostura.

—De acuerdo, hay algo que necesito decirte.

Me mantuve en silencio esperando y él tomó una bocanada de aire antes de empezar a hablar.

—Hay una chica... Grace. Compartimos la clase del señor Robins, pero la conocí en una fiesta a la que no quisiste acompañarme y ella me llevó a casa. ¿La recuerdas? Te la presenté junto a los chicos.

Estaba balbuceando y lo único que podía hacer era escuchar.

—Grace no sabe nada de esta materia, y ni siquiera está segura de que le gusta esta carrera, pero se ha ganado una beca por natación en nuestra universidad y quiere aprovecharla al máximo. Dice que prefiere morir pobre, pero nadando, que vivir atascada en una carrera que no le agrada. —Rio suavemente ante el recuerdo y continuó—: He intentado enseñarle sobre la asignatura en mis tiempos libres y...

—¿Sí?

Inhaló con frustración, pasándose una mano por el cabello de nuevo.

—Es agradable, Leah. Es bonita, centrada y divertida. No le importa quién soy o de qué familia vengo, y es refrescante, ¿sabes? Conocer a alguien que no está metido en esta mierda clasista, y no sé qué es lo que me gusta más de ella, si su intelecto, su torpeza, su amabilidad, o... —Cerró los ojos y negó antes de volver a mirarme—. Me atrae, me atrae mucho.

No era en absoluto lo que esperaba que dijera.

—Parece alguien estupenda, Jordan, de verdad. —Sonreí con sinceridad.

La agitación inundó su mirada.

—Lo es. —Se masajeó el cuello, incómodo—. Pero hay un problema.

—¿Cuál?

—Tú. —La declaración me tomó con la guardia baja y olvidé respirar—. O al menos como me siento hacia ti.

Di un paso atrás con cautela mientras asimilaba sus palabras.

Traté de ignorar el desbocado latir de mi corazón, el leve temblar de mis manos y la tensión que se asentaba sobre mis músculos. Me sentía pesada y saturada. Aún estaba tratando de asimilar la posibilidad de que Alex me olvidara, entender el problema que mis padres tenían con Agnes, mantener buenas notas para largarme fuera en caso de que todo se cayera a pedazos y, ¿ahora Jordan?

—Jordan —coloqué mis manos a los costados—, yo...

Me besó.

Fue rudo y desesperado, pero sus labios se encontraron con los míos y sus manos me tomaron de los pómulos para mantenerme en el lugar. No era más que contacto, pero estaba ahí y me hizo sentir mal. Me hizo ser consciente de que algo se había roto y no podía repararse. Algo había cambiado.

Antes hubo algo: una chispa y calor. Ahora, no había nada. Absolutamente nada.

Me separé de él despacio, tomando distancia de nuevo, y su semblante de aflicción casi me rompió el corazón. Algo borboteó bajo mi piel, distinto y desagradable. Aquello había sido un error, ahí no era el lugar donde yo debía estar.

—No debiste hacer eso.

Me miró como si me hubiera vuelto loca.

—¿Qué?

—No debiste hacer eso, yo... —Me llevé una mano a la frente—. No puedes solo venir y hacer algo así, está mal.

—Leah, te amo —confesó con determinación—, y estoy aquí porque quería saber si había alguna oportunidad de que tú y yo... De que pudiéramos arreglar las cosas. Pensé que reaccionarías diferente cuando te contara lo de Grace, pensé que te molestarías y volverías a tus sentidos.

Fruncí el ceño.

—No siento celos, Jordan.

Suspiró con exasperación.

—Lo sé, lo noté, pero no quiero empezar nada con Grace si aún hay algo entre nosotros. No quiero iniciar nada si todavía hay una posibilidad de volver.

—Jordan…

—Déjame hablar, ¿sí? —Cerré la boca y le concedí la palabra—. Creo que una parte de mí siempre ha sabido que eres tú la indicada para mí. Eres lo que mis padres siempre han deseado como nuera y eres lo que siempre he querido. —La intensidad en sus ojos era nueva y me engullía—. Te amo, y no quiero mirar atrás un día y preguntarme qué es lo que habría pasado si me hubiese esforzado un poco más, si no me hubiese rendido contigo, si no te hubiese dejado ir.

Sus palabras resonaron en mi cabeza. Fue como recibir una bofetada para hacerme despertar de mi letargo.

—No lo hagas —dije luego de un momento.

—¿Que no haga qué?

—No esperes por mí.

El daño entre nosotros dos ya estaba hecho y mi corazón ya le pertenecía a alguien más.

La mirada de dolor que me obsequió hizo un nudo en mi garganta.

—Pero nosotros...

Negué con la cabeza. No había percibido nada durante ese beso porque ya no sentía nada por él. Ese barco había zarpado hacía tiempo y no quería aceptarlo. No era la misma chica que lo había amado, tan simple como eso.

—Entiendo lo que me dices, pero no te dejaré hacerlo, no te dejaré insistir en algo que ya no tiene remedio. Tal vez si las cosas hubiesen sido diferentes, si *otras cosas* no hubieran sucedido, podríamos seguir juntos y tener todo lo que deseamos. Quizás habríamos funcionado, pero no es el caso.

—Leah...

—Mereces ser feliz, y yo también. Y creo que Grace te hace feliz, porque tu cara se ilumina cuando hablas de ella, algo que hace tiempo no pasa conmigo, así que no permitas que yo sea un obstáculo.

—Pero tú me haces feliz también —insistió con desesperación—. Con el tiempo podemos repararlo, hacerlo funcionar de nuevo.

—No puedo darte lo que quieres —respondí—. No puedo hacerte feliz ni corresponderte.

—¿Por qué?

Tomé aire y me erguí. Tampoco podía huir de él más tiempo.

—Hay alguien más.

Parpadeó un par de veces, como si quisiera comprender lo que acababa de decirle.

—¿Qué quieres decir?

—Eso, que también hay alguien más por mi parte.

Retrocedió un paso como si lo hubiera abofeteado.

—¿Has conocido a alguien más?

Asentí.

—¿Desde cuándo?

—Eso no importa.

El silencio se alargó entre nosotros como un abismo, hasta que volvió a hablar.

—¿Lo quieres? —preguntó en un susurro, como si temiera de la respuesta, y consideré ignorarlo, antes de recordar mi charla con Sabine, así que apreté mis ovarios y asentí con decisión.

—Sí.

—¿Cómo sabes que no es algo temporal?

—Porque no lo es, sé lo que siento. Lo quiero muchísimo, Jordan.

Sentí un peso menos en mi pecho al decirle la verdad, aunque mi corazón se fracturara al contemplar todo el dolor escrito en su cara.

—¿Y te corresponde?

Lo que antes habría sido un *sí*, ahora era un *tal vez* o un *no definitivo*; pero él no necesitaba saber eso, no necesitaba que alimentara sus esperanzas.

—Sí —afirmé decidida.

—¿Quién es?

Abrí la boca para responder, cuando puso una mano al frente.

—Olvídalo, no quiero saber —confesó con amargura y sus ojos brillaron en la penumbra—. ¿Es él lo que quieres, Leah?

La pregunta reverberó en mi interior e inclinó mi mundo un poco más hacia un lado, poniéndolo patas arriba.

Lo había evitado por mucho tiempo, y ahora, la respuesta se estaba volviendo clara y distante a la vez, como si pudiera evaporarse para siempre antes de tomarla. Peleé contra ello, sin querer admitir la verdad, pero estaba ahí, esperando para que lo ayudara a recordar.

Estaba ahí, esperando que volviera a mis sentidos y me armara de valor.

Estaba ahí, esperando por mí a que luchara por él.

Y justo en el borde del quiebre, la respuesta se volvió nítida.

—Sí —respondí con convicción—. Jordan, tengo que irme. No es aquí donde debo estar.

Y, sin esperar su respuesta, le di la espalda y emprendí el camino para encontrarme con quien realmente anhelaba mi corazón.

# 37
# IZQUIERDA
## *Alexander*

Estaba aburrido.

Había bloqueado las llamadas de mamá y Sabine luego de reportarme para hacerles saber que todo estaba bien, que no había muerto en las últimas veinticuatro horas desde que abandoné su calabozo. Quiero decir, la casa de mi madre.

No podía estar ahí un segundo más. Habían transcurrido dos semanas desde mi alta, dos semanas en las que mi madre me cuidaba de forma excesiva, y cuando ella no podía hacerlo, enviaba a la teniente, cuidados de bebé Sabine para reemplazarla. Ni siquiera podía cagar tranquilo hasta que Vania se apiadó de mí y me ayudó a salir cuando tomé la decisión de irme.

Sus actitudes, aunadas al hecho de lo lento que transcurrían los días, no me ayudaban a mejorar mi humor. Había dejado muchas cosas pendientes luego del accidente: la universidad, mis conversaciones con Rick, Louis…, y Leah.

Dejé caer la cabeza en el respaldo del sillón y cerré los ojos. No tenía sentido engañarme a mí mismo. Ya lo había intentado muchísimas veces antes y jamás funcionó. No era el resto de las tareas pendientes lo que me tenía tan preocupado y de tan malhumor, era Leah.

Era la falta de esos ojos grises como glaciares y esa actitud de hielo capaz de incendiarme. Extrañaba a la pequeña arpía.

El silencio en mi departamento era ensordecedor. Había pasado la última media hora mirando el techo pensando en estupideces, y estaba a punto de comenzar a hacerme trenzas en la barba.

Claro que tenía cosas más apremiantes que hacer, como reportarme con los imbéciles de Rick y Louis, pero eso podía esperar. Yo lo haría esperar. No estaba listo para enfrentar esa problemática aún, no después del horrible sueño que me hizo despertar. Ese en el que ella estaba en riesgo.

Pocas cosas en la vida me preocupaban tanto como el poner en peligro a alguien preciado para mí. Y Leah era preciada, muy preciada. Era tan importante que la perspectiva de ponerla en peligro de alguna manera, por pequeña que fuera, me enfermaba.

Debía analizar la mejor forma de proceder. El mejor modo de...

El sonido de toques en la puerta me sacó de mis cavilaciones. Tomé el móvil de la mesa del centro y comprobé la hora: once menos cuarto. ¿Quién mierda me buscaba a esta hora? Al parecer nadie bueno si se presentaba sin avisar.

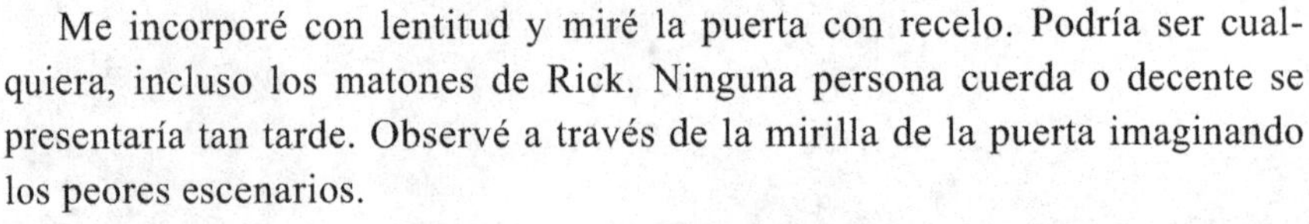

Me incorporé con lentitud y miré la puerta con recelo. Podría ser cualquiera, incluso los matones de Rick. Ninguna persona cuerda o decente se presentaría tan tarde. Observé a través de la mirilla de la puerta imaginando los peores escenarios.

Y entonces todo se detuvo. Parpadeé un par de veces para comprobar que no era una alucinación causada por la abstinencia o la añoranza, pero cuando la imagen distorsionada de Leah no desapareció, todos mis sentidos se encendieron.

Maldita arpía desquiciada. ¿Por qué venía ahora y por qué demonios se demoró tanto en aparecer?

Una parte de mí todavía estaba dolida por su indiferencia y su ausencia. Y me las pagaría.

Abrí la puerta de golpe y Leah dio un respingo. Creí que estaba preparado para verla de nuevo, pero ese era el tema con ella: no importaba cuántas veces me dijera que no podría afectarme, porque era una mentira. Siempre parecía tomar a mis sentidos con la guardia baja, que se llenaban hambrientos de detalles de su persona: lo bonitos que eran sus ojos, lo claros que eran cuando me miraban; lo delgada que parecía su cara y el resto de su cuerpo, como si no hubiera comido bien este tiempo.

No importaba cuántas veces intentara huir del poder que su persona tenía sobre mí, siempre lograba atraparme y cautivarme.

—Hola —balbuceó como si se ahogara con la palabra.

¿Hola? ¿Eso era todo? Luego de dos semanas sin vernos, creí que me echaría los brazos al cuello para no dejarme ir nunca. Yo lo habría hecho de estar en roles distintos.

—¿Leah? ¿Qué haces aquí?

Su cara fue un poema. La sorpresa asaltó sus facciones para ser seguida por un festival de emociones: perplejidad, tristeza, temor. Se removió incómoda y jugueteó nerviosa con un mechón de cabello.

—Quería... Quería saber cómo estabas.

—¿A esta hora? Son casi las once.

Desvió la vista y miró a sus pies. Casi reí por este circo. Estaba tan nerviosa.

—Sí, bueno, es... —Hizo una mueca de exasperación—. ¿Puedo pasar?

«Sí, por favor, y nunca te vayas otra vez».

Simulé considerarlo antes de hacerme a un lado y permitirle el acceso. Cuando la tuve en el centro de mi sala, dentro de mi departamento, me costó horrores mantener mi dignidad y no ir hasta ella para abrazarla y comerle la boca. Me consideraba un hombre resistente, excepto cuando se trataba de ella. Dos semanas eran demasiado para mí.

—Sigo sin entender qué haces aquí —dije para obligarme a seguir—. ¿Jordan no te acompañó esta vez?

—¿Por qué tendría que acompañarme?

La confusión ahondó en su semblante. Yo solo quería joderla un poco; me gustaba escuchar cuando decía que era mía y deseé que lo hiciera, deseé que me gritara a la cara que solo éramos ella y yo, nadie más, pero su reacción plantó en mi mente una idea de venganza mucho peor y decidí aprovecharla.

—Porque él es mi amigo, y tu pareja. —Lo último hizo escaldar mi lengua y esperé que mi rostro no reflejara la mueca de repulsión.

—No es mi novio, hemos terminado, ¿recuerdas?

Negué con el ceño fruncido y me esforcé por lucir abatido en aras de seguir con este circo. Solo un sustito más, ya estaba pálida y tampoco quería quedar viudo a los veintitrés.

—¿A qué has venido entonces?

—Ya te lo dije, quiero ver cómo estás.

—¿Por qué? —Me crucé de brazos—. Que yo recuerde, tú y yo no somos amigos.

«Gracias al cielo no lo somos. Sería una tortura estar tan cerca de ti y no tenerte de la manera en que quiero».

—Porque...

Estreché los ojos, retándola. Una parte de mí se estaba preparando para reaccionar con dramatismo si a mi nada sutil esposa se le ocurría la brillante idea de soltarme sin más que estábamos casados.

—Sí somos amigos —dijo al final, con un tono tan pesaroso que me estrujó el corazón y reprimí las ganas de besarla.

En su lugar, enarqué las cejas con sorpresa.

—¿En serio? No te creo.

—Pues lo somos.

—Qué interesante. —«Porque tengo en mente mil maneras distintas para reforzar la amistad y la primera la podemos practicar encima de esta mesa»—. Jamás pensé que pudiéramos soportarnos, mucho menos que llegáramos tan lejos como ser amigos.

Se mantuvo en silencio y me dedicó la sonrisa más falsa en la historia de las sonrisas.

—La... —carraspeó—. ¿La recuperación está yendo bien?

Su desesperado intento por lucir normal en una situación donde, incluso yo, percibía la tensión bullir entre nosotros me llenó de ternura y casi me hizo sonreír.

—Sí, pero joder, qué raro es tenerte aquí. ¿En verdad somos amigos?



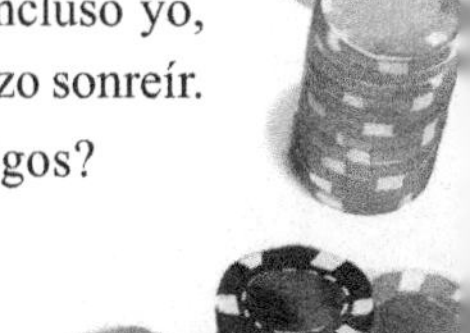

Asintió cambiando su peso de un pie al otro.

—Supongo que te tomará tiempo acostumbrarte a eso.

«¿A ser solo amigos? No, ni loco, princesa. Renunciar a ti no es una opción».

—Bastante. No sabía que tenía tan mal gusto para mis amistades. —Sonreí al fin e hice en voz alta la pregunta que me comió la cabeza las últimas semanas—. ¿Y por qué no viniste antes? ¿Por mi madre?

Asintió apenada.

—No podía entrar si estabas custodiado por Medusa y Gollum a la vez.

Me arrancó una carcajada. Una profunda y larga que nació desde lo más hondo de mi pecho. Tenía toda la razón con esa alusión hacia Sabine y mi madre.

—De hecho, pensé que Sabine estaría aquí —añadió un poco más aliviada.

—¿Por qué tendría que estarlo? Fue toda una odisea llegar hasta aquí sin que Medusa y Gollum se quedaran para seguir cuidándome.

Leah sonrió y mi pecho se hinchó de adoración. ¿Cómo lograba desarmarme con un gesto tan común?

—Ethan te visitó hace poco, ¿verdad? —Asentí—. Dijo que estabas yendo a rehabilitación. ¿Tus piernas están mejor?

Moví mis extremidades para demostrar que estaba en perfectas condiciones luego del accidente en el campo.

—Sí, el daño motriz fue mínimo.

—Menos mal. ¿Y la memoria? —preguntó con la voz tan queda y temerosa que parecía a punto de romperse.

Consideré decirle que todo esto era una broma, pero ya había ido demasiado lejos. La mantendría hasta no poder más, solo para saber qué haría Leah en esta situación.

—Pensé que no había tenido afectación, pero al parecer sí lo hizo. Tal vez mi cerebro decidió que era mejor bloquear eventos tan traumáticos como ser tu amigo.

Leah puso los ojos en blanco y otro silencio se instaló entre nosotros. Me rasqué la mejilla, el sonido del vello contra uñas inundando el aire. Debía forzarme a mantener los ojos en los suyos para no delatarme, correr hasta ella y tomar su boca como deseaba. Como había deseado por semanas.

Cuando el silencio se extendió, no supe qué más hacer. Curiosamente, Leah y yo sabíamos ser marido y mujer, y el ser solo amigos resultaba... raro. Siguió mirándome con intensidad y en silencio.

—¿Qué es lo que quieres? —inquirí cuando ninguno dijo nada por un largo rato.

—¿Ah?

—¿Qué estás esperando?

—No estoy esperando nada.

—Lo estás haciendo —afirmé—. Pareces pensativa.

—Pensaba en cómo sería rasurar tu barba —escupió apresurada y la perplejidad me invadió.

De acuerdo, de todas las posibles cosas que creí que me diría, esa no era una de ellas.

Se sonrojó tanto como un farol y de nuevo una oleada de ternura me invadió. Seguiría con esta mentira toda la vida solo para contemplar a la Leah vulnerable, porque así despedía una belleza distinta a la que emanaba cuando era segura de sí misma.

—¿Perdón?

—Estaba pensando en eso.

—¿En rasurar mi cara? —Enarqué una ceja, desconcertado.

—Es que… es extraño verte con barba.

—No sabía que teníamos ese tipo de confianza.

—Somos amigos muy cercanos.

Reprimí otra risa y sus bonitos ojos grisáceos brillaron, expectantes. Consideré la idea de dejarla rasurar mi barba, y de pronto no me pareció tan descabellada.

—¿De verdad quieres hacerlo?

—¿Tienes miedo? —me desafió. Ah, esa era la arpía determinada que me volvía loco.

—No, pero permitirte a ti estar cerca de mi cuello con una navaja no me parece muy relajante.

Leah rio y ahí estaba de nuevo ese sentimiento de devoción.

—¿Por qué? Te he dicho que somos amigos, nunca haría nada a propósito.

—Ah, vaya. Eso me hace sentir mucho mejor. Dejarte experimentar con navajas sobre mi rostro suena divertidísimo.

Volvió a reír e hizo un gesto con la mano para restarle importancia.

—Seré gentil, lo prometo. Además, como tu amiga no puedo permitir que sigas viéndote como un vagabundo, ¿o sí?

Quería que dejara de usar el término de amiga, porque no le quedaba bien. Porque con mis amigas no tenía las perversas fantasías que compartía con Leah; mis amigas no despertaban el mismo deseo voraz de codicia y posesividad que Leah despertaba en mí; cuando miraba a mis amigas, no sentía el deseo de comerles la boca y desgastarles los labios hasta aprenderlos de

memoria como sucedía con Leah; mis amigas no iniciaban un fuego interminable en mí que parecía nunca apagarse, insistente y deseoso por más de Leah, más de su persona, de su cuerpo, de su tiempo.

No, definitivamente el término de amiga no aplicaba para Leah.

Abrí la boca para decir algo más, pero me abstuve. En su lugar, giré sobre mis talones e hice una seña con la cabeza para que me siguiera por el pasillo hasta llegar al baño de mi habitación.

Entró detrás de mí con pasos vacilantes. Abrí la gaveta encima del lavabo donde mantenía mis suplementos para afeitarme y las dejé sobre la superficie de porcelana.

—Estás mirándome igual que a un proyecto de ciencias —la expuse cuando atrapé sus ojos a través del espejo.

La encaré y estaba tan cerca que pude notar el olor de su perfume, ese que tanta falta hizo por semanas en mi cama para conciliar el sueño.

—No podré alcanzarte correctamente. Deberías sentarte en la tina —sugirió con un deje nervioso.

Tenía razón. Nuestra diferencia de estatura sería un problema para esta actividad, aunque me alegraba que no lo fuera para otras más importantes. Su rostro apenas alcanzaba mis hombros y que se estirara para afeitarme no me parecía buena idea.

Me acerqué al lavabo mientras ella organizaba todos los elementos que necesitaba. Tomé el contenedor de crema para afeitar y coloqué una buena cantidad sobre mi mentón para cubrir todo el vello. Cuando estuve listo, me senté en el borde de la tina.

Caminó sin despegar la vista de mí, dudosa pero llena de curiosidad. Leah era una maravilla digna de contemplar cuando estaba concentrada.

—¿Terminaste? —inquirí para molestarla cuando noté lo mucho que me miraba.

—Sí.

Se acomodó entre mis piernas acortando la distancia entre ambos y joder... Me costó horrores mantener mis manos a mis costados para no cerrarlas en torno a su cintura apenas la tuve cerca, pero todo mi cuerpo resintió el impacto de su presencia y su proximidad.

—Bien, porque no me gusta que te rías mientras te acercas con eso en la mano. —Señalé el rastrillo en un pobre intento por despejar mi cabeza y Leah sonrió.

—Cobarde.

Ambos permanecimos en silencio por un minuto. El primer encuentro entre la navaja y mi piel fue extraño, sobre todo porque era otra persona a cargo del mango. Sin embargo, estaba seguro de que el alocado latir de mi corazón no

lo provocaba la entrega del control, sino que toda la culpa la tenía la persona frente a mí. Leah movía el mango y cada vez que lo hacía, su brazo cambiaba de posición, detonando una nueva oleada de su perfume que me aturdía los sentidos y los sobreestimulaba. Su presencia me jodía la cabeza y sus ojos tan concentrados en mí dificultaban la tarea de mantenerme templado.

Su respiración chocaba con mi cara de vez en cuando y sus labios, levemente abiertos, estaban tan cerca que solo debía estirar el brazo para acercarla y reclamar su boca con la misma insistencia que bullía en mi interior por tenerla.

¡Maldita Leah McCartney! Maldita arpía escurridiza amante de jugar con mi control. Cada vez que se giraba hacia el lavabo para enjuagar el rastrillo, su rodilla chocaba con mi muslo, mi pierna... y esos pequeños contactos inocentes solo servían para atizar el deseo de poseerla y tocarla en todas partes.

Di un pequeño respingo cuando tocó mi cara con suavidad; su pulgar acariciando mi mejilla cada vez que pasaba el rastrillo por algún lugar para retirar los restos de la crema de afeitar. De acuerdo, ahora estaba jodiendo mi presión arterial. ¿Qué era esto? ¿Un nuevo nivel de resistencia?

Yo también moría por tocarla. Lo quería tanto que ni siquiera noté lo tensas que estaban mis manos hechas un puño hasta que las relajé moviendo los dedos. Leah continuó afeitándome con delicadeza, como si temiera lastimarme, y vi entonces una oportunidad para tocarla.

Enredé los dedos en su muñeca y comencé a guiarla con trazos largos y determinados, justo como me gustaba. La acción volvió la experiencia mucho más personal y supe por su expresión que esto la afectaba tanto como a mí. La tensión comenzaba a sofocarme y lo único que mi cerebro pedía era un poco de tregua, un poco más de Leah, de su persona, su piel, sus labios...

Mi esposa resultó ser más rápida que yo y cuando menos pensé, llevó su mano a mi cuello hasta deslizarla a mi nuca. Enredó sus dedos en mi cabello y no tuve tiempo de reaccionar con lo que sucedió a continuación: lanzó el rastrillo a algún lugar a su espalda y se abalanzó sobre mí. *La loca se tiró encima de mí.*

Cerré los ojos y la tomé del brazo cuando percibí todo su peso sobre mi cuerpo. Intenté sujetarme a la tina, a la llave de la regadera, a ella, a cualquier cosa para no caer, pero no lo logré. La fuerza del impacto pudo conmigo y mi cabeza chocó con el otro extremo de la tina, arrancándome un grito de dolor.

—¡Joder! —maldije contra su boca y cuando abrí los ojos, ambos estábamos empapados con el agua que salía a chorros de la regadera.

Intenté incorporarme, pero el agua acumulada en la tina volvió la superficie resbaladiza. Leah tenía el rostro rojo de vergüenza y yo seguía aturdido y molesto con esta mujer por casi matarme.

—Perdóname, lo sient...

Estrellé una mano en la tina para incorporarme un poco y usé la otra para colocarla en su nuca, halándola hacia mí y agotando la distancia que nos separaba.

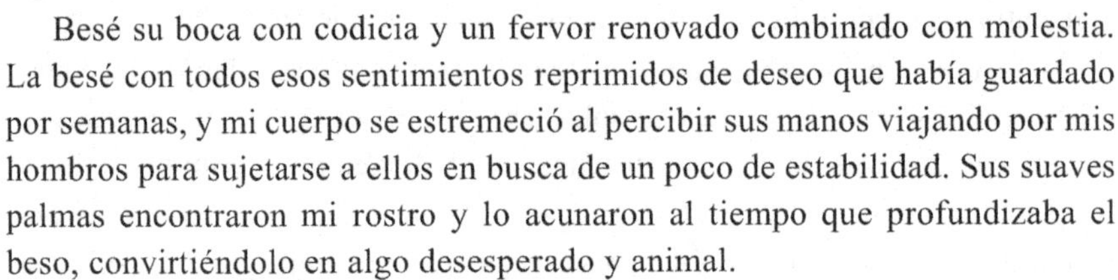

Besé su boca con codicia y un fervor renovado combinado con molestia. La besé con todos esos sentimientos reprimidos de deseo que había guardado por semanas, y mi cuerpo se estremeció al percibir sus manos viajando por mis hombros para sujetarse a ellos en busca de un poco de estabilidad. Sus suaves palmas encontraron mi rostro y lo acunaron al tiempo que profundizaba el beso, convirtiéndolo en algo desesperado y animal.

Esto era lo que había deseado por semanas. Era la falta de esto, de Leah, lo que me estaba volviendo loco. Ahora al fin podía tenerla y no quería dejarla ir por nada en el mundo.

Todo mi cuerpo pareció reiniciarse solo con sus labios sobre los míos, mi lengua recorriendo el camino que ya conocía para adentrarse en su boca y degustarla a su antojo. Enredé una mano en su cintura, pegándola tanto a mi cuerpo como me lo permitieran mis músculos.

Si morí tras el golpe y esto era el cielo, no quería irme nunca de aquí.

La erección dentro de mis pantalones punzó deseosa por mayor contacto con su centro y, en respuesta, ella gimió en mi boca. Froté de nuevo su entrepierna contra la mía y capturé todos los sonidos como un poseso avaro. Estos eran míos, eran por mí y para mí, y joder si no era el hombre con más suerte sobre esta tierra porque todos ellos me pertenecían solo a mí.

Apreté su culo con deseo, atrayéndola más hacia mí y creando otra vez esa deliciosa fricción. Mis manos no parecían ser suficientes para tocarla por completo y mi boca quería devorar más de ella. Quería todo, quería tomarlo todo de Leah.

Mi cuerpo pidió a gritos menos distancia y más contacto. En medio del frenesí de la lujuria, saqué su blusa sobre su cabeza a tirones y la lancé a algún lugar de la habitación sin darle mucha importancia.

Leah acarició mi abdomen y sus manos sobre la tela de mi camiseta desataron una nueva llamarada. Quería sentirla piel contra piel. Mis labios hormiguearon con su ausencia, así que volví a tomar los suyos con el mismo fervor que antes, dominando su lengua.

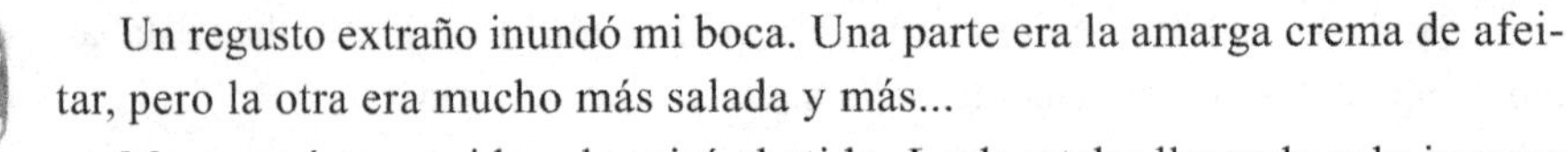

Un regusto extraño inundó mi boca. Una parte era la amarga crema de afeitar, pero la otra era mucho más salada y más...

Me separé enseguida y la miré abatido. Leah estaba llorando y la imagen fue tan demoledora que me compungió el corazón.

—No beso tan mal para hacerte llorar, ¿o sí?

Jadeó llorando más fuerte ante mis palabras y me estrujó más el pecho. Odiaba verla llorar. No había nada que detestara más en esta vida.

—Eres una idiota, Leah. —Sonreí retirando las lágrimas con el pulgar—. También eres la peor esposa del mundo, ¿por qué has venido hasta ahora?

Gimoteó y lloró con mayor ahínco cuando se dio cuenta de que todo este teatro fue una broma. Solo esta mujer podía transformar mi deseo en ternura con tanta facilidad, porque mis manos ya no deseaban tocarla para excitarla, sino para confortarla, para transmitirle todo lo que sentía por ella. La abracé con toda la fuerza que poseía, hasta que quedara claro cuánto la había extrañado.

—Lo siento, lo siento, lo siento —balbuceó desconsolada, abrazándome del cuello con la misma fuerza.

—Te eché mucho de menos, ¿sabías? —confesé en un susurro en la curvatura de su cuello. Tomó mi cara entre sus manos y el brillo en sus ojos me mantuvo anclado a esta tierra.

Esperaba que pudiera leer en mi rostro todo lo que mi boca no sabía cómo decirle. Que notara la devoción con que la contemplaba. Que captara todo el afecto que me hacía sentir.

—También te extrañé, te extrañé muchísimo.

—Lo noté. —Elevé una comisura de mi boca—. Pero si esa es tu forma de demostrarlo, por favor no lo vuelvas a hacer. Casi me matas, mujer.

—Perdóname. Tenía tanto miedo de que no me recordaras.

—¿Tú crees que podría olvidar ese irritante tono de voz mandón que tienes? —Le dediqué una mirada significativa y sonrió aliviada—. Tampoco podría olvidar ese bonito culo tuyo. Además, tú y yo no podemos ser amigos, Leah, me gustas demasiado. Aunque deberían darme un Oscar por mi buena actuación.

Rio y lloró al mismo tiempo.

—Deja de llorar ya, vas a ahogarnos a los dos aquí —pedí retirando sus lágrimas con delicadeza.

—Te quiero —confesó y me paralicé.

¿Cómo una oración tan simple podía significarlo todo? ¿Cómo podía afectarme tanto e impactar con esa magnitud en mí? Lo hacía a tal punto que todo mi mundo pareció sacudirse al antojo de Leah.

Tal vez porque era ella quien la decía y nada en este mundo me hacía más feliz.

—¿Qué has dicho? No te escuché. —Fingí demencia, solo porque deseaba escucharlo otra vez, y otra más, hasta que me aprendiera de memoria el tono con que lo decía, hasta que las letras se desgastaran.

—Que te quiero, que casi me matas del susto —repitió más alto y me dio un empujón en el hombro al tiempo que yo enredaba los dedos en su cabello para atraerla hacia mí otra vez, impulsado por el afecto infinito que percibí hacia esta mujer. Mi mujer.

—Ya estamos a mano entonces —susurré acercándome—. Repítelo.

—Te quiero, joder. Te quiero tanto.

—Es justo lo que necesitaba escuchar. —Agoté la distancia y atrapé sus labios entre los míos, con mi brazo atrayéndola más a mí, necesitado, urgido de su calor.

Nunca un «te quiero» me supo a tanta gloria.

Nunca un «te quiero» me pareció el mejor regalo de toda mi vida.

Pero Leah McCartney poseía la capacidad de convertir las cosas simples en regalos increíbles.

Y mientras continuaba besándola dentro de esa tina tan pequeña, comprendí que había encontrado a la persona de la que quería escuchar todos los «te quiero» el resto de mi vida.

—Eso es mucho más normal —dije cuando Leah emergió de mi habitación vistiendo una de mis camisetas y desenredándose el cabello húmedo.

Tomó un pedazo de manzana que había sobre el plato y lo mordisqueó al tiempo que recargaba los antebrazos en la barra de la cocina.

—Sabes, estaba pensando en...

—No —la corté enseguida.

Frunció el ceño, ofendida.

—¿Por qué dices que no si aún no te digo lo que pensaba?

Me incliné sobre la barra y la miré de forma significativa.

—Porque cuando comienzas con un "estaba pensando en...", siempre resulta en una tragedia. —Mi temeraria esposa abrió la boca para replicar cuando la corté señalándome la cabeza—. Y lo acabamos de comprobar.

—Eso no terminó en ninguna tragedia —sonrió sugerente.

—No, pero casi lo hace.

—¿Quieres esto en tu ojo? —me amenazó con el resto del pedazo de manzana que tenía en la mano—. Porque puede pasar. En un segundo.

—No tienes buena puntería, así que creo que me arriesgaré con mis probabilidades.

—No tienes buenas probabilidades —sentenció digna y reí.

—*Touché*.

Me tiró el pedacito de manzana, pero lo esquivé sin problema.

—¿Qué me decías? —inquirí, y pareció dudar de contarme lo que pensaba, pero al final accedió.

—Estaba pensando en Louis.

Toda la diversión se desvaneció y sentí el terror reptar por mi pecho.

—¿Por qué? ¿Qué hay con él?

—Estuvo aquí, conmigo.

—¿Qué hacía aquí? —pregunté alarmado—. ¿Por qué lo dejaste entrar?

—Dijo que estaba buscándote.

La miré con fijeza, confundido y estresado. No me gustaba que Louis estuviera a menos de dos kilómetros de Leah.

—¿Qué quería?

—No me lo dijo, pero mencionó que era importante.

Cerré los ojos y maldije por lo bajo.

—¿Es por algo malo? —Rodeó la barra hasta estar a mi lado—. Dijo que tenía negocios contigo. ¿De qué hablaba? ¿Qué negocios tienes con él?

—Está bien, no es nada alarmante —mentí, y obviamente no me creyó.

—¿En qué te has metido, Alex?

Posé una mano sobre su hombro en un gesto confortante que no funcionó.

—No es nada, puedo manejarlo.

—Pero quiero saber qué es. El tipo no me da buena espina.

—Sé lo que hago, Leah. No necesitas estar cerca de algo así. Entre más lejos permanezcas, mejor.

—¿Por qué? Solo quiero saber. ¿Por qué no confías en mí?

—Confío en ti, pero hay cosas que no necesitas saber.

—Claro que sí —espetó molesta—. Puede ser algo peligroso, pero eres tan idiota y soberbio que no notarías los problemas aunque te golpearan con ellos en la cabeza.

Bufé por lo irónico del comentario. Entonces acuné su cara entre mis manos.

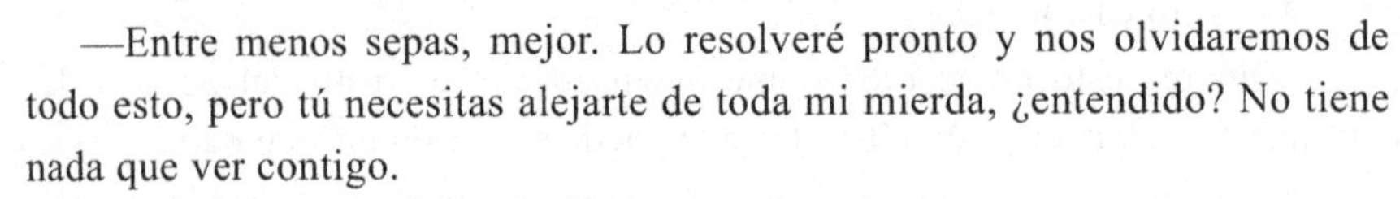

—Entre menos sepas, mejor. Lo resolveré pronto y nos olvidaremos de todo esto, pero tú necesitas alejarte de toda mi mierda, ¿entendido? No tiene nada que ver contigo.

—Pero...

Negué. Ya lidiaba con suficiente y colocar a Leah en la ecuación, donde podía salir lastimada, no era una opción. Debía protegerla.

—Si quieres ayudar, entonces ven conmigo a Inglaterra. Tenemos que ir cuanto antes.

Parpadeó dudosa, como si no me creyera del todo, pero al final asintió.

—Iré contigo, no tienes que pedírmelo.

Esbocé el amago de una sonrisa acariciando su pómulo y se mordió el labio en una muestra de vacilación que conocía muy bien.

—También creo que es momento de decírselo a nuestros padres. Quiero decir, creo que es tiempo de que lo sepan.

—De acuerdo.

Me miró con los ojos muy abiertos.

—¿Es todo lo que vas a decir?

—¿Qué más quieres que diga?

—No sé, algo. ¿No has cambiado de opinión?

—¿Sobre qué?

—Nosotros.

Me mofé sin perder el contacto visual con ella.

—Sería más fácil si fuera el caso, pero es tarde para eso.

—No eres el único que está asustado.

—No estoy asustado.

Me miró sorprendida.

—¿No lo estás? Porque estaba esperando que sí lo estuvieras.

—Mis padres se enojarán conmigo, pero lo superarán.

—Pues yo estoy aterrada. Jamás pensé que algo así sucedería. No desperté un día deseando sentirme así por ti, y ahora...

—Leah...

—Será difícil, y no sé si estoy lista para ello...

—Yo tampoco —la corté con determinación—. Pero sabíamos que pasaría en algún momento, porque ninguno de los dos quiere dejar ir esto.

—Qué pareja tan disfuncional somos. —Volvió a reír—. No somos lo que necesitamos, y ninguno de los dos quería estar en esta situación, pero henos aquí, sin poder movernos, yendo contra todo lo que es convencional.

Me encogí de hombros otra vez.

—¿Quién dice qué es la convencionalidad? Nosotros podemos crear nuestro propio concepto de ello.

Se inclinó más hacia mi toque en su mejilla, confortándose en él.

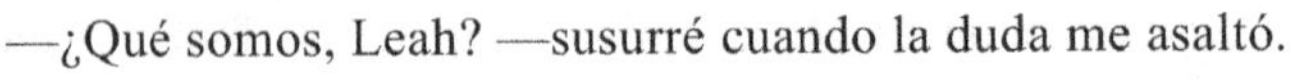
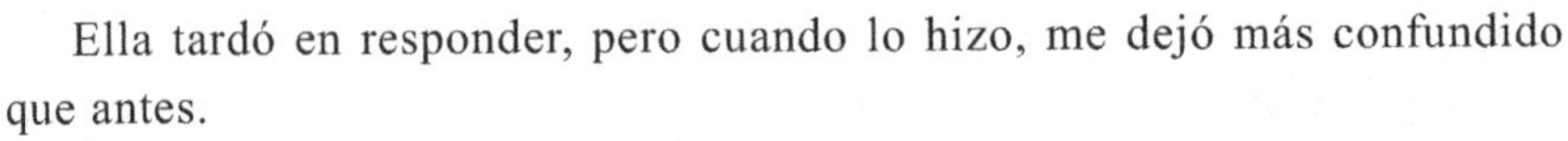



—¿Qué somos, Leah? —susurré cuando la duda me asaltó.

Ella tardó en responder, pero cuando lo hizo, me dejó más confundido que antes.

—Una apuesta.

—¿Una qué?

—Hay dos caminos —comenzó a explicar—. Podemos tomar la derecha, ignorar todo lo que ha pasado en los últimos meses y seguir con los trámites de divorcio para tener una vida sin complicaciones. O podemos tomar la izquierda, y ver qué sucede juntos.

La respuesta ya era clara para mí.

—¿Qué camino quieres? —preguntó.

—¿Cuál quieres tú? —inquirí con cautela, pero sonrió.

—Izquierda, aunque eso signifique la posibilidad de que mis padres me despellejen viva —dijo y solté una risa profunda solo de imaginarlo—. ¿Qué quieres tú, Alex?

La evalué con ojos analíticos y escrutadores, aunque todo estaba claro.

La respuesta era obvia porque siempre iría tras Leah. Izquierda, derecha, al frente o al mismo infierno. La seguiría a donde sea que ella decidiera ir, sin dudas y sin reservas. Buscaría la misma dirección en que Leah fuera, porque el único camino que tendría sentido recorrer sería aquel en el que ella me acompañara.

—Izquierda —respondí.

—¿Seguro?

Asentí.

—Contigo siempre será izquierda.

Sonrió y se colocó de puntillas para besarme. Cuando se separó, la miré malicioso.

—Creo que ahora tú deberías estar encima.

—¿Qué quieres decir? —habló curiosa sin dejar de abrazar mi cuello.

—En rehabilitación me enviaron algunos ejercicios para fortalecer la pelvis —comenté casual—. Creo que tú podrías ayudarme.

—Alex...

—Solo tienes que colocarte encima.

—Tramposo.

—Soy astuto, es distinto.

La besé con lentitud, disfrutando del contacto y esperando ser lo suficientemente fuertes para afrontar lo que estaba por venir.

# 38
# BOMBA DE TIEMPO

## Alexander

Su cabello estaba alborotado, sus mejillas sonrojadas y sus labios hinchados mientras terminaba de hacer el desayuno. O intentaba terminarlo sin que se le quemara. Tenía ese brillo en los ojos y esa sonrisa distraída que esbozaban todas las mujeres cuando estaban bien folladas. Una sonrisa de satisfacción surcó mi cara al saber que era yo quien provocaba esa felicidad.

—¿De qué te ríes? —preguntó entornando los ojos.

—De que eres pésima para la cocina —dije en su lugar al ver los *hot cakes* quemados.

—Así me gustan. —Alzó la barbilla con orgullo.

—¿Carbonizados?

—Si no te gustan, no los comas.

—Podría tomar el riesgo.

—¿Crees que puedes hacerlos mejor que yo? —me desafió.

—Podría intentarlo —Me acerqué para quitarle la espátula de la mano, pero la retiró de mi alcance.

—No, gracias, no acepto ayuda de arrogantes.

—No, princesa, tú solo te los follas.

Abrió la boca con indignación.

—Y por si fuera poco te casas con uno —añadí solo para fastidiarla más.

Su molestia duró solo un segundo porque esbozó una sonrisa ladina.

—Tienes razón, qué mal gusto tengo para elegir. Me coloqué tras su espalda y cerré mis brazos en torno a su cintura.

—Estoy seguro de que no pensabas eso mientras me follabas.

Besé su sien y continué descendiendo por el arco de su oreja hasta instalarme en la curvatura de su cuello; su cuerpo se estremeció cuando sellé mis labios en su punto de pulso.

—Para, se echarán a perder los *hot cakes* —pidió con tono afectado por mis atenciones.

—Ya están quemados igual, ¿qué importa?

Me froté contra su culo, al tiempo que estiraba el cuello de mi camiseta para descubrir la piel de su hombro, regando besos sobre él.

—Alex...

Alguien carraspeó detrás y dimos un respingo a la par. Cuando nos giramos, Vania tenía los brazos cruzados y una expresión divertida en el rostro.

—Buenos días a ustedes también.

—¿No sabes tocar? —la reñí.

—Perdón, no quería interrumpir sus *quehaceres matutinos*. —Esbozó una sonrisita sugerente.

—No lo hiciste. —Me encogí de hombros con suficiencia.

—¡Alex! —me reprendió Leah por mi falta de pudor, pero Vania se echó a reír.

—Es bueno tenerte de vuelta, linda. —Las arrugas en sus ojos se acentuaron cuando su sonrisa se ensanchó—. Este sinvergüenza se vuelve insoportable cuando no estás.

Leah levantó la cabeza para verme luego de que mi ama de llaves me expusiera.

—¿Estaba de malhumor?

—Mucho. —La mujer dejó su bolso sobre la silla de la barra y recargó sus brazos en ella—. No dejaba de hacer rabietas.

—Eso era porque entre mi madre y Sabine estaban asfixiándome. Joder, que no podía ni cagar sin que alguna de las dos quisiera limpiarme el culo.

—¡Alexander! No digas esas cosas frente a ella. —Negó con reprobación la mujer.

—Déjalo, peores cosas ha dicho.

—Es mi esposa, ¿para qué seguir con pretensiones?

Leah soltó un jadeo de sorpresa y nos miró a ambos, asustada.

—¿Ya lo sabe?

—Sí, me lo contó hace un tiempo —afirmó Vania haciendo un gesto con la mano, restándole importancia—. Por eso dije que no te conocía cuando Agnes me lo preguntó.

—¿Cuándo? —pregunté.

—¿No te lo dijo? Se quedó todo el día en el hospital cuando te trasladaron, hasta que tu madre la echó.

Leah se interesó repentinamente en el dobladillo de mi camiseta, esa que ella usaba. Una ola de emociones me llenó al escuchar aquello.

—Nadie me lo dijo, ni siquiera Sabine.

Puso los ojos en blanco.

—Claro que no iba a decírtelo —acotó con agriedad y Vania asintió apoyándola.

—E imagino que tampoco te dijo que ella fue a visitarte.

Fruncí el ceño al tiempo que Leah adoptaba una cara de susto.

—¿Cómo sabes que fui?

—Yo estaba en la sala de espera cuando llegaste reclamando que te dejaran ver a tu marido —explicó Vania y las orejas de Leah empezaron a teñirse de rojo—. Iba a decirte que era una mala idea porque ellas no tardarían en volver, pero echaste a andar por el pasillo antes de poder alcanzarte.

Fue mi turno de mirarla con curiosidad, pero ella no levantó la cabeza.

—¿Fuiste a verme?

—Sí, pero fue por poco tiempo. Antes de que Sabine entrara en la habitación y comenzara a tirar veneno a diestra y siniestra.

—Intenté detenerla cuando la enfermera le dijo que no podía entrar porque tu esposa estaba en la habitación, pero me hizo a un lado con tanta fuerza que me dejó los dedos marcados en el brazo. —La mujer hizo una mueca de dolor evocando el evento.

Me mofé.

—¿Quieren decir que ella ya sabe lo nuestro? —Las miré a las dos y ambas asintieron. Me concentré en Vania—. Eso explica por qué te lanzaba esas miradas de muerte en casa de mi madre.

—Uf, no es nada nuevo. Hasta parece que lo hace por deporte, pero no me importa. —Se encogió de hombros con indiferencia—. Una razón más, una razón menos para que le desagrade a esa piernas de gallina, qué más da.

Leah soltó una risa.

—Me sorprende que no esté aquí ahora, de hecho —agregó mi ama de llaves.

—Y que lo digas. Se tomó muy en serio su papel de asistente. —Mi voz salió con un deje de fastidio.

—¿De verdad? —preguntó mi esposa con un toque de molestia.

—De no ser por Vania no estaría aquí en este momento.

—Tuvimos que inventar todo un plan para quitárselo de las garras a esas dos —me apoyó ella, negando y colocando las manos en sus caderas como una superheroína—. Ni la CIA se inventa tan buenos escapes como yo.

Reí y le di la razón.

—Nos escapamos a mitad de la noche de casa, vestidos como personas de servicio, porque mi madre había dado órdenes expresas de que no me dejaran salir —expliqué—. No hacía eso desde que tenía quince, pero no podía estar un minuto más ahí, estaban volviéndome loco entre las dos.

—También se estaba volviendo loco por no verte —añadió Vania, sonriendo.

—También me estaba volviendo loco por no poder verte —repetí y los ojos de Leah brillaron con ilusión.

—De acuerdo —intervino Vania—. No los interrumpo más. Comenzaré a hacer mis tareas. —Estaba por irse del todo cuando detuvo su andar y se giró—. Por cierto, creo que tengo algo tuyo, linda.

—¿Mío? —preguntó confundida.

La mujer escarbó en las profundidades de su bolso y extrajo de él un delicado anillo. Estiró la mano para entregárselo a mi esposa.

—¿Es tuyo?

Maldije interiormente cuando identifiqué la joya que Jordan le había regalado. Leah la examinaba sobre su palma mientras Vania me perforaba con sus enormes ojos, hasta que ella asintió. ¿Cómo podía traicionarme así? ¿Por qué mierda sacó el puto anillo del fondo del cajón? Ni siquiera recordaba dónde lo había dejado. Debí echarlo por el escusado.

—Sí, lo perdí aquí.

—Menos mal. —Soltó el aire—. Lo encontré hace tiempo, pero no te había visto para regresártelo.

—¿Por qué no me lo has dado a mí antes? —le reproché a Vania y ella chasqueó la lengua.

—¿Qué tal si era de otra mujer? No iba a dejar que salieras ileso de esta.

Leah sonrió.

—Gracias por eso.

—No hay de qué, linda. —Le guiñó un ojo y la miré con indignación.

—¿No se supone que deberías estar de mi parte? ¿Qué clase de complot contra mí es este?

Era cierto que la mujer no sabía cuánto odiaba el estúpido anillo, o más bien, lo que representaba, pero debió dármelo a mí. Me hubiese librado de él sin pensarlo un segundo. De hecho, lo haría si tenía una sola oportunidad más.

—No seas dramático. —Leah me dio un empujón en el hombro antes de que Vania arrugara la nariz.

—¿Qué es eso que se quema?

—¡Mierda! —Mi esposa se giró y cerró el fuego de la estufa. Nuestro intento de desayuno totalmente perdido: el *hot cake* hecho mierda y el humo alzándose en espirales hasta llegar al detector de incendios, que emitió un molesto chillido.

—¡Apágalo ya! —gritó la vieja mujer y me apresuré a estirarme para desactivarlo.

—¿No te dije que eras pésima para la cocina? —reñí a Leah, burlón—. A la próxima cocino yo, que no quiero poner en riesgo mi departamento ni mi vida.

—Muy gracioso —siseó con una mezcla de vergüenza y molestia.

—Son imposibles ustedes dos. —Vania negó sin perder la sonrisa—. ¿Tienen hambre? Podría cocinar algo para ustedes.

—No te preocupes, Leah ya desayunó. —Le lancé una mirada lasciva que ella comprendió con rapidez.

—¿Ah, sí? —inquirió mi ama de llaves, entrando a la cocina para limpiar nuestro desastre.

—Podría volver a comer —masculló Leah entre dientes, dedicándome una ojeada de advertencia para que cerrara la boca.

—De acuerdo, les haré algo que *sí sea comestible* —recalcó haciendo una mueca de asco al tirar al basurero los restos de carbón pegados al sartén.

—Gracias. —Mi linda esposa se puso un mechón de cabello tras la oreja—. Iré a vestirme, tengo que irme pronto.

Asentí y la observé alejarse mientras ella mantenía la vista fija en el pequeño anillo que tenía sobre la palma. Una quemazón desagradable se instaló en la base de mi estómago, y luego de sopesarlo un minuto, fui tras ella.

—¿Estás teniendo dudas? —pregunté entrando a la habitación e interrumpiéndola en su tarea de vestirse cuando apenas metía un brazo dentro de su blusa. Parpadeó un par de veces y se pasó la prenda por la cabeza.

—¿De qué hablas?

—Sobre Jordan.

Frunció el ceño sin dejar de vestirse.

—¿Qué hay con él?

Suspiré exasperado.

—Parece que te afectó volver a tener el anillo, solo quiero saber si tienes dudas sobre tus decisiones.

—¿Cuáles decisiones? —Se abrochó el botón del pantalón y enfrentó mi mirada, por fin.

—Sobre nosotros y lo que hablamos ayer.

—Claro que no, es solo que...

—Porque si las tienes...

—Me sorprend...

—Entiendo si...

—Se lo he dicho —me cortó alzando la voz y enarqué las cejas, atónito.

—¿Le has dicho sobre nosotros?

—Sí.

—¿Y cómo se lo tomó?

Se rascó un lado de la cabeza, como si quisiera encontrar las palabras correctas.

—Bastante bien, creo. —Se encogió de hombros—. Ya sabe que hay alguien más.

Me crucé de brazos tratando de digerir la información. Estaba sorprendido por su pasiva reacción.

—Aunque no le he dicho que se trata de ti.

—Ah, eso explica muchas cosas —me mofé—. Como el hecho de que no me haya partido la cara aún.

—Igual pienso regresarle el anillo, hay alguien más que quizás se lo merezca.

Enarqué una ceja, curioso.

—¿Quién?

—Me contó que siente algo por una chica; es Grace.

Abrí la boca con sorpresa. Otra cosa en la que tenía razón. Era un jodido profeta.

—Es toda una caja de sorpresas.

—Tal vez estar con Grace le ayude a amortiguar el golpe cuando se entere de lo nuestro.

—Puede ser. —Nos mantuvimos en silencio hasta que una nueva duda ahondó en mi mente—. ¿Y qué pasará con su contrato prenupcial?

Se pasó una mano por el cabello y suspiró.

—Supongo que lo daremos por concluido. Estoy segura de que entenderá. Él quiere estar con alguien más, y yo... —Se mordió el labio sin dejar de sostenerme la mirada—. Yo también.

Esbocé el amago de una sonrisa y agoté la distancia que nos separaba para rodear su cintura. Atrapé sus labios entre los míos y la besé sin premura, deleitándome con el contacto, hasta que se separó.

—Vamos a desayunar, muero de hambre.

—Pero ya comiste —volví a decir con el mismo tono sugerente y Leah me asentó un golpe en el hombro.

—Deja de molestar —advirtió, y la seguí fuera de mi habitación sin ocultar mi sonrisa.

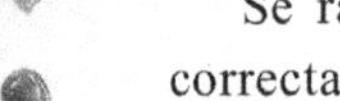

El camino de gravilla que llevaba a la oficina del hombre de la calva, Fejzo, era largo, tan largo como el tiempo que yo había postergado ese encuentro. La noche era cerrada, y el ambiente era asfixiante a pesar de que los aires de diciembre eran fríos.

Seguí caminando hasta llegar a la entrada de su oficina pensando que era la mejor decisión. Sus hombretones me hicieron una inspección corporal palpándome sobre la ropa y me permitieron entrar después. Abrí la puerta y recorrí el estrecho pasillo hasta su oficina personal. Dentro, Louis y Michael ya esperaban por mí.

El segundo de los presentes soltó un suspiro de alivio al verme y el color regresó a la cara del primero.

—Qué alegría tenerte de vuelta —canturreó Fejzo, feliz.

—¿Me extrañaste? —saludé con sarcasmo para tratar de disipar el nudo que apretaba mi estómago. Luego de la horrible pesadilla que tuve al despertar en el hospital, no había logrado deshacerme de la fastidiosa sensación de inquietud, como si algo me dijera que debía prepararme para lo peor.

—De hecho, sí. —Entrelazó sus gruesos dedos sobre su estómago e hizo una seña con la cabeza—. Toma asiento, por favor.

Lo obedecí y tomé mi lugar entre Louis y Michael.

—Louis me dijo que habías tenido un accidente, algo así como un golpe muy fuerte. —Movió los dedos como si buscara evocar algo—. ¿Qué palabra usaste?

—Contusión —aclaró el aludido y le lancé una mirada gélida. El animalillo de la molestia seguía carcomiéndome desde que me enteré de que había estado en mi departamento. Con Leah. A solas.

—Eso. ¿Te sientes mejor?

—De lo contrario no estaría aquí, ¿o sí? —respondí mordaz, pero no emití otro comentario cuando la diversión abandonó su semblante.

—No lo sé, he conocido gente sin una pizca de honradez, personas que se esconden igual que las ratas debajo de alcantarillas para no ser encontrados luego de incumplir un trato. —Me perforó con sus orbes, que eran oscuros e insondables—. Pero supongo que contigo no es el caso, ¿verdad?

—No. Tenemos un trato que...

—Debe cumplirse, en efecto —se adelantó—. Y me alegra que hayas llegado, porque tu papel como garantía es precisamente ese, asegurar que se cumpla.

Estreché los ojos, sintiéndome nervioso por el tono de reproche que adquirió.

—¿A qué viene esa precisión?

—Alex...

—A que no han cumplido con su parte durante las semanas que has estado incapacitado —interrumpió nuestro anfitrión a Louis, y no perdí el tiempo en echarle una mirada de muerte a este último por su estupidez.

—Estamos trabajando en eso —habló Michael—, pero hemos tenido algunos problemas para el blanqueamiento del dinero con el casino y...

—¿Crees que a mí me importa eso? —lo cortó el calvo con una mano al frente—. Quiero mi dinero, tus excusas me dan igual.

Los miré a ambos y me sentí repentinamente furioso y estresado. Su culo no era el que estaba sobre la línea, no eran ellos quienes tenían que responder por incumplimiento si eso llegaba a suceder, era yo, era mi vida la que estaba en juego. Joder, iba a romperle la cara a Rick cuando lo tuviera enfrente.

—Lo tendrás en cinco días —me aventuré a decir, sin estar seguro de ello, pero para entonces, y con un poco de suerte, ya estaría volando hacia Inglaterra.

Louis emitió un sonido de sorpresa.

—Alex, es demasiado pronto para reunirlo todo.

—¿Cómo estás tan seguro de eso? —Se inclinó Fejzo sobre la superficie.

—Hablaré con Rick y aceleraré la logística lo que haga falta para que tengas el pago que te corresponde.

Me escrutó por un largo momento, sopesando mi propuesta, y fue como volver a la primera vez que estuve en su despacho, solo que ahora mi jodido culo ya estaba comprometido y pendiendo al borde del vacío. Chasqueó la lengua y esbozó una pequeña sonrisa.

—De acuerdo, cinco días —concedió. Michael soltó el aire a mi lado y Louis sorbió por la nariz—. Te recuerdo que sigues siendo la garantía, chico, así que no te conviene incumplir lo que me estás proponiendo.

Negué con pesadez. Me sentía como dentro de unas arenas movedizas: no importaba qué hiciera para intentar salir de los problemas en los que estaba metido, cuanto más me movía, más me hundía.

—Bien, hemos terminado —sentenció el anfitrión y se puso en pie acomodándose el pulcro saco negro, un atuendo muy diferente al que le vi usar las otras veces—. Los veré en cinco días con el dinero que me corresponde.

Imitamos su acción y nos incorporamos también, su sonrisa luciendo más siniestra con la tenue luz amarillenta que iluminaba el lugar.

—Todo un gusto verte de nuevo, chico.

Le estreché la mano que me extendía con firmeza, para aparentar una seguridad que no poseía, y se despidió de los otros con una simple inclinación.

Salimos del complejo y en cuanto pusimos un pie fuera, Louis me tomó del brazo para detenerme.

—¿Qué mierda fue eso? —ladró ofuscado.

—Negocios, ¿no se supone que los conoces? —Me solté con brusquedad, toda la ira que había acumulado hacia él borboteándome la sangre—. Estaba tratando de limpiar la mierda que Rick y tú han hecho en mi ausencia.

—No seas tan engreído, príncipe, por...

—Cálmense los dos. —Michael se interpuso entre ambos—. Este no es el lugar para discusiones. —Señaló con la cabeza a los dos hombretones que custodiaban la entrada unos metros más allá, y nos estudiaban curiosos—. Hablemos cuando lleguemos a los autos.

Lo obedecí a regañadientes, sin dejar de perforar a Louis con los ojos. Cuando llegamos, Michael fue el primero en hablar.

—Necesitamos concentrarnos primero en conseguir el dinero para Fejzo.

—¿Qué mierda hicieron con la mercancía que les dio? —Los escruté a ambos furioso—. El primer cargamento no tuvo problema, ni tampoco el segundo, recibimos el dinero completo. ¿Por qué no le han entregado su parte?

Michael se concentró en Louis, que se pasó una mano temblorosa por el cabello.

—He tenido problemas con la venta.

—¿Qué *problemas*? —mascullé entre dientes, el ardor de la ira haciéndose cada vez más insoportable—. No me digas que te la has metido toda tú solo, porque te juro que...

—No, claro que no —se defendió—. Pero unos compradores se han retrasado también con el pago y...

—¿Quiénes?

—Yo sé quiénes son, los conozco, ya he tratado con ellos antes —intervino Michael, ganándose una mirada de reproche de Louis que ignoré.

—Bien, ¿tienes tu auto?

—No, he venido con Louis.

—Sube al mío. Iremos con los clientes ahora para exigir el dinero o llegar a algún arreglo —ordené con pesadez.

—No es buena idea, Alexander, son muy volátiles con...

—Cierra la boca —encaré a Louis con mi cuerpo tenso por el hastío—. No quiero escuchar o saber nada de ti.

—¿Qué carajo te pasa? Has estado muy a la defensiva. Te recomiendo que pares si no quieres tener problemas conmigo, niño.

—*Tú* vas a tener problemas conmigo si no paras. —Le di un fuerte empujón que lo hizo retroceder y escuché la voz lejana de Michael intentando detenerme, sin éxito—. No tienes nada que hacer en mi departamento, ni tampoco tienes *nada* que decirle a Leah.

Abrió la boca con sorpresa, pero hice puños su camisa antes de que pudiera replicar, levantándolo hasta que estuvo a mi altura.

—Te quiero lejos de ella, ¿entendido? —lo amenacé sintiendo la adrenalina correr por mis venas y haciendo zumbar mis oídos—. Si necesitas algo, me buscas a mí, si quieres decirme algo, me lo dices a mí, pero a ella ni la miras siquiera, ¿comprendes?

Los ojos de Louis centellaron con algo parecido a la diversión, y eso solo sirvió para enfurecerme más.

—Alex, basta ya. —Michael haló de mí con toda su fuerza para separarme y lo solté a regañadientes.

El hijo de puta esbozaba una pequeña sonrisa de satisfacción cuando se arregló la camisa.

—¿De qué mierda te ríes? —gruñí.

—Nada, es solo que me recordaste a alguien. —Su sonrisa se ensanchó por un segundo—. Y sobre tu petición de alejarme de la chica, ¿por qué no la metes dentro de una caja de cristal? Tal vez así no pueda alcanzarla mi mierda, *ni la tuya.*

—Louis, ya fue suficiente. Alex, tenemos que irnos, ahora —insistió Michael, impaciente.

Louis se retiró partículas invisibles de su camisa e hizo un gesto torcido con su cara.

—Que tengan suerte con los clientes, yo hablaré con Rick.

Se dio la vuelta para dirigirse a su auto y lo observé pasmado mientras se alejaba, con sus palabras resonando dentro de mi cabeza. No quería a Louis cerca de ella porque era una mierda de persona.

Y según su lógica, tampoco la quería con alguien como yo.

Comprendía a Louis hasta cierto punto. Leah era oro, y todos los hombres buscábamos oro. Oro como las motas de color dorado que salpicaban su iris, como el color que adquiría su piel cuando la tocaba el sol, o como el lunar que tenía en su espalda baja. En cambio, Louis y yo éramos *cafés*. Cafés por nuestros errores, nuestras malas decisiones y problemas. Cafés como la tierra, la suciedad, la *mierda*. Y cualquiera con un poco de neuronas sabía que el lodo opacaba al oro, así que comprendía el comentario de Louis sobre la caja, pero era demasiado egoísta para dejarla ir pese a todo, porque la quería de una forma estremecedora y sobrecogedora.

El oro tendría que ensuciarse un poco, porque no renunciaría a ella. No podía. Leah era mi hogar, ese al que podía regresar cuando el peso de los problemas me rebasaba y la crudeza de allá afuera me golpeaba de forma devastadora.

Leah era mi hogar, lo había encontrado y no planeaba dejarlo ir por nada del mundo.

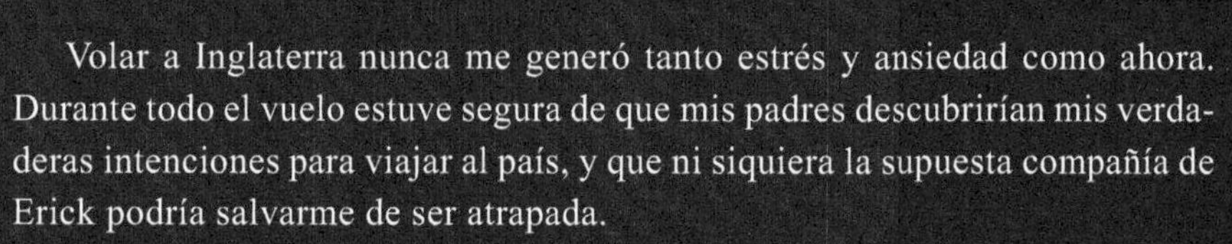

# 39
## NUEVO ALIADO

*Leah*

Volar a Inglaterra nunca me generó tanto estrés y ansiedad como ahora. Durante todo el vuelo estuve segura de que mis padres descubrirían mis verdaderas intenciones para viajar al país, y que ni siquiera la supuesta compañía de Erick podría salvarme de ser atrapada.

Inventar una excusa para viajar fue sencillo: solo dije que iría a investigar la plaza para un posgrado en Oxford. El que Erick tuviera negocios en el país al mismo tiempo fue un buen plus, y le otorgó la seguridad a mis padres de que no cometería alguna locura mientras mi hermano estuviera en el mismo lugar que yo.

Gran error, porque estaba a punto de ser presentada como la esposa de alguien a quien mis padres detestaban.

El viaje fue largo y agotador, pero terminé acurrucada contra el brazo de Alex a las dos horas de haber comenzado el vuelo; la gélida lluvia de Inglaterra me dio la bienvenida al bajar del avión, espabilándome. Estaba congelada hasta el culo y mis dientes castañeaban a pesar de la gruesa gabardina que vestía. Olía a humedad, tierra mojada y algo extraño, un olor que no se percibía en los aires de Washington y que era característico solo de ese lugar.

Erick se separó de nosotros para tomar el chofer que envió la compañía con la que cerraría el trato. No sin antes darme un beso en la frente y prometer verme dentro de cuatro días para tomar el vuelo de regreso a casa.

Mi hermano nos había dejado, pero aún teníamos otro intruso: Sabine. Era su amiga, él la quería, pero no soportaba que me mirara como si yo fuese la intrusa. Había insistido en regresar con nosotros a Londres, aunque esperaba que regresara a casa y no decidiera pasar el resto del viaje pegada a nosotros.

—¿Vienes con nosotros? —preguntó Alex a Sabine cuando salíamos del aeropuerto. Y como si los dioses escucharan mis plegarias, negó con la cabeza.

—Mi chófer viene por mí, estaré bien.

—¿Segura? —habló con genuina consternación. Ella podía ser una maldita, pero era su amiga igual.

—Sí, será mejor que atiendas a tu *esposa*. —Volvió a taladrarme con la mirada antes de dar un paso más cerca de él—. Salúdame al abuelo y a Chelsea, ¿de acuerdo? Diles que los visitaré pronto.

Se puso de puntillas y no pude obviar el beso que dejó en la comisura de su boca. Tuve que contar hasta un millón para no arrastrarla del cabello hasta su puto auto. Me intimidaba la reacción que podía tener el abuelo de Alex al enterarse de que yo era su esposa y no la chica Crawford, con quien lo habían emparejado por tanto tiempo.

—¿Lista? —Alex me regresó a la realidad apretando mi mano, sus dedos cálidos en comparación con los míos, y asentí.

Un auto se aparcó junto a la puerta y de él descendió un hombre con ropas perfectamente planchadas.

—¿Joven Colbourn?

—Ambrose.

El hombre saludó con una inclinación cordial al tiempo que abría la puerta para nosotros.

—Adelante, subiré las maletas.

Alex me hizo una seña para entrar primero y una vez me acomodé en el interior del lujoso auto, agradecí la calefacción.

El aeropuerto tenía su sede en el área limítrofe de la ciudad, por lo que el denso tráfico de esa hora, combinado con el *jet lag* y el constante repiquetear de la lluvia contra las ventanas, me sumió en un sueño.

Cuando desperté de nuevo, la lluvia se había convertido en una ligera brisa y Alex miraba hacia el exterior. Reconocía los alrededores por la última vez que había viajado allí con mis padres, hasta que llegamos a un barrio que, si bien era lujoso, no me sonaba de nada.

—¿Dónde estamos?

—En Kensington.

Fruncí los labios. No tenía idea de a dónde demonios íbamos. Giramos en una intersección y se detuvo en una entrada de estilo clásico. En ambas aceras se erguían mansiones de todo tipo: casas victorianas precedidas por enormes portones de hierro y construcciones extravagantes.

Cada mansión era más grande que la anterior, y a medida que nos adentrábamos en la calle, mi ansiedad por saber cuál sería la casa del abuelo de Alex crecía. ¿Sería moderna o antigua? ¿Sería tan grande como las que había visto? Esperaba que no. Conociéndome, me perdería antes de encontrar el baño.

—¿Dónde estamos? —volví a preguntar y mi esposo sonrió al captar la nota de nerviosismo en mi voz.

—En Palace Gardens.

—¿Sabine vive aquí también?

—No, ella vive en Chelsea, el barrio contiguo.

Avanzamos hasta que el auto se detuvo frente a un imponente portón negro. El chofer ingresó un número en el *interfón* y las puertas se abrieron con un chirrido; todo el concepto me hizo sentir como si entrara a una mansión embrujada. Recorrimos el camino hasta que frenó. Se apresuró a bajar y abrió mi puerta antes de que pudiera echar un vistazo y prepararme para el tipo de mansión que me recibiría.

Me quedé pasmada al verla. Era una casa tan... tan... Eso ni siquiera era una casa, era un puto castillo.

—¿Por qué no me dijiste que eras de la realeza?

Alexander se posó a mi lado y se echó a reír.

—Porque no lo soy. No de manera directa, al menos.

—¿Y este castillo? —Señalé al borde del infarto.

—No es un castillo, mi abuelo solo es extravagante —dijo como si su casa fuera algo normal, cosa que *no era*—. Camina, deben estar esperándonos.

De repente, me sentí indigna de pisar un recinto tan señorial con mis insulsos y citadinos pies. Joder, de haber sabido que sería algo tan majestuoso, habría optado por usar un vestido de noche o algo así, y no mi sudadera para viaje. ¿Dónde mierda conseguías un hada madrina cuando necesitabas una?

Alex entrelazó sus dedos con los míos para caminar a su paso y subimos a la par la enorme escalera que llevaba a las puertas de madera pulida. Tocó un par de veces y no me di cuenta de que estaba cortándole la circulación de la mano hasta que una mujer de porte regio nos recibió.

Si el frente de la casa era majestuoso, entonces lo que albergaba en el interior era *sublime*. Quizás no era para tanto y yo estaba exagerando, pero para alguien que estaba acostumbrada a un estilo más moderno, esto era un contraste bastante notorio.

Frente a mí se extendían dos enormes escaleras de caracol que se conectaban en el segundo piso. Los pasamanos estaban decorados con complicados patrones tallados en la madera y el recibidor era descomunal. Miré el piso de mármol y luego sobre mi cabeza, hacia el alto techo, de donde pendía un gigantesco candelabro.

¿Cómo podía tener el descaro de decir que eso no era un castillo cuando claramente lo era?

La mujer que nos abrió regresó acompañada de un hombre apoyado en un bastón, y de una mujer que reconocí como la tía de Alex, Chelsea. El anciano caminó a paso lento hacia su nieto, con ansia, pero sin perder la dignidad pese a los años. Alex me dejó ir para acortar la distancia con su abuelo, la enorme sonrisa que se dibujó en su cara era de las pocas que había visto en él.

—Henry —dijo el anciano con añoranza, abrazándolo con fuerza, y me tomó un momento caer en cuenta de que se refería a Alex.

—Me alegra mucho verte. —Se separaron solo un poco y el hombre palmeó su mejilla con afecto.

—Estás más grande de lo que recuerdo.

—No crecí tanto en un año, abuelo.

—Estás enorme. —Volvió a abrazarlo como si quisiera reconocerlo a través del contacto—. Estoy feliz de que hayas vuelto a casa.

—Ven aquí, cariño —le pidió su tía y se alejó de su abuelo para saludarla a ella, quien lo envolvió en un abrazo igual de fuerte; los mechones rubios cayendo sobre su delicado rostro. Lucía igual de joven a como la recordaba en mi niñez—. Te extrañé tanto.

—Yo también los extrañé.

El abuelo de Alex me miró con curiosidad desde su lugar, sus ojos azules me examinaron sin disimulo. Cambié mi peso de un pie al otro.

—Tengo que presentarles a alguien —anunció Alex luego de un momento y extendió su mano hacia mí. Me acerqué vacilante, pero la tomé decidida—. Ella es Leah McCartney, mi esposa.

Chelsea emitió un jadeo de sorpresa y el hombre no se molestó en ocultar su impacto.

—¿Otro McCartney? —Su abuelo se mofó y miró a su hija—. Qué irónico, ¿no crees, Chelsea? A los de esta familia parecen encantarles.

—Papá...

—Al menos él tuvo la inteligencia de casarse con ella antes de traerla a casa.

La rubia desvió su atención, apenada.

No comprendí el comentario, pero debía ser algo que le calaba, a juzgar por la forma en que su cara se ensombreció.

—¿A qué viene eso? —inquirió Alex. Su abuelo le restó importancia con un gesto.

Se acercó y tomó mi mano, su piel delgada y rugosa por los años. Contuve la respiración y mi corazón palpitó como loco preso de los nervios.

—Es un placer tenerte en casa. —Sus mejillas temblaban al hablar, pero sonrió—. Bienvenida a la familia, querida. Soy Henry Colbourn, pero tú puedes llamarme abuelo si lo deseas.

Sonreí también, aliviada. Chelsea se acercó, posó sus manos en mis hombros y me miró con fijeza, como si fuera un rompecabezas que no lograra entender. Entonces, esbozó una sonrisa.

—Estás enorme también, la última vez que te vi eras una niña —dijo con afecto—. Eres divina. —Su rostro se inundó de emoción y pensé por un momento que lloraría—. Tienes los ojos de tu padre. —Me estrechó contra sí y me abrazó con fuerza.

Me dejó libre sin perder el buen humor.

—Gracias por recibirme. —Hice una leve reverencia con la cabeza.

—Bah, no tienes que inclinarte ni mucho menos. Hace tiempo que no usamos el título de la realeza. Es más, me limpio el culo con él.

—¡Papá! —lo reprendió su hija y yo entreabrí la boca, impresionada.

—Deben tener hambre. La comida de los aviones es insípida, así que les hemos preparado algo que en verdad valga la pena. Acompáñenme. —Chelsea y su padre tomaron el frente para guiarnos al comedor.

—Se parece mucho a ti —le susurré a Alex.

—¿Tú crees?

—Bueno, dicen los mismos comentarios irreverentes.

Alex bajó la cabeza hacia mí y me guiñó un ojo antes de sonreír. Entrelazó sus dedos con los míos y recorrimos el pasillo hasta llegar al comedor, donde se disponía una larga mesa cubierta por un inmaculado mantel, y sobre el que reposaba una delicada cristalería. Me senté en la silla que mi esposo haló para mí y él tomó su lugar a mi lado. Las mujeres de servicio no tardaron en servir el primer tiempo, que olía delicioso.

—¿Tuvieron buen viaje? —preguntó el señor colocando la servilleta sobre sus piernas.

—Sí, estuvo bastante bien.

—Me alegro. Cuéntame, querida, ¿ya habías estado en Londres?

—Sí, mi padre suele venir por negocios.

—Ah, tu padre. —Negó el abuelo de Alex—. Muy hábil para hacer negocios, pero no tan bueno para cumplir promesas. —Chelsea se aclaró la garganta, pero él la ignoró—. Aunque gracias a Byron hemos logrado tener una relación estable.

—¿Por qué dice eso?

—Tu padre prometió casarse con Chelsea, pero eso no sucedió, o no estarías aquí.

—¡Papá! —lo reprendió su hija—. No seas imprudente, por favor.

La noticia me caló igual que un balde de agua fría y tuve que parpadear un par de veces para componerme. ¿Papá había estado comprometido con Chelsea? ¿Y con Agnes? Él y yo tendríamos una larga charla sobre su vida de soltero cuando regresara a casa.

—No lo sabía —dije con lentitud, pasmada por la impresión.

—No tendrías por qué saberlo —intervino la tía de Alex—. Él amaba a tu madre. Además, hacen una increíble pareja juntos. —Sonrió, pero la nota de pesar en su voz no pasó desapercibida para mí.

El abuelo hizo un gesto con la mano para restarle importancia al asunto.

—Son viejas rencillas, nada que importe, porque ahora somos familia finalmente.

Comimos en silencio después de eso, aunque la idea del posible matrimonio de mi padre con Agnes y Chelsea no abandonó mi cabeza, solo generó más dudas sobre la relación de mis padres. Ellas eran de buena familia, riqueza y relevancia social, a diferencia de mamá, cuyos orígenes desconocía por completo. Ambas mujeres parecían la opción más obvia para papá, pero las descartó por mi madre. ¿Solo por amor? En un círculo como este, dejarse guiar por algo así era arriesgado, incluso estúpido, pero yo no era nadie para juzgarlo cuando hacía lo mismo.

—¿Cuánto tiempo llevan casados? —preguntó Chelsea para aligerar el ambiente.

—Casi seis meses —se adelantó a responder Alexander.

—Es bastante tiempo. Debo admitir que me sorprendió cuando me lo dijiste —nos miró a ambos su abuelo—, por un momento pensé que era solo una broma tuya de mal gusto.

—¿Por qué haría tal cosa? —se defendió.

—Lo mismo pensé, pero conociéndote, puedo esperar todo de ti. —Negó con reprobación y mi esposo sonrió como si recordara algo relacionado con el comentario—. E imagino que aún no le has dicho nada a tus padres.

Alex se removió incómodo en su asiento.

—No sé cómo se lo tomarán.

—Bah, qué más da cómo se lo tomen. A ningún padre le gusta nunca la pareja de su hijo, ¿y sabes qué? Al final terminan aceptándolos porque quieren verlos felices.

—¿Eso significa que nunca te agradó mamá? —quiso saber y el abuelo hizo un gesto agrio.

—Es algo que pasó hace mucho. El punto aquí es que tu padre hará su berrinche, tu madre quizá haga una rabieta más grande, pero no pueden hacer nada más. No dejen que sus estúpidas ideas los afecten.

Me sonrió con sinceridad y el gesto me resultó confortante.

—¿Y han pensado ya en tener hijos? —preguntó con los ojos brillantes—. Muero por tener niños corriendo por la casa otra vez.

Me atraganté con la sopa tras la pregunta y comencé a toser.

—¿Estás bien? —preguntó Chelsea, preocupada—. No le presten atención, suele ser un imprudente.

—Solo estoy siendo positivo. —Hizo un ademán de brindis con su copa de vino.

—No hemos pensado en eso aún —respondió Alex mientras yo evadía la pregunta bebiendo agua—. Hay muchas cosas que queremos hacer antes de... establecernos.

—El tiempo vuela —aseveró—. Pero está bien, supongo que todo sucederá en su momento.

—No comas ansias. —Su nieto le obsequió una sonrisa—. Una cosa a la vez.

—Parece que el ansioso es alguien más —contestó el hombre con sabiduría.

La habitación de la infancia de Alex estaba en la tercera planta. Era tan grande como imaginé que sería: el piso era de moqueta como en la mayoría de las habitaciones, la cama era demasiado grande para una sola persona, había dos burós a ambos lados con marcos de su familia y sobre una cajonera, al frente, descansaban fotografías enmarcadas de su infancia. Una de ellas me hizo sonreír porque mostraba a la cámara un saltamontes mal enfocado, sus bonitos ojos azules brillando con alegría, las regordetas mejillas marcadas por la amplia sonrisa y los claros rizos revueltos sobre su cabeza.

—Recuerdo eso.

—¿Qué cosa? —habló cerca de mí, erizándome los vellos de la nuca.

—Te encantaba jugar con insectos. Recuerdo una ocasión en la que escarbaste en la tierra hasta encontrar lombrices y me perseguiste con ellas en la mano.

Soltó una risa ronca y besó mi sien a modo de disculpa.

—Ese día reté a tu hermano para que se comiera una.

—Obviamente no lo hizo —dije con seguridad—. Erick era muy asqueroso de pequeño.

Elevó las cejas, petulante.

—Se comió tres y después fue llorando con tu madre. Chelsea me castigó por una semana después de eso.

—¡Qué asco! —Arrugué la nariz con repugnancia—. Eras un peligro en casa.

—Qué puedo decir, me divertía mucho haciéndolos sufrir.

Ignoré su comentario y seguí observando su habitación. Las paredes eran claras, pero estaban tapizadas de diferentes fotografías, paisajes y rostros. Había hombres y mujeres de todo tipo de colores, complexiones y nacionalidades en un montón de locaciones; Alexander tenía talento en lo que hacía, aquello era innegable.

Una sensación de quemazón se asentó en mi estómago porque Sabine aparecía en la mayoría; el color rojizo de su cabello y sus pecas casi me marearon.

—¿Por qué no te casaste con Sabine? —pregunté de pronto y escuché a Alex moverse por la habitación, pero no despegué la vista de las fotografías de la pelirroja.

—¿Qué?

Me giré para mirarlo y lo encontré sacando algo de uno de los cajones.

—Si ya tenían tanto tiempo conociéndose, si los habían emparejado por tanto tiempo, ¿por qué no te casaste con ella para reclamar tu herencia?

—Porque casarme a los veintidós nunca estuvo en mis planes —respondió serio—. Ni tampoco lo estaba deber cinco millones a un cabrón, así que nunca pensé realmente en cumplir la condición de mi abuelo porque jamás creí necesitarlo.

—Habría sido más sencillo con Sabine.

—Quizás, no sé. —Se puso en pie con algo en la mano y caminó hasta quedar a mi lado—. No fue como si planeara tener la fiesta más destructiva de mi vida para despertar con una resaca y casado contigo, pero no me arrepiento de ello tampoco.

Sonreí, con una calidez que era cada vez más común esparciéndose por mi interior.

—Deja ya tu drama, se nos hará tarde.

—¿Para qué?

—Para que conozcas Londres conmigo. —Se inclinó para besarme antes de tomarme de la muñeca y guiarme fuera de la habitación.

Comenzamos el recorrido cruzando el Millennium Bridge sobre el río Támesis; a esa hora de la mañana estaba tan poco transitado que la vista del cuerpo acuático era divina, y a medida que caminábamos hacia el sur, divisábamos la cúpula de la catedral de San Pablo. Continuamos caminando por el Támesis, admirando los altos rascacielos hasta llegar a Tower Bridge, la torre de Londres y London Eye. El ascenso hasta el último piso del Shard of Glass me dejó mareada por cinco minutos, pero la vista que me obsequió de la ciudad valió todos los mareos del mundo.

Me capturó con su cámara en un montón de locaciones y de todas las maneras posibles. Jugó con la luz, los ángulos y todos los accesorios que le ofrecían los lugares para hacer de las fotografías algo increíble.

El día se escurrió como arena y para el momento en que llegó el atardecer, creí que volveríamos a casa, pero no. Condujo por lo que pareció una eternidad, los rayos del ocaso colándose por nuestras ventanas, hasta que se detuvo en una bahía. Apenas puse un pie fuera, estuve tentada a montarme otra vez en el auto, prender la calefacción y no salir hasta que se le pasara la locura de visitar una playa en invierno.

—¿Dónde estamos? —pregunté castañeando los dientes y aferrándome a mi pesada gabardina, que no parecía ser suficiente para protegerme del frío.

—En Southend-on-Sea.

—Está completamente solo, ¿qué hacemos aquí?

—Mi tía Chelsea solía traerme —respondió sin dejar de mirar al frente, su expresión apacible—. Es uno de mis lugares favoritos, me relaja muchísimo, aunque en verano suele estar repleto y es imposible verlo así.

—Sí, en verano, cuando la gente tiene calor y no se está congelando el culo, como cualquier persona *normal.*

—Eres una miedosa, McCartney.

—Eres un demente, Colbourn.

—Pensé que habías dicho que te gustaban los raros.

—Los que no atentan contra mi vida con una posible hipotermia.

Enarcó una ceja, formando esa expresión que no denotaba nada bueno.

—Vaya, me descubriste. Vamos a ver qué tanto resistes.

Dio un paso hacia mí y yo di uno hacia atrás por inercia.

—Eh, ¿qué pretendes? —Levanté mis manos al frente, a la defensiva, ante la diabólica sonrisa que torcía sus labios.

—No está tan frío como otros días, te vendría bien un baño para que te acostumbres al clima londinense —argumentó acercándose como un depredador y yo continué alejándome.

—¡Ni se te ocurra! —grité señalándolo con un dedo—. Sé *kickboxing*, voy a romperte un brazo si te acercas más —lo amenacé, pero solo sonrió sin dejar de avanzar—. ¡No! ¡Alex, no!

Me tomó de la muñeca que tenía al frente en mi pobre intento de defensa, hasta hacerme chocar con su cuerpo y levantarme en vilo, cargándome sobre su hombro para luego dirigirse a la playa soltando una risita malévola.

—¡Me vas a matar! ¡Me dará neumonía! ¿Quieres quedarte viudo? ¡Joder, bájame!

Me dejó caer de pronto en el agua gélida, con mi grito perdiéndose bajo la superficie y todos mis nervios entumeciéndose a la vez. Emergí con los dientes chocando entre sí, intentando desesperadamente no ahogarme.

Divisé a Alex y me impulsé hasta él como pude. Lo rodeé con toda la fuerza de mis brazos y enredé mis piernas en su cintura, aferrándome a la vida.

—T-te odio —reproché con voz ronca—. El agua está hecha hielo.

—No está mal, es agradable —dijo tranquilo rodeándome la cintura con los brazos.

Lo miré como si se hubiera vuelto loco.

—La hipotermia ya te descompuso el cerebro.

Rio y pareció soltarme, pero seguí aferrándome a él.

—No, no, no —repetí con voz temblorosa—. No me sueltes.

—¿Tienes miedo, Leah?

—No, solo estoy esperando el momento indicado para ahogarte.

—Si me dices la verdad, tal vez considere salvarte cuando tú estés ahogándote.

—No sé nadar, ¿recuerdas? Así que apreciaría que no me soltaras.

Su vista cayó a mis pechos, que se marcaban por la húmeda blusa y la abierta gabardina.

—¿Es este tu intento de manipulación para conseguir lo que quieres?

Solté una risa temblorosa.

—Depende de si está funcionando.

—Como no está funcionando, lo tomaré como un sí.

Estiré una mano y le arrojé un chorro de agua que lo hizo toser.

—Se me metió en la boca —masculló dedicándome una mirada mortal, amenazante.

—Eh, fue solo una pequeña salp...

Se hundió llevándome consigo y aturdió mis sentidos por el frío que se encajaba como agujas en mi cara.

—¡Joder! —grité con voz estrangulada cuando estuvimos de vuelta en la superficie y me retiré el cabello de la cara con hastío—. Vas a matarme.

—Es el plan.

—Pero no podrás ahogarme sin ahogarte tú también. —Me sujeté con más fuerza a sus hombros—. Si me hundo, tú te hundes conmigo.

—¿Segura? —me desafió—. En algún momento tendrás que soltarme.

—No te dejaré ir nunca entonces —sentencié, y sus ojos brillaron con una emoción distinta—. No hasta que me cargues de vuelta al auto, porque mis piernas no me responden.

Soltó una risa ronca, pero no intentó deshacerse de mi agarre. En cambio, me abrazó con más firmeza de la cintura, asegurándome en ese lugar y pegándome a su cuerpo. Mis dedos danzaron entre sus húmedos mechones y suspiró contra mi boca, atrapando mis labios entre los suyos y reclamándola por completo, besándome hasta que la calidez que creó en mi interior hizo desaparecer el frío.

Amaba aquello, besarlo y estar con él; incluso cuando estaba molesta por haberme mojado en agua congelada, amaba aquello. No importaba lo que pasara, o cómo terminara, no me arrepentiría de haber comenzado todo esto con Alexander jamás.

Alexander era mi fortaleza, mi batalla, mi aliado. Era aquella cosa brillante y despampanante a la que yo me aferraba, incluso después de dejarlo ir. Y no podía negarlo, me encantaba cada arrogante, impredecible, molesto y encantador centímetro sarcástico de él.

Más tarde, cuando estuvimos limpios, secos y resguardados del frío en su casa, salió del estudio que tenía en la planta de su habitación y colocó en un marco una foto nuestra que nos había sacado un extraño en Tower Bridge. Él estaba abrazándome por detrás, susurrándome alguna estupidez al oído mientras yo sonreía.

Después, quitó algunas de las fotografías de su pared, incluyendo las de Sabine, y las reemplazó por capturas que me hizo a lo largo del día en el montón de locaciones que visitamos. Sonreí como idiota por ese gesto.

La felicidad no tenía solo un significado, pero si yo pudiera definir la mía, el nombre de Alexander estaría en ella.

# 40
# PÍDEMELO
## *Alexander*

—Es raro.

—¿Qué cosa?

Mi abuelo se rascó la incipiente barba blanca que crecía como maleza, pensativo.

—Tenerte en casa.

Continué caminando a su paso por los jardines que bordeaban la finca. Aún no había nevado, pero no estábamos lejos; el viento se sentía más frío y el invierno más crudo.

—Vengo cada año, no veo dónde está lo raro en eso.

—Pensé que no volverías después de la última discusión de tus padres en Navidad.

Me encogí de hombros. Era algo que no podía faltar cuando mis padres compartían la mesa.

—Ya los conoces, pelearse es su deporte favorito, ¿no te lo habían dicho? —me burlé y mi abuelo soltó una risa profunda, al tiempo que me palmeaba la espalda.

Caminamos un par de metros más por la orilla del lago. En estas fechas estaba prácticamente congelado y el agua se mostraba muerta, gris por el reflejo del cielo nublado.

—¿Estás contento?

—¿Con qué?

—Con tu matrimonio. —Estrechó los ojos con suspicacia, evaluando mi reacción. Era más que obvio que no terminaba de comprarse todo ese circo, esa jodida equivocación que nos había arrastrado a Leah y a mí hasta terminar juntos.

Un error que tenía el sabor a acierto.

—Lo estoy —respondí con determinación. Era de las pocas cosas en mi vida de las que estaba seguro.

—¿Por qué debería creerte?

—¿Por qué mentiría?

—Porque quieres el dinero, Henry. De lo contrario no habrías cumplido la condición —tenía la palabra bingo escrita en toda la cara, y yo la palabra mierda—, ¿o me equivoco?

—No, no te equivocas —mascullé y me detuve cuando él lo hizo.

—¿Entonces por qué debería creer este numerito? Por todo lo que sé, podrías haber concertado un acuerdo con la hija de Leo McCartney para hacérmelo creer y conseguir el dinero.

—Porque de ser este un numerito habría optado por casarme con alguien que no representara tantos problemas, ¿no crees? Me habría casado con Sabine y ya está, así no tendría a Leo McCartney respirándome en la nuca como un toro enfurecido, esperando a encajarme los cuernos en el culo porque me casé con su princesita, y créeme, se convertirá en algo peor cuando se entere.

Mi abuelo se mantuvo impasible con mi explicación.

—¿Qué más quieres que te diga?

—No lo sé. Algo que me convenza, por ejemplo —dijo con tono seco—. Insisto, ¿por qué debería creerte? Su matrimonio fue muy repentino y las circunstancias extrañas.

Cambié mi peso de un pie al otro, con la exasperación creciendo en mí. Por un momento estuve tentado a decirle todo, pero el orgullo y la soberbia eran monstruos de los que no siempre podíamos escapar, porque ya los llevábamos dentro.

—No fueron las circunstancias más convencionales, pero es real —imprimí toda la franqueza que pude en mis palabras—. Te he enseñado el acta.

Chasqueó la lengua.

—Esa acta vale lo mismo que el papel de baño con el que me limpio el culo —replicó y solté una risa, pero él no perdió la seriedad—. Yo quiero estar seguro de que es un vínculo permanente, no una chica de la que te desharás en cuanto tengas el dinero en la cuenta del banco.

—No lo haré.

—¿Cómo sé que no?

—Porque tendría que estar loco para dejarla ir. —La sinceridad en mis palabras me sorprendió—. Pero no sé qué más puedo decirte para convencerte.

—Simple. —Se irguió, apoyándose en el bastón de metal—. Dime por qué la elegiste.

Aquello me pilló con la guardia baja y, por un momento, mi mente se saturó con un montón de razones.

—Sigo esperando, Henry —insistió.

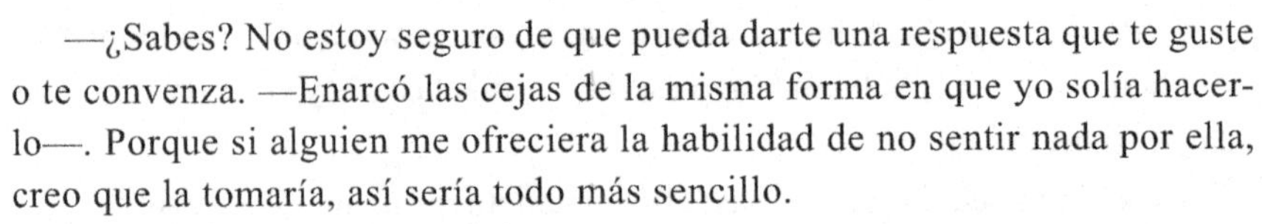

—¿Sabes? No estoy seguro de que pueda darte una respuesta que te guste o te convenza. —Enarcó las cejas de la misma forma en que yo solía hacerlo—. Porque si alguien me ofreciera la habilidad de no sentir nada por ella, creo que la tomaría, así sería todo más sencillo.

Resopló por la nariz, pero continuó mirándome expectante.

—Porque estar enamorado de Leah McCartney es un maldito dolor de cabeza. Quiero decir..., hagamos a un lado el hecho de que es hija de las personas que mis padres más odian en el mundo, que, por cierto, no es nada divertido estar metido en esta obra moderna de Romeo y Julieta.

Rio por lo bajo.

—Con eso de lado, ella sigue siendo mandona, demandante, terca y con un genio de los mil demonios, y ni siquiera escucha; estoy seguro de que no escucha ni a sus padres, solo a esa conciencia suya que es más estúpida que ella, porque le encanta ponerse en peligro.

—¿Te escucha a ti?

—¡Claro que no! Es más fácil convencer a una pared de moverse, que a ella de no hacer algo que se le ha plantado en la mente. —Suspiré—. Pero también es increíble. Es brillante, fuerte y preciosa. Es extraordinaria en todas las maneras correctas, aunque yo la quiera en todas las formas equivocadas —confesé—. Y creo que si pudiera deshacerme de este sentimiento para...

«Para mantenerla a salvo».

—... Para no tener que lidiar con ello —dije en su lugar—, lo haría; para forzarla a encontrar a alguien que en verdad la merezca, aunque ya es tarde para eso. Ya no puedo dejarla ir, no quiero.

—¿Por qué?

Tragué grueso al percibir la indiscutible verdad sobre la punta de mi lengua.

—Porque no puedo imaginar una vida sin nuestras peleas espontáneas o nuestras charlas banales, o sin lidiar con su malgenio, o su determinación, o su terquedad, o su coquetería y ese fuego inherente a ella. No puedo imaginar una vida en la que Leah no esté.

Mi abuelo permaneció en silencio, analítico, mientras yo intentaba recuperar el aire después de mi vómito verbal. Infló su pecho luego de lo que pareció una eternidad y entonces habló.

—¿Sabes por qué te impuse esa condición, Henry?

—¿Porque querías pasar tus últimos días entretenido, haciéndome sufrir para conseguir mi herencia? —solté sin más y levantó el bastón, amenazante.

—Claramente no, idiota insolente. —Reí al tiempo que él negaba con la cabeza—. Lo hice porque tenía miedo.

—¿De qué?

—Que temieras al matrimonio —admitió con pesadez y lo miré perplejo—. Eres nuestro único heredero y no has tenido el mejor ejemplo con tus padres, que solo saben discutir y disgustarse con el otro. Quería que te dieras cuenta de que no todo es tan malo como parece.

—¿Y obligarme a casarme te pareció la mejor opción para conseguirlo? —me mofé.

—Al menos así estaría seguro de que lo intentarías, y tuviste suerte, ¿no es así? —Me miró curioso, posando los dedos en su barbilla—. ¿La quieres?

Me mantuve en silencio, pero la respuesta ya borboteaba en mi pecho cosquilleaba mis cuerdas vocales.

—Sí, claro que la quiero, más de lo que te imaginas.

Sus ojos claros reflejaron una emoción que no pude definir, y sus delgados labios se ensancharon en una sonrisa.

—¿Sabes cuál es la función de una esposa, Henry?

—¿Además de gritarte por no bajar la taza del baño y sacarte de quicio? No —dije mordaz, solo para recuperar un poco de dignidad luego de mi larga exposición sentimental de mierda.

Puso los ojos en blanco.

—Eres tan cínico como tu padre —acotó con un toque de nostalgia—. Pero sí, hay algo además de eso. En algún momento de tu vida, llegarás a un punto en el que nadie más podrá acompañarte, porque será tan personal e íntimo que solo tiene cabida una persona —extrajo del bolsillo de su pantalón una pequeña cajita y me la tendió con cuidado—, aquella que tú elijas para eso.

Tomé el pequeño contenedor sintiéndome incómodo con la intensidad del momento, y lo abrí revelando lo que me imaginé había dentro. Anidado en medio, había un anillo con una banda delgada de oro blanco, coronado por una piedra de zafiro en forma de lágrima que no pasaba inadvertida. Levanté la cabeza con lentitud, sin poder deshacerme de la sensación de desconcierto.

—¿Por qué me...?

—Era de tu abuela —dijo con melancolía—. De su joyero real. Ha pasado de generación en generación. Ahora Leah es parte de la familia y, como tu esposa, debe llevar el anillo como corresponde.

—¿Por qué me lo has dado tú y no papá?

El abuelo se aclaró la garganta y comenzó a andar hacia el camino que llevaba de regreso a casa, yo hice lo mismo manteniendo su ritmo.

—Porque tu madre nunca quiso usarlo, dijo que no era su estilo.

—Imagino que papá no lo tomó bien.

—No, no lo hizo, pero lo dejó pasar, como se dejan pasar muchas cosas que nos molestan y no se hablan, hasta que creamos una bola de nieve de

cosas no resueltas que terminan por aplastarnos irremediablemente, y al matrimonio también.

Una vez que llegamos al rellano en la entrada de la casa, una de las mujeres de servicio se apresuró a ayudar a mi abuelo a apoyarse; su respiración se había vuelto más agitada por el esfuerzo y los años.

—Dale el anillo, se le verá divino.

Dio un paso junto a la mujer, pero la detuvo y se giró hacia mí palmeándome la mejilla con afecto.

—Estoy orgulloso de ti, Henry, del hombre en que te has convertido. No pude pedir un mejor heredero para dejar en sus manos nuestra familia. No te preocupes, te daré lo que te corresponde, ¿de acuerdo?

Esbocé una pequeña sonrisa que estaba seguro no se creía ni un ciego, luego volví a salir sintiéndome asfixiado.

Si mi abuelo supiera en toda la mierda que estaba metido, orgulloso sería la última palabra que usaría para definir lo que le hacía sentir.

Era nuestro tercer día y lo habíamos utilizado para recorrer los lugares que no pude mostrarle en nuestro paseo anterior. Desde el típico recorrido por el palacio de Buckingham, hasta el pueblo de Bath, donde estaba el Pulteney Bridge, una belleza arquitectónica.

El sol se había ocultado cuando salimos de uno de los museos históricos alojados en la ciudad, y fuimos recibidos con un espectáculo de luces; patrones multicolor explotando sobre la contrastante oscuridad. Me detuve en seco a la primera detonación y cuando escuché la segunda, alcé mi vista al cielo para apreciarlo. Permanecí de pie con el mismo asombro de un niño. Volteé a ver a Leah, que estaba completamente abstraída en la espectacular escena. Divisé los colores brillando en su cara antes de alzar la mirada para apreciarlos por mí mismo.

—Vamos al puente.

Comenzamos a andar hacia el curvado puente de piedra, donde la vista valía la pena. Las luces se extendían sobre el lago como un lienzo desde el borde de la ciudad, y las explosiones se reflejaban en el agua igual que un espejo ondulante. Las risas y gritos de júbilo alcanzaron mis oídos en varios tonos.

—¿Qué están celebrando? —preguntó.

Me encogí de hombros y me abrí un espacio escurriéndome entre la gente que estaba al borde del puente. Dos chicas, que no parecían mayores que nosotros, me lanzaron una mirada desdeñosa cuando las empujé. Leah estiraba el cuello para mirar por el recoveco que había entre las dos mujeres y yo.

—Eso fue grosero.

—Nadie te dará espacio —dije seco—, tienes que hacértelo por ti misma.

Giré mi cuerpo para hacerle un lugar y jalé de su saco hasta acomodarla frente a mí. Una vez ahí, me hice a un lado para estar codo a codo.

—¿No tienes frío? —pregunté, mirando el vestido de tela delgada que ondulaba por la ráfaga de viento y su ligero saco negro.

—Después de lo de la bahía, creo que desarrollé cierta resistencia. —Su tono estaba lleno de orgullo y reí por lo bajo—. No es el método más ortodoxo, pero gracias por eso, y por el espacio.

—No quería escuchar tus quejas por no poder ver, ibas a arruinarme el espectáculo.

—Dios, eres tan dulce —ironizó.

Ignoré el comentario y ambos nos concentramos en las explosiones que se expandían y mezclaban entre sí, a medida que el espacio entre nosotros se reducía. Verde, rojo, dorado, azul y blanco iluminaban el cielo, el río y nuestras caras. Parecía el evento adecuado para celebrar que había conseguido el dinero. Se sentía igual que la celebración de una victoria.

Sin embargo, la emoción que experimentaba no era por obtener el dinero, sino por la mujer que tenía a mi lado. Bajé la cabeza y me concentré en su cara, en el reflejo de los fuegos artificiales en sus ojos y su expresión de asombro. Era un espectáculo mucho más digno de contemplar.

Si alguien me hubiera dicho años atrás que yo terminaría aquí, junto a ella, y a punto de entregarle un anillo, me habría partido de risa y habría hecho comentarios de cómo no sería tan estúpido para dejarme engatusar en algo tan inverosímil como el matrimonio, pero no tenía duda de que quería hacerlo, que era lo correcto, porque era Leah. Era Leah y eso hacía toda la diferencia.

—Leah —la llamé y ella despegó sus ojos del cielo—. Atrápala.

Le lancé la caja sin darle tiempo a reaccionar, sus delgados dedos se cerraron por mero reflejo en torno a ella, antes de que esta se resbalara y estuviera a punto de caer al río para perderse definitivamente, pero era ágil y logró pillarla a tiempo.

—¿Estás loco? ¿Por qué me lo has lanzado? —Agitó la caja dedicándome una mirada de muerte—. ¿Qué es?

—Ábrela, es tu regalo de Navidad —respondí recargando mis brazos en el borde, percibiendo cómo mi corazón aumentaba en tempo por los nervios a su reacción.

—¿Me compraste un regalo? No puedo creerlo —dijo conmovida y puse los ojos en blanco—. No puedo aceptarlo.

—¿Por qué? —pregunté con toda la sangre viajando a mis pies.

—Porque yo no te he comprado nada.

—¿Y qué? Solo ábrela.

—No —refutó, con la caja pendiendo entre ambos para que la tomara—. No hasta que te compre un regalo.

La miré con incredulidad.

—No seas ridícula, ábrela ya.

—Que no, tómala.

—Leah.

—No.

—¿Por qué tienes que ser tan terca siempre?

—Lo recibiré feliz cuando...

—Es un anillo de matrimonio —espeté alzando la voz para hacerme oír entre el bullicio.

Fijó su vista en la caja y la abrió con lentitud y delicadeza, como si tuviera miedo de romperla. Se cubrió la boca con la mano, ahogando un jadeo. Sus ojos brillaban cuando los centró en mí de nuevo, y mi corazón dio un salto ante las emociones que vibraban entre ambos.

Caí en cuenta de que, por primera vez en mi vida, una mujer había logrado ponerme nervioso. Claro que solo Leah McCartney tendría ese poder.

—¿Me estás pidiendo matrimonio?

—Creo que ya estamos un poco más allá de esa fase —respondí—, pero si quieres verlo de esa manera, supongo que sí. Es solo algo simbólico, no es una obligación que lo portes; puedes usarlo si quieres, pero no pasa nada si... Joder —maldije.

Me pasé una mano por el cuello. Fue estúpido de mi parte dejarme llevar por la emoción de tenerla conmigo. Proponérselo rodeados de personas y apretados por el tumulto no parecía lo más… romántico, y aunque Leah lo negara, ella era una romántica. Ella se merecía algo mejor que una simple propuesta apresurada.

—Escucha, creo que podemos hacer esto otra vez, podemos intentarlo en otra oc...

—Pídemelo —me interrumpió y la perplejidad me paralizó.

—¿Aquí? Leah, te mereces…

—Pídemelo —repitió.

—Leah, no es...

—Pídemelo —insistió con la voz cargada de emoción y los ojos anegados en lágrimas.

—Creo que hay una mejor forma de...

Tomó mi cara con sus manos frías y haló de ella para que quedara a su altura.

—Pídemelo.

Entonces entendí que en verdad quería que lo hiciera, que lo necesitaba. Tomé una bocanada de aire trémula y recité las palabras lentamente.

—¿Te casarías conmigo?

Sonrió y… me besó. Me besó y sentí que mis huesos se estremecían hasta lo más recóndito, y que mi corazón aceleraba sus latidos con ferocidad. Enredé un brazo en su cintura, mi boca insistente, sincronizándose y derritiéndose sobre la suya. Una absurda sensación de felicidad me invadió; el tipo de felicidad que era tan sobrecogedora que rozaba la euforia.

—Dilo —exigí contra sus labios cuando nos separamos para recuperar el aire.

—Estás...

—Dilo.

—Puedo hac...

—Dilo o...

—Sí —dijo con voz ahogada, sonriendo, y las curvas de mis labios se elevaron cuando volvió a besarme una vez, dos, tres—. Definitivamente sí.

Nos separamos aún con el bullicio a nuestro alrededor, pero ya no era tan notorio, porque en ese pequeño instante de plenitud, todo pasó a segundo plano a excepción de ella.

—¿Tendré que ponérmelo yo? —Me palmeó con la cajita en el pecho y la tomé para extraer el anillo. Extendió su mano y lo deslicé en el anular, la banda lo rodeó a la perfección.

Lo admiró sobre el borde del puente y sonrió satisfecha.

—Me gusta.

—Eso espero, es una reliquia familiar.

—¿Entonces por qué mierda me lo lanzaste si es tan importante? —me riñó.

—Para saber si te lo merecías —la molesté y parpadeó sin comprender—. Si lo atrapabas, significaba que eras digna.

—Significaba qui iris digni —me imitó y solté una carcajada—. ¿Qué hubieras hecho si no lo atrapaba, ah?

—Nada, verlo hundirse —dije, y abrió la boca, incrédula—. No sé por qué lloras tanto si al final lo atrapaste.

—¡Por poco! —Sacudió la cabeza—. ¿No podías dármelo como cualquier persona normal?

—¿Dónde está la diversión en eso? Tendrías que haber visto tu cara de susto. —Reí y ella también, pero me tomó del brazo pegándose a mi cuerpo.

—Entre más te conozco, más loco sé que estás. No sé por qué acepté casarme contigo.

—Porque tengo muchos talentos, y soy atractivo, encantador…

—Arrogante, molesto, intransigente…

—¿Estás enumerando mis defectos o los tuyos?

Volvió a reír y el sonido retumbó en mi interior, colmándome de emoción.

—Yo no tengo defectos. Dijiste que era perfecta hace poco.

—¿Cuándo? —Enarqué una ceja y la miré. Ella levantó el mentón, dándose importancia.

—Ayer, mientras estábamos en tu habitación. Me tenías sobre mis manos y rodillas, y recuerdo que me dijiste lo perfecta que era mientras me follabas por det…

—Bien, tú ganas. —Le pasé el brazo por los hombros, la atraje hacia mí y besé su sien—. Eres perfecta.

Volvió a sonreír y sus ojos brillaron con los colores que explotaban en el cielo.

—Te quiero —musitó y volvió a sacudirme el mundo entero.

Las palabras me cosquillaron la garganta, a punto de decirlas, porque no eran una farsa como todos los «te quiero» que escuché a mis padres decirse a lo largo de su matrimonio cuando era conveniente.

Quería a Leah, a mi esposa. La quería a pesar de todo y de todos, a pesar de los obstáculos y las circunstancias en nuestra contra; la quería incluso aunque no supiera cómo lidiar con la magnitud del sentimiento que me abarcaba el pecho. Quería cada una de sus facetas, porque me había cautivado y maravillado con ellas.

—Te qui…

El sonido de los fuegos artificiales se hizo más fuerte, creando una sucesión de colores y formas. Leah desvió la vista hacia el espectáculo. Las personas a nuestro alrededor comenzaron a vitorear, aplaudir y silbar, mientras la noche se avivaba con colores y euforia. Los dedos de Leah se enredaron con los míos y cuando el espectáculo alcanzó su *crescendo*, apreté su mano. Quizá no había escuchado las palabras aún, pero podía transmitírselas. Podía sentir mi corazón palpitando sobre mi palma, o quizá era el suyo contra mi piel, pero el latido era desbocado. Mi garganta estaba seca, su mano era cálida y las luces parecían crear magia. Y en lo único que podía pensar era en ella, en mí, en el nosotros que empezábamos a construir con cimientos más sólidos y firmes, con sentimientos más reales que nunca.

# 41
# EL TRAIDOR
## *Alexander*

Regresé a Estados Unidos seis días después sintiéndome agotado por el vuelo. Al final, opté por viajar en uno de los aviones de la familia para evitar el caos que se creaba en el aeropuerto en fechas festivas.

Leah regresó cuatro días antes para pasar las vísperas navideñas con su familia, mientras yo las celebré en Inglaterra. La cena con papá transcurrió sin percances, aunque mi abuelo no perdió el tiempo en lanzarme miradas de advertencia para que lo informara sobre mi matrimonio. Le prometí que lo haría en Año Nuevo, aunque no sabía cuánta verdad contenían mis palabras.

Visité a mamá y le deseé Feliz Navidad, aunque ella no estaba nada contenta por haberla abandonado. Luego regresé a mi departamento después de cerciorarme de que todo iba bien con Fejzo; no estaba dispuesto a limpiar otro desastre si alguno la cagaba.

Me duché y vestí con ropa cómoda dispuesto a ir a dormir para recuperar mis horas de sueño, cuando llamaron a la puerta. Esperé en silencio, debatiéndome entre hacerme el occiso o atender, hasta que volvieron a llamar con más insistencia. Solté una maldición y abrí para ser recibido con un impacto en el pecho y unos brazos rodeándome el cuello. Leah se alejó un poco para capturar mis labios entre los suyos sin darme tiempo de protestar.

—¿Qué mosca te picó ahora? —pregunté cuando me separé.

—Tenía ganas de verte. —Sonreí contra sus labios cuando volvió a besarme—. Estaba cerca y no quería perder la oportunidad.

—Vaya, qué conveniente.

—No te imaginas cuánto. —Se apartó y extendió el brazo para ofrecerme algo que llevaba en la mano—. Además, me moría de ganas por darte tu regalo de Navidad.

Enarqué una ceja, curioso, mientras observaba el pequeño contenedor.

—¿Regalo de Navidad? Esta caja es muy pequeña para meter lencería dentro, a menos que sea una bonita pieza de encaje que pueda quitarte.

Rodó los ojos.

—Solo ábrelo. Debí habértelo lanzado como hiciste tú conmigo, pero yo no soy tan cruel.

Abrí la caja. Dentro había un reloj, reluciente y funcional, esperando por ser usado. Debía admitir que era alguien muy observadora, porque había aprendido mis gustos en poco tiempo.

—Gracias. —Sonreí.

—Tómalo y dale la vuelta.

Fruncí el ceño e hice lo que me dijo. Y al hacerlo, noté las palabras grabadas en la parte de atrás. «Siempre tuya, TSAE».

Mi corazón retumbó en mi pecho y una emoción que no había experimentado en años me llenó.

—¿Te gustó? —preguntó tímida.

¿Gustarme? Su forma de decirme que ella era tan mía como yo lo era de ella, era el mejor regalo en todo el puto planeta.

Arrugó la boca en un puchero antes de que me inclinara para darle un casto beso.

—Me encanta. Gracias.

—Sé que es algo muy común, pero no quería arriesgarme. Es difícil buscar algo para alguien que ya lo tiene todo. Pensé en comprarte una cámara, o accesorios para la tuya, pero no sé nada sobre eso.

Solté una carcajada por su tono de fastidio. Cubrí el regalo para no dañarlo y lo dejé en el respaldo del sillón.

—No tenías por qué complicarte tanto. —Cerré mis brazos en torno a su cintura y la pegué a mí—. Me diste el mejor regalo.

—¿De verdad? ¿El reloj?

Acaricié su pómulo con cariño.

—No solo el reloj, sino el hacerme saber que eres mía.

Posó las manos en mi pecho y sus ojos se llenaron de diversión.

—Eres un cavernícola. No soy una cosa.

—No lo digo en ese sentido —aclaré, rodeándola de nuevo con mis brazos para tenerla cerca—. Eres mía porque así lo elegiste, justo como yo elegí ser tuyo, eso es todo.

Sus ojos resplandecieron con emoción y me acerqué para besarla. Mis labios se movieron contra los suyos en un compás suave, lento, para transmitirle todo el amor que me hacía sentir.

Éramos marido y mujer.

Ella era mía ahora, pero yo era suyo hacía tiempo, porque ya le había entregado mi corazón sin darme cuenta. Cada parte de mi cuerpo y mi alma le pertenecía.

Todo el afecto que sentía hacia ella borboteaba bajo mi piel, intenso e incontenible. Decidí que no iba a quedarme con las palabras atoradas en la garganta otra vez, así que me separé y tomé aire.

—Leah, te quie...

Los golpes en la puerta me dejaron a medio camino y solté un gruñido de fastidio. ¿Era mi día de visitas o qué mierda?

—¿Esperas a alguien?

—No.

Tres golpes en la puerta volvieron a resonar y me pareció extraño recibir a alguien a estas horas. No era tarde, pero no había quedado con nadie, aunque no debía tratarse de alguien extraño o de lo contrario Adam me habría avisado.

—¿Atenderás?

Me dirigí a la puerta de mala gana. Cuando la abrí, deseé no haberlo hecho. Jordan me sonrió desde el otro lado del umbral y maldije mil veces.

—¿Qué tal? Tenía tiempo con la idea de visitarte dándome vueltas en la cabeza y pensé que hoy sería un buen día.

«Hoy es el peor día posible». Intenté cerrar la puerta sutilmente para evitar que viera a Leah y se armara un escándalo.

—¿Te apetece ir por unos tragos? Conozco un bar que está bastante bien y creo que sería bueno terminar la conversación de antes, ¿recuerdas? Quiero contarte algo sobre... ¿estás bien?

Tardé unos instantes en reaccionar y coloqué mi sonrisa más condescendiente.

—Sí, estoy bien.

—Estás pálido. ¿Sigues en recuperación por tu contusión?

—No, ya he terminado el tratamiento. Me encantaría ir, pero sabes, acabo de regresar de Inglaterra y no me siento bien...

Frunció el ceño. La idea pendió en el aire, esperando a ser captada por él, y rogué al cielo para que comprendiera la indirecta y se largara.

—No te preocupes, podemos charlar aquí. —Volvió a sonreír afable y quise ahorcarlo—. Solo necesitamos un par de cervezas y ya está.

Cerré un poco más la puerta y me estreché en el umbral.

—No es un buen momento —dije lacónico.

—¿Por qué no? —preguntó, pero no respondí; lo taladré con la mirada mientras la duda flotaba sobre nuestras cabezas, entonces sus orbes se llenaron de reconocimiento—. Oh, ¿estás con alguien? ¿Interrumpo algo?

Empujé mi lengua contra el interior de mi mejilla. Leah decía que Jordan comprendería y se lo tomaría bien porque ahora estaba prendado de otra chica, pero yo no estaba tan convencido de ello, y no quería poner a prueba mi suerte.

—No... Quiero decir, sí.

—¿Sí o no? Vamos, amigo, no seas amargado.

Abrió un espacio con su hombro.

—No, Jordan, en verdad no es un buen momento —insistí tratando de mantenerme en el lugar.

—Lo único que tienes es pereza, te la quitaré con lo que voy a contarte, no te imaginas con quién he...

Terminó de abrirse paso hasta entrar a mi departamento y el silencio que siguió fue aplastante. El tiempo se detuvo igual que la maquinaria de un reloj. Me giré con el pálpito del miedo cerrándome el pecho, y localicé a Leah recargada en el respaldo del sofá, con los brazos cruzados y una expresión de susto asaltando sus bonitas facciones.

Jordan no era ningún Sherlock Holmes, pero incluso él era capaz de sumar dos más dos y deducir la verdad en una situación como aquella.

—¿Qué... qué es esto? —Nos observó a ambos, con sus ojos más abiertos a cada segundo que pasaba.

—Jordan, es...

—¿Qué mierda haces aquí, Leah? —mascullό rudo.

Ella abrió la boca sin que ningún sonido saliera de sí, pero su mirada lo decía todo. Ambos contuvimos la respiración, expectantes a la reacción de Jordan. Noté la vena que apareció en su cuello y el endurecimiento de sus facciones, entonces supe que era momento de explicarse.

—Jordan, podemos hablar tranquilamente, no tienes que hacer una escena de todo est...

—Cállate, cállate, ¡cállate! —rugió colérico con la cara roja—. ¡Cierra la puta boca!

Su explosiva actitud me hizo respingar y antes de que pudiera actuar, ya estaba a dos pasos de distancia de Leah.

—¿Es él? —siseó entre dientes—. ¿Me hablabas de él? —Me señaló tras de sí, mientras ella se empequeñecía ante su furia—. ¡Te estoy preguntando si me hablabas de él, con una mierda!

—¡Jordan, para ya! —Planté una mano en su hombro para evitar que cometiera alguna estupidez, pero se deshizo de mi toque con brusquedad.

—No estoy hablando contigo. —Volvió a centrarse en mi esposa—. ¡Responde, joder!

—¡Jordan!

—¡SÍ! ¡Sí te hablaba de él! —gritó para hacerse oír sobre nuestras voces y la vena en el cuello de Jordan se hizo más notoria por la tensión y la cólera.

—¿Cómo te atreves? —espetó en voz baja, oscura—. ¿Cómo te atreves a estar con él?

—Jord...

—¡¿Cómo te atreves?! —Avanzó un paso más cerca de ella y lo sujeté del hombro para detenerlo otra vez. Se movió con violencia para alejarme; sus ojos exudando ira—. Y tú, ¡puto amigo de mierda!

—Lo siento, pero será mejor que te hagas a la idea de...

—¡Te pedí que me lo dijeras! ¡Te pedí que la cuidaras por mí! —Una punzada de culpa me invadió, pero me deshice de ella cuando se acercó, amenazante—. ¿Y tú qué hiciste? ¡¿Qué hiciste?!

—Jordan, para, para. —Leah se posó frente a mí en un débil intento por tranquilizarlo.

—¿Sabes? —Se acercó quedando a un palmo de distancia—. Me quemaba la cabeza con ideas de cómo recuperarte, de cómo arreglar las cosas entre nosotros, de cómo reparar mis errores, mientras tú estabas ahí, ¡cogiéndotelo! ¡Follándote a este hijo de puta que se hacía llamar mi amigo! ¿Tantas ganas tenías de que te jodiera?

—¡Así no fueron las cosas! —vociferó ella también—. ¡Él no es ningún hijo de puta, ni tampoco es algo que te importe ya! No te atrevas a juzgarme porque no tienes dere...

—¿No se suponía que lo odiabas? ¿No se suponía que sus familias no se...?

—Déjame explicarte…

—¡Te importó un carajo nuestra relación mientras te lo follabas!

—¡No lo tenía planeado! ¡Nada de esto fue planeado! ¡Escu...!

—¿Qué? ¿Te hacía sentir bien romper las reglas? ¿Te excitaba verme la cara de idiota mientras lo montabas?

—¡No!

—¿O era que te gustaba cómo te reventaba el coño? ¿Él te daba lo que me pedías? —Rio sin humor, su frente perlada de sudor—. ¿Te cogía igual que a una perra?

—Cuidado con lo dices, Jordan —lo amenacé cerca de Leah, preparándome para reaccionar a la más mínima estupidez.

—Vete al carajo, amigo de mierda —escupió con desprecio antes de bajar la vista hacia ella—. ¿Te gustaba cómo te cogía este hijo de puta?, ¿es eso?

Sentí la sangre hirviendo, borboteando bajo mi piel con cada insulto nuevo que le lanzaba como si tuviera derecho.

—Jordan, por favor, no dig...

—¿Te decía cosas sucias mientras te daba por el culo como tú querías? ¿Te maltrataba? ¿Qué era? ¡¿Qué era?! —continuó y apreté la mandíbula conteniéndome—. ¿Te excitaba que te llamara puta? ¿Eso te gustaba tanto? Eso eres para él, ¿no? Su pequeña putilla calienta poll...

Se cortó y levantó una mano para cubrirse cuando pasé a Leah de largo, pero fui más rápido, la cólera impulsándome y el sonido de hueso contra hueso resonando en la estancia cuando lo golpeé. Se incorporó contra el respaldo del sillón y me atacó empujándome con la fuerza de su cuerpo, justo antes de tomarme del hombro para estamparme su puño en la cara, provocándome un dolor en la mejilla.

—¡Paren! ¡Alto! ¡Basta! —Leah intentaba separarnos, pero sus pequeñas manos eran inservibles ante la contundencia de nuestra fuerza.

Tomé su muñeca y la doblé en un feo ángulo arrancándole un grito de dolor. Su puño se alejó de mi cara con los nudillos manchados en sangre antes de volver a asestarme otro golpe.

—¡No! ¡No! ¡Joder, paren ya!

Lo empujé ganando impulso para encajar mi puño en su estómago. El impacto lo hizo doblarse, dándome acceso a su cara para acertar otro puñetazo. Le di otro más antes de que él volviera a empujarme usando la grandeza de su cuerpo, logrando conectar sus nudillos con mi mandíbula antes de que se retorciera de dolor. Cuando alcé la vista, Leah tenía los dedos en una parte de su cuello inmovilizándolo.

—¡He dicho que paren! —Me lanzó una mirada de advertencia para prevenir que volviera a atacarlo y me incorporé al mismo tiempo que él. Jordan se tocó el cuello como un desquiciado, con la boca ensangrentada.

—Quítame las manos de encima, zorra —masculló con voz pastosa por el líquido.

Inhalé y exhalé, notando un dolor lacerante extendiéndose por mi costado y mi mejilla, al tiempo que la adrenalina abandonaba mi cuerpo para dejar solo la furia.

—Hijo de puta. —Dio un paso adelante con la intención de continuar, pero Leah volvió a colocarse en medio, igual que una muralla.

—Fuiste demasiado lejos, Jordan, creo que...

—¿Se sentía bien? ¿Se sentía bien follártela?

—Jordan...

—¡Cállate, no estoy hablando contigo! —le rugió—. ¡Contéstame, pedazo de...!

—¡Sí! ¡Se sentía jodidamente bien! ¿Y sabes qué? Lo volvería a hacer cada una de las veces.

Arremetió una vez más con todo su cuerpo, pero Leah lo detuvo con el suyo.

—Paren ya. —Trataba de mantener la compostura, pero el temblar en su voz la traicionaba—. Jordan, tenemos que hablar, tenemos que...

—Yo fui el primero, espero que pienses en eso la próxima vez que te cojas a esta puta —mascullό de pronto y torció una sonrisa que resultó grotesca por la sangre en su boca—. Cada cosa que ella te hace, yo se la enseñé.

El pensamiento disparó mi enojó igual que un detonador y tuve que contenerme para no volver a romperle la cara. No le daría el gusto de afectarme con toda su mierda verbal.

Le dediqué una sonrisa de suficiencia en su lugar.

—Vaya, pues gracias, no te imaginas cuánto las disfruto —dije con petulancia y sus ojos volvieron a encenderse como hogueras.

—¡Alex, para ya! —suplicó mi esposa.

—Un día… —siseó crudo, recuperando la respiración—. Un día voy a matarte. Mi cara será lo último que verás, traidor de mierda.

Su pecho se apaciguó, como si el pensamiento de matarme le transmitiera serenidad.

—Puedes apostar toda tu vida a que eso no pasará. —Me quité la sangre de la cara con el dorso de la mano.

—Basta. Para ya —bufó ella de una forma que nunca antes había contemplado—. Tienes que tranquilizarte, Jordan, y tenemos que hablar, tienes que comprender que...

—No tengo nada de qué hablar con una zorra como tú, no vales la pena.

Nos dedicó una mirada de muerte una última vez antes de caminar con dificultad hasta el umbral.

—Son una mierda los dos, se merecen el uno al otro.

Salió dando un portazo, dejando el silencio pesado y la atmósfera cargada mientras Leah posaba sus bonitos ojos en mí, brillantes por las lágrimas que luchaba por contener.

Y maldecí en mi interior porque lo sabía… Sabía que esta era la piedra que terminaría por derrumbarlo todo.

# 42
## EXPLICACIONES

Leah

Alexander caminó hacia la cocina, donde guardaba el botiquín de primeros auxilios. El aire era tan pesado que me costaba respirar, los oídos me zumbaban por los restos de adrenalina en el cuerpo, y mi mente era un monstruo vivo y enérgico, torturándome con el millón de posibilidades que me acorralaban como bestias hambrientas.

El ruido del plástico contra la madera me sacó de mis cavilaciones y lo observé extraer el material de curación.

No tenía idea de qué decir en este tipo de situaciones.

Lanzó un quejido y decidí dejar de pensar.

—¿Necesitas ayuda? —Caminé hasta él con vacilación.

Dejó de quitarse a ciegas la sangre de la nariz y me miró por un momento antes de continuar con su tarea.

—Soy perfectamente capaz de hacerlo solo.

De nuevo no encontré qué decir sin que sonara forzado, así que tomé gasas y las llené de antiséptico para mantener las manos ocupadas.

—Será más fácil si yo lo hago, déjame ayudarte.

Suspiró y se sentó en una de las sillas de su comedor, inclinando la cabeza para darme mejor acceso a su cara, que era una obra de arte moderno por todas las salpicaduras de sangre y zonas enrojecidas donde de seguro se formarían moretones. Jordan lo había golpeado no solo con la intención de defenderse, sino de matarlo.

Alcancé la magulladura que tenía al lado derecho de su mentón y tracé la forma con mis dedos. Era una aberración hacer algo así con su cara.

—Va a doler.

—Lo sé.

—No seré delicada, necesito limpiarlo.

—Lo sé.

Retiré la sangre que emanaba del corte en su labio. No emitió ningún sonido, pero por la forma en que estrechaba los ojos, sabía que ardía. Limpiar los restos de sangre de su nariz fue más difícil, tuve que presionar para que dejara de manar. Alex siseó entre dientes, dedicándome una mirada envenenada.

—¿Estás limpiándome o terminando lo que empezó Jordan? —se quejó alejándose de mi toque.

—Claro que no —dije crispada. Él soltó una risita baja, como si fuera un chiste; lo miré confundida. Nunca comprendería sus locos cambios de humor.

—Estoy bromeando.

—No es gracioso —reproché sintiéndome sensible aún y continué limpiando su rostro, con sus ojos puestos sobre mí.

—No vas a llorar, ¿o sí?

Arrugué los labios, con el nudo en mi garganta haciéndome imposible hablar, pero odiaba llorar. Siempre había preferido el pragmatismo y la acción; el llanto estaba reservado solo para esos momentos de catarsis inevitable.

—No.

Elevó una ceja sin creerme y me concentré en terminar mi tarea. No sabía si en algún punto dejaría de sentirme tímida en su avasalladora presencia, si dejaría de percibir que podía ver a través de mí con la claridad de un cristal.

Una parte de mí esperaba la reacción de Jordan y había dolido. La reacción de Alex, por otro lado, fue una sorpresa y me hacía percibir cosas que no podía nombrar o definir, pero que se sentía bien, fuera lo que fuera.

¿Qué demonios hacía alguien después de eso? Porque lo único de lo que era consciente era del rápido latir de mi corazón y esa leve sensación de mareo mientras trabajaba en él.

Me había defendido, justo como yo lo defendí de Jordan, y ahora que ambos sabíamos de qué lado estábamos, abiertos y expuestos, no tenía idea de qué hacer o decir.

—Vas a dejarme sin labios si limpias un poco más fuerte —habló y caí en cuenta de que volví a abrir la herida.

—Lo siento.

—Está bien.

Me mordí el labio y presioné con delicadeza para detener el sangrado.

—Gracias —murmuré sin dejar de presionar.

—¿Cómo?

—Gracias por defenderme. —Llevé un mechón de cabello detrás de mi oreja—. Aunque no necesitabas hacerlo, yo podía defenderme sola.

—Claro, eres aterradora con tu metro sesenta y dos —ironizó.

Presioné con más fuerza a propósito y emitió un quejido.

—Mido un metro sesenta y siete —respondí con altivez.

—Ah, la gran y aterradora Leah McCartney. Eres todo un titán, me matas de miedo —dijo sonriendo.

—Deberías tener cuidado de cómo me hablas, yo soy la que tiene el poder en este momento— lo amenacé.

—¿Podemos volver a tu papel de la esposa agradecida? Así eras mucho mejor.

Solté una risa, pero se desvaneció rápido para dar lugar a una pesadez en mi pecho.

—Pero en serio, no debiste reaccionar así.

—Esa es una petición imposible y lo sabes.

Le dediqué una mirada de exasperación desde mi altura.

—Podíamos haber hablado como gente civilizada.

—Ah, claro, ¿por qué no se me ocurrió? Oye, Jordan, ¿por qué no hablamos de nuestros problemas mientras tú me das *tips* de cómo ofender a mi esposa? He visto que se te da muy bien —dijo mordaz—. Espero que tu próxima gran idea no sea ir a terapia de pareja los tres.

—Solo estoy diciendo que podría haber comprendido la situación si no lo hubieras atacado.

—Leah, él te atacó primero, y yo no iba a permitir que siguiera ofendiéndote de esa manera —replicó con dureza, con su mirada afilada sobre la mía. Dejé la gasa ensangrentada sobre la mesa y me crucé de brazos.

—Si no hubieras caído ante sus provocaciones, quizás habríamos podido hablar y...

—Él me hizo una pregunta, yo no tenía por qué mentir.

—Lo sé, pero ahora no nos escuchará.

Se mofó.

—Jamás iba a hacerlo, Leah.

—Claro que sí, él...

—No —negó enérgico—. Fue muy ingenuo de tu parte pensar que se lo tomaría bien.

—Ahora que está con Grace, pensé que no le afectaría tanto, creí que...

—Él te ama —espetó con acidez—. Es obvio que no iba a superar una relación de seis años en unas semanas, y que reaccionaría mal al enterarse de que estabas conmigo. No es algo que se haga entre amigos.

No quería admitirlo, pero tenía un punto. Cerró sus manos a ambos lados de mi cadera para acercarme a él.

—No quiero pensar qué hará cuando se entere de que eres mi esposa, perderá la cabeza.

Negué y acaricié los mechones de su cabello; estaba alborotado después de la disputa.

—Tiene que tranquilizarse en algún momento, y cuando eso suceda, escuchará razones.

—No lo hará —insistió, apretando su agarre en mi cadera.

—Debo ir a verlo y explicarle antes de que cometa alguna estupidez. Estoy segura de que me escuchará a mí.

—No irás a verlo sola —sentenció severo.

—Está bien, no me hará daño.

—Yo no estaría tan seguro, y no quiero correr el riesgo.

—Tenemos que hacerlo entender antes de...

—Lo sé, pero no poniendo tu culo en peligro como te encanta hacer siempre.

—Solo quiero asegurarme de que no irá corriendo a decírselo a mis padres antes de tiempo.

—Ya lo sé, ya lo sé. Y lo haremos, hablaremos con él cuando se tranquilice, los dos —acotó con dureza y lo miré con exasperación. Jordan no me escucharía estando Alexander cerca.

—Pero es...

—Hablo en serio —me interrumpió, genuinamente abatido—. Prométeme que no cometerás alguna estupidez como ir a verlo sola.

—Escucha, creo que...

—Leah —insistió, con el cansancio y la preocupación evidentes en su maltratado rostro—. Prométemelo.

Exhalé por la nariz intentando mitigar la frustración. Una lucha de voluntades con Alex era igual que empujar una pared con las manos.

—De acuerdo, te lo prometo —concedí a regañadientes luego de pensármelo.

—Bien. —Su postura se relajó.

—Exagerado.

—Impulsiva.

—Terco.

Sonrió como si le hiciera gracia que le dijera sus verdades, pero se desvaneció cuando tomé su cara entre mis manos y me incliné para besar su mentón, ahí donde se formaba un moretón. El afecto que sentía por él en ese momento era tanto que no sabía qué hacer conmigo misma, mucho menos cómo mantenerlo reprimido dentro, así que lo besé con delicadeza, teniendo cuidado de no lastimar su labio partido. Pasé mi lengua por su parte afectada, y quizás aquel era un gesto muy afectuoso para él porque me besó con mayor ahínco. Sus ojos eran oscuros cuando nos separamos y era divino en ese preciso instante.

Volvió a atraerme hacia sí, con una mano apretando mi trasero para pegarme más a su cuerpo y el sabor metálico de la sangre llegando hasta mi boca. La herida en su labio debió abrirse de nuevo porque el regusto estaba anclado a mi lengua y muy probablemente él lo percibía también, pero daba igual.

—Si vas a agradecerme así cada vez que te defienda, no me molestaría que siguieran partiéndome la nariz —susurró contra mis labios y yo sonreí sin que la culpa me abandonara.

Volví a agotar la distancia que nos separaba y sus labios se movieron sobre los míos; la posición era incómoda, el sabor de la sangre inundaba la boca de ambos y el momento resultaba jodidamente extraño, hermoso, conciliador y confortante.

Había muchas razones para querer a Alexander Colbourn. Esa, en definitiva, era una de ellas.

Observé por enésima vez el BMW de Jordan en su plaza habitual. Gran parte de mí se tranquilizó al saber que había llegado vivo a su departamento. Habían transcurrido al menos tres horas desde el encuentro.

Me mordí el labio y sopesé el ir a hablar con él o mantenerme fiel a la promesa que le había hecho a mi esposo.

Dejé caer la cabeza en el asiento, cerré los ojos y tomé aire. Necesitaba actuar.

Bajé del auto y entré en su complejo, el asalto de aire caliente del interior confortándome. Una vez que salí del ascensor, caminé a paso decidido por el pasillo que precedía la puerta de su departamento, toqué el timbre y esperé con las manos en los bolsillos de mi chaqueta, para no evidenciar más de la cuenta mi nerviosismo.

Un montón de frases se amontonaron en mi cabeza, cada una como una posibilidad distinta de enfrentar a Jordan y abordar el tema hasta que comprendiera la situación, hasta que lograra convencerlo de no decírselo a nadie, al menos hasta que decidiéramos cómo afrontarlo Alexander y yo.

Mi cerebro dejó de maquinar posibles escenarios en el momento en que unos ojos avellana me recibieron desde el otro lado del umbral, duros y acusadores, juzgándome.

—¿Qué haces aquí? —La voz de Grace sonó tan tensa como una cuerda.

—Tengo que hablar con Jordan. —Di un paso al frente intentando pasarla, pero ella estiró su brazo colocándolo sobre el marco, manteniéndose firme como una muralla.

—Aquí no es lugar para zorras.

—¿Entonces qué mierda haces aquí? —respondí mordaz sin perder la oportunidad, y sus ojos flamearon por el insulto. Hice el ademán de entrar, pero continuó férrea en su lugar.

—Él no quiere verte.

—¿Qué eres, su mensajera o su mami? —Me crucé de brazos, perforándola con la mirada—. Ya está bastante grandecito para que él solo decida lo que quiere, no necesita que alguien hable en su nombre. Si no quiere verme, que venga él y me lo diga en la cara.

—¿No es suficiente con lo que le hiciste? Vaya fichita que resultaste ser. —Me escaneó asqueada—. Lárgate, no permitiré que le hagas más daño con tus mentiras.

Enarqué las cejas, con la exasperación y el hastío borboteándome bajo la piel.

—Si en verdad quieres ayudarlo, déjame aclarar las cosas con él. —Volví a intentar entrar y volvió a impedírmelo.

—Ya te dije que no te lo permito.

—No necesito de tu jodido permiso. —Arremetí con más fuerza esta vez, hasta traspasar la barrera creada por su brazo, y di dos pasos antes de que me tomara de la muñeca para detenerme.

—¡Ten un poco de decencia! —gritó a mi espalda e intenté zafarme, sin éxito.

—¡Suéltame!

—¡No! ¡Solo le harás más daño! ¡No necesita verte ahora!

—¡Suéltame ya pedazo de idiota, si no quieres que te haga una nueva cara!

Jaló de mí con tal fuerza que me hizo retroceder un paso, y estuve a punto de perder el equilibrio.

—Suéltala, Grace. —La voz de Jordan nos hizo detenernos en nuestra lucha y ella obedeció sin replicar.

La taladré con los ojos, inyectando tanto veneno como fuera posible.

—Lo siento, Jordan, intenté detenerla, pero me ha empujado hasta entrar.

La fulminé una última vez antes de centrarme en él. Mi corazón se compungió en el momento en que vi el desastre que era su cara. Tenía un ojo morado e hinchado, un feo moretón en el pómulo, el labio y la nariz, que también estaba acomodada en un ángulo extraño.

—Jordan, lo sient...

—¿Quién mierda está gritando tanto? ¿Te estás peleando con el repartidor o qué carajo, Grace? Porque no tendrá propina si... —Ethan se cortó a sí mismo cuando reparó en mi presencia y el color de su cara se desapareció—. Mierda.

Cambié mi peso de un pie al otro, sintiéndome como una bruja a punto de ser mandada a la hoguera sin ser escuchada, solo juzgada.

—¿Qué haces aquí, Leah? —La voz de Jordan salió dura y cruda, como nunca antes.

—Tenemos que hablar.

—Tú y yo no tenemos nada de qué hablar.

—Sí tenemos.

—¿No lo has oído ya? Lárgate —acotó Grace detrás de mí.

—Tú cállate, esto no tiene nada que ver contigo. —La miré sobre el hombro de una forma en que mandaría callar a cualquiera y volví a enfocarme en mi ex—. Sí tenemos, tengo que explicarte muchas cosas para que entiendas que...

—¿Qué voy a entender? —Dio un paso hacia mí—. ¿Que me pusiste el cuerno sin importarte una mierda?

—Así no fueron las cosas, si tan solo me dejaras explicarte...

—¿Qué me vas a explicar? ¿Qué mierda me vas a explicar? ¿Que te dejaste follar como una perra en celo? ¿Que te comportaste como una cualquiera? ¡No hay nada que explicar! ¡Lo he visto todo!

—¡Jordan! —Ethan lo interrumpió crispado—. Sé que estás furioso, pero esa no es la forma de hablarle. Joder, ten un poco de control, amigo.

—¿Control? —Se giró hacia él, colérico—. ¿Cómo me pides control a mí cuando ella no se controló para engañarme, para comportarse como una vil zorra? —Me señaló recriminándome y mi pecho se oprimió por el resentimiento en su mirada—. Porque eso es lo que eres, ¿no? Así es como te gusta que te traten, como una cualquiera.

Grace emitió una risita a mi espalda.

—¡Solo escúchame un minuto!

—Jordan, amigo, en serio, comprendo tu enojo, pero...

Se retiró con brusquedad el tacto de nuestro amigo y se acercó hasta que estuvimos a un palmo de distancia; su cara estaba contorsionada en una mueca de ira.

—Eres una mierda de persona, Leah, ambos lo son, ambos son...

—¡No fue algo que planeara! ¿Tú crees que yo me levanté un día deseando sentirme así? ¡No! Peleé tanto contra ello, pero...

—Sí, se nota que luchaste mucho para no engañarme —siseó—. Y que luchaste todas las veces que seguramente cogieron a mis espaldas.

—Jord...

—¿Desde cuándo? —cuestionó con los dientes apretados.

—¿Desde cuándo qué?

—¿Desde cuándo estás engañándome?

El nudo en mi garganta se volvió más tenso y el pesar en mi pecho más insoportable.

—No necesitas saber eso, no nec...

—¡Claro que lo necesito! —vociferó—. ¡¿No crees que me merezco al menos esa verdad de tu parte?!

—Solo te hará más dañ...

—¡Respóndeme, con una mierda!

—¡Meses! —grité sucumbiendo a la presión.

Toda expresión desapareció de su cara, dejando un espacio en blanco, atónito. Luego soltó una risa baja, sin humor, y con cada inhalación que daba, moría un poco más, hasta que sus facciones se volvieron de piedra.

—¿Tú eres estúpida o solo pretendes serlo?

—¿Qué?

—¡Que si eres estúpida! —ladró—. ¿Crees que él no va a dejarte cuando se canse de ti? ¿Crees que no te botará como basura cuando se harte de darte por el culo como una jodida perra? ¿Eres tan estúpida para creer que te será fiel? —Se acercó hasta tomarme de los brazos para sacudirme con violencia—. ¿Realmente lo crees? ¡¿De verdad eres tan idiota además de puta?!

Me deshice de su agarre con brusquedad y Ethan se colocó en medio de ambos intentando tranquilizarlo.

—Ya fue suficiente. Necesitas calmarte.

Grace se posó al lado de Jordan, acariciando su espalda. Nuestro amigo me miró sobre el hombro.

—Leah, no creo que sea buen momento. Vuelve después, ambos están muy volátiles y tengo miedo de que cometan alguna estupidez.

—No, tenemos que hablar ahora —me negué, sin moverme de lugar.

—Leah, por favor —insistió.

—He dicho que no, no me muevo de aquí hasta hablar con él.

—¡Lárgate de una puta vez! —lo apoyó Grace, pero la ignoré.

—Está bien —habló entonces Jordan, deshaciéndose del toque de Grace e inspirando un par de veces para apaciguarse—. ¿Quieres hablar? Bien.

El rostro de la chica se desfiguró.

—Pero...

—Déjennos solos.

—No creo que sea buena idea, no cre...

—¡He dicho que se larguen! ¡Fuera los dos! Esto nos concierne solo a ella y a mí. Lárguense. —Miró a Ethan, que no parecía convencido—. Yo no soy un animal como el que está con esa mujer, así que no te preocupes, no le haré daño.

Nuestro amigo vaciló, pero asintió luego de pensárselo. Se giró hacia mí en su camino a la puerta.

—Estaré en el vestíbulo, no dudes en llamarme si las cosas se complican, ¿de acuerdo? —Me apretó el hombro, reconfortante—. Cuídate, Leah.

Después se apresuró a salir junto a una reticente Grace por el umbral, cerrando la puerta tras de sí y dejándonos presos en nuestro propio campo de batalla.

—¿Y bien? ¿Qué mentiras vas a contarme ahora para salvar tu pellejo? —Sus ojos llameaban.

—Ninguna. No te diré nada que no sea verdad.

—Claro, ¿igual que hiciste los últimos meses?

—No quería que las cosas sucedieran de esa manera. Nunca quise hacerte daño. Jamás esperé que llegáramos tan lejos, que...

—¿Te traté mal alguna vez? —me interrumpió—. ¿Te hice sentir mal alguna vez? ¿Te falté al respeto?

—No, pero...

—¿Entonces por qué lo hiciste? ¿Qué tenía él que no tuviera yo? ¿Qué es lo que yo no puedo darte que él sí?

Mi corazón se comprimió dentro de mi pecho y el pálpito de la culpa me invadió al contemplarlo, destruido, vulnerable y expuesto.

—Te quiero, Jordan, muchísimo. Nuestra historia es larga, crecimos juntos, pero nuestra oportunidad de ser algo más llegó y se fue.

—¿Qué quieres decir?

—Quiero decir que la desgastamos demasiado a pesar de no ser lo que el otro estaba buscando, porque nos sentíamos cómodos con lo familiar, con la costumbre, lo que conocíamos de años.

Frunció el ceño.

—Tomamos la oportunidad, la desgastamos hasta que no quedara nada más y la dejamos ir, no nos aferramos a ella porque ninguno de los dos la quería lo suficiente —continué explicando con un toque de desesperación para que me escuchara.

—¿Esa es tu excusa?

—Es la verdad —contesté con determinación—. Sé que te sentías igual, que estabas conmigo porque era conveniente y...

—¿Conveniente? —repitió, como si no diera crédito a lo que escuchaba—. ¿Crees que solo estaba contigo por interés?

Me encogí de hombros.

—¿No lo estábamos ambos? —Abrió la boca para replicar, pero me adelanté—. Quiero decir que pasábamos tanto tiempo juntos, llevábamos tanto tiempo de relación, y tenía sentido, parecía que era lo correcto, que era el siguiente paso y nuestras familias estaban felices por ello, por lo conveniente que resultaba todo el escenario, pero la conveniencia nunca es una buena razón para mantener una relación, de hecho, es una razón horrible.

—Leah...

—¿No crees que, si ambos lo hubiésemos querido realmente, nos habríamos aferrado a ello? Tú me dejaste ir, hasta que te enteraste quién era la persona de la que estaba enamorada. No había nada que nos detuviera, Jordan, solo nosotros, pero lo dejamos morir porque sabíamos que lo que buscábamos no lo encontraríamos en el otro.

—¿Y con él sí lo encontraste? —Su cara era una cruda expresión de pesar, sus orbes anegados en lágrimas mientras esperaba mi respuesta.

Quizás Jordan nunca comprendería el tipo de entendimiento que tenía con Alexander, esa sincronía que hacía de las cosas más complicadas las más naturales; una naturalidad que nunca alcancé con él. Quizás nunca comprendería el sentimiento tan arrebatador de afecto que Alex provocaba en mí. Y justo en ese momento, la pregunta que más había temido pendía entre nosotros como una nube negra a punto de desatar la tormenta, aquella cuya respuesta sabía que lo destruiría.

—Sí.

Soltó otra risita y bajó la cabeza para enjugarse una rebelde lágrima con el dorso de la mano. Su ojo sano estaba enrojecido cuando lo enfocó en mí de nuevo.

—¿Sabes lo que estás haciendo? ¿Tienes idea de lo que estás sacrificando por un tipo que te va a poner el cuerno a la primera oportunidad? Si no es que ya lo ha hecho.

Un amargo sabor a hiel me inundó la boca, pero me negué a ceder ante las inseguridades que él intentaba plantar.

—No lo conoces, Alex es...

—¿Y tú sí? ¿Qué tanto lo conoces? Estoy seguro de que no más que yo —acotó—. ¿Crees que él querrá tener una relación estable contigo? Sus padres ni siquiera se toleran, ¿tú crees que eres algo serio? Va a abandonarte, Leah, se irá a la primera oportunidad.

Negué, férrea en mi postura.

Alexander Colbourn había recibido varios golpes en la cara, un corte en el labio y la ceja, y me había defendido. Tenía que significar algo. Y si tan solo Jordan supiera que no le temía al compromiso, que sí lo había asumido conmigo, que...

—¿Ves? Incluso tú lo estás dudando. Déjalo antes de que él te deje a ti.

Al parecer había pasado demasiado tiempo pensando, porque mi silencio le daba una respuesta errónea.

—No va a hacerlo, Jordan, no va...

—Sí lo hará, porque es un cobarde que le teme al compromiso.

—No, Alex no...

—Ni siquiera comprende el concepto, es una mierd...

—¡Nos hemos casado!

Hubo un largo silencio, pero de ese tipo donde incluso el bullicio de la ciudad había cesado. La sorpresa se desvaneció y en su lugar apareció la cólera. Su mandíbula estaba tensa y la vena en su cuello hinchada. Una ajena sensación de miedo me invadió.

—¿Qué dijiste?

—Lo que escuchaste. Nos hemos casado.

—No digas estupideces —se mofó—. Es ridículo, es imposible.

—Jordan, sé que es difícil de asimilar, e incl....

—No te creo un carajo. Tus padres jamás lo permitirían, jamás...

—Porque no lo saben, no se los he dicho aún, y he venido a pedirte que por favor...

—¿Favor? —Volvió a acortar la distancia, predatorio—. ¿Tú me quieres pedir un favor a mí luego de lo que me hiciste? ¡Se supone que tú y yo íbamos a casarnos! ¡Tú y yo! Y te casaste con esa mierda, con ese hijo de puta que claramente se está aprovechando de ti, que solo te usa, que...

—¡No! En verdad Alex es...

—¡Deja de decir su maldito nombre! —gritó caminando hacia mí. Cerró sus dedos en torno a mi brazo para mantenerme en el lugar cuando intenté retroceder—. ¡¿Te volviste loca?! ¡¿Acaso te fundió el cerebro a punta de cogidas?!

—¡No! —Intenté liberarme sin lograrlo—. Fue un error, estábamos en Las Vegas, bebimos y nos ca...

—¡No te atrevas a decirlo! —me gritó en la cara y el terror por la falta de control casi me cierra la garganta.

—¡Déjame explicarte!

—¡¿Cómo pudiste?!

Volvió a sacudirme y mi corazón palpitó como loco contra mis oídos, mientras mis sentidos se agudizaban para defenderme en caso de que decidiera atacarme. Esa no era la naturaleza de Jordan, no era alguien agresivo ni mucho menos, pero la situación parecía rebasarlo.

—¡Tienes que entender! Tienes que...

Levantó la mano en un ademán que resultaba muy claro, y alcé la barbilla en espera del bofetón, sin doblegarme, aunque el miedo me carcomiera por dentro. Detuvo su mano en vilo y salió del estupor de cólera.

—¿Vas a golpearme? —Sus dedos en mi brazo seguían apresándome y le sostuve la mirada—. Hazlo. Si vas a hacerlo, hazlo de una vez.

Me dejó ir al segundo, al tiempo que su expresión se quebraba y unas lágrimas empezaban a caer por sus mejillas, rompiéndome a mí también. Mi corazón pesó tanto como una piedra en mi cavidad.

—Jordan, lo siento. Lo siento tanto, solo...

Me acerqué vacilante y él se alejó como si mi tacto quemara.

—No me toques —masculló—. Te amaba, ¿sabías? Yo sí quería una vida contigo.

La boca se me secó y las lágrimas que me nublaban la vista resbalaron por fin por mi rostro.

—Lo siento, nunca quise sentirme así por él, nunca quis...

—¿Cómo mierda pudiste hacerme algo así? ¿Qué tan mal tienes que estar para engañar a alguien?

—Jordan, por f...

—No sabes lo feliz que me hacía pensar que serías mi esposa, mía, no de un hijo de puta que va a dejarte más temprano que tarde —escupió como si fuera veneno—. No durarán un mes más siquiera.

—Lo siento —repetí llorando más fuerte, porque no sabía qué más decir—. Nunca quise lastimarte, nunca quise...

—¡Cállate! —rugió, limpiándose los restos de lágrimas con desdén—. ¡Cállate, solo cállate!

—¡Jordan! —Di un respingo cuando escuché tres golpes secos en la puerta—. Ya fue tiempo suficiente, abre ya —pidió Ethan.

El aludido me miró por un segundo antes de ir hasta la puerta y permitirle entrar. Este escaneó el lugar como si buscara evidencias de un crimen.

—Llévatela de aquí —dijo mi ex con desprecio.

Ethan se acercó y me acarició la espalda, mientras yo luchaba por controlar el llanto. Jordan ni siquiera me miró cuando pasé a su lado y Grace me dedicó otra ojeada desdeñosa cuando nos cruzamos en el umbral, pero me sentía tan mal que no encontré fuerzas para enfrentarla.

—¿Segura que estás bien? —preguntó Ethan, preocupado.

—Sí —mentí al llegar a mi auto.

—¿Puedes conducir?

—Sí —volví a mentir.

Mi respirar era entrecortado y el nudo en mi garganta me dificultaba tragar. La presión en mi pecho era intolerable.

—Leah, no justifico las acciones de Jordan ni las palabras que te ha dicho, pero lo que hicieron fue un golpe muy bajo.

Apreté los dientes en un fútil intento por contener el llanto.

—Ya lo sé.

—Debieron pensar las cosas antes de...

—¡Ya lo sé! ¡Ya lo sé, maldita sea! —exploté y comencé a llorar otra vez como una niña—. Nunca quise lastimarlo, nunca quise que las cosas se salieran tanto de control, nunca quise llegar tan lejos con Alex, nunca quis...

Me rodeó con sus brazos al tiempo que yo hacía puños su chamarra, mis nudillos blancos por la fuerza mientras vivía mi catarsis.

—Nunca quise hacerle daño —sollocé.

—Lo sé, lo sé, tranquila. —Me acarició la espalda en un gesto confortante, y se mantuvo firme hasta que logré tranquilizarme un poco más. Debía lucir patética, pero Ethan era un viejo amigo y sabía que podía confiar en él, que no me juzgaría—. Será difícil, pero lo superará. Dale tiempo.

Asentí apenas, aferrándome a sus palabras con todas mis fuerzas.

—De acuerdo. Ven, yo conduciré. ¿A dónde quieres que te lleve?

Subimos a mi auto y me acomodé en el asiento del copiloto.

—A donde sé que estaré bien.

Hablamos poco durante el trayecto, la culpa me comía viva y el miedo me mantenía paralizada.

Cuando llegamos a nuestro destino y él abrió la puerta de su departamento, no perdí el tiempo en echarle los brazos al cuello antes de derrumbarme otra vez. Traté de ignorar el hecho de que estaba llorando y frente a Alexander, cuando le había prometido que no lloraría, pero las emociones me sobrepasaban y me encontré balbuceando un montón de estupideces contra su camiseta.

Necesitaba algo sólido para estabilizarme y algo más firme que solo la tierra bajo mis pies. Alex me rodeó con sus brazos igual que una fortaleza, seguro y sólido, y yo me sujeté a su camiseta como si fuera la vida misma, al tiempo que enterraba la cara en su pecho.

—¿Qué pasó? —preguntó preocupado sin dejar de abrazarme.

—Ha ido a ver a Jordan. Yo estaba ahí cuando llegó.

Lo escuché maldecir por lo bajo, pero no estaba lista para dejarlo ir aún.

—¿Te hizo daño? ¿Intentó algo?

Negué.

—Solo hablaron. Los dejamos solos para que pudieran hacerlo.

—¿La dejaste sola con él? —Alex parecía alterado por la perspectiva.

—Tranquilo, hombre. No le hizo daño, Jordan jamás lo haría.

—¿Has visto cómo me dejó la cara? Yo digo que tan inofensivo no es.

—Leah está bien, pero han sido muchas emociones para una sola noche, ella...

—Tenemos que decirles —interrumpí levantando la cabeza—. Tenemos que decirles a nuestros padres.

—¿Qué cosa? —intervino Ethan con voz temblorosa, y cuando me giré para verlo, estaba pálido—. No estarán esperando un bebé, ¿verdad?

—No —contesté y suspiró de alivio.

—Ah, menos mal porque...

—Solo les diremos que nos hemos casado —respondió Alex lacónico y Ethan pareció al borde del colapso.

—Creo que el alcohol me ha dejado sordo. ¿Qué has dicho?

—Que nos hemos casado —repitió con la misma seguridad.

El moreno se pasó las manos por los rizos y después por la cara, como si quisiera despertar de un mal sueño.

—Hombre, ¿puedo sentarme un momento en tu sala? Creo que se me bajó la presión.

Bufó, y me hubiese reído por su expresión de no ser por la vorágine de sentimientos que me abrumaban.

—Santa mierda —dijo volviendo a pasarse las manos por los rizos—. ¿Algo más que quieran confesarme? Para prepararme mentalmente. No quiero que ahora se me baje el azúcar.

—Eso es todo.

—Más les vale.

Sí, eso era todo, pero era más que suficiente para que el remanente de la bomba que había explotado siguiera haciéndonos pedazos. Y peor aún, para que estallara otra más letal cuando nuestros padres se enteraran.

# 43
## NUESTRO SUCIO SECRETO

*Leah*

Aquel era el día.

Cuatro días habían transcurrido desde el enfrentamiento con Jordan y ya no podíamos postergarlo por más tiempo. Debíamos decírselos sí o sí.

Di los últimos toques a mi vestido y me miré una última vez al espejo. Era un buen atuendo para confesarles a tus padres que te habías casado con el hijo de la persona que más odiaban en la Tierra. Ahora solo restaba esperar que se lo tomaran bien y que el suelo no se abriera para darle la bienvenida a Satanás con el posible fin de los días.

—Te ves preciosa, cariño —mamá me lanzó el cumplido cuando la encontré a las puertas del gran salón de mi casa.

—Tú igual.

Mi madre no era muy afín a la opulencia que nos rodeaba. No usaba joyas, a excepción de su anillo de compromiso, y sus vestidos para este tipo de fiestas eran simples. La sencillez era algo inherente a su persona, pero su belleza siempre la hacía resaltar.

—¿Listas? —Papá apareció detrás de mí, ataviado con un traje que se ceñía perfectamente a su cuerpo. Me miró con afecto antes de besarme en la coronilla—. Te ves divina. —Se apresuró a situarse junto a mamá para besarla en los labios—. Tú también.

—Tú tampoco te ves mal —dijo ella.

—¿Podemos apresurarnos con esto? Dejé una partida pendiente —se quejó Damen peleando con su corbata.

—Ni siquiera ha comenzado y ya quieres ir a meterte en tu cueva, insecto —intervine.

—Eso es mucho mejor que estas aburridas fiestas —renegó con las manos en los bolsillos.

—Eso nadie va a discutírtelo.

Papá nos lanzó una mirada de advertencia, pero se avocó a entrar en el espacio que usábamos como salón de fiestas, con mamá tomándolo del brazo y caminando a su lado. Damen y yo permanecimos un par de pasos más atrás, y pronto nos dispersamos para perdernos entre los infinitos grupos que charlaban. La fiesta de Año Nuevo que papá organizaba era el evento, ese al que todos los empresarios querían ser invitados. Era una forma para celebrar en conjunto con sus socios y desear la buena fortuna para las empresas con un evento extraordinario. Este año no sería la excepción. Estaba segura de que sería inolvidable para mis padres.

La primera hora transcurrió entre charlas cortas y superfluas, como solía ser todo en ese entorno. Localicé a mi hermano Erick junto a Claire y no perdió la oportunidad para sonreírme.

—Siempre es grato verte. —Una voz familiar me hizo girar la cabeza en su dirección y sonreí de oreja a oreja.

—¡Bastian! —Me apresuré a abrazarlo y él me correspondió con afecto—. No te vi entrar.

—Estabas ocupada y no quise interrumpir.

—Está bien. ¿Dónde está Malika?

—Debe estar charlando con los demás, no tardará en venir a saludarte. ¿Y tu esposo?

Mi sonrisa flaqueó y carraspeé.

—No debe tardar.

Me dedicó una mirada sagaz.

—Sabía que no tardarías en pedirme que desistiera del divorcio.

—Sí, bueno, no fue fácil llegar a esa decisión.

Soltó una risita baja.

—Yo más bien diría que sí lo fue. Hay mucha química entre ustedes, hasta un ciego podría verlo. Perder algo así sería un gran error.

—Lo sé.

—¿Cuándo se lo dirás a tus padres? —cuestionó y un nudo se formó en mi estómago.

—Más pronto de lo que te imaginas.

—Eso espero. —Acarició mi mejilla y estaba por decir algo más cuando otro hombre lo interceptó, llevándoselo de mi lado.

El evento transcurrió con normalidad, a diferencia del tiempo, que parecía avanzar rápido, como si el universo estuviera ansioso por ver el desastre que se avecinaba. Esperaba que no fuera así. Se lo diríamos a nuestros padres al final de la fiesta, cuando todo hubiera terminado y solo quedaran ambas familias. Discreto, sencillo y controlado.

Todo estaría bien, todo estaría bien, tod...

Mis pensamientos positivos murieron en el momento en que la familia Pembroke cruzó el umbral. Abraham y su esposa iban tomados del brazo, mientras Jordan permanecía un par de pasos más atrás, los moretones aún eran evidentes en su rostro. Giré el cuello hasta que ya no pude más para seguirlos con la vista. Una sensación desagradable se instaló en mi pecho. No tenía idea de que vendrían.

Para ese punto quizá yo ya me había vuelto loca, porque sentí la atmósfera volverse mil veces más pesada cuando los Colbourn hicieron acto de presencia. Agnes iba colgada del brazo de su marido con su típica cara de estreñida, y su compañero regio e indiferente. Sin embargo, Alexander era otra historia, atrayente e incitante como un buen libro. Adoraba verlo en trajes que se ceñían a su perfecta anatomía, con su cabello peinado hacia atrás y siempre altivo. Era un homenaje a la belleza masculina, incluso con los inoportunos moretones manchando su rostro.

Salí de mi ensimismamiento cuando lo seguí con la mirada por la sala y mis ojos ubicaron a Jordan, que tampoco perdía detalle de Alexander.

El tiempo siguió su curso y antes de que me diera cuenta, ya faltaban menos de cinco minutos para la medianoche. La gente comenzó a aglomerarse alrededor de la tarima que papá tenía a modo de *pódium*, donde solía dar sus discursos de agradecimiento. Los camareros se apresuraron a proveer a todos los invitados de una copa de *champagne* para el codiciado brindis de Año Nuevo. Papá tomó su lugar frente al micrófono y esbozó una pequeña sonrisa.

—Quiero comenzar agradeciendo su presencia. Nada de esto sería posible sin ustedes. Los inicios de año son siempre una nueva cuenta en blanco para mejorar y crecer.

Una ola de aplausos inundó la sala.

—Gracias por formar parte de esta gran empresa. Que su año esté lleno de prosperidad y muchos logros.

Alzó su copa y todos los demás lo imitamos. Esos eran todos sus discursos. Era un hombre de pocas palabras.

Salimos al balcón e hicimos juntos la cuenta regresiva para un año nuevo. Papá me estrechó contra sí justamente a las doce, susurrándome al oído lo orgulloso que se sentía de mí y yo le correspondí el abrazo con el mismo apego.

Ubiqué a Alexander entre la multitud y le hice una seña con la cabeza para que me siguiera, mientras los demás continuaban abrazándose y dándose buenos deseos. Caminé por el perímetro del salón, y justo cuando estaba a punto de llegar a la puerta que le había indicado a mi esposo para encontrarnos, Jordan me interceptó.

Todo mi buen humor se evaporó y dejó en su lugar una sensación incómoda y desagradable.

—¿A dónde vas con tanta prisa? —cuestionó con sus ojos de hierro.

—¿Qué te importa? —Di un paso con la intención de pasarlo de largo, pero me lo impidió con su cuerpo.

—No estarás pensando en encontrarte aquí con tu esposo, ¿o sí? —Su voz estaba llena de resentimiento.

Lo miré irritada.

—¿Tienes algún problema con eso? —Una nueva voz se coló en nuestro círculo y me sorprendió ver a Alex a mi lado, su postura tensa y sus ojos de hielo—. ¿No sabes que es de mala educación molestar a las mujeres? En especial si son casadas.

La cara de Jordan enrojeció por la ira y toqué el brazo de mi marido para evitar que se enzarzaran en otra pelea.

—No deberías andar por ahí diciéndolo con tanta ligereza —siseó Jordan—. Hasta donde sé, cualquiera podría descubrir su sucio secreto.

Alex resopló por la nariz con suficiencia.

—¿Crees que me da miedo que lo sepan? Leah es mi mujer. La gente lo sabrá más pronto que tarde. Será mejor que te acostumbres a eso.

Jordan dio un paso hacia nosotros y me preparé para ponerme entre ambos si era necesario. Los ojos de mi ex me perforaron hasta que, de la nada, sus labios formaron una sonrisa sádica que me puso los vellos de punta.

—Puede que la gente se entere más pronto de lo que creen.

—Eso lo resolveremos nosotros —atajé.

Nos miró a ambos por un momento más y después se retiró con la cara compungida por el enojo. Solté el aire cuando al fin quedamos solo nosotros.

—Ven conmigo —me pidió Alex y me aseguré de que nadie nos mirara mientras cruzábamos una puerta adyacente que daba lugar a un pasillo conectado con el resto de mi casa. Alex cerró la puerta tras de sí y me miró con curiosidad.

—¿Estás bien? —Tocó mi cara con afecto.

—Sí, no es importante. Solo está molestando.

—Le dolió saber que eres mi esposa. Te lo dije.

—Tenías razón —admití y le regalé una sonrisa—. Parece que te gusta decirlo.

—¿El qué?

—Que soy tu esposa.

Esbozó el atisbo de una sonrisa y sus ojos se iluminaron cuando los posó en mí.

—Claro que me gusta. Mi esposa —repitió con lentitud—. Me hace sentir como un hombre con mucha suerte.

—Porque lo eres —lo molesté—. ¿Qué hora es?

Observó el reloj en su muñeca, ese que yo le regalé.

—Las doce y tres, ¿por qué?

—Hay una tonta tradición que habla sobre besar a la persona con la que quieres pasar el resto de tu año, justo a la medianoche, pero sé que es una tontería, y no creo que quieras hacerlo porque además tiene que ser debajo de un muérdago o algo así y...

Alex me interrumpió tomando mi rostro entre sus manos y atrapó mis labios entre los suyos. Me besó lento y con determinación, hasta que no encontré una pizca de aire en mis pulmones.

—¿Funciona igual si estamos debajo de una cabeza de venado? —preguntó serio y alcé la vista para encontrarme, en efecto, a la bizarra cabeza.

—No lo sé.

—Bueno, mejor hacerlo dos veces para estar seguros.

Me atrajo hacia sí de nuevo, haló de mi labio inferior con los suyos antes de morderlo y dejarme sin aliento.

—Feliz año nuevo, Leah —murmuró acariciando mi pómulo con su pulgar, su nariz rozando la mía con afecto.

Sonreí. Quería iniciar el siguiente año con él, y después otro y otro más hasta perder la cuenta. Deseaba comenzar cada año con Alexander por el resto de mi vida.

—Feliz año nuevo.

—¿Te veo al terminar?

—Sí, te veré al terminar.

—De acuerdo. Sal tú primero.

Asentí sintiéndome mareada por la ola de emociones, el aire fresco en el salón a comparación del pasillo. Mi corazón latió con ensoñación una vez, dos, tres… Antes de convertirse en un peso muerto en mi pecho.

Jordan estaba sobre la tarima, con una copa de *champagne* en la mano y una amplia sonrisa en el rostro.

—Ya que estamos agradeciendo y repartiendo buenos deseos por todos lados, yo quiero aprovechar la oportunidad para hacer lo mismo.

Caminé un par de pasos antes de que las piernas me fallaran, paralizándose como si fueran de plomo. El intenso sabor del miedo me inundó la boca y me privó de cualquier pensamiento.

—Gracias a todos por estar aquí. Son todos muy afortunados, porque serán los primeros en escucharlo.

«No, no, no, no».

Cada latido desbocado de mi corazón era un paso más que yo daba hacia la tarima, pero parecía inalcanzable. Ni siquiera fui consciente de en qué momento reanudé mi andar.

—Sé que a algunos los pillará por sorpresa, pero no hay que dejar de dar los buenos deseos para que sea una relación duradera.

Todos guardaron silencio, atentos, mientras yo luchaba contracorriente con el mar de brazos y piernas que se aglomeraba en torno a la tarima para llegar hasta él. ¡Dios! Sabía que Jordan estaba muy molesto, pero no lo creí capaz de hacer algo tan cruel para vengarse.

«No puede ser, no puede ser…».

—Démosle un fuerte aplauso a modo de congratulación a Leah McCartney y Alexander Colbourn por la consolidación de su matrimonio. —Alzó la copa en ademán de brindis y la ola de murmullos se alzó con la misma capacidad de un *tsunami*.

Yo permanecí de pie frente al pódium, justo delante de él, sintiendo que el mundo a mi alrededor no era más que una versión distorsionada de lo que unos minutos atrás parecía una velada encantadora. La verdad había salido a la luz, empujándome hacia las sombras del miedo más visceral que había sentido hasta ese instante. Porque lo sabía, la certeza me retorcía las entrañas y me arañaba el pecho, aquello era solo el inicio de una batalla campal y la relación de Alex y yo era el trofeo, solo que mientras nosotros estábamos decididos a luchar para conservarla, los demás querían tenerla entre sus manos para hacerla pedazos…, para destruirnos.

Continuará...

Joan Collins
DRIVE

## Querido lector:

Gracias por darle una oportunidad a este libro. Gracias por emocionarte con cada diálogo, chillar con cada giro de la trama, apretar las piernas en cada escena candente y llorar con esas palabras que te rompen el corazón. Sobre todo, gracias por darle un hogar a una pequeña parte de mí con este libro.

Hemos recorrido un largo camino con Leah y Alexander —nuestra arpía y nuestro imprudente—, y ahora hemos llegado a la meta para cumplir el sueño de transformarlos en algo que puedas tener en tus manos. Espero que el libro te llene de emociones desde la primera página. ¡Disfrútalo!

Con amor, Melissa Ibarra